Second Edition

진료실에서 보는
피부질환

저자 **中村健一**

옮긴이 심영기 · 최세희 원장님

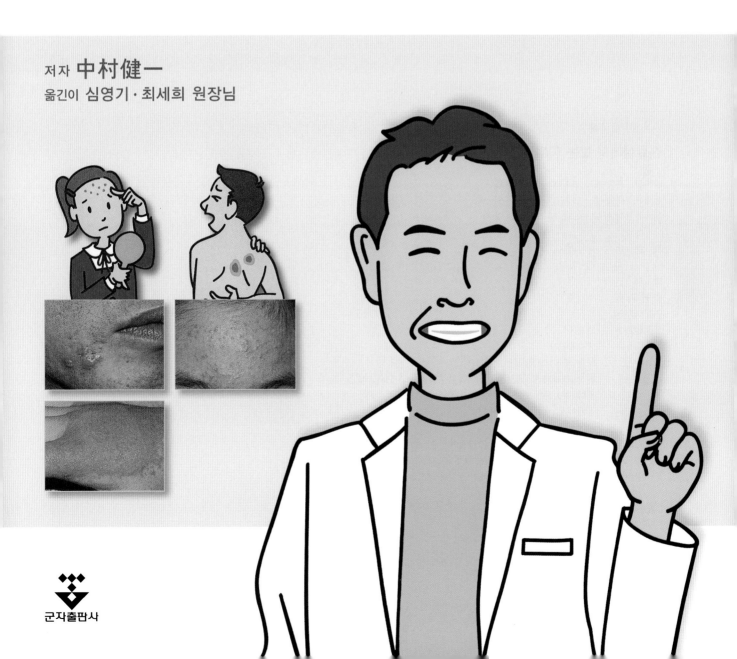

군자출판사

진료실에서 보는 피부질환

둘째판 1 쇄 인쇄 | 2018 년 5 월 25 일
둘째판 1 쇄 발행 | 2018 년 6 월 5 일
둘째판 2 쇄 발행 | 2022 년 10 월 21 일

지 은 이   中村健一
역   자   심영기
발 행 인   장주연
출 판 기 획   박미애
편집디자인   김지선
표지디자인   김재욱
발 행 처   군자출판사
          등록 제 4-139 호 (1991. 6. 24)
          본사 (10881) **파주출판단지** 경기도 파주시 회동길 338(서패동 474-1)
          전화 (031) 943-1888   팩스 (031) 955-9545
          홈페이지 | www.koonja.co.kr

ISBN 979-11-5955-319-6
정가 50,000 원

제2판 서두에

2016년 신규 매독 발생 인원이 4,000명을 넘었습니다(일본 국립감염증연구소, 2016년 연간 발생 속보수치, 2017년 1월 공개). 초판을 집필했던 2010년경에는 600명에 비해 급증한 수치입니다. 스마트폰의 보급으로 성행위 혹은 TV의 영향 등 여러 가지 이유를 들고 있습니다. 그러나 '초기진화'에 실패한 최대 이유는 의료현장에서 매독균(Treponema Pallidum)을 간과하고 있는 우리들(개원의, 일반병원의 보통의사)때문일지도 모르겠습니다. 매독은 '어디에나 있는 보통질환'이 되고 있습니다. 이번 판에서는 새로 매독에 관한 내용을 추가하였습니다.

또 치료법에 관해서도 심상성 여드름을 극적으로 치료하는 신약이나 대상포진의 동통에 대한 약제의 '발견', 아토피성 피부염의 'Proactive요법' 등, 근래 몇 년 동안에 치료법은 최근 크게 발전했습니다. 특히 이와 같은 질환에 관해서 상세히 기술하였습니다.

이번 개정판에서는 초판을 답습하여, 가능한 일상적인 질환을 알기 쉽게 다루고 있습니다. 한편, 초판에서 너무 간단하게 기재했던 제5장의 '유사증례 사진집'은 해설도 추가한 '피부진단 tips 집'으로 내용을 늘렸습니다. 또 주로 큰 병원에서 치료하는 생물학적 제제, 면역억제제 등의 정보나 교원병, 각종 종양, 혈관염 등, 피부과적으로 중요해도 일반의가 경험하기에는 드문 질환은 생략하였으므로, 주의하시기 바랍니다.

본서의 자매서인 "진료소에서 보는 어린이의 피부질환", 또는 필자 집필의 웹사이트 연재 '일경 Medical Online'의 '임상강좌 : 다큐먼트(document) 피부과 외래'(등록 후 열람 가능)도 아울러 읽어 보시기 바랍니다.

참고서적으로는 권말에 참고도서를 게재하였습니다. 피부과 분야의 서적은 미야치 요시키 선생님(滋賀県立 성인병센터 병원장)이 쓰신 것이 매우 많이 팔리고 있습니다. 최신정보를 받아들이고, 의사가 알고 싶어 하는 내용을 예리하게 다루고 있기 때문입니다. 정보의 홍수 속에서 '어떤 피부과 서적을 살 것인지 망설여진다면 미야치(宮地)의 책을'이라는 말이 있습니다. 본서도 미야치 요시키 선생님의 책에서 많은 정보를 얻었습니다. 깊은 감사를 드립니다.

2017년 2월

서두에

요즘 환자들은 인터넷을 통해 자신의 피부질환을 추측합니다. 내과질환인 경우, 검사 데이터에 근거하여 환자에게 설명합니다. 설명할 수 없는 경우에는 '검토해 보자'며 시간을 벌 수도 있어서, 결론을 내리기까지 시간차가 있습니다. 그러나 피부과 외래 에서는 환자와 의사 모두 증상을 육안으로 확인할 수 있으며, 환자는 이미 증상을 파 악해 상황을 분석하고 있습니다. 그 자리에서 결론을 내려야만 합니다. 즉 '속임수 금 지'의 진료과인 셈입니다.

피부과 전문의는 도대체 어떤 진료를 하는 것일까요? 타과 전문의는 피부를 한 번만 보고도 진단할 수 있는 피부과 전문의가 신비하기까지 합니다.

본서는 그와 같은 신비한 세계로의 입문서입니다. 피부과 전공 이외의 외과, 소아과 의사, 의대생이라도 가볍게 읽을 수 있도록 연구하였습니다. 피부과는 심오하고, 취 급하는 범위가 실로 방대합니다. 그 때문에 두꺼운 교과서를 보는 순간에 공부할 의 욕을 잃게 되는 수도 있습니다. 그러나 일상진료에서 취급하는 질환은 실로 한정되어 있습니다. 본서는 피부과에서 필요한 아이템부터 용어, 환자의 호소별 고빈도 질환의 감별진단, 그리고 개별질환의 실천적 해설, 나아가서는 모든 질환까지 망라하고 있습 니다. 본서에서는 백과사전적인 편집방침은 처음부터 포기하고, 흔한 질환에 관한 지 식에 집중하여 기재하고 있습니다. 프로인 피부과 전문의가 일상진료 중의 흔한 질환 에 대처하는 가운데, 진료 중에 순간적으로 포착한 내용을 문서화한 것이라고 생각하 십시오.

당연히 환자 중에는 교원병이나 각종 종양 등, 이 책에는 기재되지 않은 질환이 있습 니다. 당연합니다. 그럴 때는 피부과의 종합텍스트나 전집을 참조하여, 피부과 전문의 에게 소개하십시오.

피부과 전문의가 10명 있으면, 10가지 접근이 있고, 10가지의 치료방침이 있다고 할 정도로, 실제 피부과 진료에서는 다양한 진단 및 치료를 하고 있습니다. 당연히 '나는 다른 치료를 하고 있습니다.'라는 선생님도 계십니다. 본서의 방침은 단지 한 증례라 고 생각하십시오. 이것을 참고로 자기 나름의 치료방침을 확립하여 진료하면, 피부과 진료는 좀 더 흥미로운 것으로 발전할 것입니다.

2011년 1월

제**4**장 환자의 질환별 증상 · 대처법 소개 ———————— *77*

▎습진피부염 · 피부소양증 ··· 78

제 1 장

피부과 진료를 위한 기본

20년 전 "현미경 한 대로 피부과를 개원할 수 있다"라는 말을 흔히 해왔습니다. 그야말로 저리스크로 개업해 곰팡이를 진단하며 그럭저럭 진료비만 받으면 된다는 시대가 오랫동안 계속되어 왔습니다. 그러나 시대가 점점 발전되고 있습니다. 308 nm 파장을 출력하는 고기능 자외선치료기가 개발되었으며, 레이저기기는 '미용피부과'라는 새로운 영역으로 확장되었습니다. 또 '더모스코피(Dermoscopy)'라는 마법의 피부경 검사기와 같은 기계도 나타났습니다.

한편 '단골의사'라는 개념도 세간에는 정착되어 있습니다. 피부질환도 적극적으로 진찰하여 환자의 기대에 부응하려는 의사도 늘고 있습니다. 피부과를 개업하면, 그런 의사들이 어떤 피부과적 지식을 가지고 있는지 알 수가 있습니다. 피부과 의사의 상식(스테로이드 외용제, 창상 · 욕창 용어)에 관해서도 일반의가 알아둘 것이 있습니다.

01 피부과 진료에 필요한 기구류

피부과 진료에 필요한 기구류입니다. 옛날에는 '현미경 1대만으로 충분하다'고 했습니다. 최근에는 더모스코피(Dermoscopy), 레이저의 등장으로 격변하고 있습니다. 수술을 할 것인가? 레이저치료를 할 것인가? 자, 어떻게 하겠습니까?

1 더모스코피(Dermoscopy)

한발 앞선 진료를 하려면, 더모스코피(Dermoscopy)는 필수입니다. 전자 의무기록을 사용하는 경우는 음성입력장치가 개발되어 있어서, 매우 유용합니다. 환자용 의자는 고정하기 쉬워서 고령자의 진찰에도 사용할 수 있으며, 팔꿈치가 부착된 회전의자가 안정적입니다. 책상 옆에는 외용제를 늘어놓는 왜건을 배치하면 편리합니다.

2 진균검사 세트 (그림1, 2)

현미경은 진균검사, 옴의 발견, 김자염색 등에서 필수입니다. 검체채취에 사용하는 슬라이드 글라스 · 핀셋은 가시빼기용이 적합합니다.

3 사마귀 치료를 위한 액체질소스프레이 (그림3, 4)

예전에는 물통에 넣은 액체질소에 면봉을 적셔서, 환자에게 바르는 방법이었습니다. 한 번 환자의 사마귀에 바른 면봉을 액체질소에 담갔다가 다시 환자에게 발랐습니다. 이 방법은 액체질소가 담긴 병에 환자의 혈액이나 체액이 혼입되어, 다른 환자에게는 사용할 수 없게 됩니다. 현재는 스프레이 타입의 액체질소병이 개발되어, 그 걱정이 없어졌습니다. 필자는 크라이오프로®를 사용하고 있습니다. 업자에게 문의해 보시기 바랍니다.

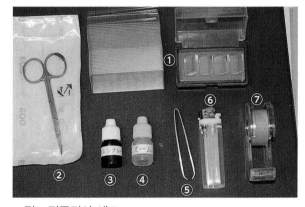

그림1 진균검사 세트
① 슬라이드글래스와 커버글래스
② 수포천개 등의 검체채취용에 사용하는 곡선형 안과가위
③ 메틸렌블루염색액. 마라세티아 등의 염색에 유용하다
④ 진균검사용 시약 '줌'자가제
⑤ 검체채취용 눈썹핀셋
⑥ 검체를 따뜻하게 하기 위한 1회용 라이터
⑦ 진무름면이나 전풍균의 채취에 유용한 투명 양면테이프

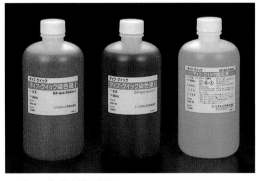

그림2 김자염색 시약

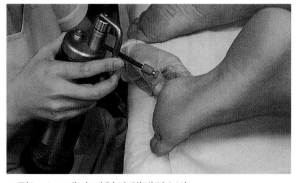

그림3 스프레이 타입의 액체질소병
'(주) M&M 니크'회사에서 판매하고 있다
[www.mm-japan.co.jp]

4 자외선치료기

최근에는 Narrow Band UVB라는 자외선치료기가
치료의 주류를 이루고 있습니다. 현재 가장 주목받고
있는 것이 308 nm 자외선을 조사하는 기기입니다
(그림5는 메트라스주식회사의 엑시라이트마이크로®).
심상성 건선, 장척농포증(掌蹠膿疱症), 아토피성 피
부염, 심상성 백반, 악성림프종 등의 치료에 사용합
니다.

그림4 업자가 반입해 오는
대형 액체질소병

5 고주파메스 (그림7)

외과처치에는 고주파메스가 편리합니다. 피부절개의
처음부터 사용할 수 있습니다. 순간적으로 지혈할 수
있어서 수술시야를 확보할 수 있습니다.

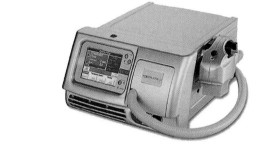

그림5 엑시라이트마이크로®

6 레이저치료기 (상급자용)

색소반, 혈관종 등의 치료를 본격적으로 할 생각이
라면, 레이저치료기는 필수 아이템입니다. 레이저치
료는 보험적용이 되는 질환과 자비진료로 하는 질환
이 있습니다. 또 레이저의 종류에 따라서 약사법이
승인되지 않은 것, 즉 의사의 개인책임으로 할 수 있
는 기종도 있습니다. 점, 노인성 사마귀 치료에 사용
하는 탄산가스레이저(그림7), 노인성 색소반, 편평
모반 등의 치료에 사용하는 Q 스위치레이저(그림8),
붉은 혈관종, 모세혈관 확장, 여드름 치료에 유용한
색소레이저(그림9), 안면의 섬세한 기미를 개선하는
"Photo"라는 규격에 준한 장치, 여드름 · 반흔의 개
선 · 치료를 위한 프랙셔널 레이저(그림10) 등 여러
기종이 있습니다.

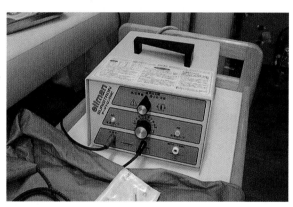

그림6 고주파메스

그림7 탄산가스레이저
(레작크사)

그림8 Q 스위치 YAG
레이저 스펙트라
(루트로닉사)

그림9 색소레이저
(시네론 · 캔데라사)

그림10 탄산가스 프랙셔널
레이저 에코트 에벌
류션(루트로닉사)

02 스테로이드 외용제 – 일반의가 모르는 피부과 상식

필요한 외용제는 각 레벨에 따라서 2종류 'Plan A' 또는 'Plan B'를 갖추어두면 편리합니다(표1). 이것으로 대부분의 환자는 문제가 없습니다.

표1 피부과에서 필요한 외용제의 레벨

Level	Plan A	Plan B
strongest	더모베이트®연고 · 크림 · 로션	지후랄®연고 · 크림 · 로션
very strong	안테베이트®연고 · 크림 · 로션	메사델름연고® · 크림 · 로션
very strong 내지는 strong	판델®연고 · 크림 · 로션 (약간 very strong이라고 해도 된다)	린데론®–V연고 · 크림 · 로션 (strong이라고 해도 된다)
조금 strong 내지는 medium	리도멕스®연고 · 크림 · 로션(이 level은 이 약제뿐)	
medium	아르메타®연고	킨다베이트®연고

주의 : 같은 랭크의 약제라도 '강도'에는 미묘한 차이가 있으므로, 이 표는 참고 정도로 생각하시기 바랍니다.

1 스테로이드 외용제와 보습제

스테로이드 외용제는 확실히 염증을 억제합니다. 그러나 피부의 건조는 보습제를 사용하지 않으면 개선되지 않습니다. '연고'니까 보습제도 함유하고 있으리라 생각하기 쉽지만, 스테로이드 외용제와 보습제(히루도이드®소프트연고, 히루도이드®로션, 또는 요소크림 등)는 세트로 처방합니다.

보습제와 혼합하면 그 효과가 증강됩니다. 특히 요소계(우레파르®등)와의 혼합은 피부에 대한 침투도가 증강되므로 주의하시기 바랍니다.

2 와세린 혼합의 스테로이드 희석은 주의!

더모베이트®연고를 희석해도 킨다베이트®연고는 하지 않습니다. 혼합하는 현장을 확인하고 있습니까? 실제로 혼합약제는 그 수기에 따라서 편재하므로, 매우 강한 부분과 단순한 와세린 부분이 존재합니다. 또 희석해도 강도는 변함이 없습니다[제2장 Q12 '혼합연고는 어떻습니까?'](☞p22) 참조].

3 외용기간 · 사용순서

하나의 병변에 대한 외용기간은 대개 3일~2주 정도 관찰합니다. 스테로이드의 랭크를 낮추면서 합니다.

사용 순서는 '강한 레벨'에서 '약한 레벨'로 이행하도록 합니다. 그 반대는 안 됩니다. 예를 들어 성인의 극심한 접촉성피부염 처방에서는, 우선 더모베이트®

연고 4~5일간, 다음은 안테베이트®연고 4~5일간, 마지막에 리도멕스®연고 4~5일간 사용합니다.

광범위하게 외용하는 경우는 앤티드럭(antedrug) 작용이 있는 판델연고®를 추천합니다. 단 선발품만 추천합니다. 스테로이드로는 그 항염증효과를 정확히 예측하지 못하면 치료가 되지 않습니다. 이 점에서 선발품/후발품 중 어느 것을 사용하는지가 문제가 됩니다. 현재는 모든 스테로이드 외용제에서 선발품의 효과가 우수하다고 생각합니다. 특히 더모베이트®연고는 선발품과 후발품의 효과가 크게 다르므로 선발품을 사용합니다.

4 항생제 혼합 스테로이드제는 '미묘하다'

스테로이드와 항생제를 혼합한 외용제가 있습니다.

① 네오메드롤®EE : 프라디오마이신유산염 · 메틸프레드니솔론 배합제

② 안과용 · 이과용 린데론®A연고 : 베타메타존 인산에스테르나트륨 · 프라디오마이신(fradiomycin)유산염 연고

③ 린테론®–VG연고 : 베타메타존 길초산에스테르 · 겐타마이신유산염 연고 모두 잘 처방합니다. 그러나 프라디오마이신(fradiomycin)은 접촉성피부염이 매우 많습니다. 눈 주위에 외용하는 경우가 많으며, 외용하면 일시적으로 가려움증 · 발적도 소실됩니다. 그러나 외용을 계속하면, 며칠 후 또

빨개지고, 가려워집니다. 이 증상이 반복되는 동안에 악화됩니다. 이와 같은 패턴으로 환자는 피부과에 내원하는 경우가 많습니다. 프라디오마이신의 접촉성피부염이, 동시에 함유되는 스테로이드에 의해 수식되어 복잡한 경과를 밟는 것입니다. 한편, 겐타마이신 항생제가 세균감염에 정말 효과가 있다고 믿고 있는 의사도 경사스러운 일은

아니지요? 의미가 없는 스테로이드·항생제 혼합이 되는 셈입니다. 이 약제가 없어지면 겐타마이신 감수성의 세균이 증가하는 것은 틀림 없습니다. 린테론®-VG연고는 사용하지 않습니다. 이 '상반혼합제'에 관해서 피부과의는 매우 소극적이므로 알아둡시다.

---

03 창상·욕창용어 – 간호사의 용어를 이해하기 위한 상식

'TIME'과 'DESIGN-R®'이라는 용어가 있습니다. 창상 즉 '상처', 또는 욕창의 평가에 사용하는 용어입니다. 무슨 말인지 아시겠습니까?

1 'TIME'이란 창상치유를 저해하는 요인의 머리글자 (표1)

표1 TIME

T :	tissue. 조직, 특히 창면에 '괴사조직'이 있는지
I :	infection. 감염된 조직인지
M :	moisture imbalance. 부적절한 습윤상태인지, 창면이 건조되어 상피세포의 유주기능이 저해를 받고 있지 않는지, 반대로 너무 습윤되어 침연되어 있지는 않는지.
E :	edge of wound. 창면의 변연 상태. 포켓을 형성하고 있는지, 침연 되어 상피화가 진행되지 않는지 등

'TIME'을 표1에 정리하였습니다. 요컨대, 상처가 낫지 않는 경우는 'TIME'의 상태가 나쁜 것입니다. '잠깐 기다려, time'이라고 외치는 것입니다.
T(tissue), I(infection), E(edge)는 바로 이미지화할 수 있습니다. 즉, 괴사조직(T)이 있어서 감염(I)이 생기고, 상처의 변연(E)이 흐물흐물해져서 상피화되지 않는다!
그런데 'M'이 난해합니다. 좀처럼 머리에 떠오르지 않습니다. 'M'…뭐였더라? '모스버거(일본의 햄버거 체인점)'도 아니고. 그래그래, '모이스처(moisture)'다! 건조? 습윤? 어때요?
'모스버거는 젖어서 부드럽게 녹아내리는 느낌이야. 마르면 이제 안돼'라고 기억합시다.

2 'DESIGN-R®'이란 욕창의 상태를 평가하는 것 (표2)

표2 DESIGN-R®

D :	depth. 어느 정도 깊은 것인지. 근조직, 골조직까지인지
E :	exudate. 침출액의 다소
S :	size. 크기
I :	inflammatio/infection. 감염, 염증
G :	granulation tissue. 육아조직, 조직의 재생 여부
N :	necrotic tissue. 괴사조직의 유무
P :	pocket. 욕창의 포켓 유무

'R'은 평가 또는 평점

이것은 욕창의 평가에 사용하는 기본용어입니다. 간호사에게 대우받기 위한 필수지식입니다. 표2를 기준으로 욕창의 상태를 점수화합니다. "D(depth)의 점수는 합계에 더하지 않습니다. 간호사와의 대화에서는 S가 큽니다, N이 있으니까 처리를 해야겠습니다"라는 식으로 대화하게 됩니다. 이것을 마스터하면 필자의 의원에서는 '디자이너'라고 부릅니다.

3 창상 · 화상 · 욕창에 관한 가이드라인이란?

상세한 내용은 Web site를 참조하시기 바랍니다. 가이드라인의 복잡한 해설에 놀라지 마사기 바랍니다. 화상은 '창상 · 화상가이드라인 피부과학회'에서 검색하십시오. PDF에서 전문 열람할 수 있습니다. 일본피부과학회의 가이드라인으로서, "창상 · 화상가이드라인 위원회 보고-1"[1]와 "창상 · 화상가이드라인 위원회 보고-2 : 욕창진료가이드라인"[2]에 상세히 기록되어 있습니다. 욕창은 '욕창예방 · 관리가이드라인 제4판'에서 검색이 가능합니다. 이것은 일본욕창학회에서 "욕창예방 · 관리가이드라인(제4판)"이 PDF로 공개되어 있습니다.

창상욕창에 관해서는 '창상치유'라는 개념의 분야가 피부과에 확립되어 있습니다. "알기 쉬운 창상치료의 기본"[3]이 거의 모든 내용을 망라하고 있습니다.

참고문헌

1) 井上雄二, 외 : 일본피부과학회지. 2011;121(8):1539-59.
2) 立花隆夫, 외 : 일본피부과학회지. 2011;121(9):1791-1839.
3) 宮地良樹, 편 : 알기 쉬운 창상치료의 기본. 남산당, 2014.

제 **2** 장

피부과 진료 Q&A

이 장에서는 피부과 진료를 시작하는 데 필요한 기본사항에 관하여 정리되어 있습니다. 예를 들어, 피부과에는 독특한 용어가 있습니다. 이러한 '피부과 용어'는 상당히 복잡하여, 똑같이 부풀어 오른 것이라도 팽진, 구진, 결절, 종류 등의 표현을 사용합니다. 이것들은 크기, 형상 등에 따라서 분류되어 있지만, 다분히 습관적인 측면도 있어서, 획일적으로 정할 수는 없습니다. 일람표에 정리해 놓았으므로 참고하시기 바랍니다. 또 일상외래에서는 이미 정해진 패턴의 진단요령도 있습니다. '여름에 소아에게서 짓무른 것을 보면 농가진을 생각한다' 등과 같이, 어느 정도 마음속으로 준비해놓지 않으면, 엉뚱한 오진을 하게 됩니다. '목욕을 해도 됩니까?' 등, 환자로부터의 단골 질문에 대한 답변도 해설하였습니다.

Q1 피부과 진료에 필요한 용어를 가르쳐 주십시오.

A 독특한 피부과 용어를 표에 정리하였습니다.

홍반(erythema)

손등의 부종성 홍반

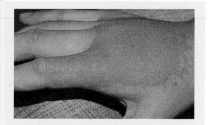

요철(凹凸)상황	어느 정도 융기되어 있다. 구진·결절정도는 아니다.
환자의 호소	'피부가 빨개졌다.'
특 징	피부면과 거의 같은 높이로 혈관 확장, 염증세포. 압박하면 소실된다.
대표적 질환	접촉성피부염

색소반(pigment freckle), 색소침착(pigmentation)

둔부의 색소침착

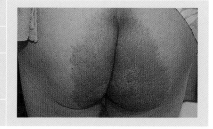

요철(凹凸)상황	여러 가지
환자의 호소	'피부가 갈색이 되었다.' 등
특 징	주로 표피의 색소과립 증가, 침착 등 고령자의 안면에서는 여러 가지 색소성 질환이 확인된다.
대표적 질환	노인성 색소반, 기미, 염증 후 색소침착

백반(leukoderma, depigmentation)

경부의 경계가 명료한 지도상 백반

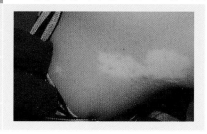

요철(凹凸)상황	융기되지 않는 경우가 많다.
환자의 호소	'피부가 하얘졌다.'
특 징	표피멜라닌의 여러 가지 장애. 전신에 미치면 '백피증'이 된다.
대표적 질환	심상성 백반

자반(purpura)

전완에 생긴 노인성 자반

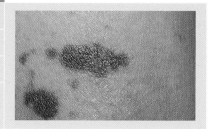

요철(凹凸)상황	융기되지 않는 경우가 많다.
환자의 호소	'피부가 보라색이 되었다.'
특 징	적혈구의 누출. 압박해도 소실되지 않는다.
대표적 질환	외상의 자반, 아나필락토이드자반병, 노인성 자반

혈관 확장(telangiectasia)

모세혈관 확장

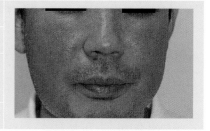

요철(凹凸)상황	융기되지 않는 경우가 많다.
환자의 호소	'피부의 붉은기가 오래 계속되고 있다.'
특 징	모세혈관 확장. 압박하면 소실된다.
대표적 질환	지주상 혈관종, 중독

구진(papule)

독나방피부염에 의한 상지의 구진

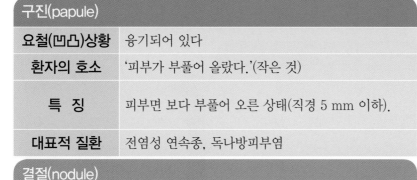
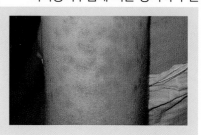

요철(凹凸)상황	융기되어 있다
환자의 호소	'피부가 부풀어 올랐다.'(작은 것)
특 징	피부면 보다 부풀어 오른 상태(직경 5 mm 이하).
대표적 질환	전염성 연속종, 독나방피부염

결절(nodule)

체간부의 결절성 양진

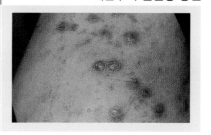

요철(凹凸)상황	융기되어 있다
환자의 호소	'피부가 부풀어 올랐다.'(중간정도)
특 징	피부면 보다 부풀어 오른 상태 (직경 5~30 mm 정도).
대표적 질환	(결절성)양진, 사마귀

종괴(tumor)

왼쪽 안면의 종류

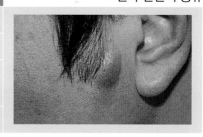

요철(凹凸)상황	융기되어 있다
환자의 호소	'피부가 부풀어 올랐다.'(큰 것)
특 징	피부면보다 부풀어 오른 상태. 조직이 커지고 있다. 크기는 여러 가지.
대표적 질환	피하낭종(분류, 粉瘤)

국면(plaque)

제부의 홍반각화국면

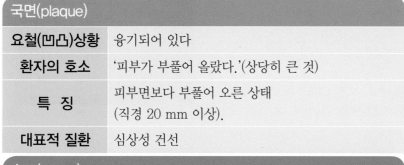
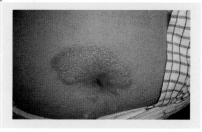

요철(凹凸)상황	융기되어 있다
환자의 호소	'피부가 부풀어 올랐다.'(상당히 큰 것)
특 징	피부면보다 부풀어 오른 상태 (직경 20 mm 이상).
대표적 질환	심상성 건선

수포(blister)

유천포창에 의한 긴만성 수포

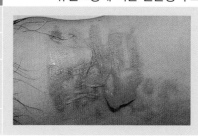

요철(凹凸)상황	융기되어 있다
환자의 호소	'물집이 생겼다.'(일반적 크기)
특 징	액체의 저류로 피부가 융기된 것 (직경 5 mm 이상).
대표적 질환	화상, 수포성 유천포창

소수포(vesicle)	
요철(凹凸)상황	융기되어 있는 경우가 많다.
환자의 호소	'물집이 생겼다.'(작은 것)
특 징	액체의 저류로 피부가 융기된 것 (직경 5 mm 이하).
대표적 질환	벌레 물림, 한포

한포에 의한 손가락의 소수포

낭종(cyst)	
요철(凹凸)상황	융기되어 있다.
환자의 호소	'피부가 부풀어 있다.'
특 징	주로 진피 내에 어떤 물질이 저류된 것
대표적 질환	피하낭종이 대표적이다.

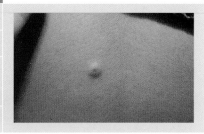

체간부의 낭종(Atherom)

농포(pustule)	
요철(凹凸)상황	융기되어 있다.
환자의 호소	'고름이 나왔다'
특 징	수포의 내용물이 고름이라고 생각해도 된다.
대표적 질환	모낭염

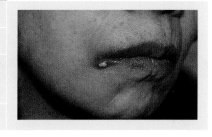

오른쪽 구각부의 농포

반흔(scar)	
요철(凹凸)상황	융기되어 있는 경우가 많다. 대부분은 '비후성'이다. 여드름의 움푹 파인 반흔 등은 '위축성'
환자의 호소	'반흔이 딱딱해져서 부풀어 올랐다(움푹 파였다).'
특 징	창상 치유과정에서의 반응
대표적 질환	비후성 반흔. 악화되어, 버섯모양으로 확대된 것을 '켈로이드(Keloid)'라고 한다.

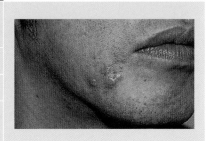

오른쪽 안면 여드름 후의 비후성 반흔

팽진(wheal)	
요철(凹凸)상황	융기되어 있다.
환자의 호소	'피부가 부풀어 올라 있다 대부분 가렵다.'
특 징	주로 수분증가에 의한 진피에서의 '부풀어 오름' (단순한 수분이 아니며 실제는 복잡)
대표적 질환	두드러기

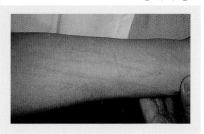

상지의 팽진

진무름(erosion)

농가진의 진무름

요철(凹凸)상황	함요되어 있는 경우가 많다.
환자의 호소	'피부가 진물러 있다.'
특 징	표피 내까지 결손.
대표적 질환	아토피성 피부염 등으로 소파된 부위 등

궤양(ulcer)

욕창의 양호육아

요철(凹凸)상황	함요되어 있다.
환자의 호소	'피부에 구멍이 뚫렸다.'
특 징	표피의 결손, 진피보다 깊은 조직이 노출된 상태이다. 통상은 황색이나 흑색의 괴사조직으로 덮여 있다.
대표적 질환	욕창

인설(scale)

두부 지루성 피부염의 인설

요철(凹凸)상황	표면의 변화
환자의 호소	'비듬이 생겼다.'
특 징	각층의 이상한 밀집. 피부과에서 흔히 사용하는 용어의 하나이다.
대표적 질환	지루성 피부염, 심상성 건선

가피(crust)

가피성 농가진

요철(凹凸)상황	표면의 변화
환자의 호소	'딱지가 되었다.'
특 징	삼출액, 각질, 혈액 등이 혼합하여, 딱딱해진 것이다. 혈액성분이 섞이면 '피딱지(혈가, 血痂)'라고 한다.
대표적 질환	외상, 가피성 농가진

표피박리(excoriation)

손의 습진에 의한 표피박리

요철(凹凸)상황	표면의 변화
환자의 호소	'피부가 벗겨졌다.'
특 징	대부분은 소파에 의한 피부의 결손.
대표적 질환	수부습진

균열(fissure)

발바닥의 균열성 피부염

요철(凹凸)상황	표면의 변화
환자의 호소	'피부가 갈라졌다.'
특 징	피부 표면의 홈, 고르지 못함. 손바닥, 발바닥에 호발.
대표적 질환	발의 균열성 피부염

Q2 흔히 있는 질환을 부위별로 가르쳐 주십시오.

A 신체의 부위별로 흔히 있는 질환은 다음과 같습니다.

머리 :
지루성 피부염, 샴푸 시 지나친 긁음, 머릿니, 접촉성 피부염(염색으로 인한 것), 노인성 사마귀

귀주위 :
피하낭종, 지루성 피부염, 접촉성피부염(머리염색으로 인한 것)

경부 :
쥐젖(연성 섬유종), 접촉성피부염(목도리, 목걸이로 인한 것), 지루성 피부염

얼굴 :
지루성 피부염, 심상성 여드름, 접촉성피부염(화장품, 시판약제), 세안 시 심하게 문지름, 노인성 사마귀, 노인성 색소반, 기미, 비립종, 피하낭종

주로 체간부 :
장미색 비강진

사지 :
벌레물림, 접촉성피부염, 다형 삼출성 홍반, 일광피부염, 제모로 인한 피부염(여성), 다형삼출성 홍반, 피지결핍증

손 :
수부습진, 주부습진, 이한성 습진, 한포, 장척농포증(掌蹠膿疱症), 수부백선, 접촉성피부염, 칸디다성 지지(指趾)간 진무름증, 개선(노인, 유아), 만지는 버릇(자상), 손톱백선, 수족구병

발 :
족부백선, 장척농포증(掌蹠膿疱症), 발톱백선, 사마귀, 티눈, 굳은살, 수족구병

얼굴 이외의 전신 :
양진, 개선

전신 어디에나 생기는 질환 :
아토피성 피부염, 두드러기, 노인의 피부소양증, 약물 알레르기, 바이러스감염증(수두, 홍역, 풍진 등), 자가감작성 피부염, 악성종양

※ 상기는 진료소의 입지, 주변환경, 환자의 연령층 등에 따라서 크게 달라집니다. 극히 일례로서 참고하시기 바랍니다.

Q3 피부과 진료에서 정해진 패턴이 있습니까?

A 실제 피부과 외래에는 정해진 패턴이 많이 있습니다. 머릿속에 주입시켜야 할 패턴을 소개하겠습니다.

아기 기저귀 부위의 붉음 ➡ 심한 문지름, 칸디다

소아의 얼굴, 사지, 겨드랑이 아래의 진무름 ➡ 전염성 농가진

소아의 여기저기에 산포하는 점상습진으로 가려움증 수반 ➡ 전염성 연속종 소퇴 시, 몰로스컴반응

소아의 몸에 다발하는 수정 같은 작은 구진 ➡ 전염성 연속종, 광택태선(드물다)

소아의 발에 '티눈이 생겼다'고 호소 ➡ 심상성 사마귀(바이러스성 유두종)

초봄, 소아의 얼굴과 사지에 홍반 ➡ 지아노티증후군, 원인불명의 바이러스감염증

유치원생, 초등학교 저학년의 두부 가려움 호소 ➡ 머릿니, 지루성 피부염

사춘기의 상완 신측, 턱에 까칠까칠한 구진 ➡ 모공성 각화증

젊은이의 체간부에 홍반이 다발 ➡ 장미색 비강진, 매독

10~20대 젊은이의 안면에 구진 ➡ 심상성 여드름

격투기 스포츠를 하는 젊은이에게 생긴 원형의 가려운 발진 ➡ 두부백선, 체부백선

고령자의 손바닥이나 손목의 수포, 인설 → 옴

노인시설에서 여러 명의 입주자가 가려움증 호소 → 옴, 피지결핍성 습진

80~90대의 하지 · 체간부에 생긴 긴장된 만성 수포 → 수포성 유천포창

가을~겨울에 전신을 가려워하는 소아 · 고령자 → 피지결핍성 습진＋목욕탕에서의 심한 문지름 (옴을 부정할 필요가 있다)

6월과 9월의 외래에서 '가렵다'고 호소 → 모충피부염

흡연자의 손발바닥에 습진 → 장척농포증(掌蹠膿疱症)

머리카락이 빠지지만 남성형 탈모증은 아닌 경우 → 원형탈모증, 머리카락을 뽑는 버릇

여성의 눈 주위 → 세안 시 심하게 문지름

입가에 울긋불긋한 붉은 기, 수포 → 단순포진

급격한 입술 종창 → 퀸케부종(두드러기)

급격한 전신 가려움, 구진이 다발되나 두드러기는 아님 → 자가감작성 피부염

신체 반쪽의 통증 → 대상포진(초기에는 수포, 홍반이 확인되지 않는다)

만성으로 계속되는 체간부, 경부에 생기는 원형 홍반인설. 백선은 음성 → 지루성 피부염

손이 닿는 범위에 출현, 가려움증이 심하게 반복되는 백선 → 체부백선, 족부백선 and/or 손 · 발톱백선에 주의

손발, 한 쪽만 병변 ➡ 수부백선, 족부백선

하퇴에 생긴 둥근 습진 ➡ 화폐상 습진

갑자기 나타난 둥글지 않은 검은 병변 ➡ 멜라노마(악성 흑색종)를 의심

발가락 사이의 진무름 ➡ 족부백선, 발의 이한성 습진, 시판외용제의 접촉성피부염

노출부, 습포제 사용 ➡ 모라스®테이프에 의한 광접촉피부염

벌레에 물린 듯한 구진, 꾸준한 수포 증가 ➡ 수두

매우 가렵고, 벌레에 물린 듯한 병변이 점차 확대 ➡ 자가감작성 피부염

목욕 시 현저하게 발적하다 소퇴, 진찰 시에는 아무 증상 없음 ➡ 전염성 홍반

발적, 종창이 있는 종류. '아프다!' '불쾌한 냄새가 난다'고 호소 ➡ 분류(粉瘤)

아토피성 피부염환자에게 급격히 '따끔따끔한 느낌'과 '발적' ➡ 카포지 수두양발진증

설명할 수 없는 불가사의한 홍반, 구진 ➡ 약물 알레르기, 고정약물 알레르기 매독(근래, 급증 중)

스테로이드외용을 해도 악화되는 가려운 수부습진 ➡ 수부백선, 옴

스테로이드외용을 해도 반응하지 않는 수부습진으로 가려움증은 없음 ➡ 장척농포증(掌蹠膿疱症)

가렵다고 호소하지만 진찰 시에는 무증상 ➡ 두드러기

Q4 환아의 보호자가 '스테로이드는 무서우니까, NSAIDs를 처방해 주십시오.'라고 한다면?

A NSAIDs의 문제점을 이해하고, 가능한 처방을 삼가야 합니다.

비스테로이드 소염외용제(NSAIDs)의 대표격인 안담®연고·크림은 2010년 5월 일본에서 판매가 중지되었습니다. 전신의 접촉성피부염이라는 중증 부작용이 보고되었기 때문입니다.

예전에 이 NSAIDs가 유행했던 시대가 있었습니다. 매스컴 등에서 '스테로이드는 무서운 약이다. 사용해서는 안 된다'라는 잘못된 캠페인이 행해져서, 스테로이드는 악당이 되어버린 것 같습니다. 그 대신에 '안심제'로 NSAIDs가 사용되었습니다.

사실 NSAIDs에는 2가지 문제점이 있습니다.

하나는 '어떤 환자에게는 종종 절묘한 효과가 있다'는 사실입니다.

또 하나는 '다른 환자에게는 최악의 결과를 초래할 수 있다'는 것입니다. 이것은 도박과 비슷합니다. 그래서 나는 NSAIDs의 사용을 '도박치료'라고 합니다.

의사라는 것은 환자에게 처방할 경우에 최악의 결과를 예상해야 합니다. '종종 효과가 있었다'라는 것만으로 다른 환아에게도 NSAIDs를 처방할 수는 없습니다.

NSAIDs의 전신성 접촉성피부염이란 NSAIDs를 일정기간 사용한 후에 생기는 매우 심각한 병태입니다. 그 증상은 전신의 홍반으로 확대되는 경우가 있어서, 스테로이드의 내복이 필요합니다. 그 공포를 한번 겪게 되면, NSAIDs는 도저히 사용할 수가 없습니다. 각종 NSAIDs에는 정도의 차는 있지만 똑같은 위험성이 있습니다.

환아의 보호자가 NSAIDs를 처방해 달라고 하면, 이 심각한 부작용을 설명한 후에 처방하도록 합니다. 그 부작용에 관해 얘기하면, 아무도 NSAIDs를 희망하지 않겠지만….

Q5 환아의 보호자가 '우리 아이가 알레르기가 아닐까요?'라고 묻는다면?

A 우선 보호자의 불안을 이해하는 것이 중요합니다.

보호자가 '알레르기'라는 말을 사용하는 경우, 99% 음식 알레르기에 대해 걱정하고 있다고 생각합니다. 또한 '평생 낫지 않는 특이체질'이라는 뉘앙스로도 받아들이고 있습니다. 보호자가 받는 충격은 '좋아하는 것을 먹지 못하고 평생 비참한 인생을 살아야 하는 불쌍한 내 아이'라는 점이 가장 크겠지요. 이와 같은 부모의 불안을 의사가 이해하는 것이 중요합니다.

'몸의 여기저기가 가렵다'는 소아에 대한 보호자의 설명의 포인트는 다음과 같습니다.

① 알레르기는 어느 아이에게나 생길 수 있는, 흔한 질환입니다.

② 알레르기에는 여러 가지 종류가 있습니다. 이 아이의 경우, 피부가 조금 민감한 타입의 알레르기라고 생각하십시오.

③ 그런 과민피부인 경우, 대부분의 아이는 경도의 알레르기입니다. 몸에 맞는 약을 제대로 내복, 외용하면서 일상생활을 충분히 할 수 있습니다.

④ 이와 같은 민감한 피부가 평생 계속되는 것은 아닙니다. 대부분의 경우는 사춘기를 전후로 자연히 좋아집니다. 안심하십시오.

⑤ 주의해야 할 점이 한 가지 있습니다. 그것은 아나필락시 쇼크라는 것입니다. 이것은 원인물질

을 만지거나 섭취하면, 호흡이 힘들어져서 질식하게 되는 무서운 것입니다. 생명과 관련되므로, 무엇이 원인인지, 철저히 알아 두어야 합니다. 만일, 아나필락시 쇼크가 일어난 경우는 에피네프린이라는 약을 바로 주사해야 합니다. 최근에는 에피펜®이라는 자기주사키트를 의료기관에서 처방해주게 되었습니다.

Q6 '알레르기인 경우, 음식은 어떻게 해야 됩니까?'라고 묻는다면?

A 즉시형과 지연형의 분류를 정확히 인식하고 원인을 특정하여 지도합니다.

●음식 알레르기에 관한 '외래설명법'을 몸에 익힙니다.

외래에서 빈도가 높은 알레르기에는 다음의 3가지를 기억해 둡니다. 물론 엄밀하게는 많은 질환이 있습니다.
① 구강알레르기증후군(즉시형)
② 두드러기(즉시형)
③ 아토피성 피부염

이 분류를 혼동해 버리면 혼란이 생깁니다. 이 3가지의 차이는 발생까지의 시간과 발생하는 부위입니다.

①의 구강알레르기증후군, ②두드러기 등의 알레르기는 즉시형(I형 알레르기)이므로, 원인음식을 섭취한 후, 비교적 단시간(15분 정도)에 증상이 나타납니다. 이 중, 구강알레르기증후군은 음식을 섭취한 후 바로 입 주위, 입 안에서 부종을 확인합니다. 임상적으로는 부푼 입술로 나타납니다(그림1). 한편, 두드러기는 전신 어디에서나 나타납니다(그림2). 단, ①과 ②가 혼재하는 경우도 있으므로, 이 2가지 개념을 엄밀히 구별할 필요가 없을지도 모르겠습니다.

③의 아토피성 피부염(그림3)인 경우는 지연형(IV형알레르기)입니다. 섭취 후 1~2일 경과한 후 피부의 습진반응(긁어서 발적하거나 인설 등이 눈에 띄는 것)이 나타납니다. 분포는 연령에 따라서 여러 가지입니다. 유아인 경우가 비교적 많고, 머리, 안면, 경부 등에 나타납니다.

그럼, 실제로 음식 알레르기에는 어느 타입이 많을까요? 그것은 ①, ②의 즉시형이겠지요. ③의 지연형은 매우 적고, 외래에서는 드물어서, 필자는 회의적입니다.

음식 알레르기 진단은 실은 매우 어렵습니다. '특이적 IgE의 혈액검사를 하면 되지 않을까요?'라고 질문하는 것은 잘 알겠습니다. 그러나 눈앞에 환자 및 보호자는 어떤 증상이 있기 때문에 내원하는 것입니다. 그 증상에 관해서 빠짐없이 문진하는 것이 중요합니다. 즉 '환자로부터 배우는 것'입니다. 혈액검사는 원인을 특정한 후에 재확인의 의미로 합니다.

외래에서는 증상을 주의 깊게 확인하고, 이 3가지 중에서 어느 증상이 있는지 감별하는 것이 중요합니다.

원인음식이 어느 정도 좁혀지면, 포인트는 다음의 2가지 입니다.
① 어느 음식을 먹고, 그 증상이 나타났는가?
② 그 음식을 삼가면, 증상이 개선되는가?

이 2가지가 충족되지 않으면, '이 환자는 그 음식에 대해서 음식알레르기'라고 할 수 없습니다.

여기까지 설명하면 이해했으리라 생각합니다. 즉시형은 대개 환자 자신, 또는 보호자가 어느 정도 자

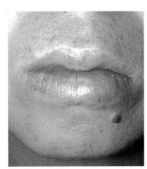

그림1 구강알레르기증후군 (부풀어 오른 입술)

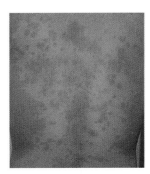

그림2 두드러기

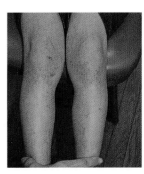

그림3 아토피성 피부염

각하고 있는 경우가 많습니다. 원인음식을 섭취한 후, 바로 증상이 나타나므로 진찰실에서의 설명도 명쾌해집니다. 즉, "음식섭취로 인한 즉시형 타입의 알레르기입니다. 그러므로 원인이 되는 음식섭취를 삼가도록 하십시오. 메뉴선택에 주의하시기 바랍니다."라고 지도할 수 있을 것입니다.

그런데 지연형인 경우, 음식 섭취 후 증상이 나타나기까지 1~2일이라는 시간차가 생겨 설명이 복잡해집니다. "미심쩍은 음식을 섭취한 후, 1~2일 동안은 피부증상을 주의 깊게 살펴보십시오. 아토피성 피부염인 경우는 두드러기와 달리, 음식을 입에 넣고나서 증상이 나타나기까지 시일이 걸립니다. 그래서 가려움증이 생기면, 그 음식이 원인이기 때문에 제한해야 합니다."라고 설명합니다. 그리고 덧붙이십시오. "설사 음식이 원인으로 판명된 경우라도, 약제의 사용으로 어느 정도 통제할 수 있으니 안심하십시오."

Q7 흔히 있는 중요한 감염증은?

A 진균, 헤르페스바이러스, 포도상구균, 연쇄상구균, 옴벌레에 의한 감염증이 대표적입니다.

어느 진료과나 대표적인 감염증이 있습니다. 피부과 진료를 하는 경우는 무엇보다도 다음의 감염증을 항상 염두에 두어야 합니다.

① 백선균 등의 진균
② 헤르페스바이러스(특히 대상포진바이러스, 단순포진바이러스)
③ 농가진 등을 일으키는 포도상구균, 연쇄상구균
④ 옴(옴벌레의 피부 내 기생)

'뭐야, 당연하잖아'라고 생각하겠지만, 문제는 이 감염증의 진단입니다. 교과서에 기재되어 있는 전형 증상이라면 누구라도 진단할 수 있습니다. '환자는 병명을 이마에 쓰고 진찰실에 들어오는 것'이 아닙니다. 진단의 포인트는 다음과 같습니다.

① 피부과라고 하면 무좀입니다. 무좀이라고 하면, 이 백선균입니다. 백선균은 피부의 케라틴(Keratin)을 매우 좋아합니다. 특히 발을 좋아합니다. 여름은 발한으로 적당한 피부온도(27℃)를 유지할 수 있고, 겨울에는 따뜻해서 또 좋습니다. 이 백선균이 발뿐이라면 문제가 적지만, 스테로이드를 자주 외용하면, 몸의 여러 곳에 생기게 됩니다. 스테로이드는 피부질환의 치료에서 없어서는 안 되는 외용제이지만, 이것은 '양날의 검'입니다. 즉, 염증은 치료되지만, 백선균 증식의 토대를 만들게 되는 것입니다. 스테로이드가 면역을 강력하게 억제하기 때문에, 보통 발생하지 않는 부위로 백선이 나타나게 되는 것입니다(그림1). 몸의 여기저기에 나타나면 당연히 주위사람에 대한 감염도 고려해야 합니다. 피부를 밀착시키는 스포츠, 예를 들어 유도부 학생이 백선에 점차 전염되어 가는 얘기는 남의 일이 아닙니다.

② 다음에 헤르페스입니다. 주로 단순헤르페스바이러스(HSV)(그림2)와 수두·대상포진바이러스(HZV)(그림3)의 2가지입니다. 피부과 외래에 하루만 있어도, 반드시 이 헤르페스바이러스감염증을 접하게 됩니다. 이 같은 증상은 매우 많기 때문에, '원인을 알 수 없는 따끔따끔한 느낌의 홍반 증세는 헤르페스바이러스로 의심하라'라고 할 정도입니다. 이 감염증에서 가장 무서운 것은 증상이 날마다 악화된다는 것입니다. 하루가 지날 때마다 2배씩 악화된다고 해도 과언이 아닙니다. 당연히 초기상태에서 방심하여 적당히 설명했다가는 크게 나빠질 수 있습니다. 단순헤르페스는 수건 등을 통해 감염된 뒤, 그 사람의 신경절에 잠입해 잠복감염 됩니다. 또 대상포진은 수두로 이 바이러스에 면역이 없는 다른 사람에게 감염됩니다.

③ 포도상구균, 연쇄상구균에서는 여름의 대표적 질환인 농가진이 유명합니다. 이것은 피부과가 전

문이 아니더라도 진단할 수 있지만, '농가진이 될지도 모르는 상태'라는 단계도 있습니다. 얼핏 보면 아무 것도 아니지만, 조금 진물러 있습니다. 교과서에 게재되어 있는 농가진은 '완성된 농가진'입니다. 하지만 현장에서는 '앞으로 농가진이 될 의심스러운 경우'가 매우 많습니다. 농가진은 이 단계에서의 진단이 어렵습니다(그림4, 5). 여름철 약간 진물러 있는 소아는 '내일 농가진이 될 수도 있다'라고 예상해야 합니다. 진단을 잘못하여 학교, 유치원, 보육원 등에 가게 하면, 순식간에 주위 원아에게 전염되어 버립니다.

또 β용혈성 연쇄상구균 A형 감염은 간과하면 후에 신질환의 원인이 되어 버립니다.

④ 옴은 피부의 각층에 기생하고, 그 속에서 번식하는 진드기를 말합니다. 언뜻 보기에 벌레에 물린 것처럼 보입니다. 이 질환은 주로 고령자에게 많지만, 소아도 피해갈 수 없으므로 경계해야 합니다. 사람과 사람의 접촉으로 점차 감염됩니다. 진단에 유의하지 않으면, 결국 스테로이드 외용을 하게 됩니다. 실은 이것이 매우 중요하며, 개선이 스테로이드 외용으로 잠잠해져서 증상이 나타나지 않게 됩니다. 자각하게 되면, 전신이 침습되는 각화형 개선(예전 용어는 '노르웨이개선')으로 발전할 수 있습니다. '벌레에 물린 듯한 구진'을 보면, 개선도 생각해야 합니다(그림6).

피부를 보면 이러한 감염증들을 우선 생각해야 합니다. 언제나 머리속에서 '필츠(Pilz진균)! 헤르페스(Herpes)! 아우레우스(Sta. aureus)! 연쇄상 구균(Streptococus)! 옴(Scabies)!'이라고 외칩니다.

주의 : 근래 매독이 증가하고 있습니다. 어쩌면 ⑤매독(lues)이 될지도 모르겠습니다(☞p162).

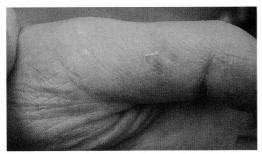

그림1 스테로이드 외용으로 발생한 수부백선

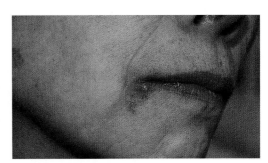

그림2 입 주위의 단순포진

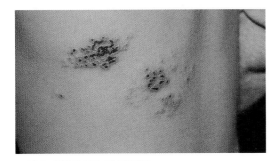

그림3 체간부의 대상포진

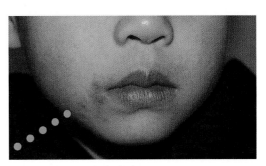

그림4 언뜻 보기에 땀띠

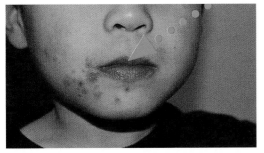

그림5 그림4의 증례의 며칠 후. 농가진이 되었다

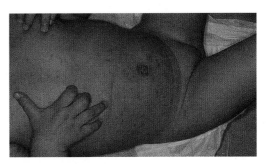

그림6 영유아의 옴

Q8 '목욕을 해도 괜찮습니까?' 라고 묻는다면?

A 너무 세게 문지르는 것만 조심하면, 목욕을 제한할 필요는 없습니다.

목욕은 피부질환의 치료에서 중요한 역할을 합니다. 피부를 청결하게 유지하는 것이야말로, 심리적, 정신적 안정효과가 있기 때문입니다. 아토피성 피부염, 피지결핍성 습진, 지루성 피부염 등, 목욕으로 피부를 청결히 하는 것으로 치료효과가 있는 질환들이 많이 있습니다. 일부 다른 진료과에서는 '증상이 있으면 목욕을 하지 말 것'을 권고합니다. 이는 부적절한 입욕방법으로 발생하는 연간 사망자가 1만명 이상(저자 조사의견)이기 때문입니다.

그러나 피부과 진료와 관련하여서는 입욕 및 비누 사용에 대해 제한할 이유가 없습니다. 너무 뜨겁지 않거나 너무 차갑지 않게, 적절한 온도로 가만히 들어가 있다면 이것만큼 피부에 좋은 것은 없습니다. 습진, 진무름이 생겨도, 청결한 탕이면 담그고 있어도 됩니다. 공중목욕탕에서 공중탕을 통한 감염이 예상되는 경우에는 샤워만 하면 됩니다.

단, 과도한 자극은 가려움증의 원인이 되기 때문에 피부를 박박 문지르는 행위를 해서는 안 됩니다.

Q9 트러블환자와의 협의, 어떻게 해야 합니까?

A 흥분하지 말고 부드럽게 대처합니다. 도가 지나친 경우에는 경찰을 부릅니다.

피부과 환자는 때로 성격이 급합니다. 자신의 질환이 바로 낫지 않는 경우 혹은 진찰 시 일어나는 의사-환자 간의 의사소통의 실수 등으로 흥분하는 경우가 있습니다.

여기에서는 그런 경우의 대처법을 경험으로 정리해 보았습니다.

● **원칙①의사는 화를 내지 않는다.**

이런 환자는 '도발'하게 됩니다. 본인은 환자이므로, 의사보다 입장이 위라고 생각하고 있는 것 같습니다. "당신을 행정기관에 고소할거야."라는 무서운 말로 협박합니다. 의사를 동요시키는 것이 목적입니다. 의사는 어떤 경우라도 평상심을 유지해야 합니다.

● **원칙②의사측에 잘못이 있다면, 그 부분에 관해서는 정직하게 사죄한다.** 그러나 상대의 난폭

한 태도는 인정하지 않는다.

화를 내는 환자는 의사의 인격을 부정하고, '전부 안 된다'고 협박합니다. 의사는 "말씀하시는 점에 관해서는 지당합니다. 제 과실이니 성심껏 대처하겠습니다."라고 말한 다음 반드시 이렇게 말합니다.

"그렇다고 해서, 무례하고 난폭한 말은 받아들일 수 없습니다. 앞으로는 난폭한 태도를 취하지 않겠다고 약속할 수 있습니까?"

● **원칙③말이 통하지 않는 환자는 '동정'한다.**

다른 의원에서의 오진을 지금 의사에게 전가하거나, '오랫동안 기다리게 했다'는 이유 등으로 큰소리로 욕을 퍼붓거나, '병이 낫지 않는 것'이 의사탓이라고 호통치는 등, 도리에 어긋난 경우는 "침착하십시오. 말이 안 됩니다. 좀 피곤하신가 봅니다. 천천히

심호흡하고 좀 가라앉은 후에 얘기하지요"라며 잠시 자리를 떠나 다른 환자를 진찰하거나 돌려보냅니다.

돌아가지 않는 경우는 '피곤하시지요. 마음의 병일 수도 있습니다. 좋은 의사를 소개해 드릴까요?'라며 정신과의사를 소개한다. 확실히 여기까지 하면 돌아가는 환자가 대부분입니다.

여기까지는 상대를 '환자'로 생각합니다.

● 원칙④ '실력행사'는 하지 않는다. '의사–환자의 관계가 아니다'라고 분명히 말하고, 경찰을 부른다.

그래도 화를 내며 부당한 태도를 취하는 경우는 경찰을 부릅니다. 아무리 환자에게 이유가 있어도 의원의 업무를 방해할 수 없습니다. 이 시점에서 의사–

환자의 관계는 종료됩니다. '환자'를 가장한 '업무방해자'로 간주합니다. '죄송합니다. 의원의 업무를 할 수 없습니다. 불만이 있을 수도 있습니다. 그러나 이쪽의 입장은 이미 말씀드린 그대로입니다. 더 이상 드릴 말씀이 없으니까 그것으로 해결이 안되면 다시 날짜를 정해서 오십시오. 이대로 여기에 계시면, 의사–환자의 관계는 끝입니다. 단지 진료방해가 되어, 경찰을 부를 수밖에 없습니다. 괜찮겠습니까?'

업무방해는 범죄행위에 해당되지만, 의원측에서 억지로 쫓아내거나 폭력으로 대응해서는 안됩니다.

Q10 오리지널약과 카피약 효과는 같습니까?

A 피부과 외용제는 오리지널약과 카피약이 조금 다른 약제입니다.

최근에는 카피약이 전성기입니다. 행정당국이 의료비 억제를 위해서 카피약으로 유도하고 있어서, 환자도 그러한 생각인 경우가 많습니다. 여기에서 문제가 되는 것은 오리지널약과 카피약, 그 효과가 똑같은가? 하는 의문입니다. 특히 피부과는 외용제를 취급합니다. 항진균 외용제, 스테로이드 외용제 등, 사용하는 약제가 다방면에 걸쳐 있습니다.

오리지널약과 카피약의 차이가 심한 약제는 더모베이트®연고·크림입니다. 카피약(예를 들어 마이아론®)으로 처방하면 효과가 없었는데, 오리지날로 교체했더니 완치되었다는 증례가 다수 눈에 띕니다. 아무래도 기제의 침투력에 차이가 있는 것 같습니다. 이것이 어떤 조합으로 어떻게 다른 것인가? 메이커의 기업비밀이라 잘 알 수는 없습니다. 약제인가 단계에서 '똑같은 약품'이라고 승인을 받으면 발매됩니다.

더모베이트®연고와 마이아론®연고의 비교를 표1에 정리하였습니다. 붉은 글자는 확실히 구성이 다릅니다.

카피약의 효과가 약한 점도 간과하고, 그 점을 설명하여 처방전을 내립니다. 환자에게는 외용제를 처방합니다. 그 때, 다음과 같이 설명합니다.

좀 조심하셔야 할 점이 있습니다. 이대로 처방전을

내밀면 약사가 "카피약"을 우선 조제할 것입니다. 유감스럽게도 오리지널약과 카피약이 그 효과가 조금 다릅니다. 좀 더 빨리 낫고 싶으시면 "오리지날을 주십시오." 라고 약사에게 신청하십시오. 만일 효과는 늦어도 좋으니까 값이 싼 약을 원하신다면 아무 말도 하지 말고 약사에게 처방전을 주십시오. 의사로서는 오리지널약과 카피약이 치료에 걸리는 일수가 다를 뿐, 어느 쪽도 상관없습니다.

표1 더모베이트®연고와 마이아론®연고의 비교

	더모베이트®연고	마이아론®연고
성분·함량 (1 g 중)	일국 클로베타졸 프로피온산에스테르 0.5 mg (0.05%)	일국 클로베타졸 프로피온산에스테르 0.5 mg (0.05%)
첨가물	모노스테아린산글리세린, 자기유화형 모노스테아린산글리세린, 세트스테아릴 알콜, 사라시미트로우, 프로필렌 글리콜, 클로로크레졸, pH조정제(구연산나트륨수화물, 구연산수화물)	프로필렌 글리콜, 진한 글리세린, 마크로골 6000, 스테아릴 알코올, 모노스테아린산글리세린, 자당지방산에스테르, 라우린산헥실, 구연산수화물

(문헌1에서 인용)

21

또는 초진 시~며칠간은 오리지날, 그 이후는 카피 약이라는 작전도 취할 수 있습니다. 설명이 조금 복잡해지므로 주의해야 합니다. 보습제, 항진균제 등도 마찬가지로, 다른 첨가물이 눈에 띕니다. 이와 같이 약제성분이 동일해도 첨가물이 다른 상황입니다.

참고문헌

1) 中村健一 : 피부과 외용제의 카피는 '조금 다르다'. 일경 medical Online. 2013. [http://medical.nikkeibp.co.jp/inc/all/search/keywords/034007.jsp]

Q11 이제는 들을 수 없는 '항생제의 선택법'을 가르쳐 주십시오!

A 피부과의 감염증은 경미합니다. 내성균을 증가시키지 않도록 합니다. 제1 세대 세파계가 기본입니다.

항생제의 사용법은 의사가 되어 누구나 처방하는 것이 현실이 아닐까요? 필자도 수련의 시절에 처방한 약제를 아직까지 사용하고 있습니다. 영업사원이 활발하게 새로운 항생제를 영업하고, 여러 가지 접대도 하며 의사에게 선전하던 것을 지금도 선명하게 기억하고 있습니다. 그래서 기억한 것은 제3 세대 세파계나 마크로라이드계 신약인 지스로맥스® 등이었습니다. '이렇게 해도 되려나?'라고 의문스럽게 생각하면서도, 주위의 의사가 흔히 사용하므로 왠지 '잘 듣는 항생제'를 찾아서 새로운 것을 사용해 왔습니다.

하지만 그것이 큰 착각이라는 것을 알게 되었습니다. '내성균'입니다.

●원칙①새로운 항생제에는 달려들지 않는다

새로운 세대의 항생제를 사용하면 사용할수록 내성균이 증가합니다. 피부과학회 등에 참가하면, 또 내성균, 내성균…뿐입니다. 대부분 대변으로 배출되어, 피부에는 거의 이행되지 않는 제3 세대 세파계 등을 적당히 처방해 온 결과일지도 모르겠습니다. 통상, 피부과 전문의가 외래에서 경험하는 감염증은 경미한 것이 많습니다.

새로운 항생제에는 달려들지 않기 때문입니다.

●원칙②외래에서의 경미한 감염증, 즉 임상소견에서 균종을 추측할 수 없거나 배양으로 균종을 확인할 수 없을 때는 제1 세대 세파계를 사용한다

경미한 감염증에는 피부 이행성이 좋다=bioavailability(생체이용률)가 좋은 제1 세대 세파계(케프랄®, 케플렉스®)를 사용하는 것이 좋습니다. 필자의 의원은 케프랄®와 L-케플렉스® 등을 흔히

사용하고 있습니다. 부작용이 거의 없으며, 환자가 중증화되는 경우도 없습니다. 단독(丹毒)이 의심스러울 때 페니실린 투여, 또는 봉와직염으로 배양이 가능할 때는 효과적인 항생제를 주저하지 말고 사용하는 것이 당연합니다.

●원칙③항생제를 1개월 이상 내복하게 할 때는, 현 단계에서 타과의 치료에 영향을 미치지 않는 약제를 우선한다

여드름 등은 상재균인 acne간균이 타겟입니다. 심상성 여드름의 이름으로 보험이 적용되는 항생제는 크라비트®, 시프록산®, 오라세프® 등이 있습니다. 그러나 이 항생제는 타과에서 결정적인 역할을 하는 수가 있습니다. 피부과에서 자주 사용하여, 내성균을 대량 생산해서는 안 됩니다. 루리드®나 비브라마이신®은 그 점에서 '문제'가 되지 않습니다. 여드름이라면 이 항생제부터 사용할 것을 추천합니다.

●원칙④미노마이신®은 비장의 카드로 사용한다

염산미노사이클린®(미노마이신®)은 근래, ICU의 원내 감염에 있어서 '스토퍼'의 역할을 하는 귀중한 항생제라는 것을 알게 되었습니다. 주로 링거로 사용하는 이 항생제를 장기내복하게 하여 내성균을 만들어서는 안됩니다. 또 색소침착, 간질성 폐렴, 자기면역질환의 발생 등의 부작용도 염려되며, 상당히 많은 것 같습니다. 여드름의 특효적 치료제로 피부과의와 친숙해진 이 약제를 지금까지 사용하고 있던 환자에게 '갑자기 중지'하는 것은 무리일 수도 있습니다. 그러나 신규로는 가능한 처방하지 말고, second choice · third choice로 남겨두어야 합니다.

Q12 혼합연고는 어떻습니까?

A 혼합연고는 추천하지 않습니다.

스테로이드 외용제와 히루도이드®소프트연고나 요소크림 등을 혼합하여 사용하는 예를 흔히 볼 수 있습니다. '약수첩'이라는 '약의 이력서'에서 흔히 알 수 있습니다. 이 수첩은 주위 의사들의 기호를 이해하는 데에 많은 도움이 됩니다.

●혼합하면, 스테로이드 외용제는 약해진다?

처방하는 의사는 혼합하면 본래 스테로이드 외용제의 강도가 '묽어진다'고 생각하며 처방하는 것 같습니다. 그리고 혼합하는 방법에는 전혀 관심이 없는 듯합니다. 실제는 혼합해도 스테로이드 외용제의 강도에는 변함이 없습니다.

안테베이트®연고를 예로 들면, 기제 속에 어느 정도 원분말이 용해되어 있는지가 효과의 지표입니다. 이 연고는 약제 그 자체는 소량밖에 기제에 녹아있지 않습니다. 그래서 기제, 예를 들어 히루도이드®소프트연고 등을 섞으면, 용해되지 않은 약제가 '서로 앞을 다투어!' 기제에 녹아듭니다. 실험에 의하면, 16배로 묽게 해도 효과에는 변함이 없다는 결과가 나와 있습니다[1]. '스테로이드 외용제를 히루도이드®소프트연고나 요소크림으로 묽게 해도, 효과나 강도에는 변함이 없다'는 것입니다.

또 그 이상으로 놀랍게도, 요소크림 등과 혼합하면 피부에 대한 침투성이 증가하고, 강도가 증가한다는 실험결과도 나와 있습니다[1]. '스테로이드 외용제와 요소크림을 혼합하면 피부에 대한 침투력이 강해지는 것' 같습니다. 묽게 하려는 목적의 혼합이 실은… 진해진다? 는 것입니다.

또 스테로이드 외용제와 비타민D3 연고의 혼합에서는, 쌍방의 pH가 맞지 않기 때문에 서로의 효과가 약해지는 것을 알 수 있습니다. 그 때문에 최근에는 메이커가 혼합연고로 인가받아 발매하고 있습니다.

●약국에서의 혼합은 완벽한가?

또 혼합은 약국에서도 합니다. 어떻게 혼합하고 있는지 육안으로 확인할 수 있습니까? 정말로 약사가 기계를 사용하여 완벽한 혼합을 하고 있습니까? 적당히 주걱을 사용하며, 떠들면서, 침을 튀겨가며 혼합하고 있을지도 모르는 등 실제 상황을 알 수 없습니다. 당연히 불결해지는 경우조차 있을 수 있습니다. 혼합한 순간에 본래의 물질에 포도상구균 등이 오염됩니다. 이런 외용제가 언제까지 안정될까? 알 수 없습니다. 즉 '혼합단계에서 잡균이 대량으로 침입하는' 것입니다(그림1).

메이커는 본래, 작성용기에서의 약제가 이상적이

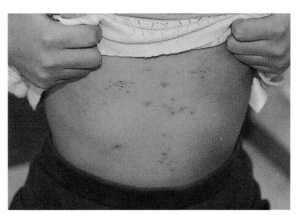

그림1 혼합연고로 생긴 소아의 다발성 모낭염

라고 생각하며 제품을 만듭니다. 이것을 일부러 파괴할 필요는 없습니다. 조제약국에 따라서는 외용제를 혼합하면 '계량혼합가산'을 산정할 수 있어서, 처방의사에게 '혼합해 주십시오'라고 부탁하는 곳도 있는 것 같습니다. 조제약국과 의원이 유착하면 이런 점에도 영향을 미치는 것 같습니다.

물론, 필자의 의원에서는 혼합연고를 처방하지 않습니다.

참고문헌

1) 上出良一 편 : 장인에게 배우는 피부과 외용요법-옛것을 살려서 최신증상에 이용한다. 전일본병원출판회, 2012.

Q13 스테로이드 외용제의 선택법을 가르쳐 주십시오.

A Strongest level은 더모베이트®나 지후랄® 중 어느 하나. very strong, strong, medium은 여러 종류가 있습니다. 사용에 익숙해야 합니다.

스테로이드 외용제의 일람에 관해서는 일본피부과학회의 "아토피성 피부염 진료가이드라인 2016년판"에 상세한 내용이 게재되어 있습니다https://www.dermatol.or.jp/uploads/uploads/files/guideline/atopicdermatitis_guideline.pdf).

● 스테로이드 외용제의 level

굵은 글자는 필자의 의원에서 사용하고 있는 것(카피약도 포함)

strongest
- 0.05% **프로피온산크로베타졸 에스테르 (더모베이트®)**
- 0.05% 초산디플로라손 에스테르 (지후랄®, 다이아코트®)

very strong
- 0.1% **모메타손 프란카르본산 에스테르 (플루메타®)**
- 0.05% **낙산프로피온산 베타메타손(안테베이트®)**
- 0.05% **플루오시노니드(톱심®)**
- 0.064% 디프로피온산 베타메타손 에스테르 (린데론®, DP)
- 0.05% **디플루프레드네이트(마이저®)**
- 0.1% 암시노니드(비스덤®)
- 0.1% 길초산디플루코토론(텍스메텐®, 네리소나®)
- 0.1% **낙산프로피온산 히드로코르티손(판델®)**

strong
- 0.3% **디프로돈프로피온산 에스테르(에크라®)**
- 0.1% **프로피온산덱사메타손(메사데름®)**
- 0.12% 덱사메타손길초산 에스테르 (보아라®, 자룩스®)
- 0.1% 할시노니드(아도코르틴®)
- 0.12% **길초산베타메타손 에스테르 (베트네베이트®, 린데론®-V)**
- 0.25% 플루오시놀론아세토나이드(플루코트®)

medium
- 0.3% **길초산초산프레드니솔론(리도멕스®)**
- 0.1% 트리암시놀론아세토나이드(레더코트®)

- 0.1% 알클로메타손프로피온산 에스테르 (아르메타®)
- 0.05% 낙산클로베타손 에스테르(킨다베이트®)
- 0.1% 낙산히드로코르티손 에스테르 (로코이드®)
- 0.1% 덱사메타손(글리메사손®, 오이라손®)

weak
- 0.5% 프레드니솔론(프레드니솔론®)

● strongest

접촉성피부염이나 급성염증은 strongest level을 사용하는 경우가 많아서 더모베이트®연고 · 크림을 손에서 놓을 수가 없습니다. 지후랄이나 더모베이트®는 '기호'입니다. 어느 것이나 상관없습니다. 단기결전용 외용제이므로 번갈아 계속 사용할 수는 없습니다.

● very strong

very strong level의 외용제는 여러 가지로 사용에 익숙해져야 합니다. 환자에 따라서 '맞는다/맞지 않는다'가 갈릴 때가 있습니다. 확실히 이 level도 단기결전입니다. 그러나 아토피성 피부염이나 장척농포증(掌蹠膿疱症)등 만성질환에서는 Proactive요법이라고 하여, 간헐적으로 사용하기도 합니다. 반복해서 외용함으로써, 놀랍게도 환자에 따라서는 스테로이드 외용제의 알레르기성 접촉성피부염이 생기기도 합니다. 의외로 많으므로 주의해야 합니다. 2, 3종류는 선택사항으로 생각해 둡니다.

● strong

strong level이 되면, 장기간 사용하는 경우가 많아집니다. 또 소아에게도 사용합니다. 우선 very strong으로 치료하고, 안정되면 strong으로 좀 길게 외용하는 등의 증례도 있습니다. 이것도 very strong과 마찬가지로, 2, 3종류를 익숙하게 사용하도록 합니다.

● medium

medium level은 소아의 아토피성 피부염 등에 흔히 사용합니다. 또 안면의 경도 접촉성피부염에도 사용합니다. 킨다베이트®연고는 자극감이 적으므로, 눈 주위나 구각부에 사용하면 됩니다. 로코이드®연고는 소아과 의사가 선호하는 경향이 있는 것 같습니다. 때로 알레르기성 접촉성피부염이 생기는 수가 있으므로 신중하게 경과를 살펴봅니다. 리도멕스®, 아르메타®는 이 클래스에서는 효과가 다소 강한 인상이 있지만, 그것이 오히려 환자에게는 좋은 인상을 주는 것 같습니다. 필자의 의원에서는 이 2종을 흔히 사용합니다.

● weak

weak level의 스테로이드 외용제는 그다지 사용하지 않습니다. 외용효과는 와세린 등의 보습제와 차이가 없습니다. 대부분의 증례는 medium level의 킨다베이트®연고로 대용할 수 있습니다.

● 정리

'스테로이드 외용제를 익숙하게 사용하면 my steroid' strongest level은 단기결전용이므로 더모베이트®연고 · 크림이나 지후랄®연고 · 크림 중 어느 것이라도 상관없습니다. 이것이 효과가 없으면 진단을 재고합니다.

반대로 strong, medium level은 장기간 외용하는 수가 있으므로, 여러 종류를 익숙하게 사용하는 편이 좋습니다.

Q14 '가이드라인'은 어떻게 활용해야 합니까?

A '이렇게 해도 된다' '이렇게 하지 않는 편이 좋다'라고 해서, '이렇게 하십시오' '이것은 금지' 라는 것은 아닙니다.

바야흐로 질환에 관한 용어, 진단법, 치료에 관한 선택사항이 '가이드라인'이 되는 표준이 각 학회에서 결정되는 시기가 되었습니다. '결정적인 치료가 없는' 질환에 관해서, evidence level에 근거한 추천도라는 형식으로 우선순위를 결정하고 있습니다.

Web에서 '피부과, 가이드라인'이라고 검색하면 일본피부과학회의 공개가이드라인을 누구라도 읽을 수 있습니다.

거기에는 다음의 용어가 기본입니다 [심상성 여드름 치료가이드라인 2016(일본피부과학회편)에서]

● evidence level의 분류

Ⅰ systematic · review/meta analysis
Ⅱ 한 가지 이상의 랜덤화 비교시험
Ⅲ 비랜덤화 비교시험
    (통계처리가 있는 전후 비교시험 포함)
Ⅳ 분석역학적 연구
    (코호트연구나 증례대조연구)
Ⅴ 기술연구(증례보고나 증례집적연구)
Ⅵ 전문위원회나 전문가 개인의 의견

● 추천도의 분류

대개 어느 질환이나 ABC로 분류되어 있습니다.

단, 질환마다 조금 표기방법이 다릅니다. 심상성 여드름 가이드라인 2016을 예로 들면 다음과 같습니다.

A   하도록 강하게 추천한다(적어도 한 가지의 유효성을 나타내는 level Ⅰ 또는 양질의 level Ⅱ의 evidence가 있다)

A* 하도록 추천한다(A에 해당하는 유효성의 evidence가 있지만, 부작용 등을 고려하면 추천도가 떨어진다)

B   하도록 추천한다(적어도 한 가지 이상의 유효성을 나타내는 질이 떨어지는 level Ⅱ나 양질의 level Ⅲ 또는 매우 양질인 Ⅳ의 evidence가 있거나 또는 A에 준한다고 위원회가 판단하는 간접적인 유효성을 나타내는 evidence가 있다)

C1 선택사항의 하나로 추천한다(질이 떨어지는 Ⅲ∼Ⅳ, 양질인 복수의 Ⅴ, 또는 위원회가 인정하는 Ⅵ의 evidence가 있다)

C2 충분한 근거가 없으므로(현시점에서는)추천할 수 없다(유효한 evidence가 없거나 또는 효과가 없는 evidence가 있다)

D   하지 않을 것을 추천한다(무효 또는 유해하다는 양질의 evidence가 있다)

A~D를 알기 쉽게 표현하면 다음과 같습니다.

A 이것은 해야합니다.

A* 확실히 유효합니다. 그러나 부작용도 무시할 수 없습니다. 각오한 후에 사용하시기 바랍니다.

B 효과가 있는 환자가 많아서 추천합니다. 그러나 A 정도의 효과는 없습니다.

C1 효과가 있는 환자가 있습니다. 그러나 B정도의 빈도는 아닙니다.

C2 해도 됩니다만 그다지 기대는 하지 마십시오.

D 이것은 안됩니다. 추천할 수 없습니다.(A* level은 타질환의 가이드라인에는 없는 경우도 있습니다)

진단·치료에 관해서 이것이 기준이 되는 것은 틀림없습니다.

그런데 이 '가이드라인'은 읽는 것만으로도 피곤합니다. 왜일까요? 그것은 '모두 기재되어 있기' 때문입니다. '빠짐' 없이 작성되어 있습니다. 즉 완벽한 것입니다. 온갖 비판에 견딜 수 있도록 작성되어 있습니다.

그러니까 피부과의는 의문이 생기면 이 가이드라인을 참조하고, 본인의 생각이 어느 위치에 있는지를 확인하는 셈입니다. 하지만…일반의로서는 반대로 혼란의 근거가 됩니다. 정보가 너무 많아서 '무엇을 해야 좋을지 모르는' 상태가 됩니다.

그래서 본서에서는 굳이 상세한 가이드라인적 기술을 삼가고, 과감히 '편벽'된 생각, '편벽'된 치료법을 선택했습니다. 일반의가 하기에는 이것으로 충분하다고 생각합니다.

예를 들어 가이드라인을 읽으면, 창상처치에 관해서 피부진무름, 궤양부위에 '소독은 감염창에 유효하다'는 기재가 있습니다. 한편 본서에서는 '소독을 하지마라'는 기재가 있습니다. 실제는 감염되어 있는 경우라도 국소는 소독하지 않고 세정, 세정…으로 밀어붙입니다. 그리고 항생제의 또는 링거투여로도 치료됩니다.

가이드라인을 참고로 '소독은 유효하다. 그러나 실제는 세정만 해도 됩니다'라고 해석해도 상관없는 것입니다.

즉, 가이드라인이란 '○○은 해도 됩니다'라고 해서, '○○는 하십시오'는 아니라는 것입니다.

정리하면 다음과 같습니다.

- 가이드라인은 질환에 관한 모든 내용이 망라되어 있습니다.
- '이렇게 해도 된다' '이렇게 하지 않는 편이 좋다'라고 해서, '이렇게 하십시오' '이것은 금지'는 아니라는 것입니다.
- 가이드라인을 전부 이해하려고 하면 기절합니다. 본인이 처한 위치를 확인하는 정도로 충분합니다. '내 치료가 이상한 것이 아니라는' 안도감이 중요합니다.

Q15 스테로이드 외용제 등의 부작용이 무서우니까 '적게 사용하십시오'라고 환자에게 말해도 된다?

A 환자에게 공포심만 줄 뿐입니다.

그와 같은 말을 들은 환자는 '이 선생님…, 자신이 없구나' 라고 생각합니다. 대부분의 경우, 처방한 외용제를 제대로 사용하지 않습니다. 의사로서는 제대로 외용하도록, 확실히 환자에게 알려야 합니다. 부작용이 걱정되면, 사용기간이나 사용부위를 처방전에 기재해 둡니다. '이와 같은 점을 지키면 안심입니다' 라는 메시지를 환자에게 어떻게 전달할 것인가? 그것이 외래의 재미입니다.

참고문헌

• 段野貴一郞 : 이것이 요령! 환자에게 전달하는 피부외용제의 사용법 개정2판. 金芳堂, 2013.

제 3 장

환자의 호소별 증상·대처법 소개

환자는 이마에 질환명을 쓰고 수진하는 것이 아닙니다. 또 교과서에 기술되어 있는 질환순으로 내원하는 것도 아닙니다. 환자의 호소로부터, 진찰실에서 승부를 건 진단을 감행해야 합니다. 문진, 피부소견의 시인 등에 허용된 시간은 1~2분 정도입니다. 피부과 전문의는 무엇을 생각하며 진단할까요? 여기에서 중요한 점은 다수의 감별진단을 한꺼번에 머릿속에 나열하는 것입니다. 즉 '얼굴이 빨갛다' 라는 소견에 '접촉성피부염'밖에 생각하지 못한다면 전문의가 될 수 없습니다. 붉어진 원인에서 추측하여, '심하게 문질렀나?' '바이러스감염증?' '단독(丹毒)?' 등, 여러 질환을 생각하면서 진찰을 계속합니다. 그와 동시에, 빈도로서 어느 질환을 우선 생각하는지도 중요합니다. 여기에서는 나열과 확률을 동시에 생각하는 연습을 합니다.

조우빈도를 ★의 수로 랭크를 부여합니다. ★의 수는 1~5개로, 수가 많을수록 고빈도입니다. 또 기재내용의 상황에 따라서 모든 질환에 ★표시를 하지 못하는 경우도 있습니다.

01 머리에 비듬이 생겼다! 가렵다!

비듬도 여러 가지입니다.

▶ 이 경우, 압도적으로 지루성 피부염이 많지만, 유치원·보육원아, 초등학교 저학년인 아동은 항상 머릿니를 염두에 두어야 합니다.

▶ 두부의 병변 치료는 대개 스테로이드 외용입니다. 안테베이트®로션, 린데론-V®로션 등으로 치료합니다. 그러나 머릿니와 백선은 감염증입니다. 여기에 스테로이드 외용제를 사용하면 악화됩니다. 그 때문에, 우선 '이는 없는가?' '백선균은 없는가?' 관찰한 후 치료합니다.

▶ 비듬은 두피의 각질이 벗겨진 결과이므로, 두피표면의 변화인 것을 인식합니다. 머릿니가 아닌 것을 확진하면, 다음에 감별해야 할 것은 감염증입니다. 우선 백선균이 없는지를 확인해야 합니다. 두부에 백선균이 감염되면 상당히 까다롭습니다. 방치하면, 영구적인 탈모증이 생기는 켈수스독창이라는 중증 진균감염을 일으키게 됩니다. 감염증 이외에 압도적으로 고빈도인 질환은 지루성 피부염, 아토피성 피부염, 접촉성피부염 등입니다.

1 ★★★★★ ☞ p98
두부의 지루성 피부염

말라세지아균의 증식이 원인인 습진피부염

증상　두부의 인설과 경도의 가려움증. 만성으로 경과하는 피부과의 대표적 질환이며 '비듬이 생겼다'하면 이 질환이다.

진단　백선균은 음성, 두피에 발적, 인설

치료　스테로이드 외용으로 치료, 항진균제(니조랄)로 예방한다.

주의　스테로이드 외용으로 백선의 증식 있음. 족부백선의 유무도 확인한다.

2 ★★★☆☆ ☞ ①(참고) p77, ②p92
두피를 심하게 긁음① and/or 아토피성 피부염②

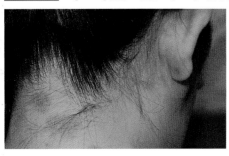

손톱으로 두피를 자극한 상태

진단　극심한 가려움증을 호소하고, 두피뿐 아니라 안면, 사지 등에 긁은 흔적이 있다.

치료　일시적인 스테로이드 외용

주의　심리적인 문제도 많아서, 스트레스에 대한 상담이 필요한 경우도 있다.

3 ★☆☆☆☆

머릿니

모발

머릿니충란

모발에 부착된 머릿니 알(확대도)

머릿니가 두피, 두발에 기생한 상태

증상 두피의 극심한 가려움증
진단 머릿니의 알이 발견된다.
치료 스미스린®L이라는 약제를 사용한 세발
주의 지루성 피부염의 인설과 머릿니의 알을 어떻게 감별하는지가 문제가 된다.

4 ★☆☆☆☆

☞ (참고) p86

모발염색의 접촉성피부염

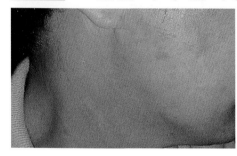

파라페니렌 디아민색소에 의한 접촉성피부염

증상 두피, 귀 주위, 이마 등의 발적, 가려움증
진단 모발염색을 한 시기를 묻는다.
치료 스테로이드 외용
주의 시판약의 접촉성피부염이 합병되어 있는 경우도 있다.

5 ★☆☆☆☆ (드뭅니다)

☞ (참고) p154

두부의 심상성 건선

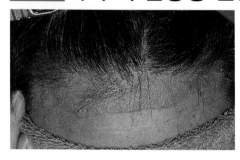

심상성 건선의 병변이 두부에 출현한 것

증상 두꺼운 인설, 두피의 홍반, 각화
진단 다른 피부에 심상성 건선의 병변이 없는지, 두발이 난 안면, 경부에도 심상성 건선의 병변이 없는지 확인한다.
치료 비타민D3 로션, 스테로이드 외용 등
주의 지루성 피부염과 구별하지 못하는 경우가 있다.

6 ★☆☆☆☆ (드뭅니다)

☞ p170

두부백선

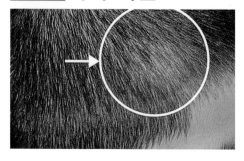

백선균이 두부에 기생한 상태

증상 두부의 인설, 홍반이 특징이지만, 지루성 피부염과 유사하다.
진단 백선균을 발견하기 위해서 현미경검사가 필요하다.
치료 항진균제 내복
주의 기존의 족부백선이 확대된 경우나 격투기로 타인과 접촉하여 감염된 경우 등이 있다.

01 모리에 비듬이 생겼다! 가렵다!

02 머리카락이 없다.

있어야 할 곳에 있어야 할 것이 없다.

▶ 머리에 머리카락이 없는 경우, 특히 심각한 문제가 됩니다. 왜냐하면, 두발은 그 사람의 외모를 결정짓는 중요한 요소의 하나이기 때문입니다. 탈모로 내원한 환자가 눈앞에 있을 때, 다음과 같은 점을 고려합니다.

▶ 탈모부위의 형상은 어떤가? 원형으로 또렷이 탈모되어 있는가? 그렇지 않으면 아무렇게나 드문드문 빠져 있는가?

▶ 탈모부분은 어디인가? 전두부부터 측두부인 경우는 교원병도 고려합니다. 아토피성 피부염, 또는 초등학생 · 중학생들은 스트레스로 머리카락을 스스로 뽑아버리는 경우가 있습니다.

▶ 환자의 연령은 어떤가? 고령남성인 경우는 노화로 인한 변화입니다.

▶ 기초질환은 없는가? 약제내복으로 인한 탈모인가? 항암제치료를 하고 있는가?

▶ 종양은 없는가? 지선모반 등은 탈모의 호소에서 발견되는 수가 있습니다. 반구상으로 부풀어 오른 낭종 때문에 탈모가 나타나는 경우도 있습니다. 또 감염증에서는 백선균을 경계합니다.

---

1 ★★★★★ ☞ p224

원형탈모증

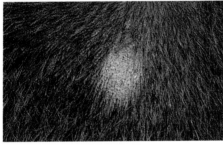

모낭에 대한 자기면역질환

증상 두부에 또렷이 경계가 명료한 탈모병변이 출현한다.
진단 확실한 탈모병변이 특징이다.
치료 프로딘®액 외용, 자외선요법 등
주의 발모버릇과 감별해야 한다.

---

2 ★★★★★ ☞ p224

남성형 탈모증

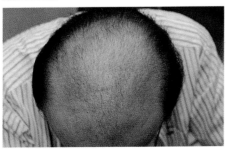

남성호르몬에 의한 탈모증

증상 전두부, 두정부의 탈모
진단 특징적인 소견을 나타낸다. 탈모부와 발모부의 경계가 애매하고, 탈모패턴이 여러 가지다.
치료 자비진료로 페나스테리드(finasteride), 두타스테리드(dutasteride)를 내복한다.
주의 장기간에 걸친 자비진료라는 점을 환자에게 설명해야 한다.

☞ p224

3 ★☆☆☆☆
발모버릇

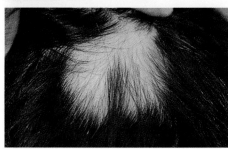

스스로 머리카락을 뽑아버리는 버릇

증상 초등학생 · 중학생에게 호발한다. 불완전한 탈모병변. 원형탈모증은 경계가 명료하지만, 발모버릇은 그렇게 되지 않는다.
진단 발모에 이른 요인을 신중히 듣는다.
치료 정신적, 심리적인 상담을 한다.
주의 진찰 시에는 단어를 선택하여, 신중히 대처한다.

※ 소아의 발모버릇에 관해서는 저서 "진료소에서 보는 어린이의 피부질환"(일본의사신보사 간행)p226을 참고하기 바랍니다.

약제성 탈모

항암제 등의 약제로 인한 모낭의 장애

원인이 되는 약제는 요양상, 필요 불가결하므로, 탈모가 있다고 해서 투여를 중지할 수 없다. 원인약제를 계속 사용하는 경우는 치료저항성이므로, 가발 등의 사용을 권한다.

내분비질환에 의한 탈모

갑상선기능의 저하, 항진 등으로 생긴 헤어사이클의 이상

갑상선호르몬과 모발의 발육주기가 상관되어 있다. 갑상선기능의 저하, 항진으로, 모발의 발육주기에 이상이 생긴 것 같다. 그 밖에 섭식장애 등으로 인한 체중감소, 임신 등으로 인한 탈모 등도 있다.

피하낭종, 지선모반 등의 종양으로 인한 탈모
☞ p216

두부종양의 모근부 압박에 의한 탈모

탈모부분이 약간 부풀어 오르거나 공모양의 만곡을 나타내는 경우 등은 피하낭종, 지선모반, 그 밖의 종양이나 낭종을 고려한다.

감염증에 수반하는 탈모증
☞ p172

백선균에 의한 탈모가 대표적

두부의 천재성(淺在性)백선이 진행되면 모낭의 깊은 곳까지 백선균이 침입하여, 탈모가 생긴다. 심재성 백선감염에서는 켈수스독창 상태가 된다. 불가역성 탈모가 되어 심각하다.

외상성 탈모

모발이 물리적 자극에 약해지는 상태

마취수술로 모발이 장시간 압박을 받거나 강력한 브러싱으로 모발을 잡아당기는 자극이 계속되는 상태 등에서 일어난다.

03 얼굴이 빨개졌다! 가렵다!(특히 여성)

화장품의 사용력을 주의깊게 확인합니다.

▶ 진찰실에 화장을 시작하는 세대 이후의 여성이 들어와서, '얼굴이 빨개지고, 가렵습니다'라고 호소합니다. 이제 피부과에서는 매일 어김없이 보는 광경입니다. 화장품이 맞지 않는다? 뭔가의 알레르기? 내장질환 때문에? 교과서를 봐도 알 수 없습니다. 그렇다면, 무엇이 문제일까요?

▶ 증상은 어떤가? 일부에만 발적이 심한 경우는 접촉성피부염을 생각합니다. 눈 주위의 가벼운 가려움증은 클렌징으로 심하게 문질렀을 가능성이 있습니다. 얼굴 전체에 미치고, 경부, 흉부에도 증상이 있으면 아토피성 피부염입니다.

▶ 화장품의 사용력은 어떤가? 화장품은 테스터라는 점포의 샘플 등, 피부에 맞지 않는 것을 아주 조금만 사용해도 심한 접촉성피부염을 일으키는 수가 있습니다. 여러 가지 화장품을 조금씩 중복하여 사용하는 여성도 많으므로 주의해야 합니다.

▶ 경부에도 증상이 출현하고 있는가? 삼나무꽃가루 등이 직접, 안면이나 경부에 접촉하여, 가려움증, 발적이 나타날 수 있습니다.

▶ 림프절종창이 있는가? 바이러스감염, 그 중에서도 전염성 홍반을 의심해 봅니다.

---

1 ★★★★★   ☞ p80

클렌징으로 심하게 문질러서 생긴 피부염

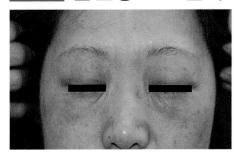

화장을 지울 때 심하게 문지르는 것이 문제

증상 눈주위, 목 등에 주로 가려움증이 생긴다.
진단 클렌징으로 특히 힘이 들어가는 부분이 눈 주위이므로, 이 부분의 발적, 가려움증에 주목한다.
치료 3~5일간의 스테로이드 외용
주의 클렌징방법을 상담한다.

---

2 ★★★☆☆   ☞ p88

화장품의 접촉성피부염 and/or 일광피부염

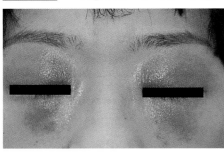

화장품, 햇빛 등의 자극에 의한 피부염

증상 이마, 볼 등의 발적
진단 여성은 매우 여러 가지 화장품을 사용하고 있다. 햇빛과의 관계도 포함하여 상세히 듣는다.
치료 3~5일간의 스테로이드 외용
주의 화장품뿐 아니라 썬크림에 의한 접촉성피부염도 있을 수 있다.

☞ p92

3 ★★★☆☆
얼굴이 주로 아토피성 피부염

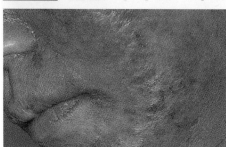

얼굴에 반복적으로 발생하고, 가려움증이 멈추지 않는 타입

증상 '붉은 도깨비'라는 특징적인 안모를 나타내기도 한다. 발적과 종창이 코를 제외한 안면의 거의 전범위에 생긴다.
진단 경부, 흉부 등. 다른 부위도 살펴봐야 한다.
치료 스테로이드 외용, 또는 프로트피크®연고가 대표적이다.
주의 스테로이드 외용에 의한 스테로이드 중독에 주의 한다.

중독 and/or 스테로이드중독
☞ p238

안면의 혈관확장과 가려움증이 특징인 만성병변

스테로이드 외용을 장기간 계속 사용하면 발병하는 경우가 스테로이드중독, 스테로이드 외용을 하지 않아도 발생하는 것이 중독이다. 테트라사이클린계 약의 내복 등으로 치료하는데, 관리가 매우 어려우므로 주의해야 한다.

안면의 지루성 피부염
☞ p100

지루성 피부염이 안면에 출현한 것

아무 원인 없이 생기는 미간, 비순구의 발적이 특징이다. 안면은 지루성 부위이므로 높은 비율로 발생한다. 니조랄® 외용 등으로 치료하는 경우가 많다. 치료가 상당히 어려우므로 주의해야 한다.

전염성 홍반
☞ p198

사람팔보바이러스 B19에 의한 감염증

특징은 볼의 부종성 발적 한다. 목욕, 일광노출 후에 현저해진다. 상완 신측에도 엷은 발적이 생기는 경우가 많으므로, 얼굴 이외의 피부도 진찰한다.

약 진
☞ p134

약제로 인한 발진

전신에 여기저기 출현해도 환자는 얼굴의 발적을 계기로 내원하게 된다. 그 때문에 안면 이외의 피부도 주의깊게 진찰해야 한다.

얼굴백선
☞ (참고) p172, 174

백선균에 의한 감염증

족부백선이 있으면서, 발을 만지던 손으로 안면을 만져서 얼굴백선이 발생할 수 있다. 전형례에서는 중심치유경향이 있는 홍반이 특징. 그러나 스테로이드 외용 등으로 단순히 발적뿐인 경우도 있다.

단순포진①, 대상포진②
☞ p184, p186

헤르페스, 수두대상포진바이러스에 의한 감염증

통상은 '아픈' 질환이지만, 때로 '가려움증'으로 내원하기도 한다. 수포는 거의 확인할 수 없는 경우가 있다. 발적이 점재하고, 림프절종창을 확인하는 경우 등에 고려한다.

04 얼굴의 기미를 진찰해 주십시오.

기미가 있는 환자를 어떻게 진단하고, 설명하는가?

▶ 기미는 평탄한가? 융기되어 있는가? 평탄한 경우는 노인성 색소반, 기미, 마찰로 인한 색소침착이 많습니다. 융기인 경우는 노인성 사마귀, 쥐젖이 가장 많습니다.

▶ 새까만가? 여러 색이 혼합되어 있는가? 상당히 진한 색으로 일정하면 노인성 사마귀, 노인성 색소반. 붉은 색이 혼합되어 있을 때는 노인성 각화종(이것은 전암상태입니다). 파란 색조는 약간 깊은 모반세포를 생각합니다. 여러 가지 색이 혼합된 경우는 악성종양도 생각합니다.

▶ 얼굴의 어느 부분에 많은가? 뺨 아래에 어렴풋하게 거무스름한 것은 기미입니다. 뺨부터 코에 걸쳐서는 작란반(주근깨)이라고 추측합니다.

▶ 환자의 연령은? 30대 후반부터는 노인성 색소반, 노인성 사마귀가 증가합니다.

▶ 경계가 명료한가의 여부는? 악성종양은 경계가 불명료, 요철(凹凸)불규칙, 스며나오는 듯한 병변입니다.

▶ 여러 가지 검사 후에 진단을 결정할 여유가 없이, 시각으로 바로 판단해야 합니다. 그 경우, '환자의 증상은 이렇습니다'라고 핀포인트로 진단하지 못해도, '어느 정도 이런 질환이 있다'라고 환자에게 설명하는 것이 중요합니다.

1

☞ p212

노인성 색소반

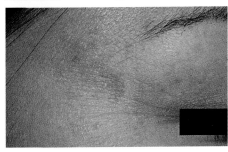

자외선에 의한 멜라닌의 증식

진단 고령자의 안면에는 100% 존재한다. 경계가 명료한 색소반이 특징이다.

치료 Q스위치・레이저로 치료

주의 노화현상이므로 미용적 치료가 된다. 때로 악성흑색종과 유사한 경우가 있어서, 경과를 지켜봐야 한다.

---

2 ★★★★★

☞ p212

노인성 사마귀

자외선에 의한 피부의 노화현상

증상 단추를 붙인 듯한 종류

진단 고령자의 안면에서 높은 빈도로 존재한다. 익숙해지면 쉽게 감별할 수 있다.

치료 액체질소요법으로 제거가 가능하지만, 악성이 의심스러운 경우는 피부과 전문의에게 소개하여, 절제, 병리검사를 할 것을 권한다.

3 여성 : ★★★★☆   남성 : ★☆☆☆☆

☞ p220

마찰에 의한 색소침착

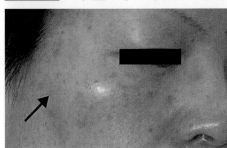

얼굴을 계속 문질러서 생기는 색소침착

증상　경계가 불명료한 거무스름함. 자세히 보지 않으면 판별할 수 없다.

진단　특히 여성의 뺨에 많으므로 잘 관찰한다. 클렌징할 때에 심하게 문지르지 않는지 문진한다.

치료　문지르지 말 것과 클렌징법을 상담한다.

주의　기미와 혼동할 수 있다.

4 여성 : ★★★★☆

☞ p220

간 반

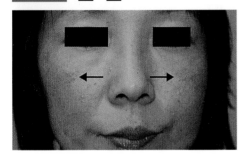

여성의 안면, 뺨 등에 나타나는 거무스름함

증상　하안검에서 약간 하부, 좌우대칭의 상당히 엷은 거무스름함. 육안으로는 거의 확실하지 않은 경우도 많다.

진단　노인성 색소반보다는 흐리고, 마찰로 인한 색소침착보다는 경계가 확실하다.

치료　트라넥삼산 내복 등

기미처럼 보이는 모반, 연성 섬유종 등

☞ p212

작은 점이나 섬유성 종양

경부나 겨드랑이 아래 등에 다발하는 경향이 있는 연성 섬유종은 환자가 미용적인 문제로 내원하기도 한다. 점과 마찬가지로 방치해도 문제가 없다.

작란반(주근깨), 진피멜라닌, 오오타(太田)모반 등

☞ p212

주근깨는 안면에 나타나는 좌우대칭의 작은 멜라닌

한편, 진피멜라닌은 약간 깊숙이 나타나는 기미와 같다라는 설이 있다. 또 오오타(太田)모반이라는 것도 있으며, 이것은 황색인종의 사춘기여자에게 호발하는 삼차신경 1지 2지의 색소반이다.

각종 악성종양

☞ p214

악성흑색종, 기저세포암, 일광각화증(전암상태) 등의 악성종양

'기미가 사실은 악성종양이었다'가 되면 큰일이다. 색조, 경계, 형상에 특이한 변화가 있으면 피부과 전문의에게 소개해야 한다.

(04) 얼굴의 기미를 진찰해 주십시오.

05 거친 손을 진찰해 주십시오.

거친 손에는 여러 가지 질환이 숨어 있습니다.

▶ 매년 가을부터 겨울에 걸쳐서, 건조한 피부의 계절이 찾아옵니다. 연령, 직업, 성별을 불문하고, 외래에 오는 것이 거친 손입니다. 어느 진료과에서나 이 질환으로 약을 처방하지 않은 선생님은 아마 없을 것입니다. '고작 손이 거친 걸로, 핸드크림이나 처방해 주면 되겠지?'라고 생각하기 쉽습니다.

▶ 그러나 이 거친 손에 실은 여러 가지 질환이 숨어 있습니다. 손가락에 균열이 생기거나, 인설이 눈에 띄는 경우 등은 통상적인 수부 습진입니다. 스테로이드 외용으로 수부백선이 생기는 경우도 있습니다. 수부습진과 수부백선은 종이 한 장 차이입니다.

▶ 수포가 생긴 경우는 작은 것이면 수족구병, 한포, 이한성 습진 등을 생각합니다. 농포 등이 혼재되어 있을 때는 장척농포증(掌蹠膿疱症)일 가능성이 있습니다.

▶ 고령자의 거친 손은 우선 옴을 부정할 필요가 있습니다.

▶ 두껍고 딱딱한 상태라면 심상성 건선. 드물게 **매독**으로도 딱딱해집니다.

▶ 가려움증이 심한 경우는 아토피성 피부염, 라텍스 등에 의한 알레르기를 생각합니다.

---

1 ★★★★★　　　　　　　　　　　　☞ ①p106, ②p112

수부습진①, 손에 생긴 이한성 습진①, 한포②

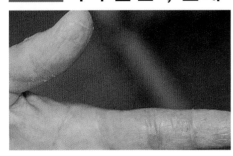

수부습진

주요 병변에 따라서 병명이 다르다

증상　손가락의 인설, 균열, 가피, 홍반, 건조증상 등 다양하다.

진단　감별진단이 오히려 중요하다. 수부 백선, 장척농포증, 옴, 바이러스 감염증 등을 제외해야 진단할 수 있다.

치료　스테로이드 외용으로 치료, 보습제로 예방한다.

주의　반복되므로, 잘 관리하는 것이 포인트다.

---

2 ★★☆☆☆　　　　　　　　　　　　☞ ①p92, ②p78

아토피성 피부염 손① + 쥐어뜯은 자극에 의한 병변②

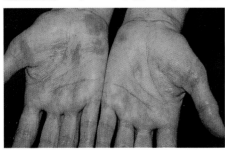

쥐어뜯는 버릇으로 악화된 아토피성 피부염

증상　스트레스가 원인으로, 좌우대칭으로 손가락, 손바닥에 긁거나 쥐어뜯은 상처가 눈에 띈다. 자상에 가깝고, 순식간에 악화된다.

진단　다른 부위에 아토피성 피부염의 병변이 없는지 확인한다.

치료　스테로이드 외용 및 보습제 사용

주의　심리적인 상담이 중요하다.

장척농포증(掌蹠膿疱症) ☞ p152

손바닥과 발바닥에 수포농포가 생겨서, 딱딱해진 것

손바닥에는 모지구부 등 발은 땅에 닿는 부분에 나타나는 딱딱한 병변으로, 농포수포를 확인한다. 흡연자에게 많다. 만성 경과로, 수부습진이 낫지 않는 경우에 고려한다. 치료는 스테로이드 외용, 자외선치료, 편도선 적출이 유효한 경우도 있다.

수부백선 ☞ p174

손의 백선균감염증

족부백선이 있는 발을 만진 손으로 스테로이드 외용을 하면 발생한다. 족부백선인 환자의 스테로이드 외용은 신중하게 한다.

옴(고령자, 영유아) ☞ p206

옴벌레에 의한 피부내 기생

옴에서는 손바닥, 손목의 옴터널이 높은 비율로 나타난다. 고령자에게 손이 거친 경우는 적은 편이다.

매독 ☞ p162

매독 2기진으로 손바닥에 나타나는 습진 등

인설을 수반하는 각화성 홍반이 손바닥에 나타난다. 근래 증가하고 있다. 감별진단으로 기억해 둔다. '전형증상'이라는 것이 없다. '이유 없는 손의 홍반은 매독을 의심하라' 매우 다양한 증상이다. "the great imitator"

수족구병 ☞ p200

엔테로 71, 콕사키 A16 등에 의한 바이러스감염증

소아의 손, 발, 입, 둔부에 수포가 생긴다. 손이 '제1 발견부위'인 경우가 많으므로, 보호자는 우선 습진이라고 생각하며 내원한다. 독특한 타원형 수포를 확인해야한다.

수두①, 단순포진②, 대상포진③ 등 ☞ ①p196, ②p184, ③p186

손가락의 바이러스감염으로 불그스름한 수포나 가려움증을 나타내는 것

손에 나타나기도 한다. 대상포진이라면, 신경절 전체 즉 상지를 진찰해야 한다. 단순포진도 손에 나타나는 경우가 있으므로 주의한다.

유아의 손가락 빨기

계속 타액이 손가락을 자극한 결과 생기는 붉은 손

모친이 알려주는 경우가 많아서, 진단에 어려움은 거의 없다. 손가락 끝에 인설, 가피를 수반한다.

손의 전염성 연속종 ☞ p204

손에 생긴 바이러스감염

손에 갑자기 수포가 나타난다. 비교적 대형 수포로, 진무름면을 나타내기도 한다.

다형 삼출성 홍반 ☞ p132

감염증 등이 원인으로 생기는 반응

제방상으로 주위가 부풀어 오르고, 스며 나오는듯한 홍반을 보인다. 손등에 생기는 경우가 많으며, 심한 가려움증을 수반한다.

06 아기의 엉덩이가 새빨갛습니다.

심하게 문지르거나 기저귀피부염이 대표적입니다.

▶ '기저귀피부염'이라는 병명이 있습니다. 이 병명은 매우 애매합니다. 접촉성피부염의 일종 이라는 설, 독립된 개념이라는 등 여러가지 설이 있습니다.

▶ 불그스름함은 항문 주위뿐인가? 유아의 둔부, 음부는 종이기저귀 때문에 계속 고습도입 니다. 그 때문에 작은 마찰로도 피부에 염증을 일으킵니다. 보호자의 청결방법을 잘 관찰 합니다. 그러면 기저귀피부염은 대부분이 심하게 문질러서 생긴 피부염이라는 것을 알 수 있습니다.

▶ 주위에 점재하는 홍반이 있을 때는? 상재균인 칸디다의 증식을 생각합니다.

▶ 종창하여 발적이 심할 때는? 용혈성 연쇄상구균 감염증이나 항문주위 농양을 생각합니다.

▶ 기저귀 부위 전체에 퍼지는 경우는? 종이기저귀에 의한 접촉성피부염도 고려합니다.

▶ 수포가 혼재하는 경우는? 수족구병은 둔부에 수포가 생깁니다. 전염성 농가진이 생기는 경우도 염두에 두어야 합니다.

▶ 벌레에 물린 듯한 구진이 있는 경우는? 옴은 유아에게도 기생하므로, 보호자에게 옴의 증 상이 있는지를 체크합니다.

▶ 베스트3은 심한 문지름, 접촉성피부염, 칸디다증입니다.

---

1 ★★★★★
☞ p82

심하게 문질러서 생긴 피부염

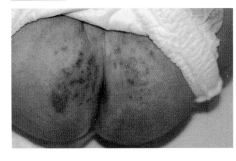

고습도상태인 둔부에 마찰이 원인으로 생기는 피부염

증상　둔부, 음부의 발적. 설사 시 이 증세가 많이 보이는 경향이 있다. 유아의 피부는 얇으므로, 약한 자극으로 박리된다.

진단　칸디다증의 제외가 중요하며 구진의 유무를 확인한다.

치료　엉덩이를 문지르지 않고 기저귀를 교환하는 방법을 지도한다.

주의　아연화연고에 의한 예방이 중요하다.

---

2 ★★★☆☆
☞ p82

접촉성피부염

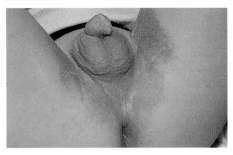

소독액 등이 원인인 접촉성피부염

증상　심한 발적

진단　소독액, 비스테로이드 항염증제(NSAIDs) 등을 외용하고 있는지 확인한다.

치료　일시적인 스테로이드 외용

주의　여러 가지 외용으로, 고생하는 경우가 많다.

☞ p178

3 ★★☆☆☆

유아의 피부칸디다증

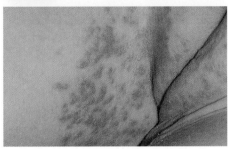

상재균인 칸디다가 항문 주위에서 증식

증상 항문 주위에 홍색구진, 인설이 산포한다.
진단 구진 등이 비교적 규칙적으로 분포해 있다.
치료 항진균제 외용
주의 '유아 기생균성 홍반'은 동일질환이다.

4 ★☆☆☆☆

용혈성 연쇄상구균감염증

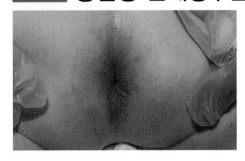

항문 주위에 용혈성 연쇄상구균감염

'기저귀피부염으로는 약간 선명한 발적이네?'라고 깨닫는 것이 중요
하다. 용련균 신속키트가 유용하다. 항문 주위에 심한 발적이 나타
난 경우는 페니실린계 항생제 내복으로 치료한다.
※용련균 검사키트는 인두배양뿐입니다.

수족구병

☞ p200

수족구병은 '수족구 엉덩이병'이라고 생각한다

둔부, 음부에 약간 붉은 작은 수포가 나타나면 고려한다. 이 바이러스감염증은 둔부에 나타나는 경우가 많으므
로 염두에 둔다.

항문주위 농양

항문의 직근부(直近部)에서, 약간 심부의 세균감염

단순한 발적이 아니라, 약간 부풀어 오른 경우에 생각한다. 절개배농이 필요하다.

전염성 농가진

☞ p168

포도상구균 등이 생산하는 독소에 의한 진무름

통상은 항문 주위뿐 아니라, 다른 부위에도 진무름이 확대되어 있으므로 주의 깊게 주위의 피부를 관찰한다. 치
료는 항생제 외용(아크아팀®크림 등).

옴

☞ p206

옴벌레의 감염

기저귀 교환 시 보호자의 손가락에서 감염되는 경우가 있으므로 주의한다.

07 발톱이 변색, 변형되었다. 두껍다. 끝이 갈라진다.

발톱에는 매우 많은 유사질환이 있습니다.

▶ 발톱의 변색이나 두께에 문제가 생기면 무엇을 생각하는가? 대표적인 질환은 발톱백선입니다. 그러나 매우 많은 유사질환이 있습니다.

▶ 발톱이 비후, 변색되고, 현미경검사로 백선균을 증명할 수 없는 경우는 우선, 후경조갑(厚硬爪甲, 두껍고 딱딱한 발톱)을 생각합니다. 발조(拔爪) 등으로 조상(爪床)이 상해를 입어 변형 비후된 발톱이 자라납니다. 새끼발가락, 즉 제5 족지에서는 구두의 압박으로 인한 물리적 변화도 고려해야 합니다.

▶ 다른 피부질환에서의 문제도 있습니다. 심상성 건선, 장척농포증에서는 발톱의 변화도 현저해집니다. 이것은 발톱백선과 매우 유사합니다.

▶ 아토피성 피부염, 수부습진 등으로 항상 손이 거칠어져 있으면, 조갑의 변형이 생깁니다. 엄지손가락 주변에 피부염이 생기면, 손톱의 신장에도 악영향을 미치게 됩니다.

▶ 발톱을 혹사하는 직업, 또는 매니큐어 등으로 발톱에 계속 자극을 주면, 발톱이 갈라지게 됩니다.

1 ★★★★★ ☞ p176

변색, 두껍다 ▶ 발톱백선

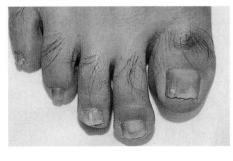

백선균의 발톱 침입으로 생기는 질환

증상 족부백선을 방치하면 균이 발톱에 미쳐서 발생한다. 손톱에도 생긴다. 혼탁한 패턴은 여러 가지이다. 곰팡이형, 조갑하각질 증식이 현저한 형 등이 있다.

진단 현미경으로 백선균 요소를 발견해야한다.

치료 발톱백선 전용 항진균외용제가 처방제로 승인되었다.

2 ★★★☆☆ ☞ p176, 228

변색, 두껍다 ▶ 후경조갑

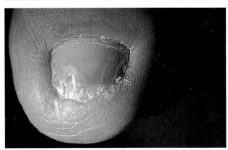

조갑의 신장장애

증상 회색의 비후된 발톱으로, 환자가 '발톱이 자라지 않는다'고 호소한다.

진단 현미경으로 진균요소는 발견할 수 없다.

치료 발톱이 빠져서 조상(爪床)이 상해를 입고, 족지골이 발톱의 신장을 방해하기 때문에 생기는 것이다. 족지골을 깎아야 하는지의 여부가 문제다.

주의 발톱백선이라고 오진하여 항진균제를 내복하지 않도록 주의한다.

☞ p228

3 ★★☆☆☆
변색, 두껍다 ▶ 구두의 압박에 의한 발톱의 변화

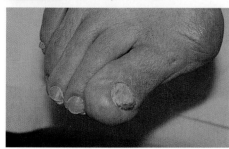

발에 맞지 않는 구두의 사용으로 발톱의 변형비후

증상 제5 족지에 많고, 구두가 발가락을 압박하여 발생한다.
진단 진균요소는 현미경으로 음성
치료 적절한 구두로 변경해야 한다.
주의 난치성이며, 구두 전문가를 소개한다.

변색, 두껍다 ▶ 장척농포증에 의한 발톱의 변화 ☞ p152

장척농포증에 의한 발톱의 비후

발톱 뿐인 증상은 정의상 있을 수 없으므로, 발바닥의 변화를 잘 관찰한다.

변색, 두껍다 ▶ 심상성 건선에 의한 발톱의 변화 ☞ p154

염증성 각화증이 발톱에 미치는 상태

발톱이 점상함요되며, 황백색으로 혼탁한 경우는 발톱백선과 매우 유사하다. 그 때문에 오진하는 증례가 많다.

약하다, 변색, 갈라진다 ▶ 발톱박리증

발톱이 끝부터 박리된 상태

발톱백선과 비교하여 '깨끗한' 변색이다. 비후되지 않아서 감별이 용이하다. 물론, 현미경으로 진균요소는 발견되지 않는다.

약하다, 변색, 갈라진다 ▶ 수부습진, 손의 아토피성 피부염에 의한 손톱의 변화 ☞ p154

아토피성 피부염으로 손의 병변이 진행되어, 손톱에 변화가 미친 것

수부습진, 아토피성 피부염 등으로 인한 손톱, 조모(爪母)주위의 염증이 손톱에 파급된다. 원인인 수부습진, 아토피성 피부염이 치유되지 않는 한, 손톱의 변형도 되돌아가지 않는다.

변형되었다 ▶ 원형탈모증에 의한 손톱의 변화 ☞ p224

자기면역적 요소가 강한 원형탈모증이 손톱에 변화를 미친 것

함요, 변형 등의 증상이 나타난다.

08 손발에 티눈이 생겼습니다.

발에 티눈이 생겼습니다.

▶ 소아의 경우, 대부분은 바이러스성 유두종 특색을 보이며, 이것은 사마귀 혹은 혹이라고 불립니다. 진료소에서 보호자가 아이의 발 속에 티눈이 생겼다고 하면, 우선 사마귀라고 생각해도 됩니다. 소아에게는 티눈이 거의 생기지 않습니다.

▶ 어른의 경우는 불편한 신발, 또는 스타일을 중시하는 굽이 높은 구두 등의 착용으로, 티눈, 굳은살이 생깁니다. 티눈은 동통이 있고, 굳은살은 동통이 없습니다. 물론, 어른에게도 사마귀가 매우 많아서, 감별에 주의해야 합니다. 사마귀인지, 티눈·굳은살인지, 판단을 내리기 어려운 경우도 많습니다.

▶ 사마귀에는 액체질소요법을 시행합니다. 이것은 많은 피부과의가 일상적으로 하는 치료입니다. 단, 몇 번이나 해도 반응하지 않는 사마귀 중에는 때로 점액낭종, 표피낭종 등이 혼재해 있는 경우가 있습니다. 작은 검은 점이 실은 악성 흑색종인 경우도 드물게 있으므로, '고작 티눈, 사마귀'라고 안이하게 결정해서는 안 됩니다.

---

1 소아 : ★★★★★　어른 : ★★★★☆ ☞ p182

바이러스성 유듀종(혹, 사마귀)

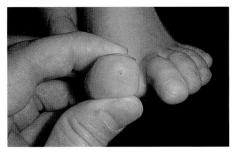

이른바 사마귀. 손바닥이나 발바닥 등, 몸의 어디에나 출현

증상　사마귀 그 자체가 형태용어로, 혹상융기를 말한다. 발바닥인 경우, 융기되지 않고 평면으로 확대되기도 한다.

진단　대부분의 사마귀는 확대되면 점상의 검은 출혈반이 보인다.

치료　액체질소요법

주의　난치성인 경우가 있으므로, 끈기 있게 통원시킨다.

---

2 소아 : ★☆☆☆☆　어른 : ★★★★☆ ☞ p138

티눈, 굳은살

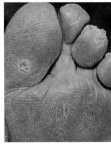 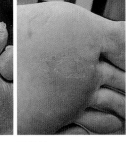

발바닥의 각질증식

증상　구두와 발바닥이 맞지 않아 발바닥의 각질이 두꺼워진다. 역원추형으로 피부의 내부를 찌르는 것은 티눈, 편평형인 것은 굳은살이라고 한다.

진단　구두가 닿는 호발부위에 있는지 확인한다.

치료　Pedi® 내지 큐레이트라는 도구로 깎는다.

주의　Shoes fitter에 의한 발에 잘 맞는 구두의 선택이 중요하다.

티눈　　　　　굳은살

☞ p216

3 ★★☆☆☆
점액낭종

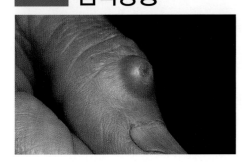

발가락, 손가락 등(신측)말단에 생기는 낭종

증상 손톱의 바로 근처에 반구상으로 생긴다. 자각증상은 없다.

진단 어느 환자나 거의 비슷한 발생부위, 형상이므로, 한 번 진찰
하면 금방 알 수 있다.

치료 적출한다. 강글리온(ganglion) 등, 유사질환이 많으므로 전
문의에게 소개한다.

피하낭종(표피낭종)

☞ p216

피부 내에 주머니가 생겨 버린 상태

손발에도 생기며, 결코 드물지 않다. 사마귀라고 생각하여, 액체질소요법을 계속해도 낫지 않는 증례 등에서 의
심하게 된다. 이상하게 큰 융기가 생기면 의심해야한다.

강글리온(ganglion)

관절낭, 또는 건초의 질환

정형외과 영역이다. 점액낭종과 매우 유사하지만, 좀 더 관절에 연결되어 있는 인상이 있으면, 강글리온이라고
판단해도 된다. 심부에서의 병변이므로 정형외과에 소개한다.

동 창(凍瘡)

☞ p140

발가락, 손가락 말단의 혈류이상

발가락, 발바닥에 딱딱하고 붉은 응어리가 생겨서 내원하는 경우가 많으므로, 만약을 위해서 감별해야 한다.

악성 흑색종

☞ p214

결절형, 말단흑자형 등인 경우

발에 생긴 사마귀가 부풀어 올라온 경우 등은 특히 주의하며 발톱 주위까지 신중히 진찰한다. 드물게 붉은 타입
도 있다. 이 종양은 조기 발견이 중요하므로, 항상 염두에 둬야한다.

09 무좀입니다.

이한성 습진과 족부백선, 어느 쪽이 우위인지 확인합니다.

▶ '무좀'이라고 한 경우, 감별에는 2가지 대표적 질환이 있습니다. 이한성 습진과 족부백선입니다. 이 2가지는 발의 병변을 생각하는 경우에 항상 감별해야 합니다. 이한성 습진은 스테로이드 외용으로 치료합니다. 족부백선은 항진균제입니다. 이것을 반대로 사용하면 각질환이 악화됩니다. 따라서 우선 이 2가지 질환 중 어느 쪽이 '우위'인지 확인하는 것이 중요합니다. 족부백선이 우위이면 그 치료부터 개시하고, 백선균이 소멸된 시점에서 아직 습진이 있으면 이한성 습진을 치료합니다. 반대로 이한성 습진이 우위라면, 우선 스테로이드 외용으로 치료합니다. 그 경과에서 백선균이 출현하면, 항진균제로 교체합니다. 실제로는 이 2가지 질환이 교대로 출현, 소퇴를 반복하기도 합니다.

▶ 발적이 그다지 심하지 않을 때는 항진균제의 접촉성피부염을 생각합니다. 발바닥에 각화와 농포가 혼재하는 경우는 흡연자에게 호발하는 장척농포증(掌蹠膿疱症)입니다.

▶ 가려움증이 심할 때는 아토피성 피부염이나 '건강'샌들에 의한 각화증 등도 의심합니다.

☞ p174

족부백선

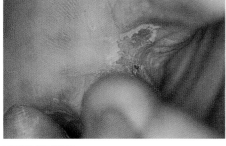

기간형 족부백선

백선균에 의한 감염증

증상　소수포형, 지간형, 각질증식형의 3형이 있다.

진단　현미경검사로 백선균을 확인한다.

치료　항진균제 외용, 각질증식형은 내복이 보다 효과적이다.

주의　이한성 습진과 구별이 불가능하다. 그에 추가하여, 양자가 병발해 있는 환자도 많으므로 치료, 병상설명이 복잡해진다.

☞ p110

발에 생긴 이한성 습진

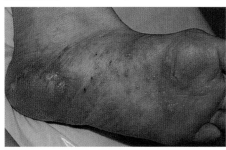

땀과의 관계는 여러 설이 있다. 발에 생긴 염증이라고 생각한다.

증상　발가락의 측연 등에 인설소수포가 생긴다.

진단　백선균은 음성이며, 족부백선과 구별 불가능하다.

치료　스테로이드 외용

주의　스테로이드 외용으로 족부백선의 발생이 유발되는 수가 있으므로, 정기적으로 현미경검사를 해야 한다.

항진균제에 의한 접촉성피부염①, 백선진② ☞ ①p90, ②p120

발가락에 극심한 접촉성피부염이 생기고, 그 결과 자가감작성 피부염

발은 극심한 발적과 종창을 보일 수 있다. 전신에 작은 구진이 산포하는 경우는 백선진이라고 진단한다. 피부과를 하면, 한 여름에 한 번쯤 경험한다.

장척농포증(掌蹠膿疱症) ☞ p152

손발바닥 등의 농포, 각화

족부백선, 이한성 습진과 유사하다. 만성 경과하고, 땅에 닿는 부분부터 내측에 걸쳐서 농포가 나타나면 이 질환을 생각한다.

쥐어뜯는 버릇①, 아토피성 피부염② ☞ ①p78, ②p92

발바닥의 피부를 '어떻게 해서든 쥐어뜯고 싶은' 상태

아토피성 피부염이 기초에 있는 환자가 많아서, 발바닥의 일부를 강제로 쥐어뜯는다.

'건강'샌들에 의한 발바닥의 가려움증 ☞ p126

무수한 돌기로 발바닥을 자극하는 '건강'샌들에 의한 자극성 변화

발바닥이 돌기물로 반복 자극을 받아서, 극심한 가려움증이 생긴다. 사용을 중지하면 치유된다.

발가락 사이의 침연 ☞ p142

발가락 사이에 생긴 세균 · 백선균감염, 접촉성피부염 중 어느 것인가?

백선균을 증명할 수 있으면 항진균제로 치료한다. 증명할 수 없을 때는 세균감염을 의심하고, 항생제 외용으로 치료한다. 접촉성피부염이 확실한 경우에는 스테로이드 외용을 한다.

발바닥 균열성 피부염 ☞ p126

겨울철에 현저해지는 발뒤꿈치 주위의 각화균열

건조가 진행되면 악화된다. 요소연고 등으로 보습한다.

옴 ☞ p206

발바닥이나 발톱에 생긴 옴

방치하면 발톱 속으로 옴이 침입하여, 발톱옴이 된다. 난치성이다.

발바닥의 Pitted Keratolysis

일종의 세균이 원인이다

발바닥이나 체중이 가해지는 부위에 함요가 출현한다. 안전화 등의 착용으로 세균이 증식되어 발생한다.

수족구병 ☞ 200

발가락~발바닥에 나타나는 바이러스감염에 의한 소수포

소아에게 많고, 타원형 암적자색 수포가 나타난다. 인설은 확인되지 않으므로 오진하는 경우는 없다. '무좀이네요'라고 말하지 말 것.

10 몸의 여기저기가 가렵다!

가려움증의 원인은 여러 가지입니다. 각종 질환을 고려합니다.

▶ '선생님, 가려워서 견딜 수가 없어요…'. 피부과를 표방하면 가려움증으로 내원하는 환자가 많은 것은 대개 예상할 수 있습니다. 그 중에서 전신, 또는 광범위한 가려움증에 관해서, 어떻게 생각해야 할까요?

▶ 긁으면 피부가 부풀어 오르는 상태를 '팽진'이라고 합니다. 이 경우는 두드러기를 생각합니다. 진찰실에 있을 때에는 팽진을 확인하지 못하는 경우도 많습니다. 따라서 어떤 형태의 피부였는지, 환자에게 예시 사진을 보여주면서 상세히 확인하는 자세가 중요합니다. 이 중에는 운동으로 유발되는 타입, 아나필락시가 생기는 타입 등도 있습니다. '운동한 후에 가렵습니까?' 등을 확인합니다.

▶ 가을에서 겨울에 걸쳐서는 피지결핍성 습진에 의한 가려움증이 나타납니다. 목욕탕에서 나일론타월의 사용에 의한 마찰도 원인이 되어, 전신을 긁으며 내원하는 환자가 증가하고 있습니다.

▶ 아토피성 피부염의 가려움증은 가려움을 감지하는 신경섬유가 피부 근처까지 침입하여 생기는 것이 아닐까 추측하고 있습니다. '필라그린(filaggrin)'이라는 물질의 생산이 불충분한 점 등이 원인이 되고 있습니다. 금후의 연구에 기대하는 바입니다.

---

1 ★★★☆☆   ☞ p128
두드러기(일반적인 타입)

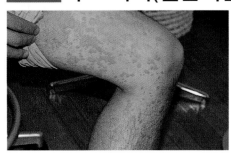

비만세포에서 히스타민 유리에 의한 알레르기반응

증상 팽진이 특징이며 3시간 정도 지속되다가 소퇴된다. 그러나 다른 부위에 또 생기는 것을 반복한다.
진단 피부를 긁어서, 피부묘기증이 있는지 확인한다.
치료 항히스타민제 내복, 노이로트로핀® 주사 등
주의 만성화되지 않도록 항히스타민제의 계속적인 내복을 지시한다.

---

2 ★★★☆☆   ☞ p①114, ②p78
전신 피지결핍성 습진① + 심하게 문지르거나 긁는 버릇②

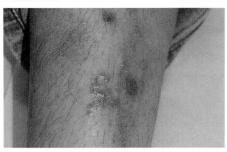

전신의 건조피부가 기본이며, 마찰 등으로 악화된 것

증상 전신의 도처에 긁은 자국투성이다.
진단 목욕탕에서 나일론타월의 사용 유무를 확인한다.
치료 스테로이드 외용으로 치료, 보습제로 예방 한다.
주의 입욕 시 손바닥을 사용하여 부드럽게 씻도록 지도한다. 세게 문지르는 버릇을 중지시킨다.

☞ p92

3 ★★☆☆☆

진짜 아토피성 피부염

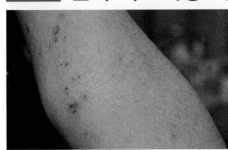

독특한 건조피부와 극심한 가려움증이 특징

증상 각질이 취약하므로 방어장애, 이 때 생기는 알레르기반응 등
이 원인이다.
진단 아토피소인, 좌우대칭, 반복하여 긁기 등
치료 스테로이드 외용으로 치료, 보습제로 예방. 자외선치료 등
주의 장기전이 된다. 스트레스로 악화된다.

음식물의존성 운동유발 아나필락시 ☞ p128

음식을 섭취하고, 운동함으로써 생기는 전신의 두드러기

호흡기증상, 복부증상, 그리고 의식소실발작 등도 수반하므로 주의한다.

자가감작성 피부염 ☞ p118

큰 피부병변이 있고, 그것을 계기로 전신으로 확대되는 습진

처음부터 전신을 보면 '원인이 되는 큰 피부병변'을 알 수 없는 경우가 있다. '특히 가려운 곳이 있습니까?'라고
확인해야 한다.

고령자 ▶ 원인불명의 피부소양증 ☞ p116

고령자에게 흔한 '가려움증'뿐인 상태

불가사의한 질환으로, 원인은 불분명하며 노화에 따른 변화라고 생각된다. 자외선치료가 효과적인 경우가 있다.

고령자 ▶ 옴 ☞ p206

옴벌레의 피부 내 감염

가려움증만으로 내원해도 손바닥, 경부, 겨드랑이 아래 등을 잘 관찰하여, 옴벌레터널이 없는지 체크한다. 치료
는 스트로멕톨®을 내복하고 스미스린®로션을 외용한다.

내장질환 유래의 가려움증 ☞ p116

투석환자의 가려움증은 유명

가려움증의 원인에 관해서는 여러 가지 설이 있다. 투석환자의 가려움증에는 레밋치®라는 약제가 발매되며, 상
당한 효과가 있다.

11 몸의 일부가 가렵습니다.

접촉성피부염이 대표적. 그러나 많은 질환이 숨어 있습니다.

▶ 가려움증은 피부과 수진이 가장 많은 계기입니다. 부분적인 가려움증은 어떻게 생각해야 될까요?

▶ 안면의 가려움증인 경우, 알레르기성 접촉성피부염이나 클렌징 시 심하게 문지른 것이 대표적입니다. 안면은 다른 부위와 달리, 외용제의 사용에 큰 제한이 있습니다. 스테로이드를 사용할 수 없는 부위이므로, 치료가 매우 어렵습니다.

▶ 여성의 하퇴, 전완의 가려움증이라면 제모피부염을 의심합니다. 제모라는 작업, 남성이라면 수염면도이지만, 여성인 경우는 범위도 넓고, 여러 가지 약제를 사용한다는 점 등에서 트러블이 끊이지 않습니다.

▶ 남녀 모두, 사지의 가려움증이라면, 화폐상 습진이나 양진입니다. 가을, 겨울의 건조한 시기가 되면, 더욱 증가합니다. 긁게 되면 코인 모양의 습진이 쉽게 생기게 됩니다.

▶ 머리, 귀, 겨드랑이 아래라는 지루부위, 즉 기름이 많은 부위에는 말라세지아(Malassezia) 라는 상재균이 번식합니다. 그에 관한 가려움증으로도 수진합니다.

▶ 발이 가려운 경우는 무엇보다도 백선균에 의한 족부백선. 즉 무좀입니다.

---

1 여성의 얼굴 : ★★★★☆   ☞ ①p80, ②p88

클렌징으로 심하게 문지름①, 화장품의 접촉성피부염②

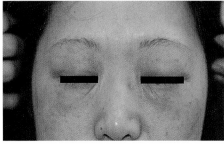

클렌징으로 심하게 문지름

화장품 및 화장품을 지울 때의 트러블

증상 안면의 일부(이마, 눈 주위 등)에 국한된 홍반

치료 일시적인 스테로이드 외용

주의 클렌징 방법이나 파운데이션 선택에 관해 상담한다.
　　　화장품은 기호의 문제도 있어서, 해결이 어려운 경우가 있다.

---

2 여성의 하퇴 등 : ★★★☆☆   ☞ p84

제모에 의한 피부염＋각종 접촉성피부염

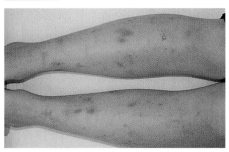

제모 시의 자극, 또는 사용약제에 의한 접촉성피부염

증상 하퇴, 전완의 모낭일치성 발적과 긁은 흔적

진단 제모방법을 확인한다.

치료 모낭염으로 감염증상이 있으면 항생제를 내복하고, 접촉성피부염에는 스테로이드를 외용한다.

주의 시판약에 의한 접촉성피부염의 혼재도 많다.

3 남녀의 사지 : ★★★☆☆
화폐상 습진①, 양진②

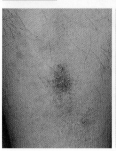 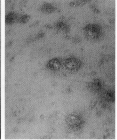

화폐상 습진   양진

소파 결과, 사지, 체간부의 일부에 생기는 병변

증상   화폐상 습진은 코인과 같은 습윤병변을 보인다. 양진은 약간
부풀어 오른 구진으로 극심한 가려움증이 있다. 양진인 여러
곳을 긁어서, 화폐상 습진처럼 되는 경우도 있다.
치료   스테로이드 외용
주의   반복하여 긁는 것이 원인이며, 난치성이 된다.

▎손 주위 ▶ 수부습진①, 손뿐인 아토피성 피부염② ☞ ①p106, ②p92

손에 가해지는 여러 가지 자극에 의한 습진이나 아토피성 피부염 등

스테로이드를 외용하며 백선의 합병에 주의한다. 손의 병변은 만성으로 지속되는 경우가 많으므로, 핸드크림 등
도 자주 사용하여 치료한다.

▎지루부위(두부, 귀 주위, 경부, 겨드랑이 아래, 서혜부) ▶ 지루성 피부염 ☞ p154

'말라세지아(Malassezia)' 상재균의 과잉번식 등이 원인인 습진반응

접촉성피부염도 아닌데 발적과 인설이 있는 경우는 지루성 피부염을 생각하면 된다. 이것도 만성이자 난치성 질
환이다.

▎발가락, 측연 ▶ 발의 이한성 습진 ☞ p110

습진반응이지만, 백선균에 의한 것은 아니다

손가락의 측연에 인설이 있고, 백선균을 증명할 수 없는 상태이다. 스테로이드 외용에 흔히 반응한다.

▎발바닥, 발가락 사이 ▶ 족부백선 ☞ p174

백선균의 감염이며, 발은 그 호발부위

현미경으로 백선균을 확인할 수 있다. 피부진료를 하려면 현미경을 준비하고, 백선균을 확인하면 된다.

▎여름, 노출부, 겨드랑이 아래 ▶ 벌레물림, 독나방피부염 ☞ p136

여름의 대표적 질환. 모충, 모기 등에 의한 병변

매년 6월과 9월에 대발생한다. 구진이 모여 있는 독특한 증상이 나타난다. 모기에 의한 병변은 소아의 경우, 반
응이 매우 강하게 나타나기도 한다.

▎노인의 손, 가슴, 등 ▶ 옴 ☞ p206

옴벌레의 피부 내 기생

고령자, 영유아 등 면역이 약한 경우에 감염되기 쉬우므로 주의해야 한다. 진단은 옴터널을 찾을 것. 고령자의
손목, 남성의 음낭이 호발부위다.

12 피부의 일부가 하얗다….

피부의 일부가 하얘진다. 기미의 상담과 정반대입니다.

▶ 백반이라는 독특한 질환이 있습니다. 색소가 만들어지지 않는 상태입니다.

▶ 멜라닌이라는 색소는 표피의 기저층에 있는 멜라노사이트(melanocyte)에서 생산됩니다. 이것은 다른 표피세포에도 흩뿌려져서, 일본인의 피부색을 형성하고 있습니다. 어느 정도 멜라닌이 있는 상태가 '보통 일본인, 동양인'의 피부색이 됩니다. 이 멜라닌을 생산하는 과정에서 장애가 생기면, 색이 하얗게 빠져 버립니다.

▶ 초등학생 등에서는 안면이 불규칙하게 하얘지는 현상이 눈에 띕니다. 이것을 단순비강진(마른버짐; 건선)이라고 합니다. 각질이 자외선커트의 필터가 된다는 설이 있습니다.

▶ 자외선을 쬐면 피부는 멜라닌을 합성하여 일광에 대처하려고 합니다. 그러나 멜라닌의 합성과정에서 자기면역반응이 생겨서, 신체의 특정 부분만 하얗게 빠져나가는 질환이 있습니다. 이것이 심상성 백반입니다. 이 질환은 일상진료에서도 흔히 내원하므로, 일반의라도 어느 정도의 지식이 필요합니다. 근래 자외선치료의 진보로 상당한 정도까지 치료가 가능해졌습니다.

---

1 소아 : ★★★★★  ☞ p222

단순성 비강진(마른버짐)

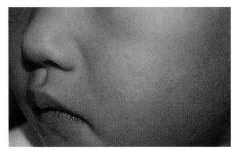

초등학생에게서 높은 빈도로 볼 수 있는 백반

증상　심상성 백반과 달리, 경계가 불명료
진단　특징은 안면 등 양측에 발생하는 둥근 형의 백반
치료　자연치유를 기대할 수 있다.
주의　심상성 백반의 초기 증상과 감별할 수 없는 경우가 있다.

---

2 고령자 : ★★★★★

노인성 백반

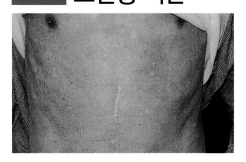

노화현상

증상　통상 고령자의 사지 등에서 볼 수 있다. 약간 소형인 탈색소반을 보이며 심상성 백반과 달리, 경계가 확실하지 않다.
진단　대형이 되지 않으므로 감별이 용이하다.
치료　특별한 치료가 필요 없다.

3 ★★★☆☆
염증 후 탈색소반

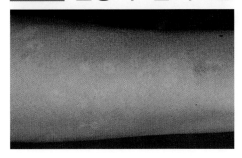

습진피부염 후에 탈색소가 생기는 현상

증상 수두 후에 생기는 흰 반점은 수술 후나 외상 후에도 생긴다. 통상적으로 염증 후 색소침착이라고 하며, 갈색이 된다. 창상 치유과정에서 멜라닌 합성에 장애가 생긴 것이다.

치료 매우 난치성이다. 인공적으로 색소를 만드는 방법도 있다.

☞ p222

4 ★★★☆☆
심상성 백반

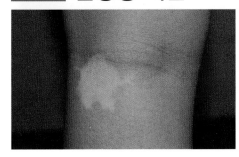

멜라닌생산에서 생긴 자기면역의 문제

증상 경계가 명료한 백반을 보이며 주위에 색소증강을 수반하는 경우가 있어 상당히 강렬하다. 피부의 분절에 일치하는 분절형은 편측성이며, 신체에 광범위하게 좌우로 발생하는 타입은 범발형이다. 갑상선기능이상 등 다른 자기면역질환이 합병되기도 한다.

치료 Narrow Band UVB, 엑시머라이트 등의 자외선치료가 효과적이다.

☞ p180

5 ★☆☆☆☆
전풍(백선풍)

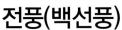
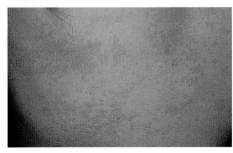

전풍균의 증식에 의한 탈색소를 나타내는 타입

증상 젊은이의 체간부에 흰 반점이 생긴다. 약간 융기되고, 인설을 수반하는 경우가 많으므로, 그 곳에서 현미경검사를 하면 전풍균을 확인할 수 있다. 이와 같은 백반이 왜 생기는지는 불분명하다.

치료 항진균제 외용

주의 백반이 한동안 계속된다.

탈색소성 모반

일부 범위에 생기는 선천성 백반

멜라노사이트(melanocyte)의 기능부전이 신체의 일부에만 생긴 상태다. '흰 모반세포의 증식'은 아닌 것 같다. 평생 지속된다. 생후 얼마 되지 않아 생긴다는 점에서 심상성 백반과 구별할 수 있다.

13 수포가 생겼습니다.

화상 등 진단이 확실한 경우를 제외하고, 무엇을 생각하는가?

▶ 수포를 형성하는 감염증을 우선 생각합니다. 헤르페스, 대상포진, 수두 등의 바이러스감염증은 흔히 경험합니다. 소아에게 대형 수포나 진무름이 생겼다면, 포도상구균, 연쇄상구균 등에 의한 전염성 농가진을 제일 먼저 생각해야 합니다. 작은 수포와 같은 구진이라면 전염성 연속종입니다. 여름이라면 벌레에 물린 것을 잊어서는 안 됩니다. 고령자의 손에서 수포를 확인하면 옴을 의심합니다. 발이 가렵고, 발가락 사이나 발바닥에 긴만성 수포가 생겼다면 족부백선입니다. 접촉성피부염에서도 극심한 경우는 수포를 형성합니다.

▶ 수포는 표피에서 진피에 걸친 결합부가 끊겨 버린 상태입니다. 파괴되면 당연 진무름면이 노출되고, 2차적으로 여러 가지 감염증도 생기게 됩니다. 상기질환의 대부분이 외부에서의 반응입니다. 이것이 자기면역의 원인으로 생길 수 있습니다. 고령자에게 생기는 수포성 유천포창입니다.

▶ 각 질환은 전염성 연속종(☞ p204), 족부백선(☞ p174), 접촉성피부염(☞ p86), 옴(☞ p206), 수두(☞ p196), 벌레 물림(☞ p136), 다형 삼출성 홍반(☞ p132), 화상(☞ p146), 욕창(☞ p148), 약물 알레르기(☞ p134)를 참고하시기 바랍니다.

1 ★★★★★   ☞ p186
대상포진

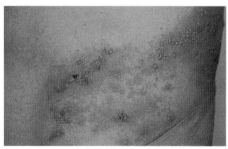

수두, 대상포진 바이러스의 재활성화

증상 신경지배영역에 생긴다. 불그스름한 수포가 밀집되며 극심한 동통이 생기는 것으로 유명하다.
진단 초발생상은 작은 홍반뿐인 경우가 있다.
치료 항바이러스제
주의 대상포진 관련통(ZAP)을 어떻게 치료하는지가 과제다.

2 ★★★★★   ☞ p184
단순포진

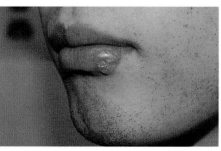

헤르페스바이러스에 의한 감염증

증상 주로 1형은 안면의 입 주위 등에, 2형은 음부 주위에 생긴다. 작은 수포가 밀집한다.
진단 농가진과 구별이 불가능한 경우는 Tzanck테스트가 유용하다.
치료 항바이러스제의 내복
주의 아토피성 피부염의 안면 등에 생기면 중증화된다.

☞ p168

3 ★★★★★
전염성 농가진

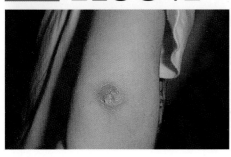

포도상구균, 연쇄상구균의 감염에 의한 습진

증상 수포형성은 포도상구균에 의한 감염으로 발생된다. 소아에게 많으며, 전신 어디에나 생긴다. 수포는 터져서 진무름을 형성한다.

진단 점차 확대되어 가는 수포와 진무름

치료 항생제 내복, 외용

주의 가려움증을 수반하는 경우는 스테로이드 외용도 한다.

☞ p112

4 ★★★★☆
한포

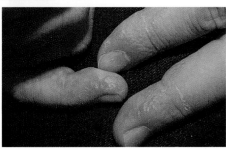

손가락, 발가락에 생기는 소수포

증상 손가락, 발가락의 측연에 소수포가 생기며 가려움증을 수반하기도 한다.

진단 손가락의 측연에 주목한다.

치료 염증을 수반하는 경우는 스테로이드 외용

☞ p200

5 ★★☆☆☆
수족구병

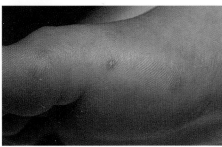

바이러스감염에 의한 손, 발, 입의 수포

진단 둔부에도 생긴다. 림프절종창 등도 확인하고 진단한다.

치료 경과관찰

주의 손의 수포는 한포와 구별할 수 없는 경우도 있다. 증상이 극심할 때는 중증화될 수 있으므로, 소아과와 협진한다.

☞ p150

6 ★☆☆☆☆
수포성 유천포창

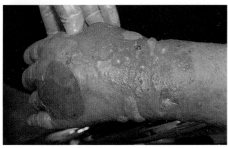

표피와 진피결합부에 대한 자기면역질환

증상 고령자의 사지 등에 갑자기 생기는 긴만성 수포. 혈중에서 항 BP180항체를 검사한다. 대부분은 왼쪽사진과 같이 진무름도 병존한다.

진단 대형으로 터지지 않는 수포형성이라면 유천포창이다.

치료 프레드닌® 내복. Strongest class의 스테로이드 외용

주의 고령자에게 많아서, 프레드닌® 내복을 주저하는 경우도 있다.

14 어린이의 손발에 붉은 좁쌀 같은 것이 생겼습니다.

소아의 사지에 생기는 구진, 홍반을 어떻게 생각하는가?

▶ 개업 초기, 소아 진료에서 매우 곤란했던 적이 있었습니다. 사지, 안면에 좁쌀 같은 것과 구진이 출현하고, 가벼운 가려움증이 있는데 전신상태는 매우 양호, 보호자가 걱정이 되어 데리고 왔습니다.

▶ '습진이네요'라며 얼버무렸지만, 왠지 꺼림칙했습니다. 그 동안 똑같은 환자가 계속되어, '이거 이상한데, 분명히 뭔가 독립된 질환인 것 같은데'라고 확진했습니다. 그 대부분은 지아노티증후군이었습니다.

▶ 그 후, 소아의 손발에 구진이 출현하여 내원하는 케이스가 매우 많은 것을 알게 되었습니다. 반복 출현하는 경우는 한포, 수부습진의 일종을 생각했습니다. 형상이 부풀어 오르고, '어색하게' 부풀어 오른 것은 바이러스성 유두종, 즉 사마귀를 생각했습니다. 여름철에 이와 같은 구진환자가 있으면 벌레에 물린 것과 감별해야 합니다. 유아의 양손에 발적이 심하고, 작은 수포라면 수족구병입니다.

▶ 약간 평평한 발적이 여기저기 산재한 경우, 피부병과 유사한 바이러스감염증 등의 질환도 고려합니다.

1 ★★☆☆☆   ☞ ①p112, ②p106

한포①, 수부습진②

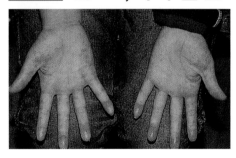

손가락, 손바닥에 생기는 습진반응

증상 손가락의 측연 등에 소수포와 구진이 출현한다. 경도의 가려움증이 있다.
진단 한포는 손가락의 측연, 손톱 주위 등이 호발부위다.
치료 가려움증이 심할 때는 스테로이드 외용
주의 바이러스성 유두종(사마귀), 전염성 연속종(무사마귀), 벌레 물림과 매우 비슷한 경우가 있다.

2 ★★☆☆☆   ☞ ①p182, ②p204

바이러스성 유두종(사마귀)①, 전염성 연속종(무사마귀)②

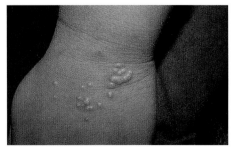

전염성 연속종(무사마귀)

바이러스성 종류(腫瘤)

증상 사마귀는 약간 딱딱하며, 주위와 확실히 다르게 부풀어 오른 구진, 무사마귀는 광택이 있는 구진
치료 사마귀는 액체질소요법. 무사마귀는 경과관찰 내지는 핀셋으로 제거한다.
주의 사마귀는 사람유두종바이러스, 무사마귀는 연속종 바이러스라는 다른 바이러스에 의한 것이다.

3 여름철 : ★★☆☆☆

☞ ①p136, ②p130

벌레물림①, 양진②

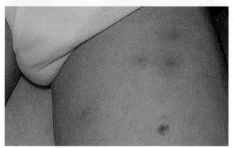

벌레 물림

양진이란 가려움증이 심한 약간 딱딱한 구진을 말한다

증상 소아의 벌레물림은 상당한 부종성 홍반으로, 오진하는 경우가 거의 없다. 한편 벌레물림이 약간 만성화된 경우, 딱딱한 구진을 나타내기도 한다.

치료 스테로이드 외용, 항히스타민제 내복

주의 가려움증이 심하므로, 옴과 감별해야 한다.

4 ★★☆☆☆

☞ p194

지아노티증후군

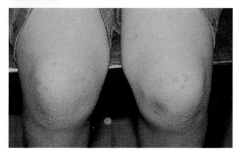

바이러스감염과 관련하여 생기는 발진

관여하는 바이러스가 다수 있다. 일광피부염과 유사하며, 안면, 사지말단에 구진, 홍반이 나타난다. 치료 없이도 몇 주~1개월 정도면 치유된다. 간염바이러스에 의한 것을 '지아노티병'이라고 하며, 매우 드물지만, 전신상태를 신중히 진찰해야 한다.

모래피부 같은 피부염

☞ p194

유아 등의 양손에 생기는 홍반

양 손에 좌우대칭의 발적이 생긴다. 뭔가에 의한 접촉성피부염이라고 생각할 수 있는 증상이다. 1주~몇 주 정도 지속되다가 소퇴한다.

수족구병의 초기

☞ p200

손, 발, 입(과 둔부)에 생기는 수포

초기 단계에서 내원하면 진단이 어렵다. 림프절종창 등을 확인하면 된다.

접촉성피부염①, 자가감작성 피부염②

☞ ①p86, ②p118

손발뿐 아니라 사지 등에도 생기는 구진, 홍반

손발 이외의 어딘가에 큰 병변이 있으며, 그것을 계속 긁음으로써 전신에 구진, 홍반이 나타난다. 전신을 진찰하면 알 수 있다. 매우 가려워하므로, 약간 강력한 레벨의 스테로이드 외용제(성인에게는 더모베이트®연고, 소아에게는 판델®연고 등)를 사용한다.

옴

☞ p206

옴벌레의 피부내 기생

보육원 등에서 원아에게서 원아에게로 전염되는 경우가 있다. 다른 친구들에게도 똑같은 증상이 있는지 물어본다.

수두의 초기

☞ p196

수두바이러스에 의한 감염증

작은 수포, 구진이 나타난다. 수두의 초기는 벌레가 문 것 같은 증상을 나타낸다. 림프절종창도 있으므로, 촉진하는 습관을 익힌다.

15 여름/겨울이 되면, 우리 아이의 피부가 큰일이에요.

소아 피부를 다스리는 것은 전 연령을 다스리는 것입니다.

▶ 소아의 피부질환을 치료할 수 있으면 보호자의 만족도가 높아져서 '입소문'으로 의원의 평판이 좋아집니다. '소아 피부를 다스리는 의사는 전 연령을 다스리는' 셈이지요.

▶ 여름과 겨울은 대개 다음의 진단을 염두에 두면, 가장 빈번한 질환은 대개 커버할 수 있으리라 생각됩니다.

▶ 여름은 땀, 벌레, 음식에 의한 피부질환이 많아집니다. 한관종은 발한에 수반하는 여러 가지 트러블입니다. '땀띠'라고 모친이 아이를 데리고 옵니다. 땀 그 자체는 무해하지만, 피부에 부착된 채 방치하면, 세균의 번식 등으로 자극을 받아서, 피부염이 생깁니다. 세균이 원인인 전염성 농가진은 압도적으로 여름에 많습니다. 벌레의 움직임도 활발해지고, 식물과 접할 기회도 많아서, 벌레물림, 접촉성피부염은 여름의 외래를 떠들썩하게 합니다.

▶ 겨울이 되면, 건조성 피부증상, 기온의 변화로 인한 동상이 많아집니다.

▶ 저서 "진료소에서 보는 어린이의 피부질환"(일본의사신보사 간행)p54(전염성 농가진), p128(모기 등에 의한 벌레물림), p133(접촉성피부염)을 참고하시기 바랍니다.

여름

1 ★★★★★ ☞ p108

땀띠일지도 모를 여러 가지 가려움증, 이한성 습진

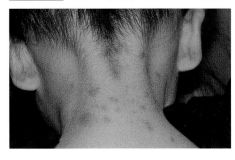

땀의 피부표면에서의 자극에 의한 트러블

증상 발한부위, 즉 전신 어디에서나 가려움증과 긁은 흔적이 생긴다.

진단 특징적인 증상은 없고, 긁은 피부로 내원한다.

치료 Medium level의 가벼운 스테로이드 외용으로 충분하다.

주의 2차적으로 전염성 농가진이나 자가감작성 피부염이 생기기도 한다.

여름

2 ★★★★☆ ☞ p168

전염성 농가진

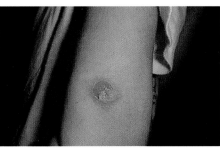

세균감염

증상 전신 어디에나 생긴다. 진무름, 수포가 점차 확대된다.

진단 특징적인 진무름, 수포

치료 항생제 내복, 외용

주의 단순포진과 유사한 경우가 있으므로, Tzanck테스트를 하여 감별한다.

☞ p136

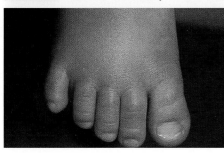

여름 3 ★★★★☆

벌레 물림, 독나방피부염 등

소아는 벌레에 물렸을 때 과잉 반응을 하는 경우가 많다

증상 모기에 의한 알레르기는 상당한 부종성 변화를 수반한다. 독나방피부염은 무수한 구진이 나타난다.

치료 스테로이드 외용

주의 모낭염, 작은 농가진, 단순포진 등과 유사하며, 이것은 스테로이드 외용으로 악화되므로 주의한다.

☞ p114

겨울 4 ★★★★★

피지결핍성 습진 + 목욕탕에서 박박 문지름

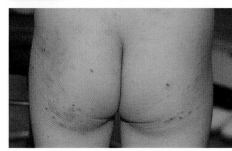

건조성 피부로 입욕 시 마찰자극이 가해진 것

증상 전신에 긁은 흔적이 있으며 나일론 타월로 전신을 문지름으로써 악화된다.

진단 목욕탕에서 씻는 법을 조심스럽게 문진한다.

치료 스테로이드 외용으로 치료하고 보습제로 예방한다.

주의 '나일론 타월은 피부에 상처를 줄 뿐'이라고 설득한다.
겨울의 외래는 이 질환을 빼고는 생각할 수 없다.

☞ p140

겨울 5 ★☆☆☆☆

동창(동상)

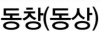

반복되는 '한냉~온난'의 변화로 인한 순환이상

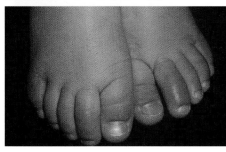

증상 사지 말단에 암적자색의 반점이 생긴다.

진단 한겨울보다 가을에서 겨울, 겨울에서 봄에 걸쳐 한난(寒暖)의 차이가 원인이 되어, 말초 순환의 이상이 생긴다.

치료 순환개선제 내복, 외용

주의 겨울도 아닌데 동창이 생긴 경우는 교원병을 생각한다.

16 고령자가 피부의 가려움을 호소한다.

'고령자의 가려움은 옴을 의심하라!'. 이것을 염두에 둡니다.

▶ 고령자의 진찰에서는 가려움증을 호소하는 경우가 매우 많습니다. 모든 환자에 관해서 선입관을 가지고 진찰하는 것은 옳지 않습니다. 그러나 예외가 있습니다. 개선입니다. '고령자의 가려움증=옴', 이 점을 염두에 두고 진찰하지 않으면 곤란한 경우를 당하게 됩니다. 왜일까? 옴은 한번 간과하면 점차 감염되어 가기 때문입니다. 특히 노인시설, 병동 등에 나타나며, 그 질환을 간과하면, '누가 진찰했어? 그 선생님이구나. 옴도 몰랐나…' 라는 곤란한 경우를 당하게 됩니다. 즉 '지역의료의 웃음거리'가 됩니다.

▶ 옴을 제외하면, 무엇보다도 피지결핍성 습진이 매우 많은 것을 알게 됩니다. 계속 긁으면 화폐상 습진 등을 일으키게 됩니다. 피부에 병변이 없는 가려움증도 매우 빈도가 높은 질환입니다.

▶ 고령자는 필연적으로 면역기능이 저하되므로, 옴 이외에도 각종 감염증에 걸립니다. 그 중에서도 백선균의 감염이 매우 많아서, 인설이 보이면 진균검사를 합니다.

☞ p206

1 ★★★★★
옴

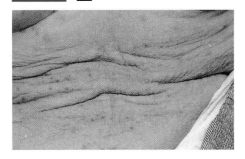

옴벌레의 피부 내 기생

진단 손목, 경부, 남성의 음낭에 주목하고, 루페, 더모스코피로 옴벌레터널이 발견된다.

치료 스트로멕톨®의 내복, 스미스린®로션의 외용 등

주의 증상을 느끼지 못하다가 1개월의 잠복기가 끝나면 발생된다.

---

2 ★★★★★

☞ ①p122, ②p78

피지결핍성 습진 + 화폐상 습진① + 심하게 긁음②

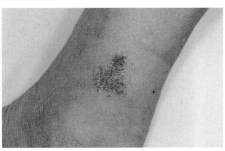

고령자에게 생기는, 건조피부와 긁는 자극에 의한 병변

증상 전신에 긁은 흔적이 현저하다.

진단 옴, 백선과 감별해야 한다.

치료 스테로이드 외용으로 치료, 보습제로 예방한다.

주의 스테로이드 외용은 개선, 백선의 합병을 초래하기 쉬우므로 주의가 필요하다.

3 ★★★★★
원인불명의 피부소양증

☞ p116

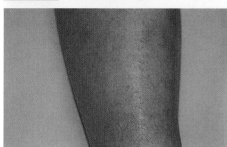

피부에 소견이 없고, 가려움증뿐인 상태

증상 피부를 진찰해도 긁은 흔적만 있다.

진단 입욕 시 때수건 등으로 피부를 세게 문지르는 것이 습관이라고 한다. 피부의 건조도 원인 중의 하나이다.

치료 목욕탕에서 문지르는 것을 삼가게 하고, 보습제를 철저히 외용한다. 난치성이면 한방제, 자외선치료 등을 검토한다.

체부백선, 족부백선[1]

☞ [1]p174

백선균의 감염

족부백선이 있는 고령자는 쉽게 체간부, 사지 등으로 백선균이 확대된다. 항상 진균의 현미경검사를 하는 것을 명심한다.

양진(痒疹)

☞ p130

복부, 사지에 나타나는, 극심한 가려움증을 수반하는 딱딱한 구진

옴 후에 생기는 양진, 스트레스에 의한 양진, 벌레 물린 후에 난치성이 되는 양진 등, 여러 타입이 있다.

수포성 유천포창의 시작

☞ p150

표피~진피접합부에 대한 자기면역질환

수포가 생기기 전에 극심한 가려움증을 수반하는 경우가 있다. 심한 발적이 원인 없이 나타나면 경계한다.

대상포진 후의 가려움증

☞ p186

고령자의 경우, 대상포진에 의한 관련통이 유명하다. 그러나 일부 증례에서 가려움증이 생기는 경우도 있다

대상포진의 피부병변부에 가려움증이 생긴다. 신경절 내부의 문제라고 생각된다. 항히스타민제 등으로 대처하는데, 난치성이 되기도 한다.

당뇨병, 투석환자, 담즙울대등 내장질환 관련 가려움증

☞ p116

당뇨병이나 투석환자 등에서 특이한 가려움증

원인은 불분명하며, 모두 난치성이다. 투석환자의 가려움증에는 레밋치®라는 약제가 인가되어 있다.

⑯ 고령자가 피부의 가려움을 호소한다.

17 중고령자인 환자가 '저, 암은 아닌가요?'라며 불안해한다.

'의심스러운 것은 전문의에게'라는 자세로 임합니다.

▶ 자, 피부과에서 가장 문제가 되는 악성종양에 관한 얘기입니다. 악성인가의 판정은 더모스 코피라는 진단기계의 등장으로 상당히 변했습니다. 이것은 피부표면의 난반사(亂反射)를 억제하고, 다소 심부까지 투과관찰이 가능한 기계로, 악성 여부를 어느 정도 판정할 수 있습니다. 그러나 일반의가 마스터하기는 다소 어렵습니다.

▶ 악성질환에서 빈도가 높은 것은 기저세포암(상피종이라고도 합니다), 편평상피암 등입니다. 드물기는 하지만, 간과하면 생사와 관련되는 악성 흑색종도 있습니다. 이것은 악성종양 중에서도 최악의 분류에 속하는 것으로 유명합니다. 발견이 늦어지면, 바로 전이되어 버립니다.

▶ 전암상태에서는 노인성 각화종이나 보엔병(Bowen disease) 등이 있습니다.

▶ 피부의 악성종양은 무한하다고 할 정도로 종류가 많으므로, '의심스러운 것은 전문의에게' 라는 겸허한 자세로 임합니다.

---

1 ★★★★★ ☞ p212

노인성 사마귀, 모반, 노인성 색소반 등

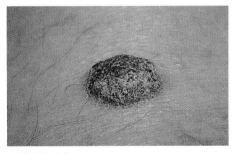

노인성 사마귀

노인성 사마귀, 노인성 색소반은 노화현상, 모반은 선천성

증상 노인성 사마귀는 '단추를 붙인 듯한 융기', 노인성 색소반은 편평하고 또렷한 기미. 모반은 경계가 명료한 반점 내지 융기를 보이는 것이 특징이다. 얼굴에 생긴 검은 기미는 이 3종을 우선 기억한다.

주의 자신이 없는 경우는 재진하게 하고, 경과를 관찰한다.

---

2 ★★★☆☆ ☞ p214

기저세포암

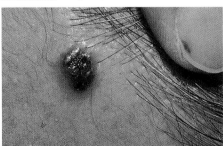

기저세포와 유사한 종양세포로 국소파괴성이 강하다

증상 경계가 애매하며, 잘 보면 색조가 일정하지 않다. 부분적으로 진무름을 형성하기도 한다. 언제부터 자각했는지를 주의깊게 문진한다.

치료 신속히 전문의에게 소개한다. 원격전이는 매우 드물다.

주의 암에서는 가장 높은 빈도이며 실제로는 다양한 임상소견을 나타낸다.

3 ★★★☆☆
노인성 각화종(일광각화증)

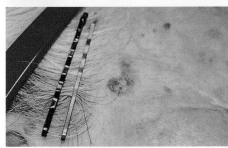

고령자의 안면, 두부 등에 발생하는 전암병변

증상　고령자의 일광노출부에 생기는 홍반각화로 색조가 진하고 흐린 것이 혼재한다. 주위와는 경계가 불명료하며 가피 등을 확인 한다.

주의　각상(角狀)이 되기도 하며, 고령자에게 매우 많다. 백인 고령자에게 많아서 자외선에 의한 발암이라고 생각된다.

4 ★☆☆☆☆
악성흑색종

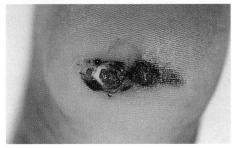

최악의 종양. 전이되어 사망하는 증례가 많다

증상　결절형, 표재확대형, 말단흑자형, 악성흑자형의 4형이다. 일본인은 말단흑자형이 많으므로, '손발바닥, 손톱 주위에 갑자기, 검은 것이 생겼다'고 하면 이 질환을 경계한다.

진단　진행된 경우는 별도로 하고, 외래에서는 매우 작은 미묘한 검은 병변으로 수진한다. 다모스코피의 상세한 지식이 불가결하다. 그러므로 이 질환만으로 한 권의 책을 만들 정도로 진단이 어렵다.

편평상피암
☞ (참고) p214

유극세포암과 동일. 표피의 유극세포 유래의 암. 각화경향이 현저

고령자의 노출부에 많은 암이다. 화상반흔, 보엔병(Bowen disease), 방사선조사 등의 선행병변이 있어서 발생한다. 진무름, 꽃배추 같이 증식, 악취 등이 특징이다.

혈종

'피멍'을 말한다

외상성 변화이므로, 반드시 병력확인이 필요하다. 외래에서 의외로 많다. 혈종인지 악성 흑색종인지 혼동스럽기도 하다. 재진 후 작아지는 경향이 있으면 혈종이다.

국한성 신경피부염　☞ p124

만성적으로 긁으면 생기는 피부의 융기

화폐상 습진, 만성습진 등의 친척이다. 계속 피부를 긁으면 부풀어 오른다. 환자는 '암'이 의심스러워 방문한다.

가운데가 흑색 피하낭종 ☞ p216

피하낭종이지만, 중앙이 흑색으로 종양처럼 보이는 것

피하낭종은 '피부 속 주머니'이므로 만지면 진단할 수 있다. 낭종을 형성하고 있다.

참고문헌
• 大原國章 : 大原아틀라스3 피부악성종양. 학연메디컬수윤사, 2016

18 발톱이 아프다!

발톱 자르는 법을 지도하는 것이 중요합니다.

▶ 환자가 말하는 '말려 들어가는 손발톱'이란, 의학적으로 내성발톱(내향성 손발톱)이라고 합니다. 손발톱이 주위 피부로 파고 들어갑니다. 손발톱은 손가락, 발가락 끝에 있으며, 손가락 끝, 발가락 끝의 섬세한 작업 등에서 역학적으로 중요한 역할을 하고 있습니다. 그 한편, 손발톱은 주위의 피부조직을 누르는 역할도 하고 있습니다. 손발톱과 주위의 피부조직이 하나가 되어 사람의 손톱 끝과 발톱 끝을 관리하고 있는 것입니다.

▶ 내향성 손발톱은 어떻게 생기는가? 여러 가지 측면에서 추측되고 있습니다.
 ① 심조(深爪): 손발톱의 양측을 깊게 자르는 것입니다.
 ② 불편한 구두 : 끝이 뾰족한 구두로 발가락이 변형됩니다.
 ③ 보행 시 발에 가해지는 언밸런스 : 손발톱은 손발 모두 자신의 힘으로 끝에 힘을 줄 수 있으면 평탄해집니다. 반대로 힘을 빼면, 주위의 수동적인 힘, 즉 구두의 압박 등, 옆에서 받는 힘에 의해 둥글게 되어 버립니다.

▶ 이 중, 내향성 손발톱의 원인은 ①의 심조가 가장 큽니다. 손발톱을 자르는 법을 외래에서 제대로 지도하는 것이 예방이 됩니다. 어려운 일이 아닙니다. '깊이 자르지 말고, 손가락, 발가락의 형태에 따라서 자르십시오'라고 설명하면 됩니다. 저서 "진료소에서 보는 어린이의 피부질환"(일본의사신보사 간행)p233을 참고하시기 바랍니다.

---

1 ★★★★★ ☞ p228
흔한 내향성 발톱

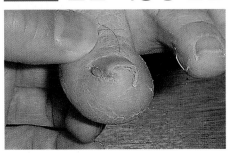

평탄한 보통 발톱에 의한 내향성 발톱

증상 발톱의 측연이 피부를 파고 들어가고 있다. 주위에 발적, 종창을 수반하며, 경미한 압박으로 격통을 일으킨다.

치료 항생제 내복・외용은 무효. 테이핑, 또는 링거에 사용하는 튜브를 함입된 발톱에 잘 삽입하여 동통을 완화시키는 방법(거터법)도 있다. 긴급용으로 샌들의 사용을 권한다.

---

2 ★★★☆☆ ☞ p229
발톱백선이 원인인 내향성 발톱

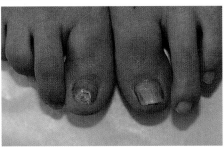

발톱백선으로 발톱 아래가 비후되어, 내향성 발톱이 된 것

증상 발톱이 황백색 탁하고, 발톱 아래에서 각질증식을 확인한다.
진단 현미경검사로 진균 양성
치료 발톱 전용 항진균제 외용에 의한 치료가 우선이다.
주의 발톱이 중앙으로 밀려올라가고, 측연의 발톱이 족지골, 말단의 연부조직을 잘 잡을 수 없게 되어, 피부를 파고 들어간 것이다.

3 ★★☆☆☆
후경조갑(厚硬爪甲)에 의한 내향성 발톱

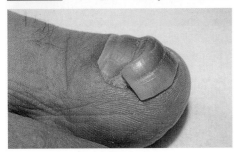

발톱이 두꺼워져서 생기는 내향성 발톱

증상 위쪽으로 돌기한 족지골이 발톱의 신장을 방해하고 있는 상태. 그 결과, 발톱이 자라지 못하고 점점 두꺼워져서, 발톱백선에 의한 내향성 발톱과 똑같은 현상이 일어난다.

치료 족지골을 깎는 수술 등을 한다.

주의 고식적으로 발톱의 양측을 자르면 심조(深爪:손발톱을 바싹 깊이 자름)가 되고, 그 후 악화된다.

4 ★★☆☆☆
중증형 내향성 발톱 + 병적 육아(肉芽)

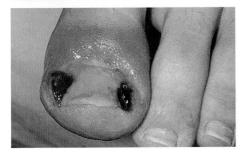

내향성 발톱이 중증화되고, 주위에 병적 육아가 발생한 것

증상 발톱측연이 주위로 파고 들어간 결과, 새빨간 출혈성 육아가 생긴다. 내향성 발톱의 동통도 수반한다.

치료 내향성 발톱 치료 외에, 붉은 육아에는 액체질소요법을 한다. 스테로이드 외용으로 응급처치를 하면 육아가 다소 억제된다.

내향성 발톱의 치료로 발조(拔爪)나 심조가 행해지고, 그 후 재발한 것
☞ p228

외과적 치료를 한 결과 재발

치료로 발조한 경우, 변형, 비후된 발톱이 생기기도 한다. 어쩔 수 없는 상황에서는 발조를 한다 해도, 장래 재발할 가능성을 설명해야 한다. 또 거스러미가 일어난 발톱의 일부 돌기가 피부를 파고 들어감으로써 동통이 악화되므로, 그 돌기를 잘라내는 것이 나을 수도 있지만, 너무 잘라내면 다시 심조가 생긴다.

그 밖의 질환

물론 손발톱의 외상이나 손발톱 주위염, 또는 손발톱 주위의 봉와직염(피부 조직을 곪기는 악성 종기)으로도 손발톱의 동통이 생길 수 있다. 위치는 조금 어긋나지만, 티눈도 대표적인 '발톱이 아픈 질환'이라고 할 수 있다. 그러나 손발통의 통증 그 자체에 관해서, 피부과 외래에서는 압도적으로 내향성 손발톱의 패턴이 많으므로, 어떤 원인으로 생겼는지를 검토하게 된다.

19 가려워요. 아토피일까요?

'가려움증=아토피성 피부염'은 아닙니다.

▶ '피부 좀 봐 주십시오!'라는 호소에 진찰해 보면, 하루에 한 번은 반드시 이와 같은 질문을 받게 됩니다. 아토피성 피부염입니까? 다른 질환입니까? 딱 한 번 보는 것만으로는 진단을 내릴 수가 없어서, 일반의로서 매우 곤란합니다. '환자 자신이 아토피성 피부염'이라고, 하는데 실제 어떤 질환이 많을까요? 실제 현장에서 그 대답을 찾아보겠습니다.

▶ 아토피성 피부염은 '좌우대칭' '2개월 이상 경과' '아토피 소인이 있다' 등의 진단기준이 있습니다. 그 중에서도 독특한 '아토피피부'에 관해서는 일반의로서는 도저히 직감적인 이해를 할 수 없어서 고민스러운 부분입니다.

▶ 병변부가 좌우대칭이 아니라, 편재해 있는 경우는 만성적인 여러 가지 습진이 있습니다. 계기는 접촉성피부염이나 작은 외상 등도 있을 수 있습니다. 그것이 긁는 버릇으로 발생한 경우도 있습니다.

▶ 또 두드러기, 구강 알레르기인 것을 아토피성 피부염이라고 오해하는 환자도 많은 것 같습니다. '가려움증=아토피성 피부염'이 아닙니다. 커뮤니케이션을 복잡하게 하지 않기 위해서라도 각 질환을 바르게 이해하는 것이 필요합니다.

---

1 ★★★★★

☞ ①p86, ②p122, ③p114

접촉성피부염①, 화폐상 습진②, 피지결핍성 습진③ 등

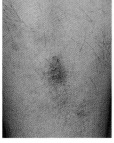
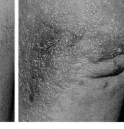

증상이 편재되어 있는 습진병변

증상 특정피부를 반복해서 긁고 있다.

진단 아토피성 피부염과 달리 좌우대칭이 아니며, 이렇다 할 알레르기소인도 없는 점 등을 중시한다.

치료 스테로이드 외용

주의 긁게 된 원인의 검색이 필요하다.

화폐상 습진   접촉성피부염

---

2 ★★★★★

☞ p78

긁는 버릇

반복해서 긁고, 그것이 습관화된 것

증상 건강부위와 긁은부위의 경계가 명료하게 나타나고 있다.

진단 아토피성 피부염과 겹쳐 있는 경우도 있다. 피부를 긁음으로써 스트레스가 해소되는 경우도 있다.

치료 스테로이드 외용뿐 아니라, 원인이 된 심리적 문제, 그 중에서도 스트레스에 대한 상담이 중요하다.

3 ★★★☆☆ ☞ p92

진짜 아토피성 피부염

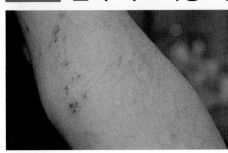

각질방어장애 등에 의한 복잡한 습진반응

증상 건조한 독특한 피부증상
진단 좌우대칭, 2개월 이상 경과, 아토피소인 등의 진단기준을 충족시켜야 한다.
치료 스테로이드나 타크로리무스수화물의 외용, 항히스타민제나 한방제의 내복, 자외선치료, 정신적 카운슬링 등

4 ★★★☆☆ ☞ p128

두드러기, 구강알레르기

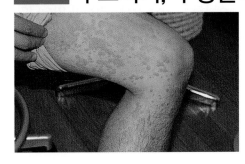

팽진이 나타나는 알레르기질환

증상 팽진 발생 후, 2~3시간만에 소실되는 현상이 반복된다.
진단 외래 수진 시 소실되기도 한다. 피부를 긁어서, 팽진이 생기는지 확인하는 것도 유용하다.
치료 항히스타민제 내복, 노이로트로핀® 주사
주의 만성 경과가 되지 않도록, 약제를 일정기간 계속 내복해야 한다.

5 ★★★☆☆ ☞ ①p206, ②p174, ③p168

옴①, 백선②, 농가진③ 등의 감염증

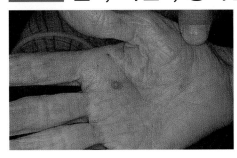

감염증에 의한 가려움증

증상 각 병원균에 관해서 증거를 발견하는 것이 중요하다.
진단 항상 감염증을 생각해 두는 습관을 익힌다.
치료 각각 항생제를 투여한다.
주의 스테로이드 외용의 경과 중에 발생하는 경우도 많으므로, '스테로이드는 여러 가지 감염증을 일으키기도 한다'고 명심한다.

양진 ☞ p130

가려움증을 수반하는 구진이 다발하는 것

아토피성 피부염과 마찬가지로 가려움증이 주체 병변이지만, 다른 개념으로 이해하고 있다. 치료는 아토피성 피부염과 마찬가지로 보습제에 추가하여, 스테로이드 외용으로 한다.

피부가려움증 ☞ p116

피부의 가려움증뿐이며 소견은 없는 것

긁은 흔적뿐이며 소견이 없다. 안이하게 스테로이드 외용 등을 장기간 사용하면, 백선, 옴 등의 뜻밖의 감염증을 일으킬 수 있다.

20 피부가 붉게 부풀어 오르고, 가렵다!

대표적인 것은 두드러기입니다.

▶ 일부가 붉게 부풀어 오른 병변부는 피부과 외래에서는 흔히 경험합니다. 융기가 어떤 요인에 의해 생긴 것인가에 따라서 여러 가지 질환이 있습니다. 이 중 외래에서 자주 겪는 것은 무엇보다도 두드러기입니다. 진피에 수분과 그 외의 것이 저류되어 피부가 밀려 올라가고, 극심한 가려움증이 있습니다.

▶ 염증세포의 밀집으로도 피부가 부풀어 오릅니다. 습진피부염입니다. 대표적인 질환은 국한성 신경피부염 등의 만성형 습진입니다. 화폐상 습진 등은 습윤된 융기입니다. 건조한 융기의 대표는 심상성 건선입니다.

▶ 염증이 매우 한정적으로 생기고, 심한 가려움증을 수반하는 질환으로는 양진이 있습니다. 여름의 벌레 물림은 양진의 일종입니다. 벌레 물림은 긁으면 악화되어, 양진으로 이행되기도 합니다.

▶ 특수한 타입으로 다형 삼출성 홍반이 있습니다. 단순포진 등의 감염증 후, 얼마 지나지 않아서 사지에 주위가 제방상으로 융기된 독특한 홍반이 생깁니다.

---

1 ★★★★★　　　　　　　　　　　　　　　☞ p128
두드러기

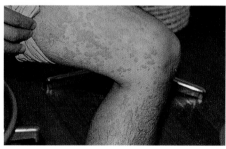

팽진이 나타나는 알레르기질환

증상　'팽진이 출현하고 2~3시간에 소실, 곧 재발'을 반복한다.
진단　외래 수진 시 소실되어 있는 경우도 있다. 피부를 긁어서 팽진이 생기는지 확인하는 것도 유용하다.
치료　항히스타민제 내복, 노이로트로핀® 주사
주의　만성경과가 되지 않도록 약제를 일정기간 계속 내복한다.

---

2 ★★★★★　　　　　　　　　　　　☞
만성습진(국한성 신경피부염①, 화폐상 습진②)

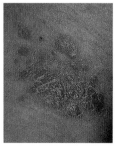
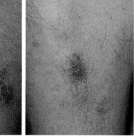

피부를 만성적으로 긁음으로써 발생하는 습진

증상　국한성 신경피부염은 긁으면 구진이 선명해진다. 습윤경향이 있으면 화폐상 습진이라고 진단하며, 이것을 정리한 종합적인 명칭으로 만성습진이라고 한다.
치료　스테로이드 외용
주의　체부백선과 매우 유사하므로 주의한다.

국한성 신경피부염　　화폐상 습진

3 ★★★☆☆

심상성 건선

3 ★★★☆☆ ☞ p154

심상성 건선

전신에 생기는 난치성 염증성 각화증

증상 은백색 인설을 수반하는 홍반각화로 전신에 출현한다. 가려움증이 심해지는 경우가 많으며, 치료가 어렵다.

진단 인설이 떨어지는 독특한 융기

치료 비타민D3의 외용, Narrow Band UVB에 의한 자외선 요법, 중증례는 생물학적 제제(레미케이드®)의 주사 등

4 ★★★☆☆ ☞ ①p130, ②p136

양진①, 벌레물림②

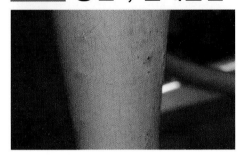

작은 융기가 다발, 매우 심한 가려움증

증상 벌레 물림 그 자체인 경우와 벌레에 물리지 않았는데 벌레에 물린 듯한 구진이 출현하는 경우의 2종류로 생각한다.

진단 개개의 병변은 벌레에 물린 이미지

치료 스테로이드 외용. 만성양진에는 액체질소요법 등

주의 옴일 가능성이 있는 경우, 스테로이드 외용은 하지 말 것

5 ★★☆☆☆ ☞ p132

다형 삼출성 홍반

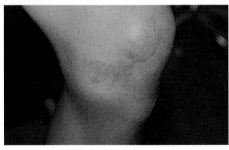

약제 또는 감염증을 계기로 생기는 알레르기

증상 제방상으로 융기한 타겟상의 홍반이 특징. 무릎, 팔꿈치, 손등이 호발부위. 가려움증이 매우 심하다.

치료 스테로이드 외용. 심한 가려움증인 경우, 프레드닌®을 내복한다.

주의 점막에 증상이 나타나는 Stevens-Johnson증후군에 이르는 중증형도 있다.

6 ★☆☆☆☆

체부백선

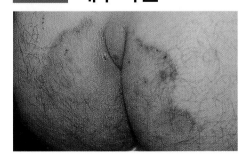

백선균의 감염

증상 중심치유 경향이 있는 홍반으로 주위가 제방모양으로 부풀어 오른다. 인설이 부착되어 있으면, 그 곳에서 현미경으로 진균을 확인한다.

진단 지루성 피부염, 국한성 신경피부염과 유사하다.

치료 스테로이드 외용. 심한 가려움증인 경우, 프레드닌®을 내복한다.

주의 발톱백선이 있는 환자는 재발경향이 현저하다.

⑳ 피부가 붉게 부풀어 오르고, 가렵다!

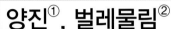

21 피부가 붉게 부풀어 오르고, 아프다!

급성 병변이므로 신속히 대응해야 합니다.

▶ 피부에 염증이 생기면 부풀어 오릅니다. 혈관이 확장되고, 각종 백혈구가 밀집, 사이토카인이 방출됩니다. 그와 같은 상태는 급성질환을 생각해야 합니다.

▶ 그 대표적 질환은 염증성 피하낭종입니다. 피부 속에 피부가 함입되어, '주머니'를 형성합니다. 오래된 각질, 인설이 주머니 속에 저류되므로, 당연히 풍선처럼 부풀게 됩니다. 어느 선을 넘으면 염증이 생기고, 심한 동통과 발적이 환자를 엄습합니다. 피하낭종의 발생양식 이외에도 병원균이 모낭 등의 부위로 침입하여 피부의 내부에 큰 병소를 형성하는 수가 있습니다. 봉와직염, 단독 등입니다.

▶ '아프다!'고 호소하면 헤르페스, 대상포진의 발생도 생각해야 합니다. 피부에 아무 증상이 없는 시기부터 동통이 생기고, 갑자기 피부가 붉어지며, 부풀어 오릅니다. 그 후, 바로 수포를 형성하고, 통증이 악화됩니다.

▶ 접촉성피부염, 벌레물림의 증상은 통상 가려움증이 주이지만, 손바닥 등에 발생하면 통증을 호소합니다. 결절성 홍반은 벌레 물림과 유사하지만, 상당히 심부에 있는 지방조직의 염증입니다.

1 ★★★★★　　　　　　　　　　　　　　　　☞ p216

염증성 피하낭종

표피의 함입에 의한 낭종으로, 염증을 일으킨 것

증상　매우 딱딱하며 피하조직과는 유착되지 않는다.

진단　함입부가 검은 배꼽처럼 보인다. 그것을 확인한다.

치료　절개배농으로 일시적으로 염증을 억제해야 한다.

주의　낭종내용물의 진피 내 누출로 인한 이물반응이 염증의 원인이다. 근치하려면 낭종의 전적출이 필요하다.

2 ★★★★☆　　　　　　　　　　　　　☞ ①p160, ②p158

큰 종기, 봉와직염^①, 단독^② 등의 세균감염

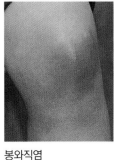

피부의 여러 곳에 세균감염

증상　발적종창이 극심한 감염증. '큰 종기〈봉와직염'의 순으로 발적, 종창이 심해진다. 단독은 주로 연쇄상구균이 원인으로, 안면 등이 발적, 판처럼 딱딱해진다.

치료　단독 이외는 절개배농이 필요하고 항생제를 전신투여 한다. 입원하는 경우도 많다.

봉와직염　　　　봉와직염

3 ★★★☆☆ ☞ p186
대상포진

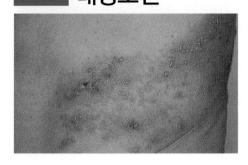

수두·대상포진바이러스감염에 의한 질환

증상 극심한 동통인 대상포진이 유명. 안면에 생긴 경우, 초기는 종 창뿐인 경우가 있다.

진단 아프다고 호소하면 대상포진을 의심한다.

치료 항바이러스제 외에, 항염증대책, 동통대책이 필요하다. 대상 포진 관련통에는 여러 가지 내복약이 있다.

4 ★★★☆☆ ☞ p144
극심한 벌레 물림

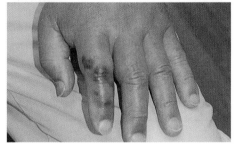

소아 등의 벌레 물림이 악화된 것

증상 소아의 벌레물림에서는 동통을 호소하는 경우가 있다. 손바 닥이나 안면에 많은 경향이 있으며, 부종성 홍반이 현저하다.

진단 접촉성피부염과의 감별이 필요하다.

치료 스테로이드 외용한다. 더모베이트®연고(소아에게는 판델®연 고) 등의 강력한 것을 단기간 사용하기도 한다.

5 ★★☆☆☆ ☞ p86
손발바닥의 접촉성피부염

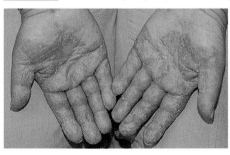

동통을 수반하는 손발바닥의 접촉성피부염

증상 손발바닥에 생기는 부종성 홍반. 동통을 호소하기도 한다.

진단 동통의 정도에 따라서 단독 등의 세균감염과 감별이 필요하 다. 발열 등 전신상태도 주의깊게 진찰한다.

치료 단기간의 스테로이드 내복이 필요하다. 손발바닥은 외용제가 효과가 없는 경우가 많다. 국소의 냉각도 중요하다.

6 ★☆☆☆☆
결절성 홍반

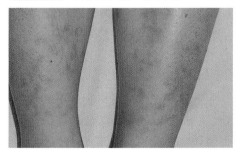

지방조직에 생긴 염증

증상 하퇴에 열감이 있는 유통성 피하결절이 산재한다. 결절은 피 부표면에서는 적색으로, 가볍게 부풀어 오른다.

진단 하퇴의 벌레물림과 매우 유사하지만, 가려움증은 없다.

치료 안정, 비스테로이드계 항염증제(NSAIDs)내복한다. 중증에서는 스테로이드 내복도 고려하는것이 좋지만 원인질환이 여러 가지 이므로 주의 한다.

22 전신에 뭔가가 여기 저기 생겼다!

약물 알레르기인지 바이러스성인지, 판단해야 합니다.

▶ '몸속에 뭔가가 생겼다!'면 환자는 매우 불안해집니다. '뭔가 안 좋은 거라도 먹은 게 아닐까?'. 진료실에서는 환자의 전신에 어떻게 분포되어 있는가? 개개 병변이 어떤 형태인가? 림프절종창은? 전신상태는? 경과는 어떤가? 등이 중요한 포인트가 됩니다.

▶ 전신에 빠짐없이 파종되어 있는 경우는 약물 알레르기나 바이러스감염증을 생각합니다. 이 양자는 그렇게 간단히 나눌 수는 없을 것 같습니다. 일종의 바이러스감염증이 생기면 특정한 약제로 인한 약물 알레르기가 발생하기 쉬워집니다. 또는 어느 바이러스는 잠복 감염되어 있다가, 약제 등 어떤 계기로 재활성화됩니다. 이와 같은 최신 지견에서 고려하면, 약물 알레르기와 바이러스감염증은 표리일체인 것일 수도 있습니다.

▶ 바이러스감염증과 유사한 질환에는 장미색 비강진이 있습니다. 이것은 체내에 숨어 있는 헤르페스 바이러스과의 바이러스가 관여하고 있다고 추측되는 기묘한 질환입니다. 게다가 외래에서 경험하는 빈도가 높습니다.

1 ★★★★★ ☞ p156
장미색 비강진

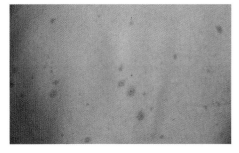

원인불명, 인설을 수반하는 다발성 홍반

증상 주로 체간부에 분포하는 몇 센티까지의 타원형 홍반. 중앙에 특징적인 링모양의 인설을 수반하는 것이 있다. 이것을 찾는다.

진단 안면, 수족말단에는 생기지 않는다. 매독의 장미진을 제외한다.

치료 1~2개월정도에 소실되므로, 자연 치유를 기다린다.

주의 3개월 이상 지속되는 경우는 지루성 피부염을 생각한다.

2 ★★★★☆ ☞ p134
약물 알레르기

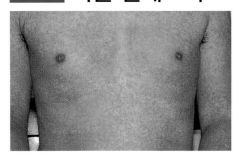

약제내복으로 나타나는 홍반

증상 페니실린계에서 생기는 파종상 홍반구진형, 세파크롤(cefaclor)로 생기는 두드러기형 등 매우 많은 종류의 증상이 있다.

진단 약제 내복력을 정확히 확인한다.

치료 약제의 중요도에 따르지만, 원인약제의 중지나 변경이 낫다. 구강점막에 진무름이 생기면 중증형 약물 알레르기가 되므로 주의한다.

3 ★★★☆☆ ☞ p196

풍진, 홍역, 수두, 전염성 홍반 등

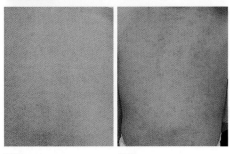

풍진   홍역

특징적인 패턴을 나타내는 발진

증상   바이러스의 종류와 발진의 패턴이 정해져 있다. 함박눈 같은 발진=홍역, 수포=수두, 옅은 홍반=풍진, 망상홍반=전염성 홍반 등이 있다. 단, 실제 외래는 전형례만이 아니다.

치료   수두에는 아시크로빌®의 내복 등이 있다. 다른 질환은 대증요법을 하면서 자연치유를 기다린다.

4 ★★☆☆☆ ☞ p194

지아노티증후군

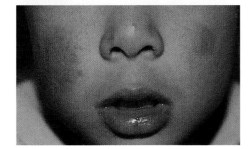

바이러스의 종류는 특정할 수 없지만, 특징적인 홍반

증상   안면, 수족말단에 홍반, 구진이 출현한다. 여러 가지 다양성이 있어서, '특정 바이러스에 의한 것은 아니다'라고 추측된다.

치료   특별한 것이 없다. 치유까지 3주~1.5개월 정도 걸린다.

5 ★★☆☆☆ ☞ p202

이름 없는 바이러스감염증

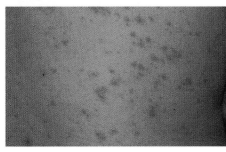

아마 바이러스감염증이리라 생각되는 홍반

증상   전염성 홍반, 지아노티증후군, 풍진, 장미색 비강진 모두 해당되지 않으며, 체간부 등에 출현하는 홍반

진단   어떻게도 설명할 방법이 없는 홍반으로, 약물 알레르기도 부정적인 경우에 고려한다. 매독의 장미진을 R/O 한다.

치료   경과관찰

6 ★☆☆☆☆ ☞ p170

매독

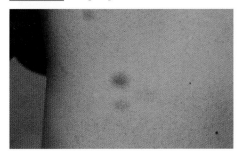

근래 증가하고 있다

증상   'the great imitator'로 불리며 끝없이 변화한다. 특히 2기진이 다양하다. 사진은 '구진'의 형상을 취하고 있다. 벌레물림이나 모낭의 염증 등과 구별할 수 없다.

진단   매독혈청반응

치료   페니실린

23 얼굴에 좁쌀 같은 것이 생겼습니다.

여드름과 유사한 병변의 감별입니다.

▶ 익숙해지면, 여드름의 발진은 패턴인식으로 알 수 있지만, 얼굴은 사실 혼동스러운 질환으로 넘치고 있습니다. 여드름을 치료할 예정이 피하낭종이거나, 케라틴덩어리인 Millium 패립종이 되면 문제입니다.

▶ 여드름은 10세 정도부터 발생합니다. 처음에는 면포(面皰)라는 하얀 구진입니다. 이것은 Millium 패립종이나 작은 쥐젖, 한관종과 매우 유사합니다. 10대의 젊은 환자라면, 이 감별 진단도 그다지 많지 않으므로 간단합니다. 그러나 20대가 되면 피하낭종이나 Millium 패립종이 증가하게 됩니다. 또 30대부터는 쥐젖이나 노인성 사마귀, 한관종 등도 발생합니다. 안면에 여러 가지 병변이 혼재하게 되면 혼란스럽습니다. 또 고령자가 되면, 노인성 지선 증식증이라는 질환도 있습니다. 젊은이의 여드름은 지선의 병변이지만, 노인도 지선이 증식되어 괴로워지는 것입니다.

▶ 여드름의 일부는 거대화되어 낭종을 형성하거나 반흔, 또는 딱딱한 결절이 됩니다. 이것도 피하낭종과 매우 혼동스러워서 큰 문제가 됩니다.

1 ★★★★★ ☞ p230
여드름

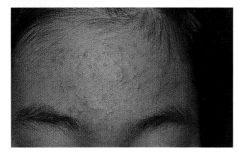

젊은이의 안면에 호발하는 모낭지선계의 이상

증상 안면에 구진이 출현한다. 처음에는 흰 염증이 없는 면포, 이어서 발적이 생기고, 농포등도 수반한다.
진단 특징적인 구진, 홍반, 농포
치료 항생제 내복, 외용. 디페린®겔 외용
주의 장기전이 되는 것을 환자에게 설명해야 한다.

2 ★★★★☆ ☞ p216
다발성 피하낭종

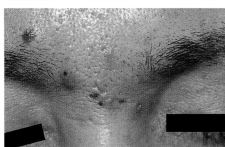

때로 작은 구진이 다발한다

증상 중앙에 흑점을 수반하는 결절이 다발한다. 잡으면 악취가 나는 죽상내용물이 압출된다.
치료 장기간 항생제를 내복한다. 비브라마이신®의 내복이 유효하다. 항생제가 아니라 항염증작용 때문인가?
주의 염증이 심한 것은 소절개, 배농이 필요하다.

3 ★★★☆☆

☞ p205

미립(milia) 패립종

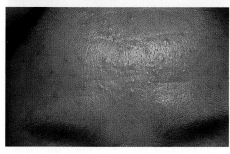

직경 몇 mm 정도의 케라틴을 함유한 낭포

증상   안면, 눈 주위에 호발한다. 젊은이에게도 발생한다.

진단   또렷한 황색 소구진이 특징이다.

치료   미용상 문제가 된다. 18 G바늘로 구멍을 뚫어 눈썹족집게로 잡아당긴다(보험점수는 10개 미만에 74점, 10개 이상에 148점).

주의   건강상에는 문제가 없으므로, 방치해도 상관없다.

4 ★★★☆☆

☞ p218

쥐젖

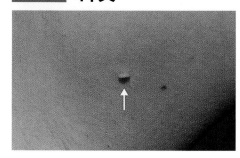

연성 섬유종과 동일. 양성종양

증상   안면, 경부, 겨드랑이 아래에 생기는 부드럽고 작은 종양이다. 다발성으로 큰 것은 현수성이 되어 늘어진다.

진단   부드러운 돌기물이 특징이다.

치료   미용상 문제가 된다. 자비로 레이저치료 등을 고려한다.

주의   검은 것은 노인성 사마귀와 감별이 필요하다.

노인성 사마귀

☞ p212

피부 표면에 한정된 양성종양, 노화현상

단추를 붙인 것 같은 흑색 혹은 갈색을 띠고 있으며 방치해도 상관없다. 미용적 목적으로 절제를 희망한다면, 탄산가스레이저 치료를 한다. 기저세포암과 악성 흑색종의 감별이 필요하다.

노인성 지선증식증

지선의 증식, 노화현상

고령자에게 필수적으로 나타나며 중앙이 약간 움푹한 구진이 특징이다. 일반적으로 방치하지만 미용목적으로 탄산가스 레이저 치료를 하는 경우도 있다.

한관종

에크린 한관의 증식, 사춘기 이후의 여성에게 다발

좌우대칭으로 다발한다. 정상색의 소결절 내지는 구진으로 화장을 하면 커버할 수 있다. 미용목적으로 제거를 희망하면, 탄산가스레이저 치료를 한다.

편평사마귀

바이러스성 유두종은 안면에 감염되면 편평한 구진이 다발한다. 왜인지 젊은이들에게 많다

젊은이에게 많다. 주로 안면에 편평한 구진이 산포한다. 심상성 여드름의 면포 등과 감별이 필요하다.

㉓ 얼굴에 좁쌀 같은 것이 생겼습니다.

24 진무름 병변이 생겼습니다.

표피라는 방어가 상해를 입은 상황이다.

▶ 외래에서 '짓무른 병변'을 진찰한 경우입니다. 외상, 화상, 욕창 등은 '환자병력'으로 알 수 있지만, 그 이외라면 신중히 확인해야 합니다.

▶ 짓무른, 즉 습윤이란 표피의 방어가 파탄되어 있는 상태입니다. 수포를 형성하는 질환은 모두 진무름이 될 가능성이 있습니다. 소아에게는 전염성 농가진이 대표적입니다. 그 밖에도 단순포진, 대상포진, 수두, 유천포창 등이 있습니다. 가려움증이 있는 습진도 진무름일 가능성이 큽니다. 아토피성 피부염, 접촉성피부염 등의 습진피부염에서는 가려움 때문에 피부를 긁습니다. 긁게 되면 어쨌든 진무름이 생겨서, 모든 가려움증은 진무름을 수반하게 됩니다. 진무름이 진행되면 궤양이 됩니다. 외상, 욕창, 화상은 모두 궤양이 된 경우를 생각해야 합니다. 하퇴에는 정맥류나 당뇨병 등이 원인인 궤양이 생깁니다.

▶ 감염증에서 주의해야 할 것은 피부선병(결핵)입니다. 구멍이 뻥 뚫린 듯한 궤양을 보면 경계합니다. 족부백선·칸디다증 등의 진균증, 매독 등의 성감염증에서도 진무름을 수반하는 병변이 있습니다.

1 ★★★★★ ☞ p144
외상

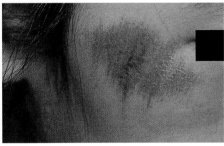

초진 시는 철저한 세정을!

치료 외상처치의 기본은 습윤요법이다. 순서는 세정→항생제 외용 →창면을 습윤한 채로 드레싱 한다.

주의 소독액은 사용하지 않거나 사용해도 마지막은 생리식염수로 창면을 씻어낸다. 진무름, 궤양이 있는 병변부를 건조시키는 것은 피한다.

2 ★★★★★ ☞ ①p146, ②p140
화상①, 동상②

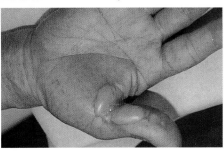

고온, 저온에 의한 피부상해

치료 내원 시 '알로에' 등을 외용하여 접촉성피부염이 생긴 경우도 있다. 초진 시 접촉성피부염 대책, 동통대책, 염증대책으로 스테로이드 외용을 하면 효과적이다. 며칠 후 항생제로 바꾼다.

주의 그 밖의 처치는 외상과 같다.

☞ p148

3 ★★★★★
욕창

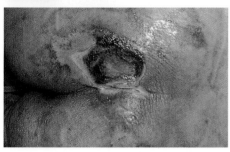

지속되는 압박으로 순환장애

진단　깊이, 포켓의 유무가 문제가 된다. 때때로 발가락 등 의외의 부위에도 발생한다.

치료　괴사조직은 제거, 포켓은 절개하거나 감압요법 등 특수한 처치가 필요하다. 그 외는 외상처치와 유사하다.

주의　항문에 가까운 부위가 호발부위이므로, 위생적으로 대변처리가 필요하다. 여러 가지 드레싱이 있으므로 상황에 따라서 적절히 대처한다.

4 ★★★★★
습진피부염의 진무름

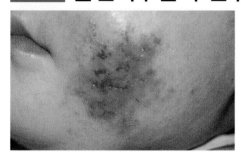

가려움 때문에 긁어서, 진무름이 형성된 것

증상　가려운 부위와 일치하여 진무름이 생긴다.

진단　단순한 진무름인가? 농가진 상태인가? 단순포진의 합병은 없는가? 스테로이드 외용으로 백선은? 옴터널은 없는지 등에 대해 확인한다.

치료　감염증을 부정할 수 있으면 스테로이드를 외용한다. 세균의 2차감염이 있으면 항생제 내복을 병용한다.

5 ★★★★★
전염성 농가진

☞ p168

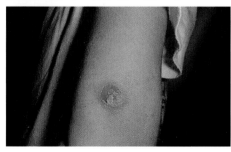

피부에 수포, 진무름을 형성하는 독소생산의 세균감염

증상　진무름이 주이지만, 작은 수포도 관찰된다.

진단　주로 소아의 코 주위, 겨드랑이 아래 등에 주목한다. 작은 수포는 단순포진과 감별이 필요하다.

치료　가려움증의 정도에 따라서 다르다. 심한 경우는 항생제 내복, 스테로이드를 외용한다. 가벼운 경우는 아크아틴®크림의 외용만으로 치유한다.

▌각종 하퇴궤양

순환장애로 인한 피부의 결손

하퇴에는 혈류가 정체되므로 궤양이 발생하기 쉬운 조건이 갖추어져 있다. 통상 창상처치뿐 아니라, 순환을 개선시키는 약제의 내복 등 프로의 기술이 필요하다. 피부과 전문의에게 소개한다.

▌피부결핵(피부선병), 진균감염, 매독 등의 감염증에 의한 진무름

족부백선에서의 진무름은 흔히 경험한다. 한편 피부결핵, 매독 등의 경우는 감별진단으로 생각하고 있지 않으면 약점이 잡힌다. '설마 그런 일이…'라는 경우가 있을 수 있다.

제 **4** 장

환자의 질환별 증상·대처법 소개

이 장에서는 빈도가 높은 질환을 개별적으로 해설하였습니다. 진단, 치료 외에 환자에 대한 설명 포인트도 기재하였습니다. 예를 들어 농가진, 전염성 연속종 등 매일 같이 접하게 되는 질환은 실제 어떤 설명을 해야 하는가? '감염증이네요. 약을 드리겠습니다'만으로는 환자를 납득시킬 수가 없습니다. 흔히 있는 질환이라도, 그 환자에게는 인생이 걸린 '대사건'입니다. 어떤 경우라도 간절하고 조심스럽게 설명하지 않으면, 의사의 성의를 의심하게 됩니다. 환자에게 하는 질환의 설명이란 진단, 병인, 치료약제, 생활지도까지 매우 다양합니다. 교과서에는 상당히 자세한 진찰실의 대화까지는 기재하지 않았습니다. 그러나 일반 외래에서 흔한 질환을 어떻게 설명하는지가 포인트가 됩니다.

01 심하게 긁는 것과 버릇에 의한 피부염

기존의 질환을 악화, 만성화시키는 인자입니다.

불가능해 보이지만, 피부과에는 긁는 버릇, 만지는 버릇, 핥는 버릇, 쥐어뜯는 버릇에 의한 습진이 있습니다. 이 버릇들은 아토피성 피부염, 피지결핍성 습진, 수부습진, 여드름 등의 질환이 본래 존재하고, 그 질환들을 악화, 만연화시키는 원인이라고 생각됩니다.

진단 아무래도 낫지 않는 습진이 있다면, 이 버릇들을 의심해야 합니다.

1 아토피성 피부염이 기본으로 있는 환자의 긁는 버릇, 만지는 버릇에 의한 병변 (그림1)

긁은 버릇이 있지만, 아토피성 피부염의 진단기준(좌우대칭, 특징적 피부증상 등)에 해당되지 않는 경우, 이 버릇으로 생겼다고 보면 됩니다.

2 입 주위의 핥는 버릇 (그림2)

입 주위를 습관적으로 핥는 결과 생기는 상태입니다. 소아에게 호발합니다. 입술을 사용하는 경우와 혀를 사용하는 경우가 있습니다.

3 발바닥을 쥐어뜯는 버릇 (그림3)

발바닥의 피부를 스스로 쥐어뜯는 상태입니다. 본래 각질제거용 돌, 건강샌들, 바닥이 딱딱한 구두 등의 착용으로 발바닥 피부가 자극을 받아서, 가벼운 가려움증이 있습니다. 거기에 스트레스 등으로 '엉망진창'이 된 감정이 겹치면 발생하게 됩니다. 대부분의 환자는 '쥐어뜯으면 조금 기분이 좋아진다'고 호소합니다. 족부백선과 같은 균은 검출되지 않습니다. 통상 습진과 달리 각질이 도려내진 상태입니다. 출혈하는 경우도 많아서 자해적인 소견에서 추측할 수 있습니다.

4 전완의 특징적인 긁은 흔적 (그림4)

건강부위와의 경계가 확실합니다. 긁지 않은 피부는 아무 것도 생기지 않습니다.

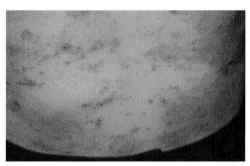

그림1 아토피성 피부염이 기본으로 있는 환자의 긁는 버릇, 만지는 버릇에 의한 병변

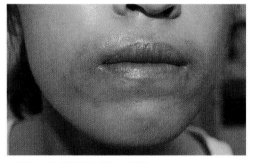

그림2 입 주위의 핥는 버릇

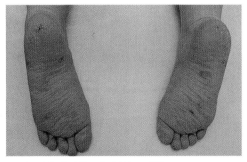

그림3 발바닥을 쥐어뜯는 버릇

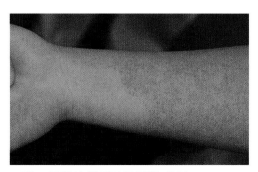

그림4 전완의 특징적인 긁은 흔적

치료

처방례

안면의 악화 시에만 ▶ 스테로이드 외용(아르메타®연고)〈3~4일간〉

경도 ▶

보습제(프로페트®, 히루도이드®소프트연고 등)만 〈계속 사용 가능〉

안면, 경부 이외의 부위가 악화된 경우 ▶

스테로이드 외용(안테베이트®크림·연고)〈1~2주 정도〉

얼굴, 경부를 반복적으로 긁는 경우 ▶

아토피성 피부염치료제 외용(프로토피크®연고)〈1~2주 정도〉

● 당연하지만, 접촉성피부염 등의 원래의 피부병을 치료하기 위한 스테로이드 외용제 등의 치료는 전제조건입니다. 단, 스테로이드는 손바닥, 발바닥의 가려움증에는 반응하지 않는 경우가 많아서, 치료가 어렵습니다. 스테로이드 외용제로는 수부백선, 족부백선의 합병이 무섭다하고, 가려움약인 오이락스® 정도로는 불충분한 경우는 차갑게 하는 것도 효과적입니다. 냉장고에서 차갑게 한 보냉제, 페트병, 깡통 등으로 꽉 누르기만 해도 된다고 환자에게 전합니다. 단 너무 차가운 것에 주의합니다. 또 '긁는 버릇을 멈추면, 본래의 질환이 개선된다'는 점을 납득시킵니다. 정신의학적, 심리적 접근이 필요합니다.

환자에 대한 설명

왜 긁게 되는 겁니까?라는 질문에 성의껏 대답합니다.

● '습진이네요' 등으로 어물어물 넘어가서는 안 됩니다. '어떤 피부병이 있고, 그것을 긁는 동안에 긁는 버릇이 된 것 같습니다' 등 인과관계를 성의껏 설명합니다.

● 피부 증상에 관해서, 환자 자신이 자각하는 것이 치료로 연결됩니다. 다음의 ①, ②와 같은 사실을 인정하게 하는 것이 필요합니다.
① 건강부위와 긁는 부위의 경계가 명료하다.
② 초조할 때에는 긁게 되지만, 안정되어 있을 때나 뭔가에 열중할 때는 신경쓰지 않는다.

One point Advice

가려움증이 가라앉지 않는 이유는?

● '습진의 악화인자'라는 시점에서 생각하면, 긁는 버릇이 중요한 위치를 차지하는 것을 알 수 있습니다(그림5).

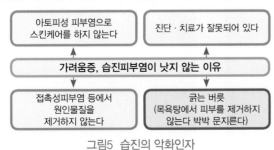

그림5 습진의 악화인자

 긁는 버릇과 타질환과의 관계는? 원인은?

아토피성 피부염, 피지결핍성 습진, 접촉성피부염 등 피부에 여러 가지 습진이 생기고, 그것이 낫지 않아서 가려움증이 '혼자 활동'하게 된 상태입니다. 원질환의 만성화라고도 생각됩니다. 각종 습진은 처음에는 가려움증이 생깁니다. 그러나 그 가려움증을 손톱으로 긁으면 일종의 '쾌감'이 생겨서, 한 순간이지만 기분이 좋아집니다. 그 감각이 습관이 되어 버린 현상입니다.

 긁는 것을 그만둘 수가 없다고 호소한다면?

현대사회는 여러 가지 스트레스가 있습니다. 그것을 '긁는' 행위로 일시적으로 풀 수가 있습니다. 그것이 이 버릇이 고쳐지지 않는 이유 중의 하나라고 할 수 있습니다. 치료는 어느 부분에만 집중하여 개시합니다. 예를 들어, '오늘부터 1주 동안은 오른손목만 긁지 마십시오, 심하게 만지지 마십시오' 라는 식으로 말입니다. 단계적으로 환자 자신의 치료의욕을 이끌어 냅니다. '하면 고칠 수 있다'라고 생각하게 하는 것입니다.

 아이의 긁는 버릇은 어떻게 하면 됩니까?

어린이 나름의 스트레스에 눈을 돌릴 필요가 있습니다. 부모와 함께 있고 싶다, 부모에게 사랑을 받고 싶다 등의 갈망이 있는 케이스가 가장 많다고 생각됩니다. 물론, 그렇게 단순하지 않은 케이스도 있습니다. 정신의학적 접근이 필요합니다.

 일상생활에서의 설명은?

목욕탕에서 피부를 박박 문지르지 않는 것입니다. 문지르면 쾌감은 느끼겠지만, 그 후, 가려움증이 더욱 악화됩니다. 또 하의, 바지 등의 속감 등에도 지도가 필요합니다. 까실까실하여 마찰이 있는 천이 피부를 가렵게 하는 소재는 아닌가? 의사자신도 자신의 하의에 어떤 소재가 사용되고 있는지, 관심을 가져야겠지요.

02 클렌징으로 심하게 문질러서 생긴 피부염

화장을 지울 때, 과도하게 피부를 문질러서 생깁니다.

여성은 '화장을 하는' 사람입니다. 그리고 외출이 끝나면, 얼굴에 밀착되어 있는 화장품들을 피부에서 제거해야 합니다. 이 행위를 '클렌징'이라고 합니다. 남자의사는 여성의 클렌징이라는 행위를 인지하고 있어야 합니다.

진단 클렌징할 때에 문지르는 부위에 주목합니다.

경증이므로 자칫 가볍게 생각하기 쉬운데, 여성의 입장에서는 절실합니다.

1 클렌징의 마찰＋스트레스로 인한 긁음 (그림1)

전체를 문지르더라도, 이와 같이 일부에만 홍반이 출현하는 경우가 있습니다.

2 눈 주위의 전형례 (그림2)

눈 주위는 화장할 때, 가장 신경쓰는 부위입니다. 그만큼, 클렌징에도 힘을 쏟게 됩니다.

3 고령자의 눈 주위의 병변 (그림3)

고령자라도 화장을 지울 때는 힘을 줍니다. 병변부는 **1**, **2** 와 거의 같다는 점을 알겠지요? '잔주름 예방용' 화장품 등은 통상의 클렌징으로는 잘 지워지지 않습니다. 따라서 세게 문지르게 됩니다.

4 안면하부의 병변 (그림4)

턱에 생기는 여드름은 클렌징으로 악화되는 경우가 많습니다. 턱~하악의 여드름은 '그만 박박 문질러 버렸다'는 호소가 많습니다.

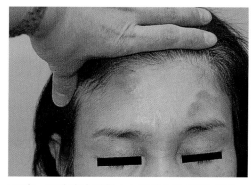

그림1 클렌징의 마찰＋스트레스로 인한 긁음

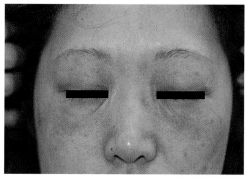

그림2 눈 주위의 전형례

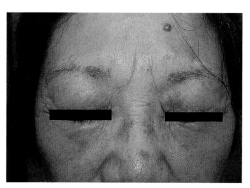

그림3 눈 주위(고령자)

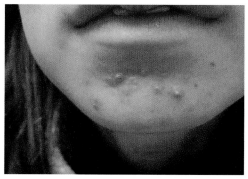

그림4 턱에 생기는 여드름

치료

처방례

강도의 발적·가려움증 ▶ 스테로이드 외용(리도멕스®연고) 〈2~3일간〉
통상의 발적·가려움증 ▶ 스테로이드 외용(킨다베이트®연고) 〈2~3일간〉, 보습제(프로페트®연고)
경도의 발적뿐 ▶ 보습제(프로페트®연고, 헤파린유사물질로션, 선발품으로는 히루도이드®로션)뿐

- 1주 정도로 치유되는 질환입니다. 낫지 않는 경우는 다른 질환을 생각합니다.
- 리도멕스®연고, 킨다베이트®연고 모두, 기제가 우수하여 자극감이 적고, 안면에 사용하기 쉬운 스테로이드 외용제입니다. 보습제는 문질러서 각질이 말려올라가 있는 부위를 보강합니다.

환자에 대한 설명

클렌징 지도가 필요합니다.

- 화장을 지울 때 어떻게 해야 하는지 지도합니다. 여성이 잘하는 분야이기 때문에 남자의사는 코메디컬이나 여성스텝과 상담합니다.
- 아무래도 남자의사가 설명해야 할 때는 다음의 포인트를 강조합니다.
  ① '거품세안'을 합니다. 이것은 화장품을 씻어낼 때에 손가락과 얼굴 피부가 접촉하지 않게하는 테크닉이라고 합니다. 거품세안이라는 키워드를 전달하면 납득할 것입니다.
  ② 화장품을 엄밀하게 전부 지우려고 하지 않는 것입니다. 박박 문지르면 피부가 손상될 뿐이므로, '어느 정도 지우면 된다'고 설명합니다.
  ③ 근처의 화장품판매점과 협력할 수도 있습니다. '이 가게에서 클렌징 요령을 배울 수가 있습니다'라고 전달하고, 다음은 화장품 프로에게 맡깁니다.

One point Advice

여성 얼굴의 트러블 포인트를 정리합니다.

- 여성 얼굴의 트러블은 다음의 세 가지와 같습니다.
  ① 클렌징 시 심한 문지름
  ② 패치테스트 양성반응: 화장품의 알레르기성 접촉성피부염
  ③ 패치테스트 음성반응: 자신의 피부에 맞지않는 조합 또는 여러 가지 화장품 중복사용으로 생기는 접촉성피부염
- ③의 경우는 화장품 전문가의 어드바이스가 중요하므로, 화장품 판매점의 상담원에게 맡깁니다.

Q&A

 여러 가지로 지도했지만, 역시 붉어진다…. 이와 같은 경우는 어떤 질환을 생각합니까?

Ⓐ 가장 흔한 질환은 지루성 피부염입니다. 그 다음에 중독되며 가려움증이 심해지면, 아토피성 피부염 등도 고려합니다.

 내안각이 붉어지는 현상이 종종 있는데, 왜일까요? 그 밖에 고려해야 할 질환은?

Ⓐ 움푹한 곳의 클렌징은 파운데이션이 잘 지워지지 않아서 박박 문지르기 때문에 이와 같은 현상이 됩니다. 젊은 여성의 경우, 눈 주위는 메이크업에서 중점적인 부분이므로, 발적이 생기기 쉽습니다.

칼럼

붉은 얼굴에 관해서

- 얼굴이 붉은 경우, 남녀 불문하고, 너무 문지른 것 외에 다음의 질환을 염두에 둡니다.
  - 심상성 여드름 : 홍색구진·면포입니다. 익숙해지면 바로 진단할 수 있습니다.
  - 지루성 피부염 : 미간, 비순구 등에 호발합니다.
  - 화장품(남성용도 포함)에 의한 접촉성피부염 : 발적이 비교적 심하고, 눈 주위에 집중되는 경향이 있습니다.
  - 스테로이드 중독 : 안면에 대한 스테로이드 외용이 원인으로 생기는 것입니다.
  - 모세혈관 확장 : 지주상 혈관종 등입니다.
  - 성인의 전염성 홍반 : 양측 뺨에 손바닥으로 때린 듯한 홍반이 나타납니다.

03 기저귀 접촉성피부염

기저귀 내의 환경, 과도한 마찰이나 외용제로 생깁니다.

젊은 보호자가 심각한 표정으로 진찰실로 들어옵니다. 엉덩이가 새빨개요, 라며. 여러 가지 원인을 찾아봐도 알 수가 없습니다. 사람들의 여러 가지 의견을 듣고, 보호자는 매우 다양한 외용제를 기저귀 부위에 사용합니다. '도대체, 어쩌면 좋아요?'. 외래에 왔을 즈음에는 이미 지쳐 있습니다.

진단 현저한 발적입니다. 아마도 기저귀 속만큼 과혹한 환경도 없을 것입니다.

기저귀 속은 변뇨투성이가 되어, 항상 습도 100%입니다. 유아의 표피는 매우 얇아서, 1.2 mm 정도밖에 안 됩니다. 성인이 약 2.1 mm이므로 반 정도입니다. 이 약한 피부에 '습도'와 '심한 마찰'이 가해지면, '일시자극에 의한 접촉성피부염'이 생깁니다. 알레르기성이 아니라, 물리적인 자극이 원인으로 폭력적으로 표피가 파괴되는 것입니다. 그 곳에 여러 접촉성피부염, 칸디다균 등의 증식이 가해지기도 하여, 매우 다양한 소견을 나타냅니다.

1 11개월 유아가 악화되어 내원한 증례 (그림1)

보호자가 조심스럽게 음부, 둔부를 닦고 있었습니다. 설사 등은 없었습니다. 홍반, 진무름을 수반하는 동통이 심하고, 스테로이드(린데론®-VG연고 등)를 외용하고 있었던 것 같습니다.

2 1의 1주 후 (그림2)

1의 증례에 외용제를 아무 것도 사용하지 않고, 마찰을 삼가는 것만으로 경감되었습니다. '문지르지 않도록'하는 지시만으로 치료되는 경우가 많습니다.

3 설사를 하여 자극성 접촉성피부염이 생긴 증례 (그림3)

이와 같은 경우에는 설사가 계속되는 한 괴로울 뿐입니다. medium level의 스테로이드(아르메타®연고 등)를 외용하여 치료합니다.

4 3의 3일후 (그림4)

3의 증례는 스테로이드 외용으로 이와 같이 경감되었습니다. 다음은 아연화연고 등으로 보호하고, 묽은 대변에서 피부를 지킵니다.

5 아연화연고의 도포 (그림5)

아연화연고는 '피부의 왁스'라고 생각하고, 살짝 피부에 '얹듯이' 외용합니다. 다소 두껍게 하는 것이 포인트입니다. 물론 맨손으로 발라도 됩니다.

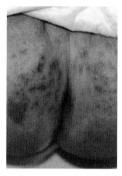
그림1 접촉성피부염

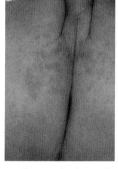
그림2 그림1의 1주 후

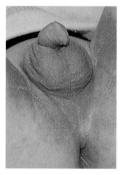
그림3 설사로 인한 접촉성피부염

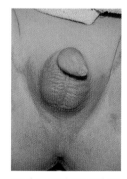
그림4 그림3의 3일 후 (스테로이드 사용)

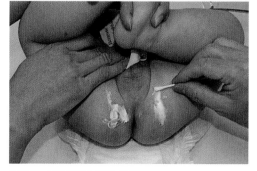
그림5 아연화연고의 도포

치료 ▶

처방례

둔부, 발적이 심한 곳 ▶ 스테로이드 외용(아르메타®연고)〈3~4일간만〉
예방 ▶ 아연화연고

- 둔부, 음부는 약제 흡수율이 매우 뛰어나므로, 스테로이드 외용을 하는 경우는 medium level로 충분합니다. 마이저®연고, 더모베이트®연고 등, strong level 이상을 사용하면, 피부위축이 현저해져서 문제입니다.
- 보험진료로 처방 가능한 보호제는 아연화연고, 친수연고, 흡수연고, 히루도이드®소프트연고, 유베라®연고, 자네®연고, 백색와세린 등 여러 가지 있습니다. 실제로 보호자(환자가 고령자라면, 간호인)가 만져보고, 기호에 따라서 복수 처방합니다.
- 3~4일에 치유되지만, 이 질환은 반복되는 것이 특징입니다. 처음 1~2일간의 관리가 승부입니다. 여기에서는 '완전한 치유'를 목표로 하지 않는 것이 중요합니다. '어느 정도 좋은 상태를 유지하는' 것이 목표입니다. 포인트는 다음과 같습니다.
  ① 다른 의사로부터 처방받은 약제나 시판 외용제는 사용하지 않는다. 1주 동안 통상의 청결만으로도 됩니다.
  ② 전염성 농가진, 봉와직염등의 세균감염을 부정할 수 있으면, 아르메타®연고 등의 스테로이드 외용을 3~4일 합니다.
  ③ 칸디다가 증식되거나, 마찰로 염증이 다시 생기는, 복잡하게 얽힌 상태가 계속됩니다. 이럴 때 보호자에게는 '아기 엉덩이는 자극에 약합니다. 긴 안목으로 보면 반드시 치료되는 질환이므로, 피부 보호제 이외의 약은 일절 사용하지 않겠습니다'라고 설명합니다.

One point Advice

영유아도 고령자도 거의 똑같은 대책입니다.

- 제외해야 할 질환을 염두에 둠으로써 쉽게 진단할 수 있습니다. 즉, ①칸디다가 음성일 것, ②시판약, 의약품의 접촉성피부염이 없을 것, ③전염성 농가진, 봉와직염 등의 세균감염이 아닐 것–의 3가지입니다. 잘 낫지 않으면, 이 3가지 제외진단을 확인합니다.
- 예전에는 종이기저귀 성분에 의한 접촉성피부염이 많았지만, 최근에는 메이커의 노력으로 거의 없어졌다고 해도 될 정도입니다. 오히려 증가하고 있는 것이 시판약, 또는 의사가 처방한 약제로 인한 접촉성피부염입니다. '스테로이드 외용은 싫다'는 모친의 기분을 이해한 나머지, 비스테로이드 항염증제(NSAIDs)를 사용하고, 그 결과, 극심한 염증을 일으켰던 케이스가 매우 많았습니다. 원인이 되는 것은 우페나마트(페나졸®연고), 이브프로펜피코놀(스타델름®연고·크림) 등이 많습니다. 의료행위로 접촉성피부염을 일으키지 않도록 주의합니다.

Q&A

Q 스타델름® 등의 비스테로이드 항염증제(NSAIDs)는 왜 사용해서는 안 됩니까?

A 접촉성피부염이 생기는 외에, NSAIDs는 자연면역의 이상과 관련이 있다는 논문이 있습니다(※). 유소년기부터 이 NSAIDs를 사용하면, 성장함에 따라서 자연계에 존재하는 물질에 쉽게 과민반응하는 상태가 된다면? 이라고 추측하고 있습니다. 즉, 피부병에 걸리기 쉬운 상태가 될 수도 있습니다.
※이 분야에 관해서는 쿄린(杏林)대학 피부과 명예교수 시오하라 테츠오(塩原哲夫)교수의 각종 논문을 참고하시기 바랍니다.

Q 합병되기 쉬운 그 밖의 질환은?

A 칸디다감염입니다. 피부나 변중에도 존재하는 상재균이므로 그다지 심각하지 않지만, 염두에 두어야 합니다. 항문 주위의 진무름·발적이 심하면 전염성 농가진, 봉와직염, 등의 세균감염도 생각합니다.

Q 진무름, 궤양이 생긴 경우는?

A 항생제 외용을 병용합니다. 아크아팀®크림·연고 등을 추천합니다. 기저귀부위는 가제보호가 어려운 장소입니다. 상기 약제 위에 아연화연고를 겹쳐 바르면 좋습니다. 단순도포도 됩니다. 이 경우, 보호자는 성질이 급하여, 바로 낫지 않으면 의사를 바꾸기도 합니다. 4~5일에 낫지 않으면 전문의에게 소개합니다.

Q 치료경과도 포함하여, 고령자의 기저귀피부염도 마찬가지로 생각하면 됩니까?

A 그렇습니다. 단, 고령자인 경우, 욕창이 합병되는 수가 있습니다. 그 처치도 포함하여 치료하게 됩니다. 또 유아와 달리 '성장하여 기저귀가 필요없다'고는 할 수 없습니다. 상당히 장기에 걸쳐 케어가 필요합니다. 칸디다, 옴, 백선, 농가진 등의 합병을 간과해서는 안됩니다.

04 제모에 의한 피부염

정강이 털을 깎는 것에 수반하는 염증입니다.

이런 병명은 실제로는 없습니다. 남자의사는 모를 수도 있겠지만, 여성은 정강이 털을 깎습니다. 당연히 피부의 각질이 벗겨지고, 그 곳에 제모크림을 사용함으로써 생깁니다.

진단 하퇴, 전완 등에 생기는 모낭 일치성의 구진, 긁어서 생긴 상처 등이 특징입니다.

이 질환은 '제모로 각질이 손상되고, 그 곳에 사용한 시판용 제모크림 등으로 인한 자극성 또는 알레르기성 접촉성피부염이 생기는' 측면과 '제모 처리 자체로 모낭 내에 염증이 생기는' 측면이 있습니다. 제모로 표피의 염증이나 모낭염이 생기고, 가려움증이 심하여 긁게 되며, 긁으니까 모낭염이 악화되는 악순환이 발생합니다.

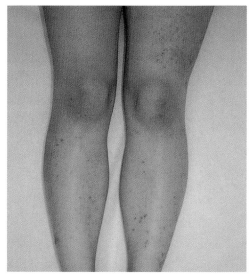

그림1　모낭에 일치하는 구진, 홍반

1 모낭에 일치하는 구진, 홍반이 눈에 띄는 증례 (20대여성) (그림1)

부위에서 판별하면, 제모 시의 트러블이라는 것을 알 수 있습니다.

2 **1**의 증례의 확대상 (그림2)

이 증례에 외용제를 아무 것도 사용하지 않고, 마찰을 삼가는 것만으로 경감되었습니다. '긁지 마십시오'라는 지시만으로 치료되는 경우가 많습니다.

3 하지의 긁은 흔적(20대여성) (그림3)

'제모'를 염두에 두지 않으면, 간단히 '할퀸 상처'라고 설명하고 끝내버립니다. 실은 제모로 인한 염증이었습니다.

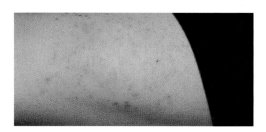

그림2　그림1의 확대

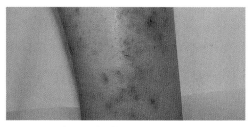

그림3　하지의 긁은 흔적

치료

처방례

항생제 내복(비브라마이신®정 100 mg 1T/일 분1)〈1~2주〉
정강이의 상처▶ 항생제 외용(아크아팀®크림 2회/일)〈2주정도〉
경도의 가려움증▶ 스테로이드 외용(리도멕스®연고)〈1주정도〉
강도의 가려움증▶ 스테로이드 외용(안테베이트®연고)〈1주정도〉

● 양호한 상태가 될 때까지 2주정도 걸립니다.
● 외상이므로 항생제 내복, 외용을 합니다. 항생제 내복에는 모낭염에 효과가 있는 비브라마이신®정을 사용합니다. 계속적으로 사용하는 스테로이드 외용제는 아크아팀®크림이 좋습니다.
● 가려움증이 있는 경우, 자극성 접촉성피부염도 합병되어 있으므로, 스테로이드 외용도 아울러 합니다. 중등도까지의 가려움에는 리도멕스®연고, 심한 가려움증에는 안테베이트®연고를 사용합니다.

환자에 대한 설명

위의 방법으로 치료하지만, 반복되면 색소침착이 생깁니다.

● 당연히 초진 단계에서 '기미가 됩니다'라고 설명하는 것이 중요합니다. 피부과는 '눈에 보이는 것'을 묻는 진료과입니다. '치유한 후에 이렇게 된다'는 것을 제시하지 않으면, 뜻밖의 불만을 초래하게 됩니다. '선생님의 약으로 나았지만, 기미가 생겼다…'라는 말을 듣지 않도록 주의해야 합니다.
● 이 색소침착으로 거칠어지지는 않습니다. 자연 경과로 건강색으로 되돌아옵니다. 그 때, 다음의 포인트를 설명합니다.
① 자외선을 피하도록 썬크림을 사용합니다.
② 제모를 반복하면 재발하여 염증이 반복되므로, 색소침착이 만성화 되어 난치성이 됩니다.
③ 겨울철에는 피지결핍성 습진도 합병되므로, 다시 색소가 침착하는 경우가 있습니다. 보습제를 항상 외용하여, 과잉 건조로부터 피부를 안정화시킵니다.

One point Advice

염증 후 색소침착에 레이저?

● 염증이 생긴 후, 대부분은 색소침착이 생깁니다. '상처자국'입니다. 여기에 바로 레이저를 조사하면 레이저 자체의 피부반응으로 또 염증이 생기고, 색소침착을 일으킵니다. 여성은 당장에라도 '색'을 지우고 싶어서 '바로 레이저'를 희망하는 경우가 많으므로, 의뢰에 따라서 바로 조사하면 '이중 색소침착'이 되어, 비참해집니다. 이런 경우는 반년 정도 경과를 관찰합니다. 레이저는 그 후에 생각해도 됩니다. 의사는 서두르지 말아야 합니다.

I
습진피부염・피부소양증 ④ 제모에 의한 피부염

Q&A

 감염증인 모낭염에 스테로이드를 외용해도 됩니까?

A 이 질환에서 무엇을 중시하는가? 제모자극으로 생기는 모낭, 내지 그 주위에서의 접촉성피부염의 측면을 중시한다면, 스테로이드 외용은 필수입니다. 감염증의 측면을 우선한다 해도 동시에 항생제 내복을 사용하므로 안심입니다. 경험상, 항생제 내복 단독으로는 가려움증의 관리가 불량하여 완치되지 않습니다.

칼럼

레이저탈모에 관해서

● 갈색 내지 흑색털의 '색'에 흡수되는 파장을 출력하여, 표피의 멜라닌에 타격을 주지 않고, 보다 심부에 존재하는 털만을 '소각'하는 기계입니다(그림4). 레이저의 기종에 따라서 여러 가지 파장, 출력, 냉각장치 등이 있습니다.

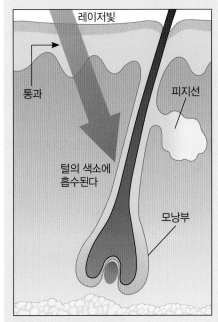

그림4 레이저탈모

05 흔히 있는 접촉성피부염

접촉성피부염 즉 '피부병'은 피부과에서 가장 많은 질환입니다.

분류하면, ①접촉피부염(일반 피부병. 자극성 접촉성피부염이나 알레르기성 접촉성피부염), ②광접촉피부염(접촉성피부염에 자외선 요소가 얽힌 것. 광독성 접촉성피부염이나 광알레르기성 접촉성피부염)이 됩니다. 이 중, 알레르기성인 것은 흔히 경험합니다. 여기에서는 대표적인 알레르기성 접촉성피부염, 광알레르기성 접촉성피부염을 소개합니다.

진단 　홍반, 낙설, 가피, 부종 등이 존재합니다. 병력을 신중히 청취합니다.

'모든 습진은 접촉성피부염으로 통한다'고 해도 과언이 아닙니다.

1 **상당히 극심한 알레르기성 접촉성피부염의 전형증상** (그림1)

시판약으로 생긴 전형례입니다. 부종성 홍반, 구진, 소수포, 일부에 가피, 피딱지를 수반하며, 극심한 가려움증이 있습니다.

2 **해열제시트에 의한 알레르기성 접촉성피부염** (그림2)

시판하는 해열제시트가 원인으로, 시트의 형태대로 홍반이 생겼습니다.

3 **모라스®테이프에 의한 광알레르기성 접촉성피부염** (그림3)

이것은 케토프로펜 첨부부위에 자외선이 작용함으로써 발병합니다. 첨부를 중단해도 1개월 정도는 피부에 잔존하므로, 그 동안은 발생을 반복합니다.

4 **알레르기성 접촉성피부염에서 자가감작성 피부염으로 발전한 증례** (그림4)

건강한 부위와 경계가 확실합니다. 이 환자는 전신에 홍반·구진이 파종되어 있었습니다.

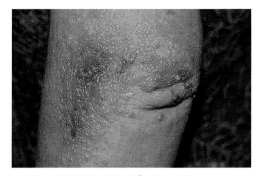
그림1 시판약에 의한 접촉성피부염

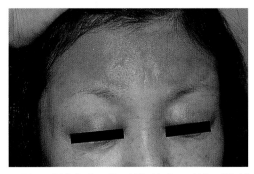
그림2 해열제시트에 의한 알레르기성 접촉성피부염

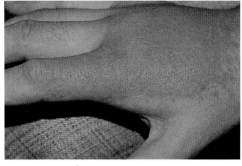
그림3 모라스®테이프 첨부부위에 생긴 광알레르기성 접촉성피부염

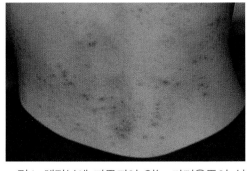
그림4 체간부에 파종되어 있는 가려움증이 심한 홍반구진

치료

처방례

안면, 음부, 겨드랑이 아래 등 약제 흡수가 좋은 부위▶

스테로이드 외용(리도멕스®연고 정도로 충분)⟨1주만⟩

사지·체간부 등▶

스테로이드 외용 (마이저®연고, 안테베이트®연고 등)

손발바닥 등 흡수가 나쁜 곳▶

스테로이드 외용(더모베이트®연고 등 strongest level인 것)

※ 희망에 따라서 항히스타민제를 1주 정도 복용

안면의 접촉성피부염으로 부종이 심하여 '사람 앞에 나설 수가 없다'는 호소 등을 할 때▶ 스테로이드 내복(프레드닌®정 5 mg 3T/일 분3)⟨3일간만⟩ 스테로이드 외용(리도멕스®연고)⟨1주만⟩ 등

- 통상 접촉성피부염의 전 경과는 1주 정도이므로, 그 예정으로 치료합니다.
- 자극성 접촉성피부염, 알레르기성 접촉성피부염, 광알레르기성 접촉성피부염 모두, 스테로이드 외용으로 좋아집니다. 증상, 부위에 따라서 적절히 사용합니다.
- 안면은 부종이 심하게 나타나서, 스테로이드 외용 단독으로는 상당히 어려운 경우가 있습니다. 스테로이드 내복을 3일정도(그 이상은 불필요)추가하면 됩니다.
- 스테로이드 외용제를 처방하고 2~3일 후에 사지에 구진, 홍반이 여기 저기 출현하면, 자가감작성 피부염을 생각합니다. 이것은 일부의 접촉성피부염이 전신의 반응을 일으키는 현상입니다. 스테로이드 내복이 필요하므로, 프레드닌®을 1일 20~30 mg에서 개시하여, 1~2주만에 체감합니다.

환자에 대한 설명

한번 접촉성피부염이 생긴 물질은 더 이상 사용할 수 없습니다.

- 목걸이에 의한 금속알레르기 등, 한번 접촉성피부염이 생긴 물질은 감작(感作)이 성립되어, 앞으로는 사용할 수 없는 점을 잘 설명합니다. 환자는 '체질이 개선되었으니까 이제 목걸이를 해도 괜찮겠지'라고 생각할 수 있으므로 주의가 필요합니다.

One point Advice

다음의 상황은 전문의에게 소개해야 하는지 여부의 경계선입니다.

- 통상의 치료에 반응하지 않고, 자가감작성 피부염으로 발전한 경우.
- 스테로이드 외용으로 반대로 악화된 경우, 그 스테로이드 외용제에 의한 접촉성피부염의 가능성이 있습니다.
- '원인검색을 하고 싶다'고 하는 경우, 패치테스트가 있습니다. 주의해야 할 점은 그 테스트 자체로 전신의 습진으로 확대되는 수가 있으므로, 하지 않는 편이 무난합니다. 전문의에게 맡겨야 합니다.

Q 스테로이드를 외용할 때, 주의할 부위는?

A 안면, 음부, 겨드랑이 아래, 서혜부 등, 피부로의 약제흡수도가 높은 부위에 강한 레벨의 스테로이드는 통상 사용하지 않습니다. 단, 부종이 상당히 심하여, 중증감이 있을 때는 very strong class를 3~4일만 한정하여 사용합니다. 손바닥, 발바닥 등은 각질이 두껍고, 상당히 치료저항성이므로 strongest level(더모베이트®연고 등)을 사용합니다. 실제는 그래도 효과가 없는 경우가 있습니다. 가려움증이 극심한 경우는 찬 타월 등으로 냉각시킵니다.

Q '스테로이드 외용을 해도 괜찮습니까?' 라고 환자가 물었을 때 가장 좋은 대답은?

A 스테로이드는 활발화된 세포에 대해서 '아니아니, 환자가 과잉반응을 하고 있는 것입니다. 조금 머리를 식히십시오'라고 명령하는 약입니다. 너무 악화되었을 때는 스테로이드 내복제도 사용합니다. '이 약제는 단기간만 사용하는 것으로, 장기간 사용하면 문제가 됩니다. 의사의 지시에 따라서 사용해야 됩니다'라고 설명합니다. 환자를 안심시키기 위해서라도, 재진하는 것이 중요합니다.

Q 나은 후의 색소침착은?

A 스테로이드 외용 후에는 갈색색소가 침착됩니다. 특히 여성환자의 노출부는 반드시 힐문을 받게 됩니다. 그러나 자외선을 제대로 차단하면, 반년~1년 정도로 소멸되므로 그다지 신경쓰지 않아도 됩니다. 환자에 따라서는 '스테로이드 외용으로 색소가 침착되었다'고 호소할 수 있으므로, 치료개시 전 단계에서 색소침착에 관해서 설명합니다. 즉, 색소침착은 애당초 접촉성피부염의 결과라고 말해 둡니다. 원래 스테로이드 외용제를 사용하지 않으면 염증과 색소침착이 더욱 악화되는 것을 흔히 경험하게 됩니다.

06 화장품 접촉성피부염 and/or 일광피부염

> **여성에게는 일대사건입니다.**
>
> 얼굴이 붉어진다…. 여성에게는 천지가 뒤집힐 정도의 일대사건입니다. 환자 스스로 원인이 '화장품'이라고 인정하는 경우는 괜찮지만, 고집스럽게 '화장품에는 문제가 없다!'고 주장하는 환자들이 있어 고민스럽습니다.

진단 　화장품의 변경, 테스터나 샘플의 사용 등 구체적으로 문진하는 것입니다.

화장 부위와 일치하여 홍반이 생깁니다. 화장품 메이커는 눈 주위의 화장품에 기업이 노력을 집중하고 있으므로, 필연적으로 제품의 종류도 많아집니다. 그 때문에, 병변은 눈 주위에 집중됩니다. 이른바, 아이메이크업과 관련된 화장품에 의한 접촉성피부염입니다.

1 양안검의 부종성 홍반 (그림1)

컨실러가 원인이었는데, 사용을 중지했더니 경감되었습니다. 확실한 접촉성피부염인 경우는 붉은 기가 상당히 심합니다.

2 그다지 부종이 심하지 않은 경우 (그림2)

그러나 실제는 특별한 이유없이 붉은 증상을 보여 내원하는 환자도 많습니다.

3 상안검의 현저한 부종성 홍반 (그림3)

여러 가지 아이메이크업 중에서도 아이라이너, 아이섀도 등이 원인인 경우가 많습니다.

4 내안각의 태선화병변 (그림4)

남성화장품도 원인이 됩니다. 만성적으로 긁기를 반복하면 피부가 두꺼워집니다. 상안검에서 내안각에 걸친 태선화(피부가 두꺼워지는 것)는 흔히 볼 수 있습니다.

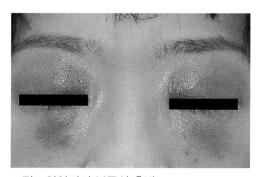

그림1 양안검의 부종성 홍반

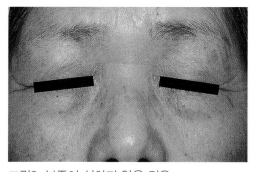

그림2 부종이 심하지 않은 경우

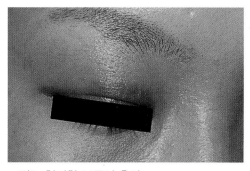

그림3 현저한 부종성 홍반

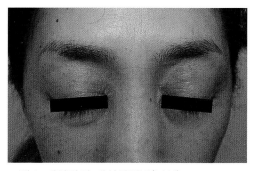

그림4 내안각의 태선화병변(남성)

치료

처방례

스테로이드 외용(킨다베이트®연고 등. 증상이 심할 때는 리도멕스®
연고)〈3일~1주의 기간 한정〉

- 치료는 스테로이드 외용이지만, 기간을 한정하는 것이 중요합니다. 스테로이드 중독을 항상 경계하고, 계속 바르지 않도록 지도합니다. 마찰로 인한 피부의 혼란은 2주 정도 계속되므로, 그 기간에는 통원하도록 지도합니다. 환자 중에는 스테로이드 외용을 단기간 한정하는 이유를 알고 있어도, 가려움증이 낫지 않으면, 결국 반복 사용하는 환자도 있습니다. 그럴 때는 접촉성피부염 이외에 아토피성 피부염도 얽혀 있을 가능성이 있어서, 아토피성 피부염 치료제인 프로트픽®연고로 변경하기도 합니다.
- 자외선이 관련된 것은 신중히 문진하면 해결됩니다. 치료도 '차광하십시오'로 끝나므로 간단합니다.

환자에 대한 설명

화장품의 트러블은 여성에게 맡깁니다.

- '화장품이 맞지 않는 것 같습니다. 단순히 화장품 성분에 의한 경우도 있지만, 대부분은 화장품의 사용방법이 문제인 경우가 많습니다. 여성스텝이 상담해 드리겠습니다. 또 그래도 피부병이 낫지 않을 때는 화장품을 실제로 팔 등에 붙이는 패치테스트를 하고 있는 전문의를 소개하겠습니다' 등을 설명합니다. 남자의사는 적극적으로 부인이나 여성스텝 등에게 화장에 관한 것을 질문합니다. 반대로 여성의사나 스텝은 곤란해 하는 남자의사에게 화장품의 지식에 관하여 상담해 줍니다.
- 교과서에는 '패치테스트를 하십시오'라고 기재되어 있지만, 실제는 순서가 복잡하고, 바쁜 외래에서는 어려운 점도 있습니다. 대부분의 증례에서는 각종 메이커의 화장품을 중복하여 사용해서 자극이 되거나, 피부의 질에 맞지 않는 것을 사용하는 등 사용방법이 잘못된 케이스도 많은 것 같습니다. 화장수, 파운데이션, 클렌징 등 사용방법을 여성스텝이 조금 상담해 주는 것만으로도 놀랄만큼 개선됩니다.

유사증례

- 안면 외의 부위는 어떨까요? 경부에도 발적이 생겨서 내원하는 환자가 있습니다. 안면보다 증상이 심한 경우는 꽃가루 등으로 인한 접촉성피부염, 또는 스테로이드중독 등도 생각합니다. 그림5는 경부에 생긴 스테로이드중독입니다. 접촉성피부염과도 유사합니다.

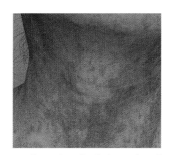

그림5 경부에 생긴 스테로이드중독

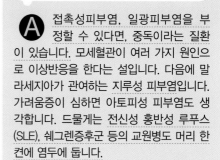
 '얼굴의 발적'에서 그 밖에 감별해야 할 질환은?

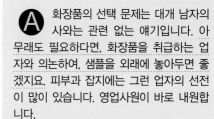 접촉성피부염, 일광피부염을 부정할 수 있다면, 중독이라는 질환이 있습니다. 모세혈관이 여러 가지 원인으로 이상반응을 한다는 설입니다. 다음에 말라세지아가 관여하는 지루성 피부염입니다. 가려움증이 심하면 아토피성 피부염도 생각합니다. 드물게는 전신성 홍반성 루푸스(SLE), 쉐그렌증후군 등의 교원병도 머리 한켠에 염두에 둡니다.

 '어떤 화장품을 사용하면 좋을까요?'라고 질문하면 어떻게 합니까?

 화장품의 선택 문제는 대개 남자의 사와는 관련 없는 얘기입니다. 아무래도 필요하다면, 화장품을 취급하는 업자와 의논하여, 샘플을 외래에 놓아두면 좋겠지요. 피부과 잡지에는 그런 업자의 선전이 많이 있습니다. 영업사원이 바로 내원합니다.

 접촉성피부염 이외에 자외선의 영향은 고려하지 않아도 됩니까?

자외선에 의한 병변을 생각하는 경우는
① 광독성 접촉성피부염(솔라렌 등의 광독성 물질에 의한 것, 누구라도 생긴다)
② 광알레르기성 접촉성피부염(원인으로 케토프로펜, 모라스®테이프가 유명. 감작된 경우만 생긴다)의 2종류를 고려합니다.
광감작물질이 얽히면 병변이 복잡해집니다. 그런데 해석은 복잡해도 환자와의 관계에서는 단순한 대화로 끝납니다. '화장품의 접촉성피부염을 치료하는 경우는 자외선에 노출되지 않도록 주의하십시오. 햇빛도 피부의 트러블과 관련이 있습니다' 라고 설명합니다. 병변이 어떻든 간에, 차광이 중요합니다. 차광을 제대로 하면, 이 문제에서 악화될 일은 거의 없습니다.

I

습진피부염·피부소양증 ⑥ 화장품 접촉성피부염 and/or 일광피부염

07 항진균제의 접촉성피부염

모든 과의 의사가 사용하지만, 실은 트러블이 많습니다.

어느 타입의 항진균제든, 거의 똑같은 접촉성피부염 증상이 나타나서, 구별이 되지 않습니다. 따라서 특징적인 포인트도 없습니다.

진단 발적, 인설, 가려움증, 습윤 등이 나타납니다.

접촉성피부염이 발생한 원인은 다음의 2가지를 생각할 수 있습니다.

① 본래 족부백선이 있고, 항진균제로 치료하고 있었다. 감작이 성립되어 알레르기성 접촉성피부염이 생겼거나, 기제 등의 자극으로 자극성 접촉성피부염이 생겼다.

② 본래 이한성 습진 등의 습진이며, 족부백선은 존재하지 않았다. 거기에 항진균제를 외용하여, 알레르기성 또는 자극성 접촉성피부염을 일으켰다.

그러나 족부백선과 발의 이한성 습진이 혼재하는 경우도 있으므로, 실제 외래진료는 복잡합니다.

1 무좀 치료의 항진균제에 의한 접촉성피부염 (그림1)

본래 무좀이며, 거기에 항진균제의 접촉성피부염이 생긴 케이스입니다. 지간형 족부백선에서는 어떤 기제를 선택하는지가 중요합니다. 침연되어 있는 부위에 액체타입을 외용하면, 사진과 같이 악화될 수 있습니다. 그 때문에 침연부위는 연고타입이 좋습니다.

2 진짜는 이한성 습진인 증례 (그림2)

본래 스테로이드 외용을 해야 하는데, 항진균제를 외용하여 이한성 습진이 악화된 케이스입니다. 이것이 피부과에서 조심해야 할 점입니다. 항진균제는 이유를 알 수 없으나 통상 습진반응이나 알레르기성 변화에 사용하면 악화됩니다. '우선 무좀이 무서워서' 항진균제를 사용하면, 트러블의 원인이 됩니다. 피부과 전문의는 본능적으로 이 점을 알고 있으므로, 무좀이라고 확신하지 않는 한, 항진균제는 사용하지 않습니다.

3 발등에 외용한 증례 (그림3, 4)

지간~족배부의 경계에서 족배부에 걸친 부위가 문제입니다. 이 부위(그림3, 4의 검은 화살표), 실제는 족부백선이 그다지 발생하지 않는 곳입니다. 본래, 족부백선이 아닌 곳에 항진균

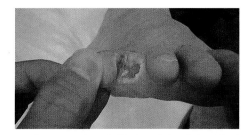

그림1　무좀 치료의 항진균제에 의한 접촉성피부염

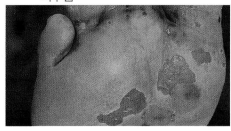

그림2　항진균제를 외용하여, 이한성습진이 악화

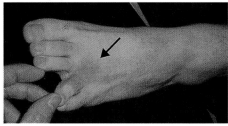

그림3　항진균제의 외용에 의한 자극성 또는 알레르기성 접촉성피부염

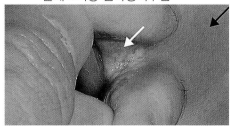

그림4　그림3의 확대

제를 외용하여 생긴 자극성 또는 알레르기성 접촉성피부염이라고 생각됩니다. 그림4는 지간의 확대입니다. 침연되어 있는 것을 알 수 있습니다. 백선균은 흰 화살표 부분에서 양성, 검은 화살표 부분에서 음성이었습니다. 항진균제에 의한 접촉성피부염으로, 기제를 연고타입으로 변경하자 양호해졌습니다.

치료

처방례

★ 무좀치료를 위한 항진균제에 의한 접촉성피부염인 경우
염증이 생긴 곳▶ 스테로이드 외용(판델®연고 1회/일)⟨1주⟩
무좀이 있는 곳▶ 항진균제 외용(아스타트®연고)⟨2~3개월간⟩
★ 진짜는 이한성 습진이었던 경우
스테로이드 외용(메사데름®연고 2~3회/일)⟨1주⟩

● 접촉성 피부염에는 당황하지 말고 스테로이드 외용을 합니다. 1주 정도로 좋아지므로, 재진하게 합니다.
● 아스타트®연고는 피부병이 치료된 후, 진찰에서 무좀이라고 진단을 내리면 사용합니다. 메사데름®연고 등의 스테로이드 외용제의 계속적인 사용은 백선이 합병되기 쉬우므로, 한 달에 1번은 재진하게 하여 진균검사를 합니다. 이와 같은 혼란의 수습에는 2주 정도가 걸립니다.

환자에 대한 설명

시판약을 포함하여, 외용방법의 지도가 중요합니다.

● 환자는 매우 여러 종류의 시판약을 외용하고 내원합니다. 또 본원에서 처방한 약도 '그럴 것이라는' 자기판단에 의한 외용을 합니다. 특히 고령자인 경우, 복수의 처방약을 건넨 경우가 문제입니다. 외용인 경우는 부위의 지정이 있어서, 그것을 하나 하나 설명해야 합니다. 봉투에 부위를 기재해도, 봉투에서 꺼내면 무슨 약인지 알 수 없습니다.
● 그래서 외용제는 가능한 튜브 채 처방하고, 그 튜브에 부위를 기입합니다(그림5).
주의 : 접촉성피부염이 알레르기성인지 자극성인지의 감별은 실제로 상당히 어렵습니다. 패치 테스트로 확인해야 합니다.

그림5 튜브에 부위를 기입

Q 접촉성피부염과 족부백선의 합병이라면, 항진균제와 스테로이드 외용을 혼합하여 사용할 수 없습니까?

A 그것은 해서는 안 되는 상반치료입니다. 환자를 위해서도 evidence가 있는 치료를 합니다. 병변부의 상태를 파악하기 위해서도 어느 쪽이든 단독사용으로 치료하십시오. 통상은 접촉성피부염이 주이므로, 처음에는 스테로이드 외용을, 안정되면 항진균제를 사용합니다.

Q 이미 다른 의원에서 항진균제, 스테로이드 외용 모두 처방받았고, 환자도 '항진균제의 접촉성피부염의 진단으로 스테로이드 외용치료를 받았다'고 인식하고 있다. 그래도 낫지 않는다고 호소하는 경우는?

A 이른바 '악화된' 케이스입니다. 교과서에도 기재가 없어서 정말 곤란했습니다. 이럴 때는 모든 외용을 중지하고, 보습제(흡수연고, 아연화연고, 백색 와세린 등)로 1~2주 정도 상태를 봅니다. 그리고 또 한 번 진균검사를 하고, 방침을 결정합니다.

Q 그러나 여러 가지 치료를 해도 족부백선, 발의 접촉성피부염이 반복되고, 낫지 않는 증례가 있는데….

A 발의 피부는 정말 복잡합니다. 당뇨병 등이 있으면 순환장애도 얽히게 되므로, 원질환의 치료가 중요합니다. 음으로 숨은 질환을 간파하는 능력을 시도합니다.

Q 피부병에 잘 걸리지 않는 항균 외용제는?

A 유감스럽게도, '절대로 피부병이 생기지 않는' 약제는 없습니다. 그러나 일반적으로 자극이 적은 것은 연고타입입니다.

One point Advice ⟶ 문제는 백선진이 생긴 경우입니다.

● 백선진은 족부백선이 악화되어, 균체성분에 대한 일종의 전신성 알레르기반응이 생긴 결과입니다. 자가감작성 피부염의 일종이라고 생각하고 치료합니다. 이 경우는 족부백선의 치료와 전신의 반응 치료, 2가지를 동시에 합니다.
● 이런 경우는 족부백선에 대한 항진균제의 외용이 사태를 복잡하게 할 가능성이 있으므로, 항진균제를 내복하는 경우가 많습니다. 간기능장애 등으로 사용할 수 없을 때는 외용 항진균제를 사용합니다.
● 단, 이 level의 치료는 전문의에게 맡기는 편이 낫습니다.

08 진짜 아토피성 피부염

아토피성 피부염의 ABC입니다.

내원한 보호자가 호소합니다. '우리 애가 아토피성 피부염인 것 같아요…'. 그러나 잘 보면, 단순히 목욕탕에서 심하게 문질렀거나, 피지결핍성 습진으로, 피부과 외래에는 '자칭 아토피성 피부염'이 매우 많습니다. 그럼, 진짜 아토피성 피부염은 어떤 질환일까요? 일본피부과학회에서는 대체로, ①가렵다, 매우 가렵다, ②특징적인 분포(독특한 피부증상+좌우대칭), ③만성적인 경과(유아에게는 2개월 이상, 그 밖에는 6개월 이상) 등이라고 보고 있습니다.

즉, 가려움증이 없거나 가려움증이 경도인 경우는 아토피성 피부염이 아니다…. 좌우비대칭인 것도 아토피성 피부염이 아니다…. 따라서 '1개월 전부터 가려워서…'라면, 진단기준에 미치지 못하는 것이 됩니다.

진단 ▶ 가장 곤란한 것은 '특징적인 습진병변'입니다. 실제는 연령에 따라서 다릅니다.

1 유아① : 안면의 병변 (그림1)

두부, 안면이 주입니다. 지루성 피부염과 구별불능입니다.

2 유아② : 하지의 긁은 흔적을 수반하는 홍반 (그림2)

3 유아 : 안면의 병변 (그림3)

눈 주위, 특히 상안검의 긁은 흔적을 확인합니다.

4 소아 : 팔꿈치의 굴곡부분에 생긴 병변 (그림4)

피부의 건조가 현저합니다. 긁어서 짓무른 습윤경향도 있습니다. 팔꿈치, 무릎의 굴곡부위가 호발부위입니다.

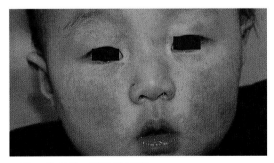

그림1 유아① : 안면의 병변

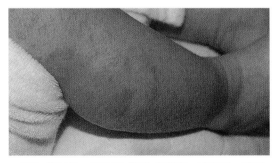

그림2 유아② : 하지의 긁은 흔적을 수반하는 홍반

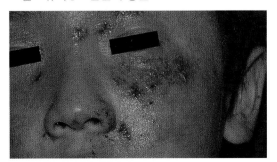

그림3 유아 : 안면의 병변

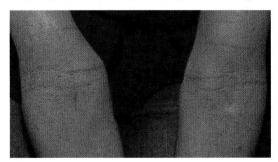

그림4 소아 : 팔꿈치의 굴곡부분에 생긴 병변

5 성인① : 체간부에 생긴 병변 (그림5)

소아기의 연장이지만 체간부, 상반신이 주체인 병변이 됩니다. 장기간 긁어오면서, 딱딱한 피부로 변합니다.

6 코끼리 피부와 유사한 독특한 꺼끌거림 (그림6)

상지의 건조성 태선화병변입니다.

7 좌우대칭인 증례 (그림7)

이와 같이 좌우대칭으로 병변이 출현하는 것도 진단 기준입니다.

8 안면 악화 시 (그림8)

부종성 홍반이 현저해지고 다량의 삼출액을 수반합니다. 이렇게 되면 전문의에게 소개해야 합니다.

9 성인② : 안면의 악화례 (그림9)

안검 주위, 반복적으로 긁어서 부종성 홍반이 되어 있습니다. 피지가 많은 코 부위는 가려움증이 적어서 양호합니다.

10 아토피성 피부염에 단순포진이 합병된 '카포지 수두양발진증' (그림10)

피부의 면역시스템의 불량으로 단순헤르페스가 중증화되기 쉬운 점이 아토피성 피부염의 특징입니다.

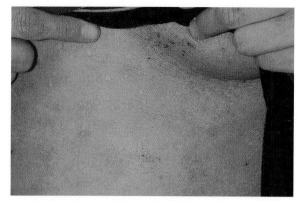

그림5 성인① : 체간부에 생긴 병변

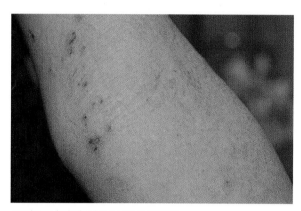

그림6 상지의 건조성 태선화병변

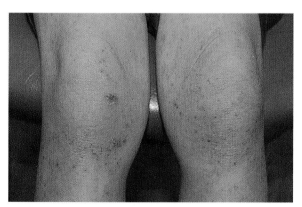

그림7 좌우대칭인 증례

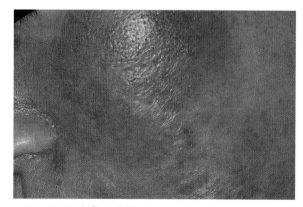

그림8 부종성 홍반이 현저

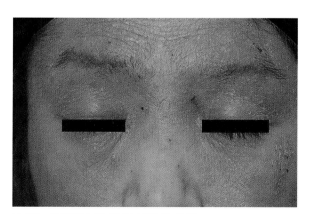

그림9 반복적으로 긁은 부종성 홍반

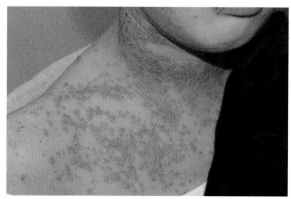

그림10 아토피성 피부염에 단순포진이 합병된 '카포지 수두양발진증'

처방례

항히스타민제 내복(알레그라®정60 mg 2T/일 분2 등, 소아는 자이잘®시럽 등)[칼럼 '상황별 항히스타민제 사용법'(☞p193)참고]

전신 어디에나 가능 ▶ 보습제(히루도이드®소프트연고 1회/일, 입욕 후에 외용)보습제는 여러 종류가 있으며, 환자의 기호에 따른다.

환부가 습윤되어 있지 않다 ▶ 프로토픽®연고(소아용도 있다)1~2회/일, 양호하면 2일에 1회 외용

※ 프로토픽®연고는 짓무른 곳에는 사용이 불가능합니다. 사용 후에는 자외선에 가능한 노출시키지 말 것. 자극감, 긁음으로 인한 습윤으로 외용할 수 없는 경우에는 스테로이드 외용으로 한다.

★ 스테로이드 외용의 원칙 안면, 경부, 흉부, 액와, 음부 ▶
medium level, 단 안면에는 1주 정도 하고, 장기 사용은 삼간다.

사지, 체간부 ▶ strong~very strong level

손발바닥 ▶ very strong~strongest level

- 보습제의 외용은 모든 시기에서 필수입니다. 히루도이드®소프트연고, 히루도이드®로션 등, 환자에 따라서는 와세린(=프로페트®)을 선호하는 경우도 있으며, 시판약(큐렐® 등은 평판이 좋다), 또는 요소크림·연고 등 매우 다양합니다.

- 환부가 습윤되어 있지 않으면, 2세 이상의 모든 환자에게 프로토픽®연고(소아는 '소아용')를 사용합니다. 자극감을 수반하므로 설명하는 데 시간이 걸립니다. 끈기있게 환자를 설득합니다. 부위를 불문하고 사용할 수 있으므로 설명이 끝나면 다음은 쉽습니다.

- 각 증상에 따라서 level을 높이거나 낮춥니다. 손발바닥이 아무래도 낫지 않을 때는, 야간에만 보티시트®(아연화연고 린트포) 등으로 덮는 occlusive dressing technique (ODT) 요법을 병용하면 효과적입니다.

- 항히스타민제 내복은 필수입니다. 통상량이 무효인 경우는 조금 다량 내복하게 하여 가려움증을 관리합니다. 첨부문서상, 통상량의 배 정도까지는 문제가 없습니다. 이 방법으로(운이 좋으면), 내복만으로 관리할 수 있는 환자도 있습니다.

- Proactive요법이란 프로토픽®연고나 스테로이드외용제의 사용법으로 시행되고 있는 치료법입니다. 이 외용제로 피부증상이 일단 경감되어도, 피부에는 염증이 잠재적으로 준비상태이거나 마이크로 레벨에서는 염증반응이 계속된다고 생각하여, 외용을 격일, 또는 3일에 1회 합니다. 가려움증이 재연되는 아토피성 피부염의 괴로운 상태를 개선할 수 있는 획기적인 방법입니다. 치료의 목적은 ①보통 일(공부)할 수 있는 상태를 유지하는 것, ② 가려움증을 완전히 없앨 수는 없어도, 외용제를 계속 사용함으로써 피부의 방어장애를 계속 보충할 수 있을 것, ③카포지 수두양발진증(단순포진의 중증형), 백선, 옴 등의 합병증이 생기지 않는 것-입니다.

- 안증상으로는 백내장이 있습니다. 이것은 가려움증 때문에 눈을 비벼서 생깁니다. 그 경우, 안과 진료를 권합니다.

칼럼

아토피성 피부염 :
그 밖의 치료에 관해서

- 스테로이드 내복에 관해서
장기간의 처방은 당연히 중단해야 합니다. 그러나 너무 악화되었을 때는 일시적으로 사용하면, 극적으로 효과가 있습니다. 처방할 때는 환자에게 설명이 중요합니다. 어디까지나 '단기간의 비상수단'이라는 점을 강조하십시오.

- 자외선치료. 실은 매우 유효합니다. 308~313 nm의 Narrow Band UVB 또는 308 nm의 엑시머라이트에 의한 자외선 치료는 피부표면의 가려움증 관련 물질을 억제하는 작용이 있다는 점을 근년 알게 되었습니다. 아토피성 피부염환자에게 사용하 'repeater(상습범)'가 된다는 점에서, 그 효과를 알 수 있습니다. 보험점수도 2009년 현재 1회 340점으로 높은 점수가 되었습니다. 또 프로토픽®연고와는 병용할 수 없습니다. 단, 기계 값이 수천만원인 것이 단점입니다.

- 한방약은?
다음과 같이 증상에 맞추어 선택합니다.
  - 냉성 십미패독탕(十味敗毒湯)
  - 안면이 열이 나고 빨개진다
    → 백호가인삼탕(白虎加人蔘湯)
  - 상반신에 열이 있다
    → 형개연교탕(荊芥連翹湯)
  - 삼출액이 많다
    → 소풍산(消風散)
  - 신경증적 경향이 강하다
    → 시호청간산(柴胡淸肝散)
  - 건조경향이 현저하고 인설이 많다
    → 온청음(溫淸飮)

- 자가 자세히 파악하고 있는 경우도 있으므로 잘 상담하여 처방합니다. 통상의 내복약과 마찬가지로 부작용이 여러 가지이므로, '안심하고 사용하십시오' 라는 표현은 하지 않습니다.

아토피성 피부염의 원인은? 어떤 증상이 일어나고 있나?

● 방어장애와 면역반응에는 다음과 같은 것을 생각할 수 있습니다.

① 피부에는 '방어기능'이 있어서, 외부 물질이 체내로 침입하지 않도록 차단하고 있습니다. 그러나 이 방어가 위험해지는 상태가 생기면 외부에서 여러 가지 '침입자'가 쉽게 들어오게 됩니다. '방어기능'에는 각질 그 자체의 단단함, 그리고 거기에 존재하는 천연보습인자가 중요합니다. 2006년, '필라그린'이라는 물질을 만드는 유전자의 변이가 아토피성 피부염의 발병에 중요하다는 논문이 발표되었습니다.(http://www.ncbi.nlm.nih.gov/pubmed/16550169)필라그린이 결여되거나 적으면 방어기능이 장애를 받는다는 것을 알게 된 것입니다. 유전자 레벨에서 아토피성 피부염의 발병을 설명할 수 있게 되었습니다. 단, 이것은 아토피성 피부염 환자의 20% 정도에 불과하여, 모든 것을 설명할 수 있는 단계에는 이르지 못했습니다.

② 피부·진피에는 그 '침입자'를 감시·격퇴하는 면역시스템이 있어서, 세균이나 바이러스를 퇴치해 줍니다. 그런데 '침입자'는 그 병원체뿐만이 아닙니다. 피부의 상재균이나 일상생활에서 무수히 존재하는 물질도 '침입'해 옵니다. 면역기구가 그 무해한 물질에도 반응하게 되어, 이상한 과잉염증이 생깁니다.

③ 또 위에 기술한 이상한 염증반응 시, 가려움증을 느끼는 신경이 표피로 쑥쑥 올라가게 되는 현상이 일어나는 것을 알게 되었습니다(그림11).

④ 다른 각도에서의 접근도 중요합니다. '피부를 긁는' 상태를 아무래도 멈출 수 없는 정신적·심리적인 요인도 있습니다.

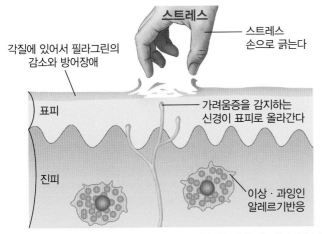

스트레스

스트레스
손으로 긁는다

각질에 있어서 필라그린의
감소와 방어장애

표피

가려움증을 감지하는
신경이 표피로 올라간다

진피

이상·과잉인
알레르기반응

그림11 아토피성 피부염에서는 위에 기술한 반응이 피부에서 일어나고 있다

One point Advice

'특유의 피부증상'을 아무래도 이해할 수 없는 경우는….

● 아토피성 피부염 진단에서는 피부를 만져 보는 것이 중요합니다. 다양한 서적을 읽고 사진을 접해도 아토피성 피부염은 만져 보지 않으면 알기 어렵습니다. 만졌을 때에 느끼는 그 독특하고 딱딱한, 건조한 피부야말로 아토피성 피부염입니다. 진찰 시 환자의 피부를 만져 보십시오.

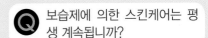

Q 감별진단은?

A 단순한 접촉성피부염, 지루성 피부염, 긁는 버릇에 의한 습진 등이 아토피성 피부염으로 오진하는 증례가 많은 것 같습니다. 진단기준을 확실히 기억해 둡니다.

Q 보습제에 의한 스킨케어는 평생 계속됩니까?

A 스킨'케어'입니다. 아토피성 피부염 환자는 유전적으로 피부가 취약합니다. 좀 더 피부에 신경을 써야 합니다. 그것을 장기간 계속하는 것이 가장 중요합니다. '여성은 화장 전에 얼굴을 보습제 등의 기초화장품으로 다듬습니다. 같은 요령으로 자녀나 자신의 피부를 항상 보습을 유지하도록 하십시오'라고 설명합니다.

Q 보험으로 인정되지 않는 민간요법, 또는 자비치료는?

A 여러 가지 민간요법이 행해지고 있습니다. '아토피 비즈니스'로서 돈을 버는 대상이 되고 있습니다. 의사는 환자의 입장에서, 보다 경제적인 보험진료로 치료할 각오를 해야 합니다. 지금은 여러 가지 치료법이 개발되어 있습니다. 매일 새로운 정보를 얻어서 보험진료를 관철합니다.

Q 스킨케어가 음식알레르기 발병의 예방이 된다고는?

A 피부에 염증증상이 존재하고, 거기에 우유, 계란 등의 음식이 접촉하면, 표피의 면역기구가 이상하게 반응합니다. 이른바 피부에서 알레르기 준비상태가 완성되고, 음식섭취로 아나필라시 등의 '폭발'이 일어난다는 설이 상당이 유력해지고 있습니다. 유·소아기부터 확실하게 보습제, 또는 필요에 따라서 스테로이드제를 사용하여 피부의 방어를 남겨두는 것이 그 후의 음식알레르기 발병에 예방이 됩니다. 저서 "진료소에서 보는 어린이의 피부질환" (일본의사신보사 간행) p170을 참고하시기 바랍니다.

09 유아의 안면에 생긴 아토피성 피부염일 수도 있는 습진

유아에게도 진단기준을 적용할 수 있습니까? 그런 경우의 이야기입니다.

아토피성 피부염이라고 생각되는 습진은 유아기부터 있습니다. 생후 몇 개월인 유아에게 아토피성 피부염의 진단기준을 적용하여 문제가 해결됩니까? 엄밀한 진단이 필요합니까? 그런 경우, '아토피성 피부염일지도 모르는 상태'라는 말로 대처합니다.

진단 반복해서 긁었다고 생각되는, 안면의 다소 습윤성 병변입니다.

너무 가려워서 엄마 가슴에 안면을 비벼대고 있는 아기입니다. 유아의 아토피성 피부염은 '2개월 이상 계속되는' 만성질환입니다. 출생 직후인 아기는 당연히 진단할 수 없습니다. 몇 개월 된 유아라도 '2개월'이라는 기간이 미묘합니다. 아무래도 확정 진단할 수 없을 때는 '아토피성 피부염일지도 모르는 상태'라고 생각합니다.

1 안면에 광범위하게 미치는 홍반, 구진 (그림1)

이마, 상하안검, 뺨의 병변은 '유아습진'이라고 부르고 있습니다. 이와 같은 병변은 몇 개월 후에 소실됩니다.

2 긁어서 진무름이 생긴 상태 (그림2)

귀 주위, 하악 주위는 호발부위입니다.

3 이마에 생긴 구진 (그림3)

다량의 발한으로 인한 단순한 이한성 습진인지, 또는 앞으로 만성화되는 것인지 고민스러운 부분입니다.

4 3 의 이마의 확대상 (그림4)

계속 심하게 긁는 경우는 아토피성 피부염일 수도 있습니다.

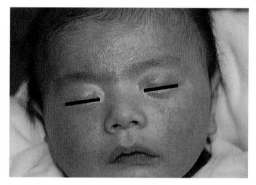

그림1 안면에 광범위하게 미치는 홍반, 구진

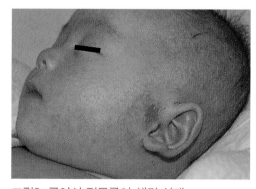

그림2 긁어서 진무름이 생긴 상태

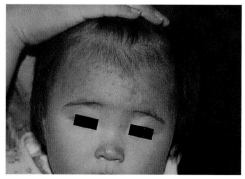

그림3 이마에 생긴 구진

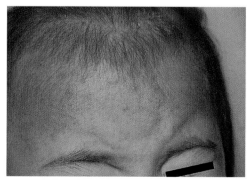

그림4 그림3의 확대

치료 ▶

처방례

가려운 곳 ▶ 스테로이드 외용(아르메타®연고 등의 medium level인 것)〈4~5일간 집중사용〉
아르메타®연고가 무효인 경우 ▶ 리도멕스®연고를 똑같이 단기간 사용
경감 후의 예방 ▶ 보습제(백색 와세린, 프로페트®연고 등)

- 몇 개월간의 장기전이 됩니다. 1~2주 동안에 1회 통원시키면 됩니다. 대부분은 1세~1세반까지 소퇴됩니다. 반대로 그 이상 계속되는 경우나 약간 중증인 경우는 아토피성 피부염을 의심합니다.

- 스테로이드 외용과 보습제의 병용이 현저한 효과가 있습니다. 필요에 따라서 항히스타민제를 내복하는데, 2세 미만에 사용할 수 있는 항히스타민제가 한정되어 있으며, 뇌내 이행으로 경련 등의 부작용이 보고되어 있어서 주의해야 합니다. 이 경우는 자이잘®시럽을 추천합니다(단 6개월 이상의 유아). 보습제는 히루도이드® 계통인 것, 백색 와세린, OTC에는 큐렐® 등 여러 가지가 있으므로, 보호자와 상담합니다.

보호자에 대한 설명

음식알레르기가 되지 않도록, 예방적으로 보습제를 사용하도록 지도합니다.

- '아기의 보습은 흔히 있는 일이므로 걱정할 필요는 없습니다. 단, 피부가 거칠어지면, 거기에 우유나 계란 등이 접촉하여 음식알레르기를 일으키는 경우가 많습니다. 장래를 생각한다면 예방적으로 보습제를 점점 사용하여, 피부를 좋은 상태로 유지하도록 합니다'라고 설명합니다.

One point Advice

진단을 서두를 필요가 없습니다.

- 지루성 피부염과의 감별이 매우 어렵습니다. 왜냐하면, 습진병변이 복잡하기 때문입니다. '지루성 피부염과 아토피성 피부염이 혼재되어 있다면?' '확실히 눈썹 주위에 황색인설은 있지만, 뺨은 습윤'상태입니다. 이런 경우, 진단을 서두르지 말아야 합니다. '아토피성 피부염일 가능성이 있다'가 됩니다. 결정은 역시 '가려움증'입니다. 열심히 얼굴을 긁으며 가려움을 호소한다면 '가능성 있음'이라고 합니다. 병변부를 제대로 치료하고, 그 후에도 보습제를 계속 사용하도록 지도합니다. 빠른 스킨케어로 음식 등의 피부감작을 사전에 방지하고, 후에 발병할지도 모를 여러 가지 알레르기질환을 방지할 수 있습니다.

- 제외하는 질환은 스타델름®연고 등 NSAIDs에 의한 접촉성피부염입니다. 지금까지 어떤 외용을 하고 있었는지, 외래에서 상세히 문진하는 것이 중요합니다.

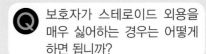

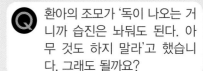

Q 보호자가 스테로이드 외용을 매우 싫어하는 경우는 어떻게 하면 됩니까?

A 초진 등에서는 엄마와의 신뢰관계가 완전하지 않은 점을 의사가 이해해야 합니다. 결코 엄마의 감정을 무시하고 스테로이드 외용을 강요해서는 안 됩니다. 신뢰관계가 구축되면, 서서히 스테로이드 외용를 권합니다. 처음에는 스테로이드 외용 이외의 약제로는 나을 확률이 떨어진다는 취지를 설명하고, 백색 와세린, 아연화 연고 등의 보호제를 처방합니다. 보호하는 것만으로도 약간의 효과가 있습니다. 그 경우라도 비스테로이드 항염증제(NSAIDs)는 사용하지 않도록 유도합니다.

Q 환아의 조모가 '독이 나오는 거니까 습진은 놔둬도 된다. 아무 것도 하지 말라'고 했습니다. 그래도 될까요?

A '진짜 아토피성 피부염'(☞p92)에서 기술하였듯이, 피부에서 음식이 감작되어, 음식알레르기가 높은 비율로 일어납니다. 그 때문에 조기 치료가 중요합니다. 적극적으로 피부를 매끈매끈하게 해야 합니다. 보습제를 열심히 외용합니다.

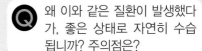

Q 왜 이와 같은 질환이 발생했다가, 좋은 상태로 자연히 수습됩니까? 주의점은?

A 유아의 얇은 표피는 외부의 자극에 영향을 받기 쉬워서, 염증반응이 생기기 쉬운 상황입니다. 그러나 성장하면서 표피도 당연히 두꺼워지고, 안면피지의 분비도 적정한 상태가 되므로 이와 같은 반응도 수습됩니다. 외래에서 경과를 신중히 관찰하면, 대개 치유됩니다. 그 후, 사지로 병변이 진전되는 증례도 있으므로, '얼굴은 안정되지만, 나중에 사지 등으로 확대되기도 합니다'라고 설명합니다.

10 두부의 지루성 피부염(seborrheic dermatitis)

'말라세지아가 원인이 되는 습진'이 두부에 나타난 상태입니다.

말라세지아란 진균, 즉 무좀의 친척입니다. 그러나 병원성은 아닙니다. 따라서 두부의 지루성 피부염에 항진균제를 바르면 좋아질 수 있습니다. 환자가 지루성 피부염을 무좀이라고 착각하여 외용하고 있었다면, 지루성 피부염이 나았다는 사실도 수긍할 수 있을 것입니다.

진단 ▶ 특징적인 것은 지루부위에서의 홍반, 낙설입니다.

두부, 안면, 귀에서 경부에 걸쳐서, 겨드랑이 아래, 서혜부 등은 지루가 왕성한 부위입니다. 그 부위의 인설, 발적은 지루성 피부염일 가능성이 있습니다. 접촉성피부염도 아니고, 아토피성 피부염과 같은 극심한 가려움증도 아니며 백선균도 없고, 옴도 부정적…. 이런 경우에는 지루성 피부염을 의심합니다.

1 유아의 두부 (그림1)

현저한 인설입니다.

2 성인의 지루성 피부염 (그림2)

두발의 현저한 인설입니다. 두부백선과 매우 유사합니다. 백선균검사로 판명합니다.

3 약간 붉은 두정부의 병변 (그림3)

염증이 있으면 이와 같이 붉어집니다. 가려움증을 수반하는 경우가 많습니다.

4 60대 남성의 지루성 피부염 (그림4)

긁어서 진무름, 피딱지가 부착되어 있습니다. 지루성 피부염은 가려움증이 매우 심하여, '아프면서 가렵다'고 호소합니다.

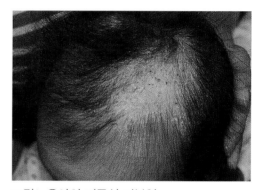

그림1 유아의 지루성 피부염

그림2 성인의 지루성 피부염

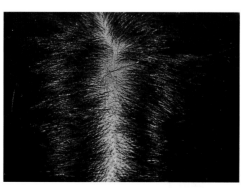

그림3 다소 붉은 기가 있는 두정부

그림4 60대 남성의 지루성 피부염

치료 ▶

처방례

통상의 경우 ▶ 스테로이드 외용(린데론®-V로션)〈4~5일간〉
가려움증, 비듬의 악화시 ▶
스테로이드 이용(안테베이트®로션)〈4~5일간〉
그 이상 악화된 경우 ▶
스테로이드 외용(더모베이트®스칼프로션)〈4~5일간〉
예방 ▶ 항진균제 외용(니조랄®로션)〈계속 사용〉

- 지루성 피부염은 연단위의 장기전이 됩니다. 빨리 치료하고자 하는 경우는 스테로이드 외용을 하지만 재발합니다. 그 때문에 말라세지아의 증식을 억제할 목적인 항진균제 치료가 보험적용이 되고 있습니다. 즉 스테로이드 외용으로 치료, 항진균제로 예방한다는 패턴입니다. '콤비네이션치료'입니다.
- 더모베이트®스칼프로션은 가려움증이 상당히 심하거나 비듬이 매우 심한 곳에 사용합니다. 이 약은 상당히 강력하므로, 장기간 계속하면 피부가 얇아서 약해지므로 주의합니다.
- 니조랄®로션은 말라세지아의 증가를 억제하는 항진균제입니다. 예방적인 약이므로, 목욕 후 1회 외용하는 등, 생활습관 속에서 사용하도록 유도합니다.
- 흔히 경험하는 일이지만, 지루성 피부염은 스트레스로 악화됩니다. 여러 가지 스트레스로 고민하게 되면 머리에 비듬이 생깁니다. '아, 이게 스트레스로 인한 지루성 피부염의 악화인가 !」 라고, 필자 자신도 경험한 적이 있습니다.

환자에 대한 설명

왜 자꾸 긁는 것일까요? 라는 질문에 정중하게 설명합니다.

- '말라세지아라는 곰팡이가 증식하면서 생기는 습진입니다. 타인에게는 옮지 않으니, 안심하십시오. 이 질환이 있는 환자는 매우 많습니다'라고 정중하게 설명합니다.
- '평생 계속됩니까?', 그런 염려가 환자로부터 나옵니다. 콜라쥬 풀푸르® 등, 항진균작용이 있는 샴푸, 린스도 판매하고 있으므로, 일상생활 속에서 관리하도록 유도합니다.

One point Advice ⟍

머릿니와 백선에 주의합니다.

- 스테로이드 외용도 사용하는 질환이므로, 머릿니와 백선에 주의합니다. 환자는 스테로이드 외용이 매우 효과적이라는 점을 직감적으로 알 수 있습니다. 그러나 정기적으로 내원하게 해야 합니다. 족부백선이 있는 환자는 두부에 백선이 생길 가능성이 있어서 요주의입니다.

 Q 머릿이와의 감별포인트는?

A 지루성 피부염은 비듬이 간단히 머리카락에서 떨어지는 점이 다릅니다. 그에 반해서, 이의 알은 머리카락에 딱 부착되어 있습니다.

 Q 두부백선, 두부접촉성피부염과의 감별은?

A 농포, 원모양의 병변 등을 수반하는 경우는 두부백선을 의심합니다. 발적이 현저하고 두발부위 외에도 홍반인설 습윤성의 변화를 확인하는 경우는 머리염색 등에 의한 접촉성피부염을 의심합니다.

 Q '말라세지아가 원인인 습진의 총칭'이라면, 항진균제만으로 완치될 리가 없지 않습니까? 왜 스테로이드 외용을 하는 것입니까?

A 말라세지아균이(그 환자에게) 적당량이면 염증이 생기지 않습니다. 그 자체에는 병원성이 없고, 과잉증식 때문에 염증반응이 생기는 것입니다. 그 '해결'에는 스테로이드 외용이 first choice입니다. 항진균제만으로는 염증반응이 안정되는 데에 시간이 걸립니다.

 Q 항진균제라면 니조랄®로션 외에, 예를 들어 루리콘®액 등도 됩니까?

A 보험진료상, 지루성 피부염에 사용할 수 있는 항진균제가 한정되어 있으므로 주의하십시오. 니조랄®로션은 사용할 수 있지만, 루리콘®액 등 다른 많은 항진균제는 적용 외입니다.

11 안면의 지루성 피부염

미용적 관점에서 압도적으로 여성환자가 많은 질환입니다.

안면이 붉어지고, 가려움증이 조금 있는 증례는 안면의 지루성 피부염입니다. 특별히 남녀비에 차이는 없으리라 추측되지만, 실제로는 미용적 관점에서 여성의 수진이 압도적으로 많습니다.

진단 미간, 코 옆 등의 홍반입니다.

이 지루성 피부염의 진단은 타과의사가 가장 불가사의하게 생각하는 부분입니다. 호발부위를 확실히 확인합니다.

1 안면에 생긴 전형례 (그림1)

안면, 뺨, 미간의 발적 등이 특징입니다. 전체적으로 기름이 끼어 번들번들한 피부의 광택이 있습니다. 여드름 같은 구진, 면포는 그다지 확인되지 않습니다.

2 코에서 뺨에 걸친 홍반 (그림2)

뺨의 확대상입니다.

3 비순구의 현저한 발적 (그림3)

이와 같은 부위가 중요합니다. 꽃가루증 시즌에 코를 너무 풀면 똑같은 증상이 나타납니다. 지루성 피부염 환자는 계절이나 비염의 유무에 상관없이, 발적을 확인합니다.

4 비류(딸기코, rhinophyma)의 상태 (그림4)

지루가 활발해져서, 피지선의 증식이 너무 왕성해지면, 이와 같은 융기가 나타나는 수가 있습니다. 이것을 비류라고 합니다.

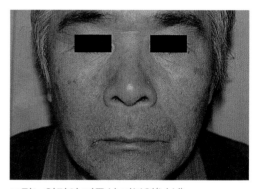

그림1 안면의 지루성 피부염(남성)

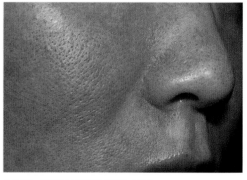

그림2 코에서 뺨에 걸친 홍반

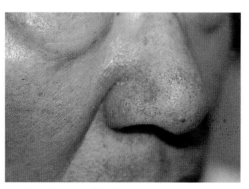

그림3 비순구의 현저한 발적

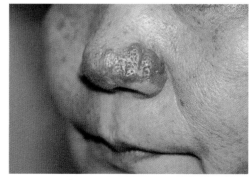

그림4 비류(딸기코, rhinophyma)

치료

처방례

테트라사이클린계 항생제 내복(비브라마이신®정 100 mg 1T/일 분1)
〈1~2개월간〉

얼굴▶ 항진균제 외용(니조랄®크림 2회/일) 〈계속 사용〉

※ 이 외용제는 자극감이 생기기도 한다. 발적이 악화되면 중지할 것.

발적이 있고, 가려움증이 심할 때▶

스테로이드 외용(킨다베이트®연고) 〈악화 시, 일시적으로 사용〉

더욱 악화된 경우▶

스테로이드 외용(리도멕스®연고) 〈악화 시, 일시적으로 사용〉

※ 환자에 따라서는 스테로이드 중독이 생기므로, 4~5일의 단기간
한정

● 지루성 피부염에는 여드름 치료제인 테트라사이클린계 항생제
(비브라마이신®) 등이 유효하다는 점을 알고 있습니다. 항생제
작용보다도 항염증 작용이 있는 것 같습니다. 또 니조랄®크림은
말라세지아 증식을 억제하는 약입니다.

● 연단위의 장기전이 됩니다. 그 때문에 비브라마이신®정의 내복
은 악화 시에만 하고, 경감되면 니조랄®크림 등을 사용하는 방
법도 있습니다.

주의 : 미노마이신에 관해서는 제2장 Q11 '이제는 들을 수 없는
"항생제의 선택법"을 가르쳐 주십시오!'(☞p21)참고.

● 위의 치료를 1~2주 정도 병용했지만, '낫지 않는다'고 생각하면
포기하고 소개장을 준비하십시오.

환자에 대한 설명

문제를 복잡하게 하는 것은 병변이 얼굴에 있는 경우입니다.

● 안면은 약제의 흡수가 너무 좋아서 여러 가지 부작용이 생깁니
다. 일반의로서 안면의 병변에는 너무 깊이 관여하지 말고, 스테
로이드 중독일 가능성을 고려하여, 아무래도 관리할 수 없는 경
우에는 전문의에게 소개해야 합니다.

One point Advice

지루성 피부염은 상당한 장기전이 됩니다.

● 따라서 상황에 따른 대처요법밖에 없습니다. 장기간 지속되고, 부작용으
로 곤란하지 않은 치료를 선택합니다.

● 스테로이드 외용제를 기간을 정하지 않고 처방하는 증례를 볼 수 있습니
다. 실은, 이것이 대부분의 스테로이드 중독의 원인이 되고 있습니다. 지
루성 피부염에 스테로이드 외용을 하면, 일시적으로 낫게 되어 환자 입
장에서는 만족스럽겠지만, 반복 사용함으로써 스테로이드 중독으로 이
행됩니다.

 안면 아토피성 피부염과의 감
별은?

 발병부위와 가려움증입니다. 아토
피성 피부염은 가려움증의 정도가
매우 심합니다. 또 비익부, 비순구는 지루부
위로, 건조하지 않습니다. 아토피성 피부염
환자는 이 부위가 적당한 습도로 유지되기
때문인지, 그다지 병변이 생기지 않습니다.
또 안면의 지루성 피부염과 아토피성 피부
염이 합병, 혼재하는 경우는 거의 없습니다.

 안면 중독과의 감별은?

 실은 매우 유사합니다. 안면 지루
성 피부염에서 follow하고 있지만,
실은 중독이 혼재되어 있거나 중독인 환자
가 실은 지루성 피부염이었거나…. 게다가
치료도 유사합니다. 쌍방 모두 비브라마이
신® 등의 테트라사이클린계나 비타민제를
내복합니다. 즉 '감별할 수 없어도 치료는
동일'합니다. 일반의는 그다지 구별하지 않
아도 될 것 같습니다.

 가려움증을 호소하는 지루성
피부염에 스테로이드 외용으로
한번은 낫습니다. 그러나 반복
사용할 수 없는 경우는?

 안면의 가려움증에 대한 대처는 미
묘한 치료테크닉이 필요합니다. 보
험적용외이지만, 아토피성 피부염에 사용하
는 프로토픽®연고 등을 사용하는 방법이 있
습니다. 현실적으로는 '심한 긁음' '화장문
제' '세안방법' 등의 개선으로 낫는 예가 많
습니다.

 비타민제는 효과가 있습니까?

 경험적으로 효과가 있는 것 같습
니다. 비타민B2는 프라비탄®정 10
mg(2T/일), 비타민B6는 피독살®정 10 mg(2T/
일)으로 보충하면 됩니다.

12 체간부, 사지 등의 지루성 피부염

경부, 겨드랑이 아래 등에 생기는 홍반, 인설입니다.

지루성 피부염은 과잉 말라세지아에 의한 습진반응이며, 경부, 겨드랑이 아래 등은 호발부위입니다. 접촉성피부염도 아닌, 백선도 아닌, 그 밖에 이유를 알 수 없는 홍반, 인설은 지루성 피부염을 의심합니다.

진단 ▶ 지루성 피부염은 두부・안면・체간부에 많습니다. 옅은 홍반으로 인설을 수반하며, 경도의 가려움증이 있습니다.

1 지루성 피부염의 전형 (그림1)

겨드랑이 아래에 생긴 홍반. 여기는 지루성 피부염의 호발부위입니다. 증상에 비해서는 가려움증이 경도인 경우가 많습니다.

2 겨드랑이 아래의 약간 옅은 색조의 지루성 피부염 (그림2)

이와 같은 타입도 있습니다. 홍반 주위가 약간 부풀어 올라서, 체부백선과 유사합니다. 결정적인 것은 진균검사입니다.

3 흉부 중앙의 경계가 명료한 홍반 (그림3)

접촉성피부염도 백선도 아닌, 불가사의한 홍반이 특징입니다. 왜 이와 같은 형상을 나타내는지는 불분명합니다.

4 경부의 홍반 (그림4)

증상이 심하지만, 환자는 '이런 습진이 자주 생긴다'며 태연하게 말합니다. 그 밖에 원인을 알 수 없는 홍반도, 백선도 아닌 경우는 지루성 피부염이라고 판단합니다.

5 말라세지아의 현미경사진 (그림5)

둥글고, 일정한 포자(화살표)가 특징입니다(메틸렌블루염색).

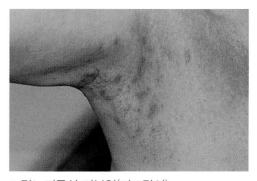

그림1 지루성 피부염(겨드랑이)

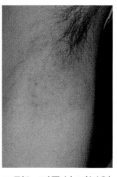

그림2 지루성 피부염
(겨드랑이)

그림3 경계가 명료한
홍반(흉부)

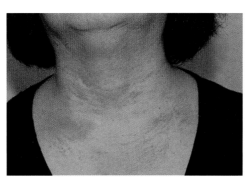

그림4 경부의 크고 작은 낙설성 홍반. 소견에
비해서는 가려움증이 경도

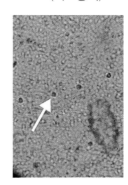

그림5 말라세지아의
현미경사진
(대물40배)

치료

처방례

경부 · 가슴 ▶ 스테로이드 외용(리도멕스®연고)〈1주〉

음부 ▶ 스테로이드 외용(아르메타®연고)〈1주〉

체간부 · 사지 ▶ 스테로이드 외용(판델®연고)〈1주〉

※ 위에 기술한 3가지에 관해서는 재발 시에 재사용이 가능 가려움
증이 심한 경우

▶ 항히스타민제 내복(알레그라®정 60mg 2T/일)〈계속 사용〉

★ 만성 경과로, 비타민제를 처방하는 경우도 있다

  비타민B2=프라비탄®정10 mg 2T/일〈계속 사용〉

  비타민B6=피독살®정10 mg 2T/일〈계속 사용〉

● 연단위의 장기전입니다. 스테로이드 외용으로 바로 경감됩니다. 경부, 흉부, 음부 등은 medium level을, 그 외에는 strong level을 사용합니다. 그러나 중지하면 재발합니다. 이 재발이 지루성 피부염의 특징입니다. 예방용으로 니조랄®크림 · 로션을 사용해도 됩니다.

환자에 대한 설명

환자의 불안을 제거합니다.

● 아무래도 불가사의한 질환입니다. 화려한 증상이 있는데 비해서 내장질환 등의 문제가 거의 없으므로, 환자가 불안해하지 않도록 합니다. '타인에 대한 감염성이 없다' '목욕을 해도 된다' '일상생활은 평소와 같이 해도 상관없다' 등 확실히 설명합니다.

유사증례

● 지루성 피부염은 장미색 비강진(그림6)과의 구별이 어렵습니다. 2~3개월 이상 지속되다가 좋아지거나 나빠지는 것은 지루성 피부염. 2~3개월에 치료되는 것은 장미색 비강진. 이 2가지 질환은 항상 동시에 생각해야 합니다. 단, 쌍방 모두 기본적으로 양성질환이므로 그다지 걱정하지 않아도 됩니다.

그림6 장미색 비강진

● 또 체부백선(그림7)도 매우 유사합니다. 감별방법은 백선균 검사입니다. 단, 외견으로 어느 정도 구별할 수 있습니다. '깨끗한 홍반'은 지루성 피부염. '주위가 울퉁불퉁하고 불규칙, 왠지 지저분한 느낌'은 백선이라고 기억합니다. 백선에 스테로이드 외용을 하면 악화되므로 주의합니다.

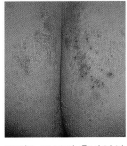

그림7 둔부의 홍반인설

Q 스테로이드 외용에 반응이 없고, 만성으로 경과하며, 어렴풋한 인설가피가 혼재하는 경우는?

A 드물지만, 낙엽상 천포창이라는 질환이 있습니다. 표피의 상층에 작은 인설, 가피를 형성합니다. 중증화되지 않지만, 만성으로 계속되는 경우에 감별진단으로 고려합니다. 분포는 지루성 피부염과 유사합니다.

Q 매독의 '장미진'과 구별은?

A 1주 정도로 소실되어 버리는 경우는 매독성입니다. 지루성 피부염이 반복됩니다.

Q 족부백선을 확인하고 있습니다. 체간부 사지에 스테로이드 외용을 해도 괜찮습니까?

A 이와 같은 경우는 1개월에 1회는 정기적으로 수진하게 하고, 백선균검사를 해야 합니다.

Q 체간부에 스테로이드 외용을 할 때, 예상되는 부작용은?

A Strong level의 스테로이드 외용으로 여드름(그림8)과 유사한 증상을 나타내므로, 주의하십시오. 흉부, 상배부, 겨드랑이 아래에는 가능한 medium level의 스테로이드를 사용합니다.

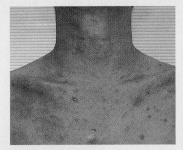

그림8 마이저®연고를 2주 외용하고 생긴 스테로이드에 의한 여드름

13 유아의 안면·두부의 지루성 피부염, 신생아여드름

이 상태는 단기간에 종식됩니다.

신생아는 모유에서 남성호르몬이 이행되고, 피지의 분비도 활발하게 이루어집니다. 그 때문에 여드름이나 지루성 피부염이 생기는데, 이 상태는 단기간에 종식됩니다. 그러나 모친은 걱정하며 내원합니다.

진단 ▶ 생후 1~2개월의 유아에게 호발합니다. 두부나 안면의 홍반인설, 구진이 산포되어 있습니다.

1 안면에 생긴 전형례 (그림1)

특징적인 황색인설과 발적입니다. 아토피성 피부염과 혼동되며, '경과관찰로 판단'하게 됩니다.

2 신생아 여드름 (그림2)

어른의 여드름과 같은 증상이 신생아에게 나타납니다. 지루성 피부염과 혼재되어 있는 경우도 있습니다.

3 안면의 확대상 (그림3)

개개의 병변은 여드름이라고 불러도 됩니다. 신생아에게는 실로 불가사의한 구진이 출현합니다.

4 지루성 피부염의 요소가 강하다고 생각되는 병변 (그림4)

눈썹에 생기는 황색인설이 지루성 피부염의 특징입니다.

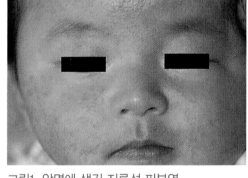

그림1 안면에 생긴 지루성 피부염

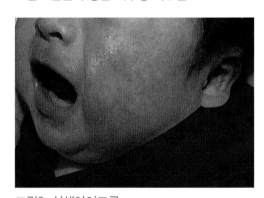

그림2 신생아여드름

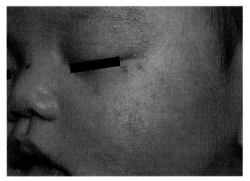

그림3 안면의 확대

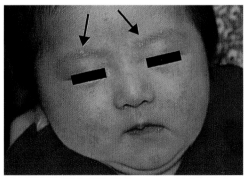

그림4 지루성 피부염(눈썹의 황색인설이 특징)

치료

처방례

지루성 피부염의 악화 시에만▶
스테로이드 외용(아르메타®연고)〈3~4일간〉

- 성인의 지루성 피부염과 마찬가지로, 신생아, 유아에게도 말라세지아가 다수 확인됩니다. 악화된 경우만, medium level의 스테로이드를 외용합니다.
- 신생아 여드름에는 성인의 여드름치료제가 필요 없습니다. 자연 치유를 기대할 수 있는 경우는 방치합니다.

환자에 대한 설명

자연 치유된다는 것을 확실히 설명합니다.

- 스테로이드 외용은 어디까지나 일시적으로 피부증상을 개선시킬 뿐이므로, '기념촬영용'이라고 딱 잘라 처방합니다. 백색 와세린 등, 각종 보습제를 사용해도 변함이 없습니다.

One point Advice

경도의 유아지루성 피부염은 아무 것도 하지 않는다.

- 모유를 중지할 필요가 전혀 없습니다. 자연 경과로 치유됩니다. 환아에 따라서는 3~4개월에 종식됩니다. 스테로이드 이외의 다른 외용제를 처방해도 거의 효과가 없습니다. 며칠간 경과한 후, 보호자가 바로 재진하여 '낫지 않아요'라고 불평만 제기할 뿐입니다. 오히려 보호자에게 잘 설명하여 안심시킨 후에, '아무 것도 하지 말고 경과를 지켜보는' 방법을 권합니다.

경과를 지켜보면 판단이 확실합니다.

- 그림5의 증례에서는 꺼끌꺼끌한 발적이나 구진이 지루성 피부염에 의한 것인지, 장래의 아토피성 피부염을 암시하는 것인지 고민스럽습니다. 이 증례는 그 후, 자연 소실되었습니다. 일과성으로 출현한 지루성 피부염이라고 생각됩니다.

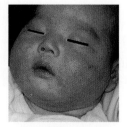

그림5　꺼끌꺼끌한 발적이나 구진

- 그림6의 증례에서는, 이마에서 여드름과 같은 면포가 확인되고, 뺨에는 발적이 현저합니다. 이 증례도 그 후, 자연 치유되었습니다. 신생아 여드름이었다고 추측됩니다. 환아에 따라서는 3~4개월에 종식됩니다. 외용제를 처방해도 거의 효과가 없습니다. 역시 '아무 것도 하지 말고 경과를 지켜보는' 방법을 권합니다.
- 일반적으로 신생아는 '병이 아닌' 피부소견이 매우 많습니다.

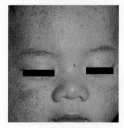

그림6　신생아 여드름 이었다고 추측

Q 모유에서 신생아로의 남성호르몬 이행으로, 왜 이와 같은 병변이 생기는 것입니까?

A 남성호르몬은 피지선에 작용하여, 모낭의 각화, 피지의 증가를 초래합니다. 따라서 여드름이 신생아에게 발생하는 것은 당연한 결과입니다. 그다지 걱정하지 않도록 모친에게 설명합니다.

Q 만성화 되는 케이스가 있습니까?

A 이 호르몬의 상태는 길어야 몇 개월만에 가라앉을 것입니다. 경험상, 모두 반년~1세까지는 낫는다고 할 수 있습니다. 단, 다른 질환이 숨어 있는 경우는 그렇지 않습니다.

Q 아토피성 피부염과의 관련은?

A 가려움증이 있는가의 여부로 감별할 수 있는 경우가 있습니다. 얼굴을 문지르는 듯한 가려움증이 없으면, 그 습진과 아토피성 피부염과는 관계가 없다고 할 수 있습니다. 단, 보호자에게는 이 아이가 아토피성 피부염이 될지 안될지는 이 습진과는 다른 문제라고 설명하고, 앞으로 통원하면서, 피부 상태를 진찰할 수 있도록 지도합니다.

Q 상당히 악화되어도, 보습제뿐인 유지요법을 계속합니까?

A 여드름뿐이라면 방치해도 되지만, 드물게 지루성 피부염이 악화되는 케이스가 있습니다. 이와 같을 때, 방치하면 피부의 방어장애 때문에, 장차, 각종 알레르기질환이 발생할 것이 예상됩니다. 우선은 스테로이드 외용으로 '급한 불'을 끄고, 그 다음에 보습제를 방어보충제로 사용할 것을 권합니다.

14 수부습진, 손의 이한성 습진

손에 생기는 자극성 및 알레르기성 접촉성피부염이라고 생각합니다.

피부과 진료에서 반드시 접하게 되는 수부습진. 알레르기성과 자극성의 2가지가 있습니다. 알레르기성 치료는 원인이 되는 물질을 제거함으로써 완료됩니다. 라텍스 등이 대표적입니다. 그러나 자극성 수부습진, 주부습진 등으로 불리는 '보통의 수부습진'은 치료가 어렵습니다.

진단 손가락, 손바닥의 인설, 홍반, 균열 등의 소견입니다.

1 극히 보통 타입 (그림1)

이른바 '주부습진'입니다. 물에 의한 자극으로 각질이 박리됩니다.

2 라텍스 고무장갑 등이 원인일 수 있는 접촉성피부염형 (그림2)

라텍스에서 알레르기를 일으킬 가능성이 있습니다. 이 테마만으로 1권의 책이 출판되어 있습니다[1]. 또 종이, 골판지를 취급하는 경우는 그 속에 함유된 화학물질 등에 반응할 수 있습니다.

3 수포가 좁쌀 같이 생기는 이한성 습진형 (그림3)

접촉성피부염이 손바닥에 생기면, 각질이 두꺼운 탓인지 수포가 생기는 수가 있습니다. 이한성 습진·한포에 가까운 상태입니다. 접촉성피부염의 일종일까요?

4 아토피성 피부염이 숨어 있는 형 (그림4)

수부습진이 거의 치료되지 않는 경우는 아토피성 피부염과의 관련을 생각합니다. 상당히 난치성입니다. 대부분의 증례에서는 '쥐어뜯는 버릇'이 습관화되어 있습니다. 스트레스 해소를

그림1 주부습진(흔한 타입)

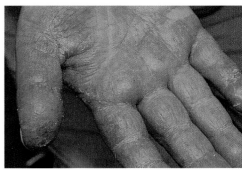

그림2 라텍스 고무장갑 등이 원인일 수 있는 접촉성피부염형(확실한 발적)

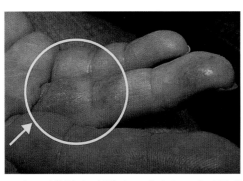

그림3 이한성 습진형(잘 보면 소수포가 다발해 있다)

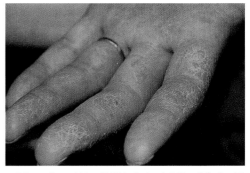

그림4 아토피성 피부염이 숨어 있는 형(건조증상이 현저)

손의 피부를 쥐어뜯음으로써 해소하고 있는 것입니다. 마음 속 깊이 있는 스트레스에 어떻게 대처하는가? 환자와의 커뮤니케이션이 중요합니다.

치료

처방례

★ 스테로이드 외용(환자의 기호에 따라서 연고, 크림 모두 가능)
중증▶ 더모베이트®연고·크림〈2주〉
중등증▶ 안테베이트®연고·크림, 마이저®연고·크림〈계속 사용〉
경증▶ 리도멕스®연고·크림〈계속 사용〉
균열이 아픈 경우!▶ 에크라®플라스터나 드레니존®테이프를 균열부 위에 첨부〈1~2주〉. 아연화연고 10, 20%의 단순도포도 된다
※ 야간의 가려움증에 대처하는 경우는 항히스타민제
(지르텍®1T 잠자기 전, 알레로크®1T 잠자기 전 등)를 내복.
핸드크림 [우레파르®크림·로션, 케라티나민®연고(약간 각질이 두꺼운 경우), 히루도이드®소프트연고, 자네®연고, 흡수연고, 친수연고 등]〈계속 사용〉

● 앞 페이지의 4가지 패턴 모두 치료는 똑같습니다. 스테로이드 외용과 핸드크림을 처방합니다. 아무래도 낫지 않는 경우는 수부백선, 전염성 농가진 등의 감염증질환을, 농포 등이 혼재하는 경우는 장척농포증을 의심합니다. 난치성인 경우는 언제까지나 맡고 있지 말고 전문의에게 소개합니다.

환자에 대한 설명

수부습진은 예방이 중요합니다.

● 수부습진의 종류별 예방법의 포인트는 다음과 같습니다.
① 보통의 수부습진 : 이것은 '몇 번이고 핸드크림을 사용할 것'이라고 지도합니다. 핸드크림의 종류보다도 외용하는 횟수가 관건입니다.
② 라텍스 등의 접촉성피부염형 : '고무장갑이 원인일 수도 있습니다'라고 설명합니다. 원인으로는 라텍스 또는 장갑에 부착된 파우더가 많으므로, 그것을 사용하지 않는 고무장갑이나, 파우더가 없는 플라스틱장갑을 권합니다.
③ 아토피성 피부염이 배경에 있는 경우 : 가장 안 좋은 것은 불안하면 손의 각질을 긁어 뜯는 습관이 있는 경우입니다. '스스로 아무래도 쥐어뜯게 되지요?'라고 스스럼없이 묻게 되면 납득할 것입니다.
④ 이한성 습진(그림3). 가려움증이 있는 경우가 많습니다. 때로 스테로이드 외용이 효과가 없는 경우가 있습니다. 항히스타민제를 많은 듯하게(배량) 내복시키기도 합니다. 일부 증례에서는 흡연, 치과금속, 편도선의 염증, 치과영역의 질환, 식품첨가물 등이 관여한다고 추측하고 있습니다.

Q 이 질환의 일상진료 중에서 최대 '함정'은?

A 백선의 병발증입니다. 특히 '한쪽뿐인 수부습진'은 수부백선을 의심합니다. 근년, 수부백선이 증가하고 있습니다. 대부분은 족부백선이 본래 존재하고, 그것을 손으로 긁는 동안에 수부백선이 생긴 것입니다. '수부습진을 보이면 발을 보라!'가 신호. 바쁜 외래에서는 귀찮을 수도 있지만, 환자의 족부병변 검사는 필수입니다.

Q 가려움증이 심하여 긁는 경우, 자외선치료는 어떻습니까?

A 엑시머라이트라는 기기가 근년 등장하여, 가려움증에 효과적입니다. 이것은 308 nm 파장의 자외선을 조사하여, 가려움증의 원인이 되는 신경C섬유 등을 결과적으로 억제하는 것입니다.

Q 이한성 습진의 병명은 '땀'과 관련되어 있는 인상이 드는데?

A 손바닥, 손가락에 소수포가 출현하고, 인설과 염증을 수반하는 습진을 이한성 습진이라고 관습적으로 호칭하고 있습니다. 염증이 확인되지 않고, 확실한 소수포뿐인 상태라면 한포라고 합니다. 소수포는 한관의 폐색에 의한 것이라는 것을 이해하기 시작했습니다. 자세한 내용은 "진료소에서 보는 어린이의 피부질환"(일본의사신보사 간행)p163을 참고하시기 바랍니다.

One point Advice ⟶

● 시설에 입소한 고령자의 거친 손은 옴을 생각합니다. 수부습진은 드뭅니다. 물일을 거의 하지 않으니까….
● 다소 딱딱한 발적과 각화가 점재되어 있는 경우, '매독 제2기'인 경우가 드물게 있습니다.

참고문헌

1) 일본라텍스알레르기연구회, 감수 : 라텍스알레르기 안전대책가이드라인 2013~화학물질에 의한 지연형 알레르기 포함~.
협화기획, 2013.

15 땀띠일지도 모르는 여러 가지 가려움증, 이한성 습진

교과서에는 기재되어 있지 않지만, 실은 많습니다.

여름 외래에서 특히 많은 것은 '왜인지 모르겠는데, 땀을 많이 흘리고 가려운' 상태입니다. 대부분은 땀을 흘려도 잘 닦지 않아서 생기는 것 같습니다. 교과서에는 이런 질환이 분류되어 있지 않지만, 여름이 되면 많은 어린이들이 '가렵다'며 찾아옵니다.

진단　사지, 체간부, 어디에서나 긁은 흔적이 눈에 띕니다.

1 사지에 생긴 한관종 (그림1)

가늘고 일정한 구진이 비교적 규칙적으로 배열됩니다.

2 소아의 이마 (그림2)와 그 확대 (그림3)

가벼운 가려움증을 호소합니다. 그림3에서는 가는 구진이 배열되어 있습니다. 발적을 확인하는 경우도 있습니다.

3 후경부의 홍반구진 (그림4, 5)

여름의 더운 시기에는 그림4와 같은 환자가 밀려옵니다. 벌레에 물린 것과 유사하지만, 만성으로 반복된다는 점에서 감별합니다. 그림4와 같은 이한성 습진에 스테로이드 외용을 4~5일 하면, 그림5와 같이 경감됩니다.

그림1 사지에 생긴 한관종

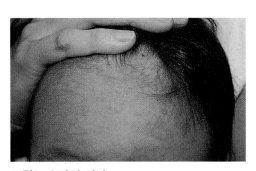

그림2 소아의 이마

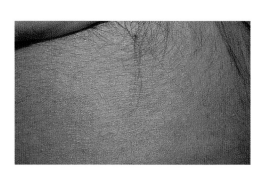

그림3 그림2의 확대

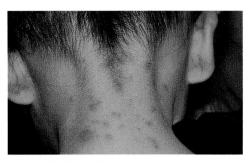

그림4 후경부의 홍반구진

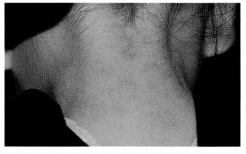

그림5 그림4에 스테로이드 외용하고, 치료

치료

처방례

가려운 곳▶
스테로이드 외용(아르메타®연고 2~3회/일)〈4~5일간의 단기간〉

특히 가려운 곳▶
스테로이드 외용(리도멕스®연고)〈4~5일간의 단기간〉
땀띠예방▶ 흡수연고, 칼라민®로션

● 치료는 스테로이드 외용이 기본입니다. 단기결전에서 4~5일이 관건입니다. 당연히 반복됩니다. 재발 시 대처법은 스테로이드 외용을 4~5일간 합니다. 양호하면 '샤워로 땀을 빨리 씻는다. 닦는다. 흡수연고 등의 외용으로 스킨케어를 한다' 등을 지도하는 것으로 충분합니다.
● 흡수연고는 서늘한 감촉의, 수분을 흡수하는 외용제입니다. 스테로이드 외용으로 좋아진 후에 스킨케어로 사용하면 됩니다.
● 긁은 부위에는 스테로이드 외용을 하는데 소아에게는 그렇게 강한 level의 약은 필요 없습니다.

환자에 대한 설명

위에 기술한 치료로 치유되지만, 반복되면 색소침착이 생깁니다.

● '땀에 의한 습진'이라고 설명하면, 쉽게 이해할 것입니다. 단, 유사한 감별진단이 여러 가지 있습니다. 그 중에서도 모충피부염이나 각종 벌레물림, 다발성 모낭염 등은 구별할 수 없는 경우가 있습니다.
● '예방법은?'이라고 물으면, '땀띠의 예방은 땀을 빨리 씻어낼 것, 가능하면 샤워가 좋겠지요'라고 답합니다. 예방을 위한 시판약은 접촉성피부염을 일으켜 악화되는 경우가 많아서, 그다지 적극적으로는 추천하지 않습니다.
● 치료 후의 색소침착은 언젠가는 소실됩니다. 그러나 습진이 반복되면 만성화 됩니다. 일반적으로 성인보다 소아가 멜라닌의 소퇴가 빠르므로, 그다지 걱정할 필요가 없습니다.

One point Advice

땀의 pH가 알칼리성으로 기운다?

● 에크린 한선은 알칼리성분을 재흡수하여, 피부표면의 pH를 약산성으로 유지하고 있습니다. 다량의 발한에서는 그 재흡수가 이루어지지 않아서, 땀이 알칼리성이 되어 버리는 것을 알 수 있습니다. 그렇게 되면 상재균이 당연히 영향을 받게 되어, 방어기능도 변화합니다. 이것에 의해서 여러 가지 염증이 생기게 된다는 설이 유력합니다. 정말, 다량의 발한을 방치하면 가려워진다는 것을 알 수 있습니다.

Q&A

Q 환자에게 '재발하지 않는, 뛰어난 예방약, 예방방법이 없습니까?'라는 질문을 받았다.

A 땀이 원인이므로, '발한억제제'라는 장르의 약제가 흔히 화제가 됩니다. 그러나 자율신경과 관련된 문제이므로, '거기까지 파고들어야 하나?'하고 주저하게 됩니다. 피부에 냉감을 주는 약제를 고려하기보다는 발한부위를 샤워로 씻어 내거나 차가운 타월로 닦아내는 것이 훨씬 현실적입니다.

Q 농가진이 합병되어 있을 가능성이 있는 케이스에서 스테로이드 외용을 해도 됩니까?

A 현실적으로는 벌레에 물린 구진, 또는 긁음으로 인한 진무름면을 수반하는 증례가 많아서 어렵습니다. 일반적으로 가려움증을 수반하는 경우가 많으므로 스테로이드 외용이 불가결합니다. 농가진이 의심스러우면 L-케플렉스® 소아용과립을, 시중 MRSA가 의심스러우면 호스미신® 등의 항생제를 내복하게 합니다. 가능한 3~4일 후에 재진하게 하여, 경과를 체크합니다. 그림6은 땀띠 때문에 전염성 농가증이 생긴 증례입니다.

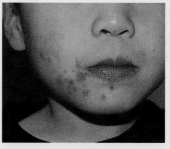

그림6 땀띠 때문에 전염성 농가진이 발생
오른쪽 하악부위에 진무름을 수반하는 홍반이 다발해 있다

16 발의 이한성 습진(eczema dyshidrosiforme)

족부백선은 없지만 발이 거칠어져 있다, 적당한 병명이 없다….

수부습진은 병명으로 있지만, '족부습진'은 없습니다. 그런데 외래에서는 족부백선도 접촉성피부염도 아닌, 그 외의 감염증도 생각하기 어려운 증례가 다수 확인됩니다. 족부백선은 아니지만 발이 거칠어져 있고, 다른 적당한 병명이 없는 경우에는 '이한성 습진'이라고 명명하는 수밖에 없습니다.

진단 발가락 사이, 발바닥의 인설입니다. 백선균은 증명되지 않습니다.

1 이한성 습진 : 발가락의 측연 전형적인 예 (그림1)

2 이한성 습진 : 발뒤꿈치 주위의 인설, 소수포 (그림2)

3 이한성 습진 : 발가락 사이 주위의 인설 (그림3)

족부백선과 구별이 불가능합니다. 족부백선과의 합병례도 많아서, 최종적으로는 현미경으로 백선균이 없는 점을 증명할 수밖에 없습니다.

4 **3**의 2주 후 (그림4)

3에 스테로이드를 외용하고, 2주 경과한 상태. 스테로이드 외용으로 치유되었습니다. 아마 이한성 습진이었겠지요.

5 이한성 습진 내지는 자극성 접촉성피부염 (그림5)

왼발의 외측에 생긴 거친 인설, 홍반입니다. 백선균은 음성이었습니다.

6 이한성 습진과 족부백선의 합병 (그림6)

발가락 사이에 인설과 경도의 침연을 확인합니다. 이와 같은 '혼재형'도 많으므로 주의합니다.

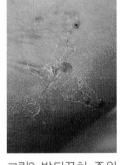

그림1 발가락의 측연 전형적인 예

그림2 발뒤꿈치 주위의 인설, 소수포

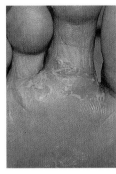
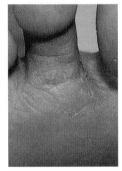

그림3 발가락 사이 주위의 인설

그림4 그림3의 2주 후

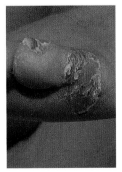
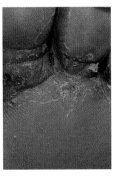
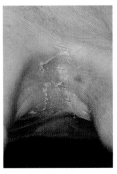
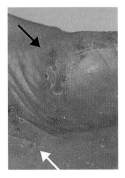

그림5 발의 외측에 생긴 증례

그림6 이한성 습진과 족부백선의 합병

그림7 발가락 사이의 이한성 습진

그림8
발가락 사이의 측연(검은 화살표)은 이한성 습진, 발바닥(흰 화살표)은 족부백선이었던 증례

7 발가락 사이의 이한성 습진 (그림7)

이것도 족부백선과 구별이 불가능합니다. 현미경검사에 일임합니다.

8 발가락 측연(검은 화살표)은 이한성 습진, 발바닥(흰 화살표)은 족부백선이었던 증례 (그림8)

치료

처방례

발의 피부가 벗겨져서 짓무른 곳, 발적이 심한 곳, 가려운 곳 등▶
very strong 스테로이드 외용(마이저®연고)〈1~2주간〉

발의 피부가 조금 벗겨져 있다, 조금 가려운 곳 등▶
medium 스테로이드 외용(리도멕스®연고)〈1~2주간〉

피부가 벗겨져 있는 곳, 피부가 거칠어져 있는 것 외에 증상이 없는
경우 등▶ 요소연고(케라티나민®연고)〈계속 사용가능〉

- 발의 이한성 습진에서는 스테로이드 외용이 기본입니다. 발바닥에는 마이저®연고 등의 상당히 강한 것, 발가락 사이 측연 등에는 리도멕스®연고 정도의 가벼운 스테로이드 외용제가 좋습니다.
- 단, 스테로이드는 국소면역을 낮추므로 백선이 쉽게 합병됩니다. 처음에 백선균 요소가 없으므로 '아~, 이한성 습진입니다. 스테로이드 외용제를 처방하겠습니다'라며 환자를 방치하면, 몇 주 후에는 족부백선으로 변해 있는 경우가 있습니다.
- 케라티나민® 등의 요소연고는 특별한 문제가 없으면 장기간 사용이 가능합니다. 이 약 때문에 족부백선이 발생하는 경우는 없습니다.
- 장척농포증인 경우가 있습니다. 농포, 수포가 혼재하거나, 발바닥이 각화되어 딱딱한 인상인 경우에 생각합니다. 발의 내과(內踝)나 외측으로 확대되는 경향이 있습니다. 손바닥에도 똑같은 병변이 있는지 체크합니다.

칼럼

족부백선과 이한성 습진에 관해서

- 발바닥, 발가락 사이에 인설이 붙어 있으면, 환자는 무좀이라고 굳게 믿고 있는 경우가 많습니다. 이 '인설=무좀'이라는 등호를 어떻게 해석하는지가 외래에서는 중요합니다.
- 발이 화끈거리고 고습도인 상태. 여기에서 판단하면, 땀에 의한 트러블은 지극히 정상입니다. 이한성 습진은 땀띠와 동의어이지만, 피부과의는 '땀띠'라고는 하지 않습니다. '이한성 습진'입니다. '한포'라는 말도 있습니다. 한포는 발적이나 가려움증이 거의 없는 상태로, '평화'로운 피부를 암시합니다. 이에 반해서 이한성 습진은 그럭저럭 '습진'이라는 말이 붙어 있습니다. 실은 이한성 습진치료는 스테로이드 외용을 하는 경우가 많습니다. 그럴 때, 보험병명에'습진'이라는 말이 없으면 곤란하므로, 통상은 '이한성 습진'이라는 병명을 익혀 둡니다.
- 이한성 습진인가? 족부백선인가? 발의 병변에서는 대개 이 2가지를 생각합니다.

Q 발이 화끈거리고, 피부에 구멍이 뚫려 있는 환자가 있다. 이것도 이한성 습진인가?

A 소와각질용해증(pitted keratolysis)이라고 하는, corynebacteria속 등의 세균감염이 계기가 되어, 각질이 용해되는 불가사의한 질환이 있습니다. 발바닥에 작은 구멍이 많이 뚫려 있습니다. web에서 검색하면 임상사진이 많이 있습니다. 어느 것이나 비슷한 소견입니다. 항생제 외용(후시딘레오®연고 등)으로 좋아집니다.

Q 당뇨병 환자로 아무래도 발의 습진이 낫지 않는 경우는 어떻게 해야 됩니까?

A 당뇨병환자인 경우는 감염증 치료를 우선합니다. 약제보다도 일상생활에서 'foot care'가 중요합니다. 발의 형태에 맞는 구두의 착용, 불결한 상태로 방치하지는 않았나? 세균감염은 괜찮은가? 등에 주의합니다. 스테로이드를 만연히 외용하면, 감염증의 중증화를 초래하므로 주의해야 합니다.

Q 균요소가 확인되지 않는다. 그러나 스테로이드 외용도 무효. 그와 같은 경우는?

A '건강'샌들, 각질제거하는 돌의 사용 등 일상생활에서 발에 자극을 주고 있지 않은가? 등을 체크합니다. 그와 같은 사실이 없으면, 다른 부위의 피부를 잘 관찰하여, 장척농포증, 아토피성 피부염, 쥐어뜯는 버릇, 만지는 버릇 등을 제외할 수 있는가 생각합니다. 모두 제외된다면 전문의에게 소개합니다.

Q 피부만 벗겨지는 경우는?

A 자각증상이 없는 경우는 적극적인 치료를 하지 않고 오히려 방치하는 경우도 있습니다. 피부가 벗겨져서 꺼칠꺼칠한 느낌이 고통인 경우는 각질을 매끄럽게 하는 요소연고(케라티나민®, 우레파르®등)를 처방합니다.

17 한 포(pompholyx)

손발에 나타나는 다발성의 작은 수포입니다.

실로 기묘한 소수포가 손발에 나타나서, 환자가 놀랐습니다. 갑자기, 아무런 징조도 없이 생긴 것입니다. 여러 타입이 있습니다. 수포뿐인 것, 인설이 눈에 띄고 수포는 그다지 확인되지 않는 것, 발적이 현저하고 자세히 보니 내부에 어렴풋이 수포가 확인되는 것, 수포와 인설 모두 많이 있는 것 등입니다.

진단 손가락, 발가락의 측연이 호발부위입니다.

엄밀하게 이한성 습진은 발적이 있는 염증을 수반합니다. 한포인 경우는 단순한 수포로 발적이 없는 상태입니다.

1 손가락 측연에 출현한 증례 (그림1)

손가락의 측연에 소수포가 밀집합니다.

2 발가락에 출현한 증례 (그림2)

이한성 습진보다 약한 임상입니다. 발적도 없고, 피부만 벗겨져 있을 뿐이며, 환자 자신도 그다지 고통은 없는 것 같습니다.

3 한포, 손바닥에 출현한 증례 (그림3)

손바닥에 다발하기도 합니다. 발적이 주입니다. 이와 같이 되면, 틀림없이 의원을 수진합니다. 수족구병과 유사합니다.

4 단독으로 생긴 한포 (그림4)

달랑 하나 생긴 경우는 괴롭습니다. 벌레 물림? 전염성 연속종? 수족구병 초기? 여러 가지를 생각합니다. 경과를 신중하게 관찰할 수밖에 없습니다. 한포이면, 인접하는 다른 부위에 출현하거나 소실을 반복하는 경우가 많습니다.

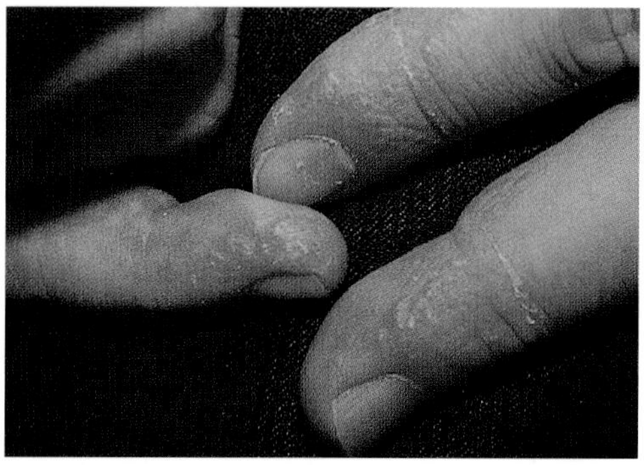

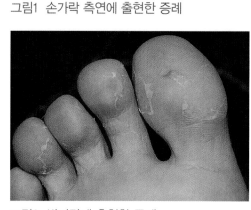

그림1 손가락 측연에 출현한 증례

그림2 발가락에 출현한 증례

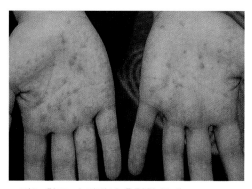

그림3 한포, 손바닥에 출현한 증례

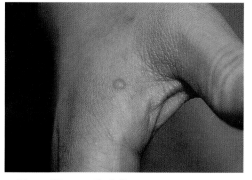

그림4 단독으로 생긴 한포

치료 ▶

처방례

가려움증을 수반할 경우, 악화 시 ▶ 스테로이드 외용(더모베이트®연고·크림 등)〈1주를 한도로 하고, 어디까지나 악화 시 한정〉

- 가벼운 한포는 방치해도 되지만, 가려움증을 수반하는 경우나 때로 악화되는 경우가 있습니다. 그 때는 스테로이드를 외용합니다. 이 때, 주저하지 말고 strongest level을 사용합니다. 손바닥, 측연은 각질이 두꺼워서 외용제의 침투가 약하므로 중간 정도의 클래스로는 효과를 기대할 수 없기 때문입니다.
- 스테로이드 외용으로 염증이 치료되면, 다음은 스킨케어로 핸드크림을 자주 바릅니다. 바르기 쉬운 튜브타입의 우레파르®, 히루도이드®소프트, 유베라® 등이 좋습니다.

환자에 대한 설명 ▶

한포는 매우 불쾌합니다. '걱정 없다'는 한 마디가 중요합니다.

- 한포와 사마귀는 매우 유사합니다. 한포(그림5)가 건강부와 연속적으로 부풀어 오르는 데 반해서, '어색하게' 부풀어 오른 것이 사마귀(그림6)입니다.

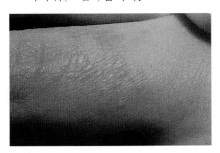

그림5 한포

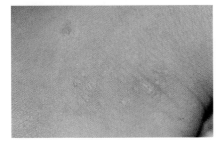

그림6 사마귀

One point Advice ➤

이 질환은 발병연도 정도는 감별할 수 있습니다.

- 한포는 모든 연령층에 생기지만, 수족구병은 주로 유아에게 생깁니다. 혼동스러운 것은 수족구병이 어른에게 생긴 경우입니다. 전형례에서는 수족구병의 수포는 타원형에 가깝고, 한포는 거의 원형입니다. 다음에 경과입니다. 수족구병은 1주정도로 나아지지만, 한포는 반복됩니다.
- 한포가 나타났다고 해서, 즉시 내장질환과 결부지을 수는 없습니다.

 Q 원인은?

A 오랫동안 불분명했습니다. 근래, 특수한 기술을 이용한 해석에서 에크린한선의 폐색과 관련이 있다고 추측되고 있습니다. 저서 "진료소에서 보는 어린이의 피부질환"(일본의사신보사 간행)p163을 참고하시기 바랍니다. 또 니켈, 크롬 등의 미량금속이 한선 내에 저류되어, 분비선이 폐색되어 버린다는 설도 있습니다. 니켈은 콩류(낫토), 크롬은 초콜릿에 많이 함유되어 있습니다.

 Q 가려움증은 어떻게 대처해야 됩니까?

A 스테로이드 외용제를 사용하면 조금은 개선됩니다. 아무래도 가려울 때는 알레그라® 등의 항히스타민제를 내복합니다. 그래도 가려울 때는 찬 보냉제 등으로 냉각시킵니다.

Q 근치는 불가능합니까?

A 아무래도 주기적으로 반복되는 경우가 많은 것 같습니다. 일단은 경감되었다가, 정해진 계절이 되면 또 나타나는 정도입니다. 환자에 따라서 '발생시기'가 정해져 있는 인상을 받습니다. 나타날 것 같은 시기에는 내원하여 일찌감치 치료를 받도록 지도합니다.

 Q 수부습진과의 관련은?

A 한포는 손이 거친 것의 일종이라는 견해도 있습니다. 악화되지 않도록 핸드크림을 사용하여 피부를 보호하는 것도 중요합니다.

 Q 매독 증상과 유사하다?

A 매독 2기진에서 손바닥에 홍반이 나타나기도 하여, 한포의 그림3과 유사합니다 ['매독'(☞ p162)]. 단 매독은 각화를 수반하는 경우가 많아서 '매독성 건선' 등의 명칭도 있습니다.

18 소아의 피지결핍성 습진, 목욕탕에서 박박 문지르는 마찰

'소아의 가려움증'이라면 우선 이것을 의심합니다.

'소아의 가려움증'이라는 장르 중에서는 외래에서 가장 흔히 경험하는 질환입니다. 우선 이 질환을 의심해야 합니다. 건조피부, 즉 피지결핍성 습진과 목욕탕에서 박박 문질러서 생기는 염증입니다. 겨울철에 많지만, 한여름에도 생깁니다.

진단 하퇴, 전완 등에 생기는 홍반, 구진, 인설, 긁어서 생기는 상처입니다.

긁은 자극뿐인 경우, 긁어서 2차적 화폐상 습진이 된 경우, 세균감염이 합병되어 농가진이 병발한 경우 등 여러 가지입니다.

1 흉부의 발적과 가려움증 (그림1)
체간부의 일부에 긁은 흔적이 있는 정도입니다.

2 둔부의 긁은 흔적 (그림2)
긁어서 악화된 상태입니다. '가려움증'과 '통증'이 동거하고 있는 상태입니다.

3 등을 맹렬히 긁은 증례 (그림3)
소아는 몸이 유연하여 등 중앙에도 손이 닿아서 긁게 됩니다.

4 건조피부 (그림4)
겨울철에는 이와 같이 드라이스킨이 현저해져서, 아토피성 피부염과 유사한 증상이 됩니다.

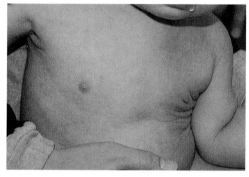
그림1 흉부의 발적과 가려움증

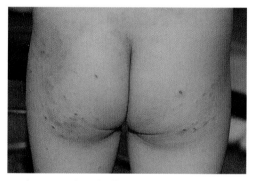
그림2 둔부의 긁은 흔적

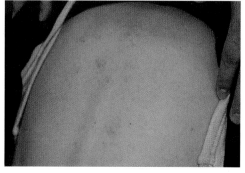
그림3 등을 반복해서 긁었다

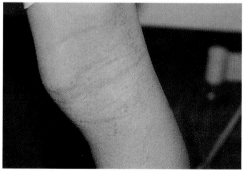
그림4 건조피부

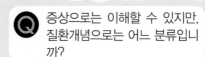

치료

처방례

경증~중등증의 긁은 부위▶ 스테로이드 외용 (아르메타®연고)〈1주간〉
상당히 심하게 긁은 부위▶ 스테로이드 외용(리도멕스®연고)〈1주간〉
건조증상▶ 보습제 외용(헤파린 유사물질 유성®로션·크림, 백색 와세린, 프로메트®)〈계속 사용〉
가려움증이 심한 경우▶
항히스타민제 내복(지르텍®드라이시럽 등)〈계속 사용〉

● 경증인 경우는 보습제만으로 경감됩니다. 긁어서 발적, 인설, 가피가 확인되는 경우는 스테로이드 외용제로 치료합니다. 그다지 강한 level을 사용할 필요는 없습니다. 가려움증이 심해서, 불면증이 있는 경우 등은 지르텍®드라이시럽 등의 항히스타민제도 내복합니다. 건조증상에는 일년내내 보습제를 사용합니다.

환자에 대한 설명

문진으로 혼동스러운 질환과 감별하는 것이 중요합니다.

● 외래에서는 몸의 여기저기에 생긴 긁은 흔적을 진찰합니다. 환자는 단순한 가려움증과 긁은 흔적만으로 내원합니다. 두드러기, 옴, 아토피성 피부염 등과 혼동하기가 매우 쉬워서, 통원으로 생활지도를 하면서, 어느 질환인가 판명합니다. 이 경우, 문진이 중요합니다. 이 질환들의 요소가 없는지, 다음의 내용을 확인합니다.
  ① 긁은 자리가 부풀어 올랐습니까?(두드러기인지의 여부를 확인합니다)
  ② 여름은 잘 지냈습니까? 계절에 따른 변화는 있습니까?(아토피성 피부염이라면 겨울에 악화되지만, 1년 내내 가렵습니다)
  ③ 박박 긁지 말라고 말씀드렸는데, 어땠습니까? 아직 가렵습니까?(치료방침을 지키고 있는지 확인합니다)
  ④ 양로원 등에 들어가 있는 고령자와 접촉이 있었습니까?(옴은 양로원 등에서 집단발생하는 수가 있습니다)
  ⑤ 어떤 치료를 하고 있었습니까?(외용제의 접촉성피부염일 가능성도 있습니다. 특히 비스테로이드성 항염증제(NSAIDs)(스타데름®연고·크림) 등은 악화되는 수가 있으므로 주의하여 확인합니다)

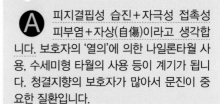

Q 증상으로는 이해할 수 있지만, 질환개념으로는 어느 분류입니까?

A 피지결핍성 습진+자극성 접촉성 피부염+자상(自傷)이라고 생각합니다. 보호자의 '열의'에 의한 나일론타월 사용, 수세미형 타월의 사용 등이 계기가 됩니다. 청결지향의 보호자가 많아서 문진이 중요한 질환입니다.

Q '목욕으로 박박 문지르지 않으면 때가 떨어지지 않는다'고 주장하는 보호자가 있는데….

A 피부의 때는 맨손으로 닦아도 충분하다는 것을 알 수 있습니다. 나일론타월로의 자극은 단순히 각질을 폭력적으로 박리할 뿐으로, 피부는 깨끗해지지 않습니다. 반대로 피부에 상처를 주어, 잡균, 오염물질의 각질 내로의 진입을 초래하고 있습니다.

Q 치료에 반응하지 않는 증례에서는 다음 스텝으로 무엇을 하면 됩니까?

A 여름에는 농가진, 겨울에는 아토피성 피부염을 생각하며, 1년 내내라면 두드러기를 생각합니다. 두드러기는 외래 진료 시에는 소견이 부족하여, 오진하기 쉬우므로 주의해야 합니다. 보호자에게 족부백선이나 옴을 확인하는 수도 있으므로, 그 감염증의 제외진단이 중요합니다.

Q 시판하는 보습제는?

A 큐렐®, 유스킨® 등 여러 종류가 판매되고 있습니다. 기질에 맞으면 문제가 없습니다. 단, '가려움 멈추는 약'이라며 비스테로이드계 소염제 등이 함유되어 있는 것이 있습니다. '악화될 수 있으므로 주의하십시오'라고 설명해야 합니다.

One point Advice

소아는 성인보다 드라이스킨입니다.

● 한여름에도 그러한 경향이 있으며, 겨울철에는 극심한 건조피부가 됩니다. 이 '박박 문지름'으로 인해서 피부가 점점 붕괴되어 가는 것입니다. 문지르는 것은 단순히 피부에 상처를 줄 뿐 아니라, 자극성이 심한 접촉성피부염을 일으키게 됩니다.

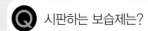

19 피부소양증

가려움증 외에는 아무 증상이 없는 상태입니다. 만만치 않습니다.

이것은 실로 이해하기 힘든 질환입니다. 피부에 아무 증상이 없는데, 가려움증만 생기는 상태입니다. 원인도 알 수 없어서, 아마 피부과에서는 가장 만만치 않은 질환일 것입니다. 어렵습니다.

진단 ▶ 소견은 피부의 긁은 흔적뿐입니다.

외래에서 흔히 겪게 되는 케이스는 전신성에서는 노인성 변화, 국한성에서는 항문이나 음부에서의 발병 등이 있습니다. 기초 질환에서 중요한 것은 신기능장애입니다. 소견은 피부의 긁은 흔적뿐이므로, 이와 같은 상태를 나타내는 다른 질환과 감별해야 합니다.

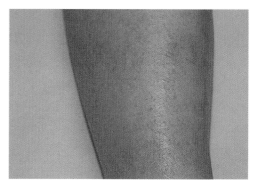

그림1　고령자의 건조피부

1 고령자의 건조피부 (그림1)

하퇴에 생기는 독특한 포상(泡狀)입니다. 이 부위는 건조피부에서 생깁니다.

2 긁은 상태 (그림2)

'그저 긁기만 한' 결과, 습윤경향이 있는 병변이 됩니다. 화폐상 습진에 가까운 상태입니다.

3 투석환자의 가려움증 (그림3)

투석환자의 가려움증이 매우 심합니다. 단, 육안적으로는 소견이 경미합니다.

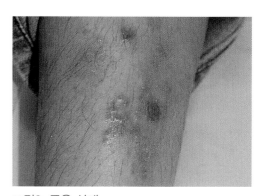

그림2　긁은 상태

4 흉부의 긁은 흔적 (그림4)

'긁을 수 있는 곳은 어디라도 긁는' 상태입니다. 여성의 경우 안면은 화장을 하고 있어서 만지지 못하는 대신 흉부 등을 심하게 긁습니다.

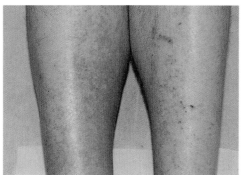

그림3　투석환자의 가려움증

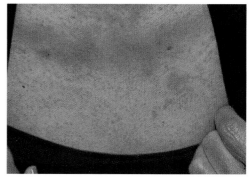

그림4　흉부의 긁은 흔적

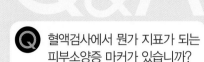

치료

처방례

항히스타민제 내복(알레그라®정, 알레로크®정, 지르텍®정, 다리온®정 등)〈계속 사용〉 보습제(히루도이드®소프트연고·로션 등)〈계속 사용〉

고령자의 건조증상▶ 한방약 내복(당귀음자 등)〈계속 사용〉

항문음부▶

스테로이드 외용(글리메사손®연고, 킨다베이트®연고 등) 〈1~2주〉

● 처음에는 항히스타민제 내복과 보습제를 충분히 다량으로 외용합니다.
● 음부는 약제의 흡수가 너무 좋아서, 스테로이드 외용제는 medium level로 충분합니다. 긁은 2차적 습진병변에는 특히 효과가 있습니다. 스테로이드의 level up은 약제의 흡수도를 생각하면 권하지 않습니다.
● Narrow Band UVB에 의한 자외선 치료가 효과가 있습니다. 400~600 mj정도에서 개시하여, 50 mj씩 증가시키면서 매주 합니다.
● 투석환자에게는 레밋치®라는 내복제가 있으며, 현저한 효과를 나타냅니다.

환자에 대한 설명

위의 치료를 계속하지만, 반복하면 색소침착이 생깁니다.

● 내장질환에서의 가려움증에서부터, 투석에 의한 가려움증 외에, 항암제, 간기능장애 등, 매우 많은 원인질환이 있습니다. 우선 이것을 설명하고, 어떤 기초질환이 있는지를 철저히 문진합니다.
● 고령자의 경우, '목욕은 미지근하게' '박박 문지르지 않도록' 철저히 지도하는 것만으로 경감될 수 있습니다.

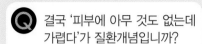

Q 혈액검사에서 뭔가 지표가 되는 피부소양증 마커가 있습니까?

A 없습니다. 고령자에게는 크레아티닌, BUN 등 신기능의 지표가 이상수치를 나타내는 경우가 많지만, 그것은 피부소양증환자 이외에서도 보통 확인됩니다. 그다지 참고가 되지 않습니다.

Q 결국 '피부에 아무 것도 없는데 가렵다'가 질환개념입니까?

A 이것은 이제 원인질환을 병력에서 확인하는 수 밖에 없습니다. 피부에는 아무 증상이 없으므로, 병력이 관건이 됩니다.

Q 최신 치료는?

A 소양을 감지하는 신경의, 피부표면에 대한 이상침입이라고 생각하여, 엑시머라이트를 조사하는 치료가 있습니다. 고령자인 경우는 4~5초, 에너지로 200 mj 정도부터 조사합니다.

Q 고령으로 인한 '가려움증'이라는 질환개념이 있습니까?

A 외래진료 시, 피부소견이 부족하고, 가려움증만을 호소하는 고령자가 많아지고 있습니다. 교과서를 보면, '피부건조로 인한 가려움증'이라는 지적이 주류입니다. 즉 독립된 개념이 아니라, 고령으로 인한 건조피부가 일으키는 증상으로 생각되고 있습니다.

One point Advice

감별진단이 중요합니다.

● 아토피성 피부염의 특징의 하나로 독특한 건조피부가 있습니다. 가장 간단한 감별은 백색피부 묘기증(dermotographism)(그림5)입니다. 피부를 긁으면 하얘지는 현상입니다. 건조피부와 긁은 흔적이 현저하고, 이 현상이 일어나면 '아토피성 피부염에 가까운 상태인가?'라고 생각합니다.
● 빨갛게 부풀어 오르면 두드러기일 가능성이 있습니다.
● 표고버섯피부염은 외래에서 의외로 많으므로, '덜익은 표고버섯을 먹었습니까?'라고 질문하는 것을 잊지 마십시오.
● 이러한 소견들도 없이 단지 가렵기만 한 것은 피부소양증입니다.

그림5 백색피부묘기증

20 자가감작성 피부염

> 날마다, 이 질환의 환자가 내원한다고 가정합니다.
>
> '피부과 전문의와 일반의의 실력 차이는 이 질환에 대처할 수 있는지의 여부…'라고 해도 과언이 아닙니다. '그런 병명은 모르겠는데요'라고 말씀하시는 선생님, 간과하고 있을 뿐입니다. 어쨌든, 매일 경험하고 있으므로, 날마다 이 질환의 환자가 내원한다고 가정하십시오. 전신에 울긋불긋하고 가려움증이 있는 홍반, 구진이 산포되어 내원합니다. 맹렬한 가려움증을 수반하는 경우가 많아서, '두드러기?'라고 오진하는 경우가 많으므로 주의해야 합니다. 본래 한 곳에 큰 병변이 있고, 그 병변에 대한 면역응답이 어떤 원인에 의해서 이상이 생깁니다. 그 결과, 전신에 습진이 생기게 됩니다.

진단 | 원인이 된 습진과 전신에 산포하는 습진, 이 2종류의 병변을 간파하는 것입니다.

국소의 원인이 된 습진은 접촉성피부염일 수도 있고, 족부백선이 갑자기 악화된 상태일 수도 있습니다. 전신으로 확대되는 습진은 가려움증이 있는 작은 병변입니다. 수포, 농포가 되어 있는 경우도 많아서, 단순한 감염증이라고 오진할 수도 있습니다. 각종 병변이 여러 가지 출현하여, 다양한 임상소견을 나타냅니다.

1 환자① : 자가감작성 피부염의 발단인 큰 병변 (그림1)

벌레에 물린 데에 비스테로이드성 항염증제(NSAIDs)(안담®연고)를 사용한 결과 생긴 접촉성피부염입니다. 외용부위와 일치하여 심한 부종성 홍반이 생깁니다.

주의 : 안담®연고는 현재 판매되지 않습니다.

2 환자① : 사지에 생긴 홍반 (그림2)

3 환자① : 가는 홍반이 나타나기도 한다 (그림3)

확대하면 유합경향이 있는, 경도로 융기된 홍반입니다. 전체적으로 지도모양을 나타냅니다.

4 환자② : 전염성 농가진의 병변 (그림4)

소아의 전염성 농가진에서도 발생하며, 전신에 가려움증이 생깁니다.

5 환자② : 상지에 울긋불긋 출현한 홍반 (그림5)

다형 삼출성 홍반의 초발과 유사합니다. 상당히 작은 홍반입니다. 개개의 구진은 삼출경향이 있는 확실한 홍반입니다.

6 환자③ : 체간부에 생긴 전형례 (그림6)

흉부의 큰 홍반, 낙설, 그 주위에 무수한 구진, 홍반을 확인합니다. 긁어서 생긴 가피(痂皮, 부스럼딱지), 혈가(血痂, 피딱지) 등을 수반합니다.

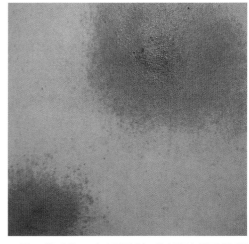

그림1 환자① : 자가감작성 피부염의 발단인 큰 병변

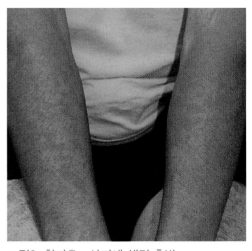

그림2 환자① : 사지에 생긴 홍반

⑦ 환자③ : 원발소가 된 족부백선 (그림7)

이 증례는 족부백선 때문에 생겼습니다. 이 경우, '백선진(白癬疹)'이라는 병명이 주어집니다. 즉, '족부백선에서의 자가감작성 피부염=백선진'입니다.

⑧ 환자③ : 사지의 구진 (그림8)

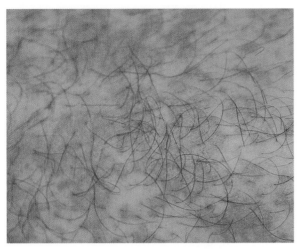
그림3 환자① : 가는 홍반이 나타나기도 한다

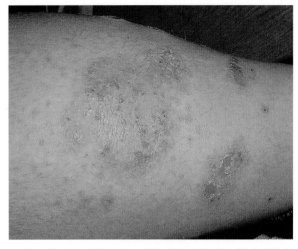
그림4 환자② : 전염성 농가진 때문에 주위로 확대되었다

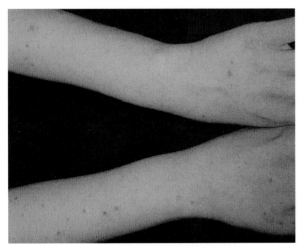
그림5 환자② : 상지에 울긋불긋 출현한 홍반

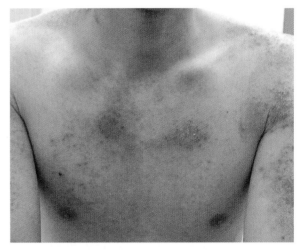
그림6 환자③ : 체간부에 생긴 전형례

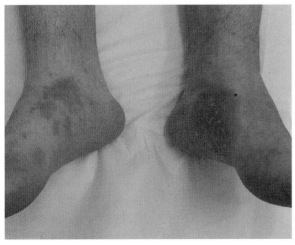
그림7 환자③ : 족부백선을 긁어서 주위에 부종성 홍반이 생겼다. 이것을 계기로 전신에 홍반구진이 산포하였다

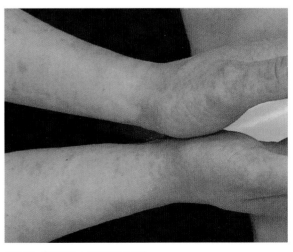
그림8 환자③ : 사지의 구진

치료

처방례

어른▶ 스테로이드 내복(프레드닌®정 5 mg 3~6T/일 분3. 용량은 체중·증상에 따라서 증감 〈3일씩 감량하고, 1~2주에 종료〉

소아▶ 항히스타민제 내복(지르텍®드라이시럽 0.4~0.8 mg/일 분2) 〈7~14일간〉

어른▶ 스테로이드 외용(더모베이트®연고 2~3회/일)〈1~2주〉

소아▶ 스테로이드 외용(마이저®연고 2~3회/일 〈1~2주〉

※어른, 소아 모두 증상의 안정과 더불어 level을 낮춘다. 2주 정도는 다음과 같이 확실히 외용을 계속한다.

어른▶

스테로이드 외용(더모베이트®연고→마이저®연고→리도멕스®연고)

소아▶ 스테로이드 외용(마이저®연고→리도멕스®연고→아르메타®연고) 단, 연령에 따라서 강약을 고려한다.

● 자가감작성 피부염에는 ① 원발소 치료, ② 전신으로 확대되는 습진치료-2가지를 해야 합니다.

① 원발소

- 접촉성피부염인 경우, 그 곳에 스테로이드 외용을 합니다. 안테베이트®연고, 마이저®연고 등 very srong level인 것, 특히 악화되어 있는 부위는 더모베이트®연고 등의 strongest level의 스테로이드 외용제를 사용합니다.
- 족부백선 등인 경우는 항진균제(라미실®등)의 내복, 외용(아스타트®연고 등의 연고타입이 좋다)을 합니다. 단, 내복인 경우, 고령자에게는 간기능장애가 높은 비율로 생깁니다.
- 소아는 연령에 따라서 strong 내지는 very strong class의 스테로이드제를 1주 사용. 비교적 반응이 좋아서 스테로이드 내복은 필요 없습니다.

② 다음에 전신의 습진입니다. 피부과 외래를 찾아오는 환자는 이미 필사적인 상태입니다. '너무 가려워서 잘 수가 없어요' '어쩌면 좋아요?'라며 지쳐서 진찰실에 주저앉습니다. 교과서에는 '항히스타민제와 스테로이드 외용'이 있지만, 극적인 효과는 없습니다. 중증인 경우는 스테로이드 내복을 감행하지

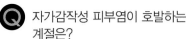

Q 자가감작성 피부염이 호발하는 계절은?

A 여름에는 족부백선이나 벌레에 물려서 발생하는 증례, 겨울에는 아토피성 피부염, 피부건조성 피부염이 발병하는 증례 등, 거의 1년 내내 존재합니다.

Q 옴환자에서 발생한 경우에도 스테로이드를 사용합니까?

A '우선해야 하는 것은 감염증 치료' 이므로, 스트로멕톨®의 내복 등, 개선치료를 반드시 합니다. 스테로이드는 외용만으로도 됩니다. 이 경우, 치료에 일정한 기간이 필요하므로, 통상의 병기보다 긴 follow가 필요합니다.

Q 자가감작성 피부염의 발생기서는?

A 접촉성피부염으로 생긴 국소에서의 면역시스템 반응이 전신의 피부에 생긴 것이라고 생각하면 이해하기 쉽습니다. 말하자면 국소면역이 전신의 피부에 공격적이 되는 상태입니다.

Q 합병증으로 내장질환을 경계해야 합니까?

A 자가감작성 피부염이 원인인 신장애·간장애 등은 드뭅니다. 그러나 전신상태가 불량한 환자는 경계해야 합니다. 일반적인 혈액검사 등을 하면 됩니다.

칼럼

백선진(白癬疹)에 관해서

- 백선이 진행되면, 백선진으로 전신에 변화가 나타납니다.
- 백선진에는 다음의 특징이 있습니다.
  ① 백선(두부백선, 족부백선 등)이 반드시 있다.
  ② 손발에 좌우대칭으로 작은 구진이 나타난다. 그러나 거기에서는 백선균이 증명되지 않는다. 가려움증이 심하다.
  ③ 백선이 치유되면, 손발의 구진은 금방 사라진다.
- 확실한 백선이 있어서, 시판하는 외용제 등으로 여기저기

만지면, 백선균에 대한 강렬한 알레르기 반응이 전신에 생깁니다. 일종의 자가감작성 피부염이라고 생각됩니다.

- 백선진의 경우, 치료의 기본은 '내복약에 의한 각종 백선의 치료+자가감작성 피부염 치료'입니다. 간기능장애가 있어서, 항진균제인 라미실®도 내복할 수 없는 경우 등은 외용만으로 필사적으로 치료합니다. 상당한 시간이 걸립니다.

않을 수 없습니다. 스테로이드 내복은 성인인 경우에는 1일 20~30 mg부터 개시합니다. 기초질환 등으로 내복이 불가능한 경우는 알레로크®, 알레그라® 등의 항히스타민제를 내복합니다.

환자에 대한 설명

일과성이라는 점을 설명합니다.

● 환자로부터 '알레르기입니까?' '제가 특이체질입니까?'라는 질문을 흔히 듣게 됩니다. 자가감작성 피부염은 특수한 면역시스템의 이상이지만, 교원병과 같은 난치성 경과는 밟지 않으므로, '일과성'이라고 설명합니다.

● 자가감작성 피부염의 계기가 되는 것은 그림9와 같이 여러 가지입니다.

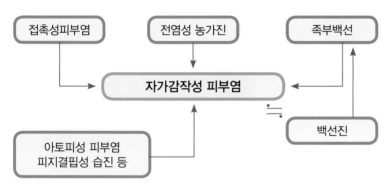

그림9 자가감작성 피부염의 발생루트

One point Advice

이 질환은 감별해야 할 유사증례가 많이 있습니다.

● 옴 : 손가락, 손바닥에 옴터널이 있습니까?

● 양진 : 특히 모충피부염·벌레물린 후에 생기는 양진 등도 습진반응이 합병되면 매우 유사한 소견이 됩니다.

● 수두의 극히 초기 : 원발소가 없습니다. 림프절이 종창되고, 그 중 수포가 출현합니다. 경과로 판단합니다.

● 지아노티증후군 : 림프절 종창을 확인하고, 좌우대칭인 무릎·팔꿈치에 집중하는 구진이 있습니다.

● 약물 알레르기, 특히 강한 가려움증을 수반하는 경우입니다.

● 아토피성 피부염의 일시 악화 : 주기적으로 완화와 악화를 반복하는 경우에 문제가 됩니다. '아토피성 피부염＋자가감작성 피부염'인 증례도 있어서 복잡합니다.

● 다형 삼출성 홍반 : '타겟병변'이라는 독특한 고리처럼 둥근 모양에 가까운 홍반입니다. minor(경증)와 major(중증)의 2종이 있습니다. 출혈성 변화가 있으면 major가 되는 중증화의 징조입니다.

● 수포성 유천포창 : 수포가 그다지 눈에 띄지 않는 경우, 구별이 되지 않습니다.

 악성종양, 바이러스감염증 등이 원인이 되어 발생하는 경우가 있습니까?

 악성종양에서는 노인성 사마귀의 급격한 다발, 진단이 불가능한 홍반의 천연화 등 '델마드롬'이라는 다른 개념으로 유명합니다. 바이러스 감염증은 최근의 topic입니다. 전신에 급격히 발진이 생깁니다. 체내에 잠복되어 있는 바이러스의 재활성화 등이 추측되고 있습니다. 이것들은 다른 질환개념이지만, 자가감작성 피부염이 좀처럼 치유되지 않고, 만성화되는 경우는 감별에 고민하기도 합니다.

 스테로이드 내복, 외용을 거부하는 환자는?

의사의 지시를 거부하는 환자에게 그 지시를 강요하는 것은 불가능합니다. 설득과 납득에 의한 치료를 계속하는 수밖에 없습니다. 예를 들면, 항히스타민제와 보습제 정도의 약제로 치료를 계속하면서, '어떻습니까? 낫지를 않네요…'라고 환자 자신에게 자각시킵니다. 그리고 '역시 스테로이드네요?'라고 납득시키는 수밖에 방법이 없습니다. 습진반응이 계속 지속되면 만성화되어 버리므로, 환자에게는 '지금 치료하지 않으면 습진이 만성화되어 계속 고생할겁니다'라고 예고해 두는 것이 중요합니다.

족부백선과 발의 접촉성피부염이 합병되어 있어서, 자가감작성 피부염이 발생했다. 그런 경우는 국소의 발의 치료를 어떻게 해야 합니까?

국소 치료는 우선 접촉성피부염 치료부터 개시합니다. 왜냐하면, 족부백선 치료인 항진균제가 접촉성피부염을 급격히 악화시키는 경향이 있기 때문입니다. 반대로, 접촉성피부염 치료제인 스테로이드 외용제는 족부백선을 급격히 악화시키지 않습니다. 그러니까 스테로이드 외용을 4~5일간 하고, 그 후, 백선균을 확인한 후에 족부백선의 항진균제 사용으로 교체합니다.

21 화폐상 습진

형태가 코인과 유사합니다. 매일 이와 같은 환자가 내원합니다.

이 병명은 돈과는 관계가 없습니다. 일상적으로 반복되는 긁은 흔적의 형태가 코인과 유사하여, 이와 같이 명명되었습니다. 피부과 외래를 하루만 진찰해도, 반드시 이러한 습진환자가 내원합니다.

진단 진단은 특징적인, 바로 화폐, 코인 형태의 습진입니다.

긁어서 짓무른 경우가 많으므로, 바로 진단할 수 있습니다.

1 하퇴에 생긴 전형례 (그림1)

피부건조성 변화가 주위에 있고, 긁어서 생긴 증례입니다.

2 발목에 생긴 병변 (그림2)

발목은 긁기 쉬운 부위입니다. 이와 같은 유원형 병변이 다발하기도 합니다.

3 긁어서 습윤이 현저해진 증례 (그림3)

반복해서 긁어서 농가진처럼 된 병변입니다. 항생제의 내복, 외용은 효과가 없습니다. 습진반응입니다.

4 안면에 생긴 증례 (그림4)

관자놀이 부위에 생기고 있습니다. Sweet병이라는 다른 질환과 유사합니다. 극심한 가려움증이 특징입니다.

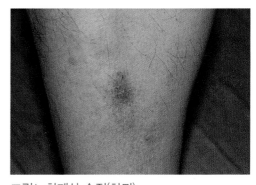

그림1 화폐상 습진(하퇴)

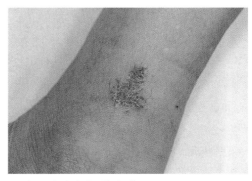

그림2 화폐상 습진(발목)

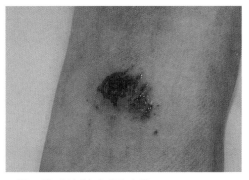

그림3 긁어서 현저해진 습윤

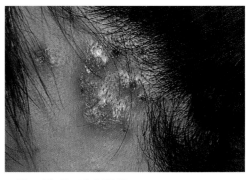

그림4 관자놀이에 발생

치료

처방례

스테로이드 외용(안테베이트®연고, 마이저®연고 등)〈1~2주〉
예방▶ 항히스타민제 내복(타리온 OD®정 2T/일 분2)〈2주〉

- 스테로이드 외용이 현저한 효과가 있습니다. 안테베이트®연고, 마이저®연고 등이 일반적입니다. 대부분은 스테로이드 외용만으로 치유됩니다. 재발예방에는 항히스타민제를 내복합니다. 너무 짓무른 경우는 린트포로 보호하면 됩니다.
- 상당히 짓무른 경우 등, 전염성 농가진의 병발도 고려해야 합니다.

환자에 대한 설명

이 '화폐'라는 단어가 아무래도 이해하기 어려운 것 같습니다.

- '긁어서 코인과 비슷한 형태가 된 것뿐입니다'라고 설명하고, 다음의 유사증례도 아울러 소개합니다.

유사증례

- 화폐상 습진의 유사증례에는 전염성 농포진, 단순포진, 체부백선이 있습니다.
- 전염성 농가진(그림5)은 진무름면이 다발하고 있어서 감별할 수 있습니다.(그림6)은 체간부에 생긴 단순포진이다. 자세히 관찰하면 소수포가 밀집되어 있습니다. 체부백선(그림7)은 변연이 약간 부풀어 오릅니다.

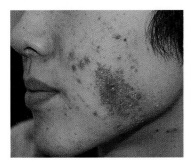

그림5 농가진

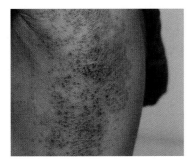

그림6 카포지 수두양발진증

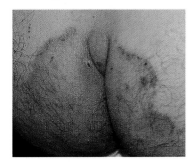

그림7 체부백선

Q 왜 이와 같이 둥글게 화폐모양이 되는 거지요?

A 건조피부가 본래 있고, 그것을 긁어서 작은 진무름이 생깁니다. 아무래도 그 부위에 염증이 생겨서 주위로 조금씩 확대되는 것 같습니다. 상세한 메커니즘은 불분명합니다.

Q 습윤된 경우, 항생제의 내복, 외용 등을 병용하지 않아도 됩니까?

A 스테로이드 외용 단독으로 금방 낫습니다. 하지만, 그 후는 긁지 않도록 보습제로 예방합니다. 농가진인 경우는 항생제 내복, 외용을 합니다. 하지만 처음에는 화폐상 습진인지 농가진인지 판단이 어렵습니다. '가려움증은 어떤가?' '습윤의 정도는 어떤가?'로 판단합니다. 감별이 되지 않는, 판단불능인 경우도 있으므로, 항생제 내복을 병용하기도 합니다. 가려움증이 있으면, 외용은 스테로이드입니다. 항생제 외용만으로는 가려움증이 가라앉지 않아서, 나아지지 않습니다.

Q 재발하는 경우, 어떻게 하면 됩니까?

A 계기의 대부분은 피부의 건조입니다. 목욕하는 것처럼 정해진 시간에 보습제를 확실히 바르도록 지도합니다. 가려움증이 나타났을 때, 즉 재발했을 때에는 당황하지 말고 스테로이드를 외용하도록 지도합니다.

Q 환자가 '도저히 못 참고 긁어 버렸다'고 하는데, 어떻게 해야 합니까?

A 이 질환은 긁는 버릇에 의한 것이라고 생각됩니다. 긁으면, 한순간 시원하지만, 긁을수록 다시 가려워집니다. 이와 같이 되면, 긁는 것이 일상적인 습관처럼 되어 버립니다 ['심한 긁음과 버릇에 의한 피부염'(☞p78)]. '기벽(嗜癖)'이라는 표현이 딱입니다. '기벽성 피부염'이라고나 할까, 그런 상태를 반복하게 되면 화폐상 습진이 완성됩니다.

22 국한성 신경피부염(circumscribed neurodermatitis), 만성습진

긁지 않으면 자연 치유됩니다.

피부를 계속 긁으면 빨갛게 부풀어 오릅니다. 이 단순한 현상으로 명명된 질환입니다. '긁지 않아야 됩니다'…. 그렇습니다. 긁지 않으면 자연히 낫습니다. 피부과학의 수수께끼를 상징하는 불가사의한 병명입니다.

> **진단** 빨갛게 부풀어 오릅니다. 매우 유사한 질환이 많이 있습니다.

◆ 경부에 생긴 국한성 신경피부염의 전형례 (그림1)

국한성 신경피부염은 경부에 호발합니다. 피부부위가 눈에 띄게, 조금 부풀어 오른 인상입니다.

◆ 양 족배부에 생긴 만성습진 (그림2)

만성습진은 그다지 짓무르지 않습니다. 반복해서 긁어서 가피, 진무름을 수반하는 상태가 되어버렸습니다.

◆ 둔부에 생긴 만성습진 (그림3)

만성습진은 둔부 등에 호발합니다. 또 만성습진과 화폐상 습진은 개념이 다소 중복되어 있습니다. '화폐상 습진'이 좀 더 짓무른 경우입니다.

◆ 둔부에 생긴 심상성 건선. 만성습진으로 혹사한다 (그림4)

심상성 건선은 약간 부풀어 오르고, 은백색의 인설이 특징입니다. 만성으로 경과하는 병변으로 약간 부풀어 오릅니다. 심상성 건선에 스테로이드 외용을 하면 인설이 눈에 띄지 않거나, 이와 같이 만성습진과 매우 유사한 상태가 됩니다.

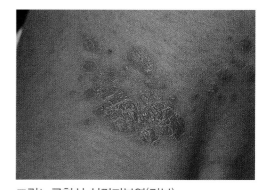

그림1 국한성 신경피부염(경부)

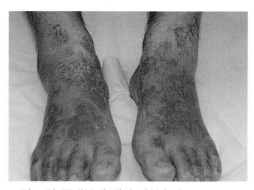

그림2 양 족배부에 생긴 만성습진

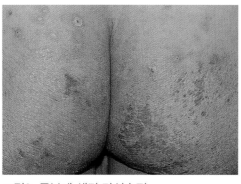

그림3 둔부에 생긴 만성습진

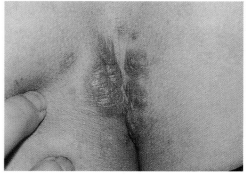

그림4 둔부에 생긴 심상성 건선. 만성습진으로 혹사

치료

처방례

병변부▶ 스테로이드 외용(마이저®연고, 안테베이트®연고, 플루메타®연고 등, 상당히 강한 level을 4~5일간 집중하여 사용)
안정되면▶ 리도멕스®연고, 아르메타®연고 등으로 level down.
★ 항히스타민제 내복도 병용하면 더 효과적(지르텍®정 10 mg 1T/일 분1)

● 상기 약제가 무효일 때는 드레니존®테이프, 에크라®플라스터 등의 스테로이드 외용의 첩부제를 사용합니다. 접착면에 스테로이드가 부착되어 있습니다. 이것은 스테로이드 외용과 긁는다는 물리적 상해로부터 피부를 지키는 일석이조의 뛰어난 것입니다. 단, 완전히 밀폐하기 때문에, 백선, 모낭염 등의 감염증의 위험이 높아집니다. 짓무른 습윤부위에는 사용하지 않습니다. 1일 1회, 입욕 시 다시 붙입니다. 기간은 1주 정도면 됩니다.

환자에 대한 설명

스테로이드 외용으로 백선이 악화될 가능성을 설명합니다.

● 이 질환과 유사한 질환이 여러 가지 있으며, 게다가 그 질환은 치료법도 같은 스테로이드인 경우가 많습니다. 따라서 '진단은 할 수 없어도 치료는 할 수 있게' 됩니다. 그런데, 문제는 체부백선(그림5)입니다. 이것은 스테로이드 외용으로 악화되므로, 환자에게 '스테로이드 외용으로 백선(무좀)이 합병될 가능성이 있습니다. 정기적으로 진찰을 받으십시오'라고 다짐을 합니다.

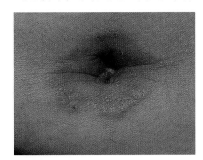

그림5 체부백선

One point Advice

증상에 따라서 명명되는 병명입니다.

● 이 2가지 질환은 독립된 질환으로 명명되었다고 생각하지 않는 편이 나을지도 모르겠습니다. '접촉성피부염의 국한성 신경피부염화, 만성 습진화' '아토피성 피부염환자에게 생긴 국한성 신경피부염, 만성습진' 상태입니다. 질환개념이 오버랩되어 있어서, 그다지 엄밀하게 분류할 필요가 없습니다. 접촉성피부염이 있다면 원인물질을 제거, 아토피성 피부염이 기본에 있다면 악화예방으로서 보습제가 중요합니다.

Q 발생기서는?

A 국한성 신경피부염, 만성습진은 언제나 피부를 긁어서 생기는 것입니다. 피부는 한번 긁기 시작하면 멈출 수 없게 됩니다. 긁으면 가려움증이 또 나타나고, 그것을 다시 긁으면 또 가려워집니다. 즉, '가려움증의 악순환' 상태가 되어 버립니다.

Q 짓무르기 시작하여, 농가진인지의 여부가 불분명한 때라도 스테로이드를 외용합니까?

A 매우 고민스러운 문제입니다. 자주 내원할 수 없는 환자인 경우는 항생제 내복을 병용합니다. 즉 외용은 스테로이드, 내복은 항생제가 됩니다. 내원할 수 있을 때는 스테로이드 외용만으로 개시하고, 농가진 상태가 되는지 신중히 경과를 관찰합니다. 진무름의 확대가 있는 경우는 농가진이라고 판단하고, 항생제 내복, 외용이 됩니다. 스테로이드 외용은 중지합니다.

Q 반흔은? 기미가 됩니까?

A 흐린 갈색의 기미가 됩니다. 자외선에 노출되지 않도록 주의하면, 반년~1년 정도로 상당히 눈에 띄지 않게 됩니다.

Q 소아인 경우 아무래도 긁게 되는 경우는 어떻게 합니까?

A 긁는 버릇이 한번 생기게 되면, 난치성이 됩니다. 우선, 보호자에게 '장기전이 됩니다' '다른 더 중대한 병에 걸리지 않도록, 현상태를 유지하기 위한 최소한의 치료를 합니다'라고 설명합니다. 아토피성 피부염 등의 합병도 고려하여, 아르메타®, 로코이드®의 스테로이드 외용 등으로 대처합니다.

I

습진피부염·피부소양증 ㉒ 국한성 신경피부염(circumscribed neurodermatitis), 만성습진

23 '건강'샌들에 의한 가려움증, 족저균열성 피부염

'건강'샌들은 발바닥이 가려워지는 경우가 있습니다.

두꺼운 각질을 확인하고, 환자는 무좀이라고 생각하는데, 아무 소견도 없습니다. 가려움증만 호소하고 있어서 매우 난처합니다. 피부에 만성 자극을 주면, 각질이 증식되고, 가려움증이 나타나게 됩니다. 자극은 '건강'샌들이나 각질제거용 돌도 괜찮습니다. 한편, 발바닥이 딱딱해지고, 균열이 생기는 질환이 균열성 피부염입니다. 주로 겨울철에 악화되며, 건조성 피부증상도 있는 것 같습니다.

진단 각질증식형 족부백선과 유사하지만, 백선균이 증명되지 않았습니다.

1 발바닥 균열성 피부염의 전형례 (그림1)

광택이 있는 각화(角化)입니다. 인설을 수반하지만, 백선균은 음성입니다.

2 각화형 족부백선의 합병례 (그림2)

'건강'샌들의 사용으로 각화가 진행되고, 그 위에 족부백선이 합병되었습니다. 인설을 수반하는 각화부위에서는 백선균이 확인됩니다.

3 발가락과 그 주위의 병변 (그림3)

이것은 '건강'샌들사용에 의한 것입니다. 이한성 습진, 족부백선, 한포 등과 유사하므로 감별하기가 어렵습니다. 이 증례에서 백선균은 음성이었습니다.

4 발바닥, 발뒤꿈치의 현저한 균열과 각화 (그림4)

출혈성 변화와 큰 고통을 수반합니다. 이 증례는 '건강'샌들은 사용하지 않습니다. 균열성 피부염입니다. 겨울철에 확실한 경향이 있습니다. 백선균은 음성입니다.

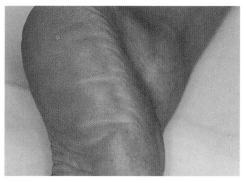

그림1 발바닥 균열성 피부염

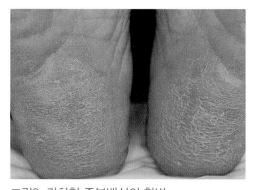

그림2 각화형 족부백선의 합병

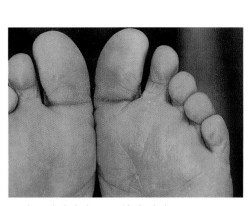

그림3 발가락과 그 주위의 병변

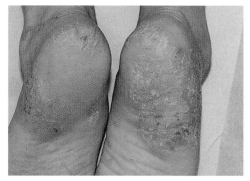

그림4 발바닥, 발뒤꿈치의 현저한 균열과 각화

치료

처방례

가려움증이 극심한 경우▶ 항히스타민제 내복(알레그라®정 60 mg 2T/일 분2 등)〈계속 사용〉 효과가 불충분하면 증량한다.
발바닥▶ 보습제(요소연고 · 크림 1회/일)〈계속 사용〉
※갈라져서 아픈 곳은 삼간다.
발바닥이 갈라져서 아픈 곳▶ 아연화연고 수회/일 〈계속 사용〉

- 쥐어뜯는 버릇, 건강샌들이 원인인 경우는 '생활습관을 개선하면 낫습니다'라고 설명합니다. 경증인 경우는 특별한 약이 필요 없습니다.

족백선의 합병에 관하여

- 항진균 외용제와 요소크림 · 연고(케라티나민®, 파스타론®소프트연고 20%)를 중복해서 바릅니다. 균열이 있는 경우는 연고가 안전합니다.

환자에 대한 설명

'건강'샌들에 관하여

- '건강'샌들을 사용하면 기분이 좋다는 '미신'을 어떻게 설득하여 그만 신게 하는가가 중요합니다. "건강" 샌들은 "가려운" 샌들입니다'라고 설득합니다.

발바닥 균열성 피부염에 관하여

- 상기의 약제를 사용해도, '아무래도 쥐어뜯게 된다'는 등, 긁는 버릇이 현저한 환자가 있습니다. 아마도 스트레스로 발바닥 피부에 상처에 내는 것 같습니다. 그 경우, 심리적인 접근이 필요합니다.

One point Advice ⟍

'건강'샌들은 왜 가려워지는가?

- 물리적 자극에 의한, 일종의 '자극성 피부가려움증'이라고 생각합니다. 나일론타월로 등을 문질러서 생기는 가려움증, 과도한 클렌징으로 인한 여성의 안면가려움증 등도 이 범주에 속합니다.

발바닥 균열성 피부염의 진료 포인트

- 외래에서는 다음과 같이 생각하고 진단, 치료합니다.
    - 족부백선이 합병되어 있지 않은가?
    - 각질제거용 돌, '건강'샌들 등 물리적 자극으로 인한 접촉성피부염이 아닌가?
    - 쥐어뜯는 버릇 등 자상요인은 없는가?
- 이상이 해결되어도 아직 병변이 계속되는 경우는 건조증상에 의한 것이라고 생각하고, 일상적인 보통 스킨케어로 지도합니다.

 '물리적 자극에 의한 피부 가려움증'의 메커니즘은?

 아토피성 피부염에서는 긁는 자극으로 가려움증의 신경이 표피 또는 표피 바로 아래까지 진입하여, 가려움증을 악화시킵니다. 추측이지만, 그와 똑같은 현상이 발바닥 피부에 생겼다는 가설도 성립합니다. 그러나 상세한 내용은 불분명합니다.

 '건강'샌들을 중지해도 가려움증이 계속되는 경우는?

 족부백선의 소견이 없는지 확인하고, 확실히 족부백선이 없는데도 가려움증이 지속된다면, 다른 부위에 가려움증은 없는지? 발바닥뿐인지? 신기능, 간기능장애는 없는지? 등을 확실히 확인합니다. 아무 이상이 없으면, 우선 환자를 안심시킵니다. 그 후에 항히스타민제의 내복, 국소의 냉각 등으로 대처합니다.

 합병되기 쉬운 피부질환은?

족부백선, 특히 각화형 족부백선입니다. 발뒤꿈치의 각화, 인설은 반드시 진균검사를 합니다. 족부백선이 합병되어 있는 경우는 항진균제(마이코스폴®크림, 루리콘®크림 등)와 요소연고 · 크림을 중복하여 외용합니다. 중복외용이 번잡하다는 불평이 있으면 양쪽의 1 : 1 혼합연고라도 상관없습니다(필자는 하지 않지만…). 혼합연고는 변성되므로, 2~3주 이내에 다 사용하도록 지도합니다.

백선균이 증명되지 않는다! 요소연고로는 낫지 않는다! 어떻게 생각해야 합니까?

외래에서 흔히 경험하는 질환에는 장척농포증이 있습니다. '농포'가 있지만, 초기증상에서는 그다지 눈에 띄지 않습니다. 또 유전성 장척각화증이라는 질환도 있지만, 드뭅니다.

24 두드러기

피부의 융기가 특징이며, 진찰하면 바로 진단할 수 있습니다.

환자가 '두드러기입니다'라고, '진단'하고 수진하는 경우도 있습니다. 이 두드러기는 피부의 융기, 팽진을 형성하는 것이 특징입니다. 수련의 선생님이라도 쉽게 진단할 수 있습니다.

진단 몇 시간~이틀 안에 쇠퇴되거나 이동하는 피부의 융기(팽진)로, 통상은 가려움증을 수반합니다.

두드러기에는 ① 보통 두드러기, ② 특수한 형태의 두드러기, ③ 구강알레르기의 3가지 타입이 있습니다.

① 보통 두드러기

극히 보통으로 팽진이 생기는 타입입니다.

② 특수한 형태의 두드러기

다음과 같은 특징적인 계기, 증상, 팽진의 형태 등으로 특별 취급되는 타입입니다.

• 음식물 의존성 운동유발 아나필락시(음식 알레르기＋운동으로 생기는 아나필락시): 생명과 관련되므로 요주의입니다.

• 콜린성 두드러기 : 발한으로 유발되는 타입. 작은 팽진(1~4 mm)이 특징입니다.

• 퀸케부종 : 피부의 약간 깊은 곳에 생기는 타입. 구순에 나타나는 경우가 많습니다.

③ 구강알레르기

원인이 되는 음식 섭취 후, 15분 이내에 구강 내에 불쾌감, 가려움증이 나타나고, 전신에 두드러기가 생기거나, 아나필락시 쇼크가 되기도 합니다.

1 하지에 생긴 극심한 팽진 (그림1)

①의 보통 두드러기에 속합니다. 지도모양으로 생깁니다.

2 긁어서 생긴 팽진 (그림2)

①의 보통 두드러기에 속합니다. 원인불명의 타입입니다.

3 표고버섯피부염 (그림3)

①의 보통 두드러기에 속합니다. 표고버섯을 섭취하면 나타납니다. 매우 특징적이며, 긁은 부위와 일치하여 팽진이 출현합니다.

4 구순의 종창(퀸케부종) (그림4)

②의 특수한 형태의 두드러기에 속합니다. 구순의 이상한 부종입니다.

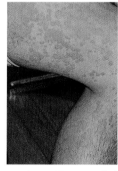 

그림1 보통 두드러기 (하퇴)　그림2 긁어서 생긴 보통 두드러기

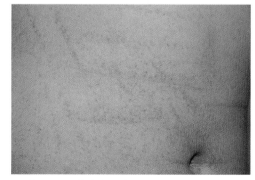

그림3 표고버섯피부염

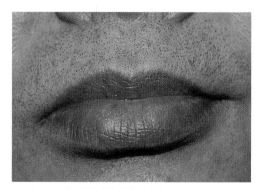

그림4 구순의 종창(퀸케부종)

치료

처방례

항히스타민제 내복(알레로크®정 2.5 mg or 5 mg(체중에 따른다)
2T/일 분2 등)〈증상이 계속되는 동안 내복. 몇 개월에 이른다〉 효과
가 불충분한 경우는 배량까지 내복(보험청구로 인정되고 있다).
※ 아나필락시인 경우는 에피네프린 투여, 기도확보 등 구급대응

- 단시간에 효과를 발휘하는 항히스타민제에는 알레로크®, 지르
텍®, 타리온 OD®가 있습니다. 장시간 효과가 지속되는 항히스
타민제에는 에바스텔®, 클라리틴® 등이 있습니다.
- 임신 중·수유 중인 경우, 지르텍® 내지는 클라리틴®을 사용합
니다[1] [칼럼 '상황별 항히스타민제 사용법'(☞p193)참조].
- 극심한 두드러기가 출현했을 때는 노이로트로핀® 1.2~3.6U를
근주합니다.

환자에 대한 설명

반드시 '급성 두드러기'와 '만성 두드러기'로 나누어 설명합니다.

- 치료는 장기전이 됩니다. 환자로부터 쏟아지는 대표적인 질문은
'왜 생겼습니까?'입니다. 다음의 '급성'과 '만성'을 혼동하지 말고
설명합니다.

급성 두드러기

- 감염증, 음식물, 약제. 이 3가지 관점에서 설명하면 됩니다.
  ① 바이러스 감염증, 세균감염 등의 감염증
  - 치과영역의 요인 : 치조농루, 우치(충치), 치육염, 등
    만성 치과감염증.
  - 마이코플라스마의 관여 : 두드러기의 경과 중, 마이코플라스
    마 관련 항체를 검사하면 상승하고 있다는 점에서, 원인의 하
    나로 생각되고 있습니다.
  - 바이러스(HPV B-19, 기타)의 관여 : 전염성 홍반의 원인인 이
    바이러스나 다른 바이러스도 원인이 아닐까 생각되고 있습니다.
  ② 음식의 관여
    어페류 외에 각종 첨가물도 원인으로 의심해야 한다는 의견도
    있습니다.
  ③ 약제성
    약제로 생기는 수도 있습니다. 신중하게 복용력을 검사합니다.

만성 두드러기

- 만성 두드러기는 복잡합니다. 두드러기가 1~1.5개월 이상 계속
되는 경우는 '만성'이라고 합니다. 이런 경우는 이것저것 확인하
려고 질문공세를 하지 않습니다. 우선, 환자의 불안을 없애는 것
을 우선합니다. '만성 두드러기의 원인은 잘 알 수 없습니다. 당
연히 내장질환이 원인인가 걱정되시겠지만, 지금까지의 조사데
이터를 보면 그런 분은 적은 것 같습니다. 우선 안심하십시오'
라고 설명합니다.

 Q 만성 두드러기는 증상이 사라진
후에도 내복을 계속해야 된다는
데, 그럼, 내복을 종료하는 시기
는? 다음 중 어느 것입니까?
① 2주간　　　② 2개월
③ 3개월

A 대답 : ③. 예를 들면, 항알레르기제
인 에바스텔® 등을 내복하고 임상
시험을 한 결과, 3개월이 가장 재발이 적었
다고 합니다(川島 眞, 幸野 健 : 항히스타민
제의 예방적 내복기간의 차이가 만성 두드
러기의 예후에 미치는 영향의 검토. 임상피
부과 64(7): 523-531, 2010). 만성 경과하여
증상이 치료되어도, 예방적으로 그대로 3개
월간 내복을 계속하는 편이 좋을 것 같습니
다.

 Q '가려움증을 억제하는 효과
가 있는 약일수록 졸립다. 즉
impaired performance가 생기
는 약제일수록 효과가 있다'. 이
것은 참입니까? 거짓입니까?

A 대답 : 거짓. 왠지 그렇게 생각되지
만, 이것은 거짓이라는 것이 밝혀
졌습니다. 즉, 졸음과 효과는 관계가 없습니
다. '졸음이 적다, 효과가 좋다=알레그라®,
타리온®(타리온 OD®)정, 알레지온®' '환자에
따라서 졸음이 온다, 효과가 좋다=지르텍®,
알레로크®' '대부분의 환자는 졸음을 호소한
다, 효과가 좋다=제스란®, 네오말레르민 TR
®(이것은 가능한 자기 전에 내복하게 합니
다)'. 앞으로는 무엇보다도 졸리지 않는 약,
즉 impaired performance가 없는 약의 시
대가 되겠지요.

 Q 스테로이드 내복은 해야 합니
까?

 A 자기면역질환이 의심스러운 경우
에는 적응이 됩니다. 일반의에게는
복잡한 level이므로 전문의에게 소개해야 합
니다.

참고문헌

1) 森田榮伸 : 두드러기, 피부과연수노트,
佐藤伸一, 외 편. 진단과 치료사,
2016, p189.

25 양진(痒疹)(prurigo)

유사 질환이 많으므로 감별이 중요합니다.

양진이라는 불가사의한 질환이 있습니다. 화폐상 습진이 화폐와 같은 국면을 형성하는데 반해서, 양진은 딱딱하게 부풀어 올라 벌레에 물린 것과 유사한 구진입니다. 중년남성에게 많으며, 복부, 배부에 벌레물린 것과 유사한 융기가 많이 나타납니다. 이것이 여름이라면 독나방피부염(모충피부염)과 구별하기 어렵습니다. 환자는 극심한 가려움증을 호소합니다. 진찰 중에도 긁어서, 형편없는 상태가 됩니다. 이것이야말로 '양진'이라는 병태입니다. 체간부, 사지, 어디에나 생깁니다. 우선 피부가 건조하고, 목욕 등에서의 과도한 마찰로 가려움증이 악화됩니다. 거기에 정신적인 스트레스가 추가되어, 가려움증이 더욱 악화됩니다. 가려움증이 심하면 심할수록, 더욱 더 긁게 됩니다. 이것이 반복되면, 피부의 가려움증이 한계에 이르러, 염증이 생기고, 피부가 부풀어 오르는 것입니다.

진단 ▷ 딱딱하게 부풀어 올라 벌레 물린 것과 유사한 구진입니다. 특히 옴을 감별하지 못 하면 큰일입니다.

1 결절성 양진 (그림1)

10년 이상 지속되는, 체간부에 생긴 '둥글둥글한 딱딱한 융기' 입니다. 극심한 가려움증이 있습니다.

2 복부의 양진 (그림2)

초진 시에는 벌레 물린 것과 같은 구진이지만, 수개월 경과해도 변함이 없습니다. 만성 경과 때문에, 벌레 물린 것과 다른 것이라고 판명합니다. 하복부가 호발부위입니다.

3 하지의 양진 (그림3)

젊은 여성의 하지입니다. '불안해서 긁게 되었다'는 것이 계기인 것 같습니다. '긁으면 긁을수록 가려워진다'고 호소합니다. 긁으면 시원해지기 때문에 이와 같이 악순환이 반복됩니다.

4 하지의 양진 (그림4)

긁기 쉬운 부위로 하퇴가 있고, 흔히 증상이 나타납니다. 매우 가려운, 암적갈색의 구진이 몇 개월~몇 년 지속됩니다.

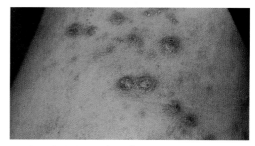

그림1 결절성 양진(체간)

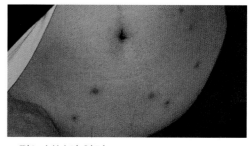

그림2 복부의 양진

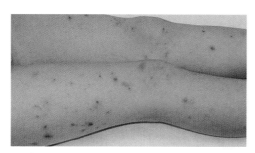

그림3 하지의 양진

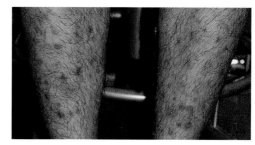

그림4 하지의 양진

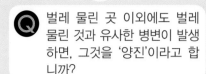

치료

처방례

> ★ 스테로이드 외용(증상의 개선에 따라서 가볍게 해 간다)
> 더모베이트®연고 〈1주〉→마이저®연고 or 플루메타®연고 or 안테
> 베이트®연고 〈1주 or 장기 계속〉→리도멕스®연고 〈장기 계속〉
> ※ 크림타입으로도 가능.
> 항히스타민제 내복(알레로크®정 5 mg 2T/일, 또는 알레지온®정
> 20 mg 1T/일 등)〈계속 사용〉 배까지 증량 가능.
> ※ 알레그라®, 타리온®, 지르텍® 등도 가능.
> ※ 크림타입으로도 가능.
> 항히스타민제 내복(알레로크®정 5 mg 2T/일, 또는 알레지온®정
> 20 mg 1T/일 등)〈계속 사용〉 배까지 증량 가능.
> ※ 알레그라®, 타리온®, 지르텍® 등도 가능.

- 상기의 치료에 반응하지 않는 경우는 다음의 치료법도 있습니다.
- 자외선요법 : 여기에서도 Narrow Band UVB가 효과적입니다. 특히 308 nm의 엑시머라이트는 효과가 기대됩니다.
- 액체질소요법 : 이것은 가려움증에 대한 신경의 한계치를 변화시키는 효과가 있습니다. 스프레이식은 양진 부위에 1~2초간 분사로 충분합니다.
- 주사 : 노이로트로핀® 근주가 효과적입니다.
- 스테로이드테이프약 : 드레니존®테이프, 에크라®플라스터 등도 효과적입니다. 단, 2차적으로 진무름이 다발해 있을 때는 사용할 수 없습니다.

환자에 대한 설명

장기전이 됩니다. 몇 개월~몇 년의 관찰이 필요합니다.

- 벌레에 물리지 않았는데 발병하는 케이스는 건조피부와 마찰이 원인인 경우가 있습니다. 목욕탕에서 박박 문지른 마찰 등이 원인이 되어 발병하고, 스트레스 등으로 쥐어뜯는 버릇이 습관이 되면 악화됩니다. '목욕은 미지근한 것이 좋습니다. 박박 문지르면 점점 악화되므로 주의하십시오. 피부의 오염은 맨손으로 비누로 닦아내는 것으로 충분합니다. 씻을 때도 부드럽게 하고, 절대 피부를 자극하지 마십시오' 라고 설명합니다.
- 재발을 예방하기 위해서는 스트레스 대책이 중요합니다. 또한 가려움증의 악화를 방지하기 위해서는 정신적인 안정이 필요하다는 점을 설명합니다.

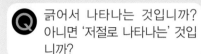

Q 벌레 물린 곳 이외에도 벌레 물린 것과 유사한 병변이 발생하면, 그것을 '양진'이라고 합니까?

A 그렇습니다. 벌레에 물리지도 않았는데 벌레에 물린 것과 같이 부풀어 오르는, 실로 불가사의한 병태입니다. 벌레에 물린 것 이외에는 아토피성 피부염, 피지결핍성 습진 등에서 발전하는 경우도 있을 수 있습니다.

Q 긁어서 나타나는 것입니까? 아니면 '저절로 나타나는' 것입니까?

A 아마 처음에 가려움증이 있고, 긁기를 반복하는 동안에 피부가 반응성으로 부풀어 오르는것입니다. 긁음으로써 양진이 유도되는 것이라고 생각합니다.

Q 호발부위, 연령, 성별은?

A 중년남성의 양측 복부, 요부입니다. 아마 벨트로 꽉 조여서 근질근질하고, 그것을 손톱으로 긁는 것이 계기가 됩니다. 긁으면 긁을수록 가려워지므로 더욱 악화됩니다. 복부는 양진이 밀집되면 적갈색의 국면을 형성하게 됩니다.

Q 내장질환과의 관련은?

A 만성경과에서는 당뇨병, 호지킨병, 신기능장애 등을 생각해야 합니다. 내장악성종양도 정기적으로 체크해야 합니다.

Q 임신성 양진이란?

A 2회 이후의 임신에서 생기는 경우가 많은 질환입니다. 사지 신측, 체간부 등에 양진이 출현했다가 출산 후에는 사라집니다. 스테로이드 외용이 first choice입니다.

One point Advice ⟶ 옴의 제외진단이 매우 중요합니다.

- 첫 회 검사에서 음성이라도 반복검사를 합니다. 옴과 양진은 구별이 불가능합니다. '환자가 양로원 등에 거주하고 있는 고령자인가?' '손목이나 음부 등에 증상이 있는가?' 등도 포인트가 됩니다. 옴터널 또는 현미경검사에서 옴의 알 등을 발견하지 못한 경우라도 정기적으로 내원하게 하여 검사합니다. 또 양진치료는 스테로이드 외용이므로, 체부백선의 합병도 흔히 생깁니다. 병변부가 고리모양으로 변화하면 백선을 의심합니다. 근래는 더모스코피를 이용합니다.

26 다형 삼출성 홍반

갑자기 피부가 부풀어 오르는데, 낫지 않는 상태입니다.

이 질환은 빈도는 그다지 많지 않지만, 개업의 level에서도 한 달에 1~2회는 접하게 됩니다. 감염증이 계기가 되어 나타나는데, 감염증에는 단순포진, 마이코플라스마가 유명합니다. 입 주위에 단순포진(헤르페스)이 생기고, 그 후, 사지에 독특한 융기가 생기는 패턴입니다.

진단 팔꿈치, 무릎, 발등, 손등 등에 나타나는 기묘하게 부풀어 오르는 홍반입니다.

중심이 약간 함요되고, 주위가 제방상으로 부풀어 오른 형상으로 진단할 수 있습니다. 통상 극심한 가려움증을 수반합니다.

1 무릎에 나타난 전형례 (그림1)

이와 같이 주위가 제방상으로 부풀어 올라서, 중앙이 약간 평탄한 상태를 '삼출성'이라고 합니다.

2 1 의 확대상 (그림2)

주위의 융기가 선명하게 확인됩니다.

3 양 하지에 나타난 증례 (그림3)

1과 반대로, 무릎 중앙에는 병변이 없는 경우도 있습니다.

4 소형 구진이 나타난 증례 (그림4)

무릎의 약간 하부에 소형 구진이 나타납니다.

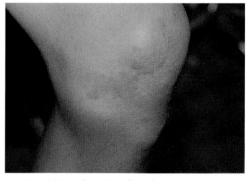

그림1 다형 삼출성 홍반(무릎)

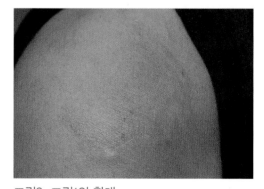

그림2 그림1의 확대

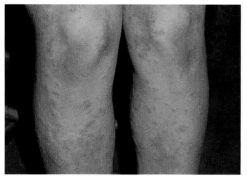

그림3 양 하지에 출현

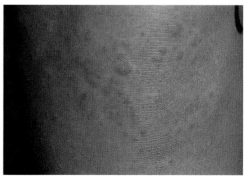

그림4 소형 구진이 출현

치료

처방례

어른▶ 스테로이드 외용(더모베이트®연고)〈2주 정도〉
소아▶ 스테로이드 외용(마이저®연고를 4~5일 사용 후, 리도멕스®
연고로 grade down. 일반적으로 소아는 외용만으로 치유)
성인에서 위의 약제가 무효인 경우만▶ 스테로이드 내복(프레드닌®
정 30 mg/일 〈3일간〉→20 mg/일 〈3일간〉→10 mg/일 〈3일간〉)
※10일 정도 지나서 서서히 체감(tapering)한다.

● 교과서에는 '스테로이드 외용'이라고 기재되어 있지만, 성인의
경우, 보통 스테로이드 외용으로는 그다지 효과가 없습니다.
strongest level의 더모베이트®연고를 사용하거나, 그것도 효과
가 없으면(성인인 경우에 한해서)스테로이드 내복을 합니다.
● 드물게 Stevens-Johnson증후군으로 악화되는 수가 있습니다.
구강 내에 진무름이 생기면 일각을 다투므로, 바로 대학병원의
피부과에 소개합니다.
● 환자는 상당히 놀랐지만, 실은 이 질환은 2주 정도로 치유됩니
다. 그 기간은 통원하게 합니다. 방치해도 자연 치유되는 것을
알고 있으므로, 너무 오래끄는 경우는 교원병이나 유천포창 등
의 자기면역질환을 생각할 필요가 있습니다.

환자에 대한 설명

재발하는 환자도 있다는 점을 설명합니다.

● 1년에 1회의 빈도로 재발하는 환자도 있으므로, 그와 같은 경우
도 있다고 '예고'합니다. '헤르페스, 마이코플라스마 등의 바이러
스에 감염된 후 몸이 일종의 알레르기를 일으킨 상태에서 재발
될 수 있습니다' '보통은 1회에 한하지만, 매년 같은 시기에 반복
하는 환자가 있습니다. 경험상, 헤르페스바이러스가 선행하고,
그 후에 이 질환이 나타나는 경우가 많은 것 같습니다. 헤르페스
인가? 라고 느끼면 일찌감치 항바이러스제(발트렉스®)의 내복을
권합니다. 빠른 치료가 중요합니다' 등을 설명합니다.

칼럼

다형 삼출성 홍반과 Stevens-Johnson증후군,
중독성 표피괴사증

● 이 질환들은 연속적으로 생각합니다. 다형홍반(erythema multiforme :
EM)에는 minor(경증)와 major(중증)가 있으며, minor는 여기에서 다루고
있는 홍반을 말합니다. 그런데 다소 출혈성의 변화가 심하고, 전형적인
'타겟상'을 나타내지 않는 경우는 다소 중증형 major가 됩니다. 게다가
구강점막의 진무름이 있고, 피부에서도 진무름면이 확인되며, 그것이 체
표면적의 10% 이하이면 Stevens-Johnson증후군(SJS), 30% 이상이면
중독성 표피괴사증(toxic epidermal necrolysis : TEN)이 됩니다. TEN은
치명적입니다.

 약물 알레르기에서도 이와 같
은 임상상을 나타내는데….

 다형 삼출성 홍반은 다른 질환과
관련이 깊어서, 약물 알레르기, 유
천포창, 농가진, 단순포진, 드물게 쉐그렌증
후군, SLE라는 교원병 등의 발생과 관련이
있습니다.

Q 수포가 생기는 경우가 있습니
까?

A 염증이 심한 경우는 수포를 형성합
니다. 농가진, 유천포창 등과 구별
이 불가능한 경우가 있습니다. 그런 증례는
무리하지 말고 전문의에게 소개합니다. 특히
고령자인 경우는 수포성 유천포창의 초기인
경우가 있습니다. 이것은 약물 알레르기와
유사합니다. 약제를 중지해도 진행되면, 수
포성 유천포창일 가능성도 있습니다.

Q 전염성 농가진에서 이 질환이
되는 경우가 있다고 들었는데?

A 교과서에는 거의 기재되어 있지 않
지만, 농가진에서 다형 삼출성 홍
반에 이르는 예가 있습니다. 농가진이 낫지
않거나, 가려움증이 심한 경우는 다형 삼출
성 홍반을 상정한 스테로이드 외용요법으로
교체합니다(그림5, 6).

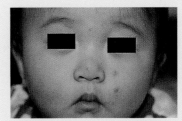

그림5 안면의 가벼운 농가진.
거의 치유된 듯 보였다

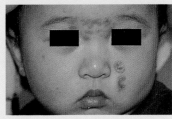

그림6 10일 경과. 삼출성 홍반이
생겼다. 그 후 medium
level의 스테로이드 외용
으로 치유

27 약물 알르레기

전신에 여기저기 나타나는 파종성 홍반구진형이 대표적입니다.

약물 알레르기에는 신체의 일부에 생기는 고정약물 알레르기 등도 있지만, 여기에서는 전신에 미치는 홍반, 구진에 주목합니다. 약물 알레르기는 그것만으로 1권의 책이 완성될 정도로 그 정도가 많고, 여러 갈래에 미칩니다. 외래에서 경험하는 약물 알레르기의 대부분은 전신의 여기저기에 나타나는 파종상 홍반구진형 내지는 그와 유사한 패턴입니다.

진단 전신에 미세한 홍반이 흩어져 퍼져있습니다. 중앙이 약간 융기되어 있습니다.

특징적인 피부증상 때문에 누구라도 알 수 있는 질환입니다. 단, 바이러스감염증과 구별이 어렵습니다.

1 파종상 홍반구진형 약물 알레르기의 전형례 (그림1)

사와실린®으로 인한 것입니다.

2 유합경향이 있는 홍반 (그림2)

홍피증에 가까운 상태입니다. 항생제로 인한 것입니다.

3 경증으로 간과하기 쉬운 증례 (그림3)

외래에서는 피부의 일부만 진찰해서는 알 수 없는 경우가 있습니다. 약간의 농약 흡인이 원인이었습니다.

4 상지에 출현한 증례 (그림4)

모충피부염과 유사하지만, 좌우대칭이라는 점에 주목합니다.

5 고정약물 알레르기 (그림5)

신체의 일부(복부)에 생긴 전형례입니다. 항생제로 인한 것입니다.

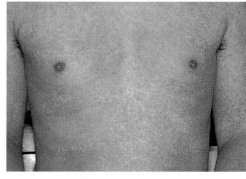

그림1 파종상 홍반구진형 약물 알레르기

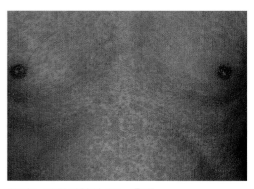

그림2 유합경향이 있는 홍반

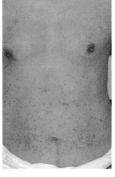

그림3 경증으로 간과하기 쉽다

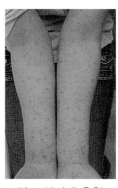

그림4 상지에 출현

그림5 고정약물 알레르기(복부)

치료

처방례

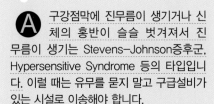

스테로이드 내복(프레드닌®정 5 mg 3～6T/일 등)〈3일 정도 처방하고 전문의에게 소개〉

● 일반의로서는 '응급처방'이 됩니다. 전신으로 확대되어 있거나 '빨리 없애주십시오' '가려움증이 너무 심한데 어떻게 좀 해 주십시요' 라는 케이스에서는 발병 원인으로 의심되는 약을 중단하는 것만으로는 불충분합니다. 특히 벽지에서 전문의에게 소개할 여유가 없는, 약제의 중지도 이해할 것 같은 경우는 프레드닌® 또는 린데론® 등의 스테로이드 내복을 합니다. 스테로이드 외용은 '보조적 효과'라고 생각하고, 그다지 기대하지 않는 편이 좋습니다.

● 생물학적 제제 중에는 부작용을 어느 정도 예상할 수 있는 경우도 있어서, 단순히 약제를 중지하는 것만으로는 환자에게 혜택이 되지 않는 경우가 있습니다. 이와 같은 제제는 부작용을 '기다렸다가 치료'하는 것이 아니라, 내복 시부터 피부과가 적극적으로 스킨케어를 진행하여 치료의 질을 높이려는 자세가 요구되는 시대가 되었습니다.

One point Advice

특히 항생제, 소염진통제를 표기합니다.

● 원인약제는 무엇보다도,
　① 항생제
　② 소염진통제
　이 2가지의 빈도가 높으므로 표기합니다(물론 모든 약제가 원인일 가능성이 있습니다).
● 내복한 후의 발병기간은 투여력이 없는 약제인 경우는 5일～2주이므로, 내복개시시기를 확인해야 합니다. 이 점은 간호사나 간호조수 등이 환자와 대화하기가 쉬울 것 같습니다. 의사가 추궁하게 되면, 아무래도 '경찰의 심문'처럼 되어 버려서, 환자가 '자신이 비난받고 있다'고 생각하기 쉽기 때문입니다.
● 훨씬 이전의 내복제라도 중단시기 등을 고려하면 약제알레르기의 준비기간과 마침 합치되는 수도 있으므로, '예전부터 복용하고 있던 약도 포함하여 말씀해 주십시오'라고 한다.
● 또 환자에 따라서는 '한방약, 보충제는 약이 아니다, 건강식품이다'라고 생각하는 경우가 있습니다. 한방제의 약물 알레르기는 의사측에서는 당연히 의심하고 있습니다. 그러나 환자측은 전혀 의심하지 않는 경우가 많으므로 주의가 필요합니다. 요즘은 보충제도 이상한 약제가 혼입되어 있는 경우가 있으므로, 표기해 두어야 합니다.
● 약물 알레르기는 어떤 피부 증상에서나 염두에 둬야 합니다.

참고문헌

· 衛藤　光 : Visual Dermatol. 2010년 ; 9(8) : 812-4.

 내복제가 여러 종류일 때는 어떻게 합니까?

 최근에 내복을 개시한 약제부터 의심합니다. 환자에게 있어서 아무래도 필요한 약제라는 점이 확실한 경우, 예를 들어 협심증 치료제, 정신질환 치료제 등인 경우는 서둘러 중지시키지 않는 것이 중요합니다.

Q 중증형 약물 알레르기란?

A 구강점막에 진무름이 생기거나 신체의 홍반이 슬슬 벗겨져서 진무름이 생기는 Stevens-Johnson증후군, Hypersensitive Syndrome 등의 타입입니다. 이럴 때는 유무를 묻지 말고 구급설비가 있는 시설로 이송해야 합니다.

Q 다른 의사가 처방한 약제가 원인이라고 생각되었을 때, 그 담당의에 대한 소개장을 쓰는 법은?

A '이쪽에서는 약물 알레르기를 생각하고 있습니다. 물론 타질환, 예를 들어 바이러스감염증 등의 가능성도 부정할 수 없지만, 현 단계에서는 피의약의 중지·변경(약제에 따라서는 감량)이 환자에게 맞으리라 판단하고 있습니다. 바쁘신 중에 죄송하지만, 귀과에서 진료하신 약제의 중지, 변경을 배려해 주시면 매우 다행이겠습니다'라고 씁니다.

 감별에 고민하는 질환은?

A 바이러스감염증, 자가감작성 피부염, 고령자는 유천포창 등을 생각합니다. 특히 어려운 것은 바이러스감염증입니다. 예를 들어, 전염성 단핵구증에서는 페니실린계 약제로 약물 알레르기를 일으키는 등, '바이러스감염증 유발의 약물 알레르기'라고 표기해야 하는 범주도 있을 수 있으므로, 약물 알레르기와 경계선이 불명료해집니다.

28 독나방피부염, 벌레 물림

독나방피부염, 벌레 물린 것에 대한 치료법은 알고 있습니까?

벌레에 물리면, 그 종류에 따라서 여러 가지 반응이 나타납니다. 모기 등은 타액에 함유된 물질에 따른 알레르기반응이 일어납니다. 독나방피부염, 벌 등은 그 바늘에 함유된 독에 의한 중독반응입니다.

> **진단** 물린 부위와 일치하는 구진홍반입니다.

물린 후에 어떤 물질이 피부에 주입되었는지, 그리고 그것이 생체 내에서 어떤 반응을 일으키는지에 따라서 매우 여러 가지 소견을 나타냅니다.

1 흰줄숲모기에 의한 것 (그림1)

극심한 가려움증과 구진, 발적이 나타납니다.

2 모충피부염의 독특한 산포 (그림2)

이 패턴인식에서 즉시 진단할 수 있는 것이 중요합니다.

3 벌레에 물려서 생긴 림프관염 (그림3)

림프관의 흐름을 확실히 알 수 있습니다.

4 벌레에 물려서 농가진이 발생한 소아의 예 (그림4)

여름의 농가진은 이 패턴이 많습니다. '고작 벌레에 물렸다'고 방치하면 이와 같이 됩니다.

5 소아의 벌레 물림과 림프부종 (그림5)

소아에게는 이와 같이 현저한 부종이 나타납니다.

6 해파리에 의한 편타성 홍반 (그림5)

등해파리에 의한 피해가 가장 많은 것 같습니다. 독이 있는 촉수와 접촉하면서 생깁니다.

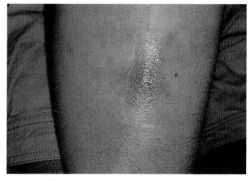

그림1 흰줄숲모기에 의한 구진

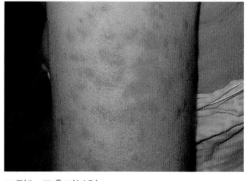

그림2 모충피부염

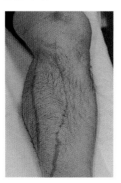

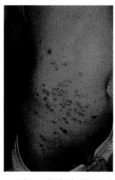

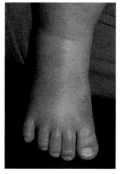

그림3 벌레에 물려서 생긴 림프관염　　그림4 벌레에 물려서 농가진이 발생　　그림5 소아의 벌레 물림과 림프부종　　그림6 해파리에 의한 편타성 홍반

치료 ▶

처방례

어른 ▶ 스테로이드 외용(최강level의 스테로이드 외용제를 사용. 더모베이트®연고 · 크림, 마이저®연고 · 크림 등)〈3일~1주정도〉
소아 ▶ 스테로이드 외용(린데론®-V연고 등)〈3일~1주정도〉
모충피부염에서 광범위하게 병변이 존재하는 경우 ▶
스테로이드 내복(프레드닌®정 5mg 3~6T/일)〈3일정도〉
※ 소아는 스테로이드 내복을 하지 말고, 자이잘®시럽의 내복 등을 3일정도 한다.

● 초기 단계에서 상당히 강한 level의 스테로이드 외용을 하지 않으면, 치료에 실패합니다. 소아는 벌레에 물린 곳을 긁어서, 농가진이 발생하는 예가 많으므로 주의합니다.
● 종창이 심하게 악화되어 있으면 피부과 전문의에게 소개하는 편이 나을 수도 있습니다.

환자에 대한 설명

통상은 3~5일에 치유되지만, 긁어서 난치화되는 수도 있습니다.

● '통상은 3~5일에 치유됩니다. 그러나 때로 천연되어 양진이라는 매우 난치성 병변으로 이행되는 수가 있습니다' 등을 설명합니다.

One point Advice
소아 안면의 벌레 물림은 상당히 종창합니다.

● 그런 경우라도 당황하지 말고 정성껏 스테로이드 외용을 하면 3~4일에 사라집니다. 스테로이드 외용제는 안면인 경우는 아르메타® 등의 medium level로 충분합니다.

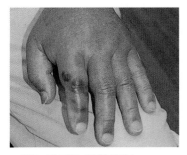

그림7 등에로 인한 종창

그림8 벼룩에 의한 수포

 Q 모충피부염은 왜 이와 같은 임상소견을 나타냅니까?

A 동백독나방은 그 유충과 암컷 성충이 체표면에 한 마리당 50만개의 독침모(毒針毛)를 가지고 있습니다. 그 침이 바람을 타고 셔츠 속으로 들어갑니다. 또 세탁물에 독침이 부착되어 독침이 흩어지기도 합니다. '모충(毛蟲)에 찔렸다'는 의식이 적은 것 같습니다. 이유는 지연형 알러지 때문이라고 생각됩니다.

Q 독침에 찔린 후 생활상의 주의점은?

 A 침은 2시간 정도면 뺄 수 있다고 합니다. 의류는 보통 세탁합니다. 특별한 약제는 필요 없습니다. 모충의 유충은 1년에 2회, 6월과 9월에 대량 발생하고 있습니다. 특히 비가 갠 뒤의 시기는 주의합니다. 차, 동백나무, 산다화, 매화 등의 잎을 좋아합니다. 이런 수목에 접근하지 않는 것이 예방으로 연결됩니다.

Q 소아의 벌레 물림에 대한 반응이 성인에 비해 예민한데 왜입니까?

 A 소아는 벌레에 물리면 체질적으로 강하게 반응하게 됩니다(그림7). 정확한 원인은 아직 불분명합니다. 그러나 경험상, 성인이 되면 이와 같은 반응이 일어나지 않게 됩니다.

Q 수포형성, 현저한 부종을 나타내는 환자가 내원한 경우는 어떻게 해야 합니까?

A 벼룩 등인 경우, 만성 수포가 생깁니다(그림8). 고통이 없으면 무리하게 터뜨리지 말고 스테로이드 외용 및 가제로 보호하고, 3~4일 상태를 봅니다. 점차 이완되다가, 1주 정도로 치유됩니다.

참고문헌

· 夏秋 優 : Dr. 夏秋의 임상도감 벌레와 피부염. 학연플라스, 2013.

29 티눈, 굳은살

구두와 발의 형태가 맞지 않아서 생기는, 발바닥의 딱딱한 각화입니다.

이른바 티눈과 굳은살로, 발바닥에 생긴 딱딱한 각화입니다. 구두바닥과 발의 형태가 맞지 않아서, 발의 각질이 증가합니다. 티눈은 역원추상의 형상이 되어, 발바닥과 발가락 사이 등에 박히게 됩니다. 한편, 굳은살은 평판상의 각화를 형성하는 것으로, 동통이 없습니다.

진단　티눈은 중앙에 투명한 둥근 각화가, 굳은살은 평탄하고 일정한 각화가 특징입니다.

바이러스성 유두종과 유사합니다. 사마귀인 경우는 점상흑반이 확인됩니다.

1 티눈 (그림1)

각질이 딱딱해지고, 원형이 특징입니다(화살표).

2 굳은살 (그림2)

편평한 각화. 보행 시 동통이 없습니다(화살표).

3 발가락 사이에 생긴 티눈 (그림3)

발바닥뿐 아니라 발가락 사이에도 발생합니다.

4 발가락에 생긴 굳은살 (그림4)

구두 끝에 닿으면 생깁니다.

5 발목에 생긴 못 (그림5)

일본인에게 많은 '정좌생활로 인해 생긴 못'입니다. 정좌하는 시간이 길수록 생깁니다.

6 굳은살과 유사한 바이러스성 사마귀 (그림6)

자세히 관찰하면, 중앙에 점상의 출혈반이 있습니다.

7 티눈과 유사한 바이러스성 사마귀 (그림7)

출혈반을 다수 확인합니다.

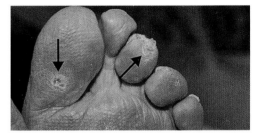

그림1 티눈

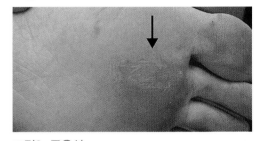

그림2 굳은살

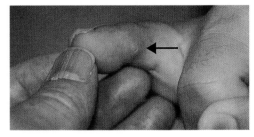

그림3 발가락 사이에 생긴 티눈

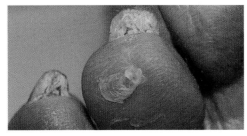

그림4 발가락에 생긴 굳은살

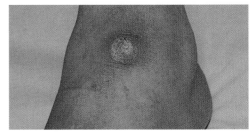

그림5 발목에 생긴 못

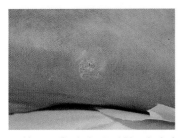
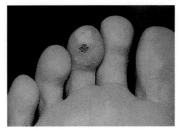

그림6 굳은살과 유사한 바이러 　그림7 티눈과 유사한 바이러스성
　　　스성 사마귀(중앙에 점상 　　　　사마귀(출혈반을 확인한다)
　　　의 출혈반)

치료

처방례

스필고(膏)™M 〈4~5일에 1회 교환, 2주~2개월간 계속〉

- 치료의 기본은 잘라내는 것입니다. Pedi®(그림8). 큐렛(그림9)
  이라는 도구가 있습니다.
- 스필고(膏)™M은 살리틸산을 고농도로 함유하고 있어서, 자극성
  접촉성피부염이 생길 수가 있습니다.

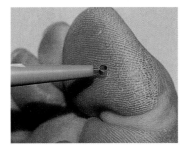

그림8 'Pedi®'라는 깎는 도구 　　그림9 큐렛(둥근 날로 긁는다)

환자에 대한 설명

Shoe fitter와의 상담을 권합니다.

- '문제는 발과 구두가 잘 맞는 것입니다'라고 설명합니다. Shoe
  fitter라는 구두의 프로가 직업적으로 확립되어 있으므로, 상담
  할 것을 권합니다.

One point Advice

티눈인지 사마귀(바이러스성)인지, 판별이 어려운 경우는?

- 바이러스성 유두종(사마귀)과 감별이 어려운 예에서는 다음과 같이 대처
  합니다.
  ① 사마귀는 바이러스성이므로 파종하고, 개수가 증가하는 수가 있습니
  　다. 구두가 닿는 부위도 아닌데 주변에 똑같은 각화가 있으면, 사마귀
  　를 생각합니다. 그렇지 않은 경우는 우선 티눈을 생각하고 치료합니다.
  ② 사마귀를 의심하면, 큐렛으로 깎고, 내부를 루페로 확인합니다. 검은
  　점상 출혈반이 확인되면 사마귀입니다.

 티눈, 굳은살의 제거는 보험진
료가 가능합니까?

 한 달에 1회만 산정할 수 있습니다.
여러 번 처치해도 1곳의 점수만 산
정됩니다. 월 2회 해도 2회째는 산정 불가능
합니다.(2016년 9월 현재)

Q 반구상으로 부풀어 오르는 경
우는 어떻게 해야 합니까?

A 그 경우는 표피낭종(그림10)일 가능
성이 있습니다. 전체가 작은 산처
럼 되는 경우는 무리하지 말고 피부과 전문
의에게 소개합니다.

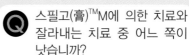

그림10 표피낭종

Q 구두가 너무 커도 좋지 않다고
하던데요?

A 일반적으로 구두가 작은 경우, 구
두바닥의 속깔개가 딱딱한 경우에
발생합니다. 큰 구두인 경우는 발이 구두 속
에서 고정되지 않아서, 보행 시 피부가 자극
을 받습니다. 그와 같은 자극이 반복되면 각
화성 병변이 생깁니다.

Q 스필고(膏)™M에 의한 치료와
잘라내는 치료 중 어느 쪽이
낫습니까?

A 칼로 피부를 잘라내는 것에 공포심
을 느끼는 환자도 많으므로, 처음
에는 스필고(膏)™M으로 치료하는 것이 좋
을 수도 있습니다. 단, 이 약제를 사용하면
발바닥의 피부가 침연되어 붓게 됩니다. 재
진 시에는 백색의 연화된 병변이 되어, 진단
이 어려워지기도 합니다. 소견이 불분명한
경우에는 이 약제를 중지하고, 1주 정도 무
치료 후, 재진합니다.

30 동창(동상)

손발에 생깁니다. 이것이 머릿속에 없으면 진단할 수 없습니다.

반복되는 '한냉~온난'의 변화 자극이 원인이 되어, 말초의 소혈관이 울체되어 독특한 암적 자색을 나타냅니다. 동상은 과거, 일본인에게는 흔한 상태였지만, 난방이 발달된 오늘날에는 병으로 착각하고 병원을 찾기도 합니다.

> **진단** ▶ 발가락, 발바닥, 손가락 등에 생기는 암적색 반점입니다.

갑자기 이와 같은 병변으로 내원하게 되면 진단이 어렵습니다. '겨울에 소아의 손발에 생기는 동상'이라고 대비하면 됩니다.

1 **손발에 생긴 증례 (그림1)**

손발에 좌우대칭으로 생긴 증례입니다. 이 상태라면 오진할 수 없습니다.

2 **유아에게 발생한 발가락 말단의 전형례 (그림2)**

3 **발뒤꿈치에 생긴 증례 (그림3)**

벌레에 물린 것처럼 암적색구진을 확인합니다. 겨울철에 벌레에 물렸다고 생각하기 어려운 시기의 발생입니다. 촉진에서 현저한 응어리가 만져집니다.

4 **유아의 발가락에 발생한 증례 (그림4)**

제5지가 호발부위입니다.

5 **손가락의 악화례 (그림5)**

진무름과 피부궤양을 확인합니다(화살표).

6 **유아의 발가락에 생긴 악화례 (그림6)**

악화되어 작은 진무름(화살표)을 형성하고 있습니다.

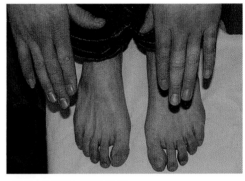

그림1　손발에 생긴 동창

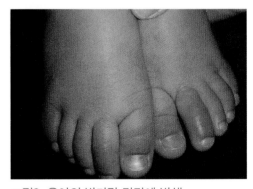

그림2　유아의 발가락 말단에 발생

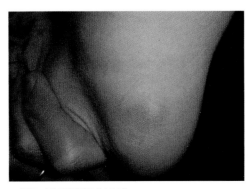

그림3　발뒤꿈치에 발생

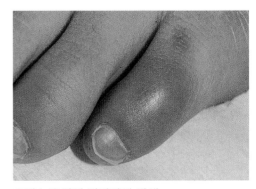

그림4　유아의 발가락에 발생

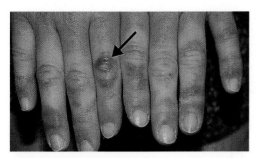

그림5 손가락의 악화

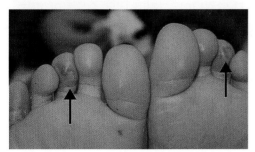

그림6 유아의 발가락에 발생하여, 악화

치료

처방례

보습제 외용(히루도이드®소프트연고)⟨1개월간⟩
비타민E제제 내복(유베라N®캡슐 3~6CP/일 분3)⟨1~2개월간⟩ 단
내복이 필요한 환자가 적다.

● 치료는 보온과 순환개선제입니다. 단, 소아는 외용만 합니다. 보
호자가 그다지 처방의 필요성을 느끼지 못하는 케이스가 많아
서, '아, 동상이군요. 다행이네요'라고 끝나버립니다. 약보다도
일상생활에서 보온, 불편한 구두로 인한 순환부전의 개선 등이
효과적입니다. 궤양형성 등인 경우는 전문의에게 소개합니다.

환자에 대한 설명

반복되므로 정기적인 통원이 필요합니다.

● 보온과 약제사용으로, 대부분의 증례는 잘 치료됩니다. 단, 겨울
동안 반복되므로, 정기적인 통원이 필요한 점을 설명합니다. 난
치성인 경우는 전문의를 소개합니다.

One point Advice

특히 초겨울, 초봄의 급격한 기온저하 등일 때에 증가합니다.

● '반복되는 한냉~온난자극 때문에 소동맥의 이상'이라고 생각하면 이해
하기 쉽습니다. 즉, 추운 곳과 따뜻한 곳을 왔다갔다함으로써 발생합니
다. 엄동기에 접어들면 항상 보온하므로, 증례수가 다소 감소됩니다.

Q 겨울도 아닌데 동상에 걸렸다
면?

A 전신성 홍반성 루푸스(SLE)등 교원
병인 경우가 드물게 있습니다. 전
문의에게 소개합니다.

Q 감별해야 할 질환은 무엇입니
까?

A 발에 많으므로 족부백선과 혼동할
수 있습니다. 족부백선은 인설, 수
포를 수반하는 경우가 있으므로 진균검사를
합니다. 소아에게는 수족구병입니다. 독특
한 수포로 감별할 수 있지만, 수포형성 전의
극히 초기에는 감별이 불가능합니다.

Q 동창이 악화되어, 진무름, 궤양
이 생긴 경우는?

A 일부 증례에서는 악화되어, 동상과
똑같은 상태가 됩니다. 보온을 주
로 하고, 통상의 창상처치로 외래 통원을 해
야 합니다. 당뇨병 등의 환자에게 감염증이
병발하면 심각한 상태가 되는 경우도 있습
니다. 감염증에 유효한 치료를 하지 않는 경
우는, 때로 봉와직염이나 괴사성 근막염 등
의 심각한 질환이 되기도 합니다. 전문의에
게 소개해야 합니다(그림5, 6).

31 발가락 사이의 진무름(maceration)

발은 고습도의 환경에 있으므로, 잘 붓습니다.

침연은 족부백선(무좀)일수도 있지만 균은 발견되지 않습니다. 그러나 너무 습윤하여 피부가 붓고, 거기에 여러 가지 잡균이 번식해 있는 상태입니다.

> **진단** 발가락 사이에 생기는, 습윤한 백색의 병변입니다.

1 침연과 발적이 합병되어 있는 상태 (그림1)

백선균은 음성입니다. 불편한 구두의 착용으로, 발가락 사이가 밀착되어 버린 상태였습니다. 그 때문에 과도한 침연으로 인한 세균감염을 생각했습니다.

2 1의 1주 후 (그림2)

1에 아크아팀®크림을 사용하고, 1주 경과한 상태로 거의 나아지고 있습니다. 따라서 이 증상은 세균감염이었다고 생각됩니다.

3 발가락 사이에 침연과 인설이 나타나고, 백선균이 양성 증례 (그림3)

똑같은 증상이라도 백선균이 양성인 경우는 치료가 완전히 달라집니다. 연고타입의 항진균제로 치유되었습니다.

4 고도로 침연된 족부백선의 증례 (그림4)

침연부위(검은 화살표)가 아니라 변연의 인설(흰화살표)에서 검체를 채취하여, 현미경검사를 합니다. 이 증례도 백선균이 확인되었습니다. 연고타입의 항진균제로 치유되었습니다.

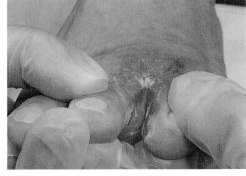

그림1 침연과 발적이 합병

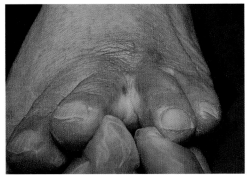

그림2 그림1의 1주 후

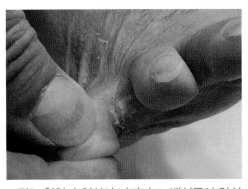

그림3 침연과 인설이 나타나고, 백선균이 양성

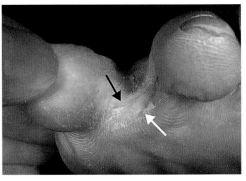

그림4 고도로 침연된 족부백선

치료 ▶

처방례

백선균이 증명된 경우▶
항진균제 외용(아트란트®연고, 아스타트®연고 등)〈2개월간〉
※자극이 적은 연고타입이 좋다
백선균이 증명되지 않고, 접촉성피부염일 가능성도 없는 경우▶
항생제 외용(게벤®크림, 후시딘레오®연고, 아크아팀®연고 · 크림 등을 세균의 번식을 억제하기 위해서 발가락 사이의 짓무른 곳에)

● 무엇을 해도 개선되지 않는 경우가 있습니다. 외용을 무리하게 하면 자극성 접촉성피부염이 생깁니다. 경험상, 가장 좋은 방법은 '아무 것도 하지 말고, 건조시키는 것'입니다. 가제 등을 발가락 사이에 삽입하고, 습윤하지 않도록 합니다. 신발을 하루 종일 착용하여 낫지 않는 경우, 5발가락 양말을 착용하여 발가락 사이가 습윤되지 않도록 합니다.

● 또 백선균 음성에서 전염성 농가진처럼 진무름이 생기는 경우가 있습니다. 그럴 때도 위의 항생제(아크아팀®크림 · 연고 등)의 외용이 좋습니다. 4~5일정도 상태를 봅니다. 그래도 낫지 않을 때는 케프랄®캡슐 등의 항생제를 내복합니다.

● 시판하는 외용제 등의 사용으로 접촉성피부염도 합병되어, 복잡해진 병변은 1주 정도 방치한 후 재진하게 합니다. 그렇게 함으로써 진단이 확실해지는 경우가 많습니다. 접촉성피부염, 족부백선, 또는 침윤되어 있을 뿐 등으로 확정 진단되면 통원 치료합니다. 그 후, 1~2주 치료해도 개선되지 않는 경우에는 전문의에게 소개합니다.

그림5 발가락 사이의 가제 삽입 방법

● 발가락 사이의 가제 삽입 방법은 그림5와 같습니다.

One point Advice ↘

'발가락 사이가 침연되어 있다 = 무좀'이 아닙니다.

● 발의 피부는 복수의 질환이 중복되는 수도 많습니다. 백선, 칸디다, 상재세균의 번식, 단순한 침윤 등이 중복됩니다. 세균감염에서도 대부분은 녹농균 등의 상재균이므로, 적극적인 치료는 필요 없습니다. 즉, '발가락 사이가 침연되어 있다 = 무좀'이 아닙니다.

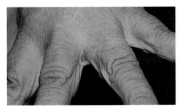

그림6 칸디다성 손가락 사이의 진무름증

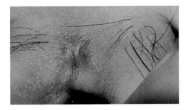

그림7 족부백선＋접촉성피부염

Q 족배부의 종창이 현저한 경우를 종종 경험하는데….

A 림프부종을 수반하고 있는 경우입니다. 대부분은 세균감염증의 림프관염입니다. 중증화되기도 합니다. 단독(丹毒)이 의심스러우면 사와실린®캡슐 750 mg/일 등을 투여합니다.

Q 당뇨병 합병례에서 주의점은?

A 발가락 사이의 사소한 진무름에서 감염증이 중증화되어, 하지의 절단에 이르는 수도 있습니다. 가능한 매일 의원에서 처치하고, 항생제 내복, 외용으로 적극적으로 치료해야 합니다.

Q 진무름이 치료되지 않는 경우는?

A 편평상피암, 그 밖의 악성종양이 생기는 경우가 드물게 있습니다. 1~2주 처치해도 개선되지 않는 경우는 피부과 전문의에게 소개해야 합니다.

Q 손가락에도 생깁니까?

A 제3~4손가락 사이는 호발부위입니다. 취사에 바쁘고, 항상 손가락 사이가 젖어 있으면 발생합니다. 칸디다성 지지간진무름증(그림6)은 상재균인 칸디다가 증식된 상태입니다. 아스타트®연고 등 항진균제로 치료합니다.

Q 발가락 사이가 발적되어 있는 경우는 무엇을 생각합니까?

A 본래 족부백선이 있고, 불결한 환경에서 2차적으로 세균감염이나 자극성 접촉성피부염이 생깁니다(그림7). 이와 같은 부위에 부주의하게 항진균제를 외용하면 악화되므로, 처음에는 건조만으로 상태를 봅니다. 가려움증 등이 있으면 접촉성피부염을 생각하여, 스테로이드 외용을 합니다. 습윤이 확대되면 세균감염을 생각하여, 아크아팀®크림 등의 항생제를 사용하면 됩니다.

32 외상의 처치, 창상의 처치

내과에서도 중요한 외상, 창상처치의 기본을 소개합니다.

'새삼스럽게 상처 처치라니, 의사인 내가 간호사에게 들을 말인가'라고 마음속으로 중얼거리는 분이 있습니까? 1장에서 'TIME'이라는 창상치유를 저해하는 요인에 관해서 기술하였습니다. 조직에 괴사가 있는지? 감염·염증이 있는지? 습윤환경은 어떤지? 창상변연부의 상태는 어떤지? 그러한 창면의 평가를 기준으로 처치제를 결정합니다. 창면은 건조시킬 것인지? 습윤시킬 것인지?

진단 외상처치의 전제가 되는 '습윤요법'을 이해하지 못하면 치료가 되지 않습니다.

1 우선, 세정 (그림1)

환부를 닦습니다. 일본에서는 수돗물이라도 상관없습니다. 수돗물이 위생적이지 않을 경우는 미네랄워터 등 멸균된 물을 사용합니다.

2 항균외용제를 사용하고, 드레싱을 첨부합니다

후시딘레오®연고, 게벤®크림, 아크아팀®크림·연고 등입니다. 창면에 외용한 다음 드레싱으로 덮습니다(그림2). 그림2는 약국에서 구입할 수 있는 '모이스킨패드®' 드레싱입니다. 또 완전밀폐형 드레싱재(상처파워패드™)는 감염증의 위험이 있어서 사용하지 않습니다.

이것을 매일, 최소 1회 합니다. 2~3회 해도 괜찮습니다. 광범위한 피부궤양을 제외하고는 이것으로 상피화가 진행되고, 창면이 dry up됩니다.

3 감염된 외상부위 (그림3)

이와 같이 발적, 종창이 현저한 창상은 위에 기술한 드레싱은 사용하지 않습니다. 세정 후, 항생제(아크아팀®크림 등)를 외용하고, 가제로 호보합니다.

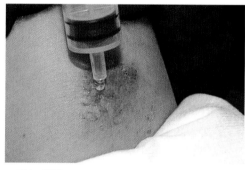

그림1 세정

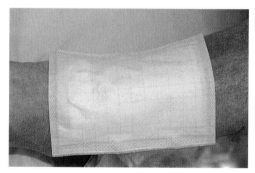

그림2 외상처치 : 모이스킨패드®의 사용법

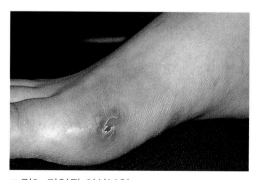

그림3 감염된 외상부위

환자에 대한 설명

'○일이면 치료됩니다'라고 안이하게 말하지 마십시오.

- '언제까지 치료합니까?'. 이것은 반드시 듣게 되는 질문입니다. 병변이 어느 깊이까지 도달해 있는지에 따라서 치료에 걸리는 기간이 달라집니다. 사용하는 외용제에 의한 접촉성피부염, 우발적인 감염증의 병발 등, 초진 시 소견에서는 예상할 수 없을 정도로 급속히 악화되는 경우가 있습니다. 따라서 안이하게 '○일정도면 치료됩니다'라고 "예언"하지 마십시오. '며칠간 처치를 계속하면 병변의 깊이를 알 수 있습니다. 지금은 뭐라고 판단하기 어렵습니다'라고 설명합니다.

- 2~3일에서 1주 정도 처치를 계속한 소견에서 판단할 수 있는 기준은 다음과 같습니다.
  ① 표재성 진무름이면 앞으로 1주 정도.
  ② 얕은 궤양형성으로 혈류도 있고, 육아도 양호한 경우 (진피상층까지의 궤양)는 앞으로 2주정도.
  ③ 깊은 피부궤양, 괴사조직 부착 등, 진피하층까지의 궤양은 창면의 범위에 따르지만, 앞으로 1~2개월이 걸립니다.

One point Advice ⟶

습윤요법이란?

- 습윤요법은 창상처치로 유명해진 방법입니다. 종래에 창상치료는 '상처가 말라야 한다. 가제를 직접 붙인다' '상처는 반드시 소독해야 한다' '상처는 씻어서는 안된다'는 것이었습니다.

- 그런데 완전히 반대되는 방법을 사용하면 어떨까요? 즉, '상처는 습윤해야 한다' '가제를 직접 붙여서는 안 된다' '상처 소독은 원칙적으로 하지 않는다' '상처는 세정해야 한다'는 방식입니다.

- 실은 후자의 방법이 실천적으로 뛰어납니다. 습윤환경의 유지에 의한 창상치유, 이와 같은 방법이 현재 스탠다드가 되고 있습니다.

전문의에게 소개. 그 타이밍은?

- 데브리망이나 창면의 봉합이 필요한 경우는 전문의에 대한 소개를 검토합니다.

환자용 드레싱을 약국에서 구입할 수 있다!

- 근래 환자 자신이 사용하는 드레싱류를 약국에서 구입할 수 있게 되었습니다. 그림2는 '모이스킨패드®'(백십자사). 그 밖에도 여러 가지 드레싱이 발매되고 있습니다. 예전에는 습윤요법이라고 해도 의료용=즉 의원 내 사용뿐이었습니다. 당연히, 의원용인 것을 자비로 사거나(혼합진료?), 강제적으로 통원하게 하였습니다. 그러나 환자에게 자비상품을 사게 하는 것도 마음이 내키지 않았습니다. 또한 비합법적으로 '랩요법' 등의 식품용 랩을 사용했었는데, 이와 같은 드레싱류의 등장으로 환자가 안심하고 습윤요법을 할 수 있게 되었습니다.

참고문헌

1) 宮地良樹, 편 : 완전히 이해하는 창상치료의 기본. 남산당, 2014.

 Q 왜 소독하면 안됩니까?

A 피부진무름면, 궤양면에 대한 소독액의 사용은 권장할 수 없습니다. 소독액은 피부의 결손부를 보충하려는 인체의 신생세포(섬유아세포 등)에도 장애로 작용하여, 창상치유를 지연시킵니다. 그렇기는 해도, 주위피부의 감염예방으로 건강피부의 소독은 문제없습니다.

 Q 왜 창면을 건조시켜서는 안됩니까?

A 창부를 건조시키면, 창상치유 때문에 필요불가결한 각종 메디에이터를 고갈시켜서, 면역계의 항체나 신생세포의 진출 등을 방해합니다. 따라서 감염이 쉽게 생기게 됩니다. 창부는 어디까지나 습윤시켜야 합니다.

Q 창상처치를 해도 병변부의 색이 오염되고, 낫지 않거나 확대되는 경우, 무엇을 의심해야 합니까?

A 불량육아라는 상태에 빠지면 낫지 않습니다. 궤양부의 색이 어두운 색조가 됩니다(그림4). 이렇게 되면 상피화는 진행되지 않게 되고, 세정, 외용해도 치유되지 않습니다. 이럴 때는 그 불량육아의 원인을 밝혀야 합니다. ①처치가 불결하여 감염되어 있다, ②외용제의 접촉성피부염을 일으키고 있다, ③피부궤양을 형성하고 있는 부위의 속에 포켓, 누공, 농양이 형성되어 있다. 또 내부에 괴사조직, 이물도 있을 수 있다. ④다른 질환이 숨어 있다. 예를 들어, 갈팡질팡 하는 사이에 궤양이 증대되는 경우는 괴저성 농피증, 다발하는 경우는 피부선병(결핵)―등을 감별합니다.

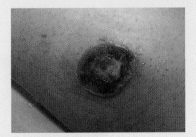

그림4　육아 조직
　　　(granulation tissue)

33 화상의 처치

화상에 알맞게 대처하면, '피부과'를 표방할 수 있을지도?

경미한 화상은 어느 과이든, 경험을 합니다. 프라이머리 케어(primary care)를 한다면 더욱 그렇습니다. '주전자에 화상을? 큰 병원으로 소개장을 써드리겠습니다'…이래서는 꼴이 우습겠지요. 자, 눈앞의 화상긴급환자, 어떻게 하겠습니까?

진단 화상은 중증도에 따라서 Ⅰ, Ⅱ(천층 · 중층 · 심층), Ⅲ도가 있으며, 그에 따른 치료가 필요합니다.

화상은 그 중증도에 따라서 Ⅰ, Ⅱ(천층 · 중층 · 심층의 3종), Ⅲ도가 있습니다. 일반의는 Ⅰ도와 Ⅱ도 · 천층만 치료할 수 있으면 됩니다. 여기에서는 그 감별법이 중요합니다. Ⅰ도인 경우는 발적뿐입니다. 이것은 누구라도 알 수 있습니다.

1 Ⅱ도 · 천층 (그림1)

수포 형성, 대개는 터트리지 말고 그대로 치유합니다.

2 Ⅱ도 · 심층 (그림2)

수포 형성이 터져서 궤양형성이 확인됩니다. 백색 병변이 있으며, 경도의 괴사조직이 부착되어 있습니다. 피부이식 여부의 판정이 필요합니다. 외래에서 치료할 것인가? 소개할 것인가? 가장 문제가 되는 화상level입니다.

3 Ⅲ도. 끓는 물에 의한 하퇴의 화상 (그림3)

이것은 이미 상당히 깊은 상태입니다. 흑색의 괴사조직 등이 부착되어 있습니다. 피부이식이 필요합니다. 전문의에게 소개합니다.

4 접촉성피부염이 합병된 화상 (그림4)

시판약을 외용하고, 접촉피부염이 생긴 것 같습니다. 화상부위를 넘어서 접촉성피부염에 의한 수포, 발적이 확대되어 있습니다(검은 화살표). 중앙의 선상진무름이 화상부위입니다(흰 화살표).

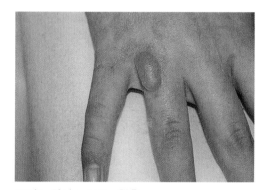

그림1 화상 : Ⅱ도 · 천층

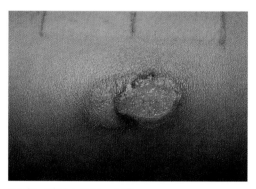

그림2 화상 : Ⅱ도 · 심층

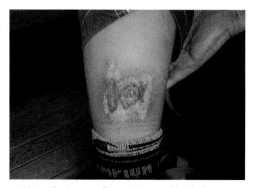

그림3 화상 : Ⅲ도(끓는 물에 의한 화상)

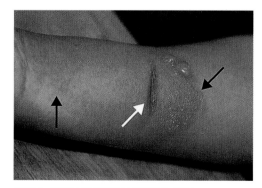

그림4 접촉성피부염이 합병된 화상

치료 ▶

- 다음에 나타내는 처치방법은 Ⅰ도~Ⅱ·천층입니다. 이보다 중증인 경우에는 각종 테크닉이 필요합니다. 일반의로서 너무 깊이 관여하는 것은 금물입니다.
- 화상은 환자가 수진할 때까지 여러 가지 약제를 자기판단으로 외용하고 있는 경우가 많습니다. 시판하는 외용제로 접촉성피부염이 생긴 경우는 스테로이드 외용을 내원 처음부터 며칠간 합니다. 또 처음에는 동통이 심하므로, 그 관리를 우선합니다. 그 후의 치료 포인트는 다음과 같습니다.
  ① 수상부터 몇 시간 이내인 경우는 염증을 억제하고 동통에 대처할 목적으로 린데론®–V연고를 사용하고[린데론®–VG는 가능한 사용하지 않는다(☞p4)], 가제로 보호합니다. 이 처치는 수진일만 하며, 길어도 며칠간만 합니다.
  ② 수포형성인 경우로, 그 수포가 일상생활을 방해하지 않는 부위라면, 수포를 터트리지 말고 남겨둡니다. 일반의로서는 편안한 방법입니다.
  ③ 진무름, 얕은 궤양형성인 경우는 잘 세정한 후, 겐타신®연고, 아크아틴®연고·크림 등의 항생제를 외용하고, 시판하는 모이스킨패드® 등을 사용하여 보호합니다. 이 경우, 이 드레싱을 매일 갈아 붙이는 것이 중요합니다. 소독액은 필요 없고, 세정만으로 충분합니다. 습윤요법을 실천합니다.
  ④ 위의 처치를 1~2주 계속합니다. 상피화가 진행되지 않으면 전문의에게 소개합니다.
  ※습윤요법에 관해서는 '외상의 처치, 창상의 처치'(☞ p144)를 참조.

환자에 대한 설명

'○일이면 치료됩니다' 라고 초진 시에 말하지 마십시오.

- 화상은 며칠 경과하지 않으면 판정하기 어렵습니다. 순식간에 혈류를 확인할 수 없게 되어 깊은 궤양이 되어 버리기도 합니다(그림5). '어느 정도의 깊이에서, 치료에 어느 정도 걸리는가는 며칠 경과하지 않으면 알 수 없는 경우가 많습니다'라고 설명합니다. 초진 시, '1주 정도'라고 얘기했다가, 깊은 궤양이 되어 몇 개월 걸리게 되면 클레임의 원인이 됩니다.

One point Advice ⟶

전문의에 대한 소개는 어느 시점에서 판단하는가?

- 일반의가 치료할 수 있는 것은 Ⅱ도·천층 정도까지입니다. 처치를 2~3일 계속하면 창면이 깊은지 얕은지를 알 수 있습니다. 얕은 궤양은 혈류가 풍부하므로 '선명한 핑크색'입니다. 깊은 궤양인 경우는 혈류가 없으므로, 병변부가 백색이 됩니다. 흑색이면 Ⅱ도·깊은 level 또는 Ⅲ도라고 판단합니다.

 일반의가 대처할 수 있는 화상 범위는 어느 정도까지입니까?

 화상범위는 성인은 손바닥 정도(체표면적의 1%), 소아는 계란크기 정도까지 입니다. 설사 그 범위라도, 일부 수포가 터져서, 백색, 갈색의 괴사물질이 부착되어 있는 경우는 Ⅱ도·심층 병변도 합병되어 있는 경우가 있으므로, 일찌감치 전문의에게 소개합니다. 물론, 자신이 있는 선생님은 그 이상의 범위라도 처치에 도전하십시오.

 환자가 시판하는 하이드로코로이드·드레싱(상처파워패드®)을 붙였다. 주의점은?

 시판되고 있는 하이드로코로이드·드레싱은 '빨리 낫는 밴드에이드®'라고 선전하고 있습니다. 창면에 감염이 수반되지 않는, 양호한 육아형성인 경우는 괜찮습니다. 그러나 환자가 자택에서의 처치에 사용하면, 때로 감염증상이 악화되고, 불량육아의 형성으로 오히려 악화되는 수가 있습니다. 경미한 얕은 상처, 화상에는 괜찮을지 모르지만, Ⅱ도 이상의 화상에서는 의사의 관리하에서 사용해야 합니다.

Q 끓는 물에 의한 화상은 어떻게 해야 합니까?

A 끓는 물에 의한 화상은 흔히 '저온 화상'이라고 합니다(그림5). 서서히 뜨거워지면 깊은 화상궤양을 형성하게 됩니다. 하퇴에 생기는 경우가 많으므로 젊은 여성에게는 미용적으로 문제가 됩니다. 초진 시에 얕은 화상이라고 예상해도 전문의에게 소개해야 합니다.

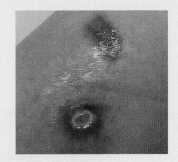

그림6 깊은 궤양

참고문헌

- 宮地良樹, 편 : 완전히 이해하는 창상치료의 기본. 남산당, 2014.
- 일본욕창학회 : DESIGN-R®.
[http://www.jspu.org/jpn/info/design.html]

34 욕창의 처치

불규칙한 상태도 용이하게 생기고, 상당히 심오한 분야입니다.

이것에 관해서는 '학회'가 있습니다. 일본욕창학회(http://www.jspu.org/)는 매우 인기 있는 학회로 유명합니다. 가입하면 최신정보를 얻을 수가 있습니다. 1장에서 기술한 DESIGN-R® 등의 평가법의 지식은 그 점수까지 기억할 필요는 없지만, 현장에서는 필요불가결합니다. 위에 기술한 학회에서 공부하시기 바랍니다. 여기에서는 현장에서의 최소한의 '상식'에 관해서 기술하였습니다.

진단   욕창에는 DESIGN-R® 평가법이 있습니다.

이 평가는 중증은 대문자, 경증은 소문자로 기록하며, 각각 점수가 매겨집니다. D를 제외한 총점수가 종합평가가 되며, 고득점일수록 중증입니다. 다음의 임상증상에서 DESIGN-R®을 기재하므로 익혀 두시기 바랍니다.

1 괴사조직이 부착된 깊은 욕창 (그림1)

실은 포켓도 형성된 심각한 상태였습니다.

2 2군데의 욕창이 포켓으로 연결된 증례 (그림2)

언뜻 보기에, 가벼운 level처럼 보이는 경우가 많으므로 주의하기 바랍니다. 화살표는 포켓입니다.

3 항문 주위 (그림3)

항문 주위 등은 칸디다가 감염되어, 치유에 방해가 됩니다.

4 양호한 육아 (그림4)

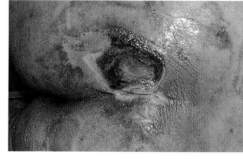

그림1 괴사조직이 부착된 중증례
D4-e3 s8 l3 G6 N6 P6 합계점수는 32

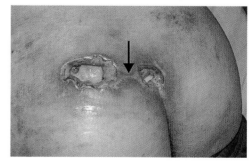

그림2 포켓 형성
D3-E6 s8 l3 G5 N3 P9 합계점수는 34

그림3 칸디다 부착례
d2-e1 s6 l3 g3 n0 p0 합계점수는 13

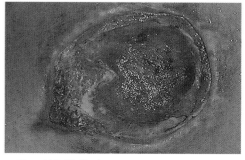

그림4 양호한 육아
d2-e3 s6 i0 g1 n0 p0 합계점수는 10

치료

- 일반의에게 있어서 중요한 점은 '이것은 어떤 level의 욕창인가?' '어느 정도까지 내가 대처할 수 있을까?'를 판단하는 것입니다. 통상은 괴사조직이 심각, 감염증 있음, 포켓이 있는 경우 등은 전문의의 대상이 됩니다. 욕창면을 생리식염수, 또는 수돗물로 세정하고, 게벤®크림, 유파스타®코와 등의 외용제로 습윤요법을 합니다. 그림4, 5와 같은 양호한 육아라면 그림6, 7과 같은 드레싱을 이용한 처치도 가능합니다. 2주가 경과해도 욕창범위가 축소되지 않는 경우는 그 이상의 level이라 판단하고, 전문의에게 소개합니다.

※ 습윤요법의 상세한 내용에 관해서는 '외상의 처치, 창상의 처치' (☞ p144)참조.

- DESIGN-R® 표를 본서권말에 게재하였습니다. 실천적으로 바로 사용할 수 있습니다. 자세한 해설은 문헌1)을 참고하시기 바랍니다.

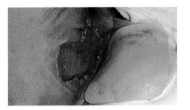

그림5 괴사조직이 없는 욕창에는 폴리우레탄·드레싱을 사용할 수 있다

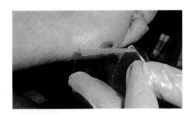

그림6 폴리우레탄·필름을 환부에 첨부. 투명하여 첨부 후에도 환부를 확인할 수 있다.

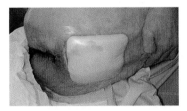

그림7 폴리우레탄·드레싱을 첨부한 모습

 Q 괴사조직을 어쩔 수 없이 제거해야 한다고 결정했다. 주의점은?

 A '한 번에 하려고 하지 않는 것'입니다. 흑색괴사조직을 발견하면, 그 아래에 농양이 있을 가능성이 있으므로, 우선 소절개로 배농만 하고, 다음 진료부터 매회 조금씩 메스, 가위로 잘라냅니다. 뜻밖의 대출혈은 생명과 관련되므로, 주의하십시오.

Q 욕창처치에서 사용하는 드레싱이 여러 종류가 있다. 피부과 진료 초심자로서 어느 것을 사용하면 됩니까?

 A 우선 세정합니다. 괴사조직이 있으면 브로멜라인®연고 외용, 또는 데브리망. 괴사조직제거 후, 삼출액이 많으면 유파스타®코와연고, 적으면 게벤®크림으로 합니다. 양호한 육아가 나타나면 올세논®연고로 하고, 상피화를 기다립니다. 우선은 창부피복에는 에스아이에이드®나 시판하는 모이스킨®패드를 병용합니다. 완전밀폐형 드레싱류는 환자가 매일 통원할 수 있는 경우로 한정하는 편이 좋습니다(그림5~7).

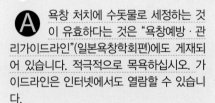 **Q** 욕창이 있는 환자가 목욕을 해도 됩니까?

A 욕창 처치에 수돗물로 세정하는 것이 유효하다는 것은 "욕창예방·관리가이드라인"(일본욕창학회편)에도 게재되어 있습니다. 적극적으로 목욕하십시오. 가이드라인은 인터넷에서도 열람할 수 있습니다.

욕창에 본격적으로 임하려면 재택의료에 대한 참가가 필요합니다.

- 재택에서의 처치에는 간호하는 가족의 부담을 고려하여 치료합니다. 가족에게 지시하는 내용으로 중요한 포인트는 다음과 같습니다.
  ① 아마추어라도 가능한 처치방법으로 합니다. 예를 들어, 세정은 수돗물이라도 상관없습니다. 약제는 단일한 것(게벤®크림 등)으로 합니다.
  ② 근래, 욕창처치용 드레싱류는 약국에서 구입할 수 있는 것이 대폭 늘었습니다. 모이스킨패드®도 욕창에 사용할 수 있습니다. '외상의 처치, 창상의 처치'(☞ p144, 그림2)를 참고하시기 바랍니다.
  ③ 실제는 방문간호스테이션의 간호사로부터 DESIGN-R®의 상황에 관해 보고를 받으면서 치료합니다.

참고문헌

1) 일본욕창학회 : DESIGN-R®. [http://www.jspu.org/jpn/info/design.html]

35 수포성 유천포창(Bullous Pemphigoid)

표피와 진피의 경계부가 분리되는 질환입니다.

수포를 형성하는 대표적 질환에는 천포창과 수포성 유천포창이 있습니다. 천포창은 표피 내 수포이지만, 수포성 유천포창은 표피기저막부에 수포가 생깁니다. 수포성 유천포창이 압도적으로 많으며, 치료가 늦어지면, 진무름이 전신으로 확대, 감염증이 발생하여 중증화 됩니다. 여기에서는 수포성 유천포창에 관하여 해설하였습니다.

진단 직경 2~3 cm로 크고 긴만성으로 잘 터지지 않는 수포입니다.

수포성 유천포창은 갑자기 생깁니다. 처음에는 발적과 가려움증만으로 내원하는 경우가 많으며, 재진하게 되면 큰 수포가 출현합니다. 유천포창 항체(항BP180NC16a항체)를 측정하면 진단할 수 있습니다. 그 경우, 채혈하여 검사회사에 의뢰하게 되어, 1주 정도 걸립니다. 그러나 환자는 결과가 도착하기 전에 수포가 터져서 진무름을 형성하여, 치료가 필요한 상태가 될 수 있습니다. 그래서 이런 경우는 결과를 기다리지 말고 치료를 해야 합니다.

1 만성 수포가 생긴 전형례 (그림1)
손등 등은 물리적 자극 때문에 진무름이 생기기 쉽습니다.

2 수포가 없는 상태 (그림2)
진단을 내리지 못한 채, 수개월간 경과한 고령자남성. 극렬한 가려움증을 수반합니다.

3 환자의 하퇴에 돌연 수포가 출현 (그림3)
이것으로 수포성 유천포창이라고 진단하였습니다.

4 고령자의 발등에 갑자기 출현한 증례 (그림4)
이와 같은 갑작스런 수포도 수포성 유천포창을 생각합니다.

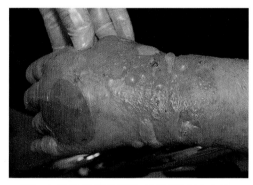

그림1 수포성 유천포창에 의한 긴만성 수포

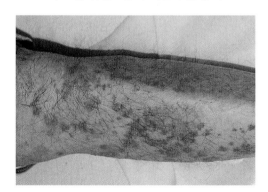

그림2 수포가 없는 상태

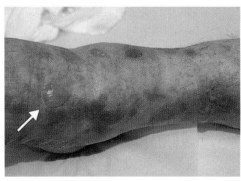

그림3 그림2의 환자의 하퇴에 갑자기 수포가 출현

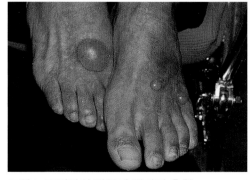

그림4 고령자의 발등에 갑자기 출현

치료

처방례

경증례는 very strong, strongest level 등의 스테로이드 외용만으로도 관리가 가능

스테로이드 외용 무효인 증례는 스테로이드 내복으로 한다(내복량은 다음을 참조)

스테로이드 내복이 주저되는 경우는 미노마이신®내복(100mg/일, 부작용에 주의)이나 니코틴산아미드 내복 900mg/일 등으로도 효과를 기대할 수 있다

이 경우, 외용은 2차감염예방이므로 아크아팀®크림 등으로 한다

※기본은 피부과 전문의에게 소개.

● 벽지 등, 아무래도 진료실에서 대처해야 하는 경우는 프레드닌® 내복을 개시합니다. 소극적인 투여로는 효과가 없습니다. 기준으로 고령자의 체중이 40 kg 정도라면, 1일 15 mg 정도라도 그럭저럭 효과가 있지만, 가능하면 20 mg 정도 처방합니다. 체중 60kg이라면 30 mg이겠지요. 그러나 개인차가 있으므로 반드시 컨트롤할 수 있다고는 할 수 없습니다.

● 전신에 수포가 다발한 경우, 외용처치를 어떻게 해야 되는지를 생각하기보다, 프레드닌®을 얼마나 빨리 투여하는가가 중요합니다. 프레드닌®은 효과가 매우 뛰어나서, 수포가 순식간에 사라집니다. 진무름을 형성하지만, 상당히 불결하지 않는 한 어느 정도 깊은 병변으로는 이행되지 않습니다. 항생제 외용 시, 국소를 dry up시킬 목적으로 크림타입의 외용제를 사용하면 처치가 편합니다.(단, 외용처치만으로는 한계가 있습니다)

환자에 대한 설명

유천포창이 의심스러우면, 피부과 전문의에 대한 소개를 알립니다.

● 그 날의 치료제는 소개까지의 '긴급도피적 치료'라고 환자·가족에게 전해야 합니다. 본원에서 치료를 계속하는 경우에는 모든 위험을 설명해야 합니다. 상당한 각오가 필요합니다.

One point Advice

천포창 = '거의 없다', 유천포창 = '흔히 있다'.

● 천포창과 유천포창은 명칭이 비슷하지만, 수포가 생기는 부위가 다른, 전혀 별개의 질환입니다. 천포창은 구강 내의 난치성 진무름으로 발견되는 경우가 많으므로, 오히려 치과, 구강외과적인 질환입니다. 피부의 수포는 쉽게 터집니다. 수포발생부위가 피부의 표면에 가깝기 때문입니다. 더욱 중요한 점은 천포창은 '거의 없다', 유천포창은 '흔히 있다'는 사실입니다. 유천포창은 노인시설에서 50~100명 중, 한 명의 환자가 있다고 할 정도로 일상적인 질환입니다. 반대로 천포창을 만나는 경우는 거의 없습니다. 피부과의 병명이 얼마나 혼동하기 쉬운지를 알 수 있습니다.

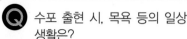

Q 수포 출현 시, 목욕 등의 일상생활은?

A 이 병은 감염증이 아닙니다. 그렇기 때문에 입욕을 적극적으로 하여, 다른 세균감염이 생기지 않도록 청결을 유지하십시오.

Q 치료 중, 주의해야 할 점은?

A 프레드닌®은 면역시스템을 억제하므로, 다른 감염증이 합병되지 않도록 주의합니다. 노인시설등의 집단생활의 장에서는 옴이 문제입니다. 고령자의 경우 프레드닌®의 사용은 옴에 쉽게 감염되어, 중증화되기 쉽습니다.

Q 왜 유천포창이 중요한 질환입니까?

A 고령자에게 다발하고, 바로 일상외래에서 대처해야 할 질환이기 때문입니다. 전신피부를 침습하고, 생명예후에 영향을 미칩니다. 일반의라도 흔히 경험하는 질환입니다.

Q 결국, 피부과 전문의에게 소개해야 합니까?

A 그것이 안전합니다. 단, 초발생상을 주치의가 확인할 수 있으므로 신속히 소개하기 위해서라도 이 질환의 전체상을 이해하는 것이 중요합니다.

Q 감별진단은?

A 수포가 생기는 질환 전부입니다. 대상포진, 단순포진, 농가진,(수포형성의)중증형 약물 알레르기, 발바닥이라면 족부백선, 극심한 증상의 접촉성피부염, 다발하는 벌레물림 등이겠지요. 유천포창은 긴만성의 잘 터지지 않는 대형수포입니다. 상당히 특징적인 수포로, 한번 경험하면 잊을 수 없습니다.

참고문헌

1) 橋本 隆 : 수포증 농포증. 최신 피부과학체계. 玉置邦彦, 총편, 중산서점, p98-104

36 장척농포증(掌蹠膿疱症)
Persistent palmoplantar pustulosis

손바닥, 발바닥의 피부가 딱딱해지고, 수포·농포가 생기는 질환입니다.

족부백선, 이한성 습진과 매우 유사하며, 환자에 따라서 여러 가지 패턴이 있습니다. 피부과의는 백선이 아니라, strong level의 스테로이드 외용에 반응하지 않는 손발바닥의 병변이 이 질환이라고 어렴풋이 생각하고 있습니다. 빈도도 높아서, 외래에서 하루에 한 번은 반드시 내원한다고 할 정도입니다.

진단　수포나 농포가 있고, 거친 손발바닥의 질환은 장척농포증을 생각합니다.

1 발바닥의 병변 (그림1)

발바닥에 생긴, 경계가 비교적 명료한 염증성 각화국면. 여기는 장척농포증의 호발부위입니다. 일부에 균열을 수반하고, 약간 어두운 붉은색을 나타냅니다.

2 발바닥의 확대상 (그림2)

염증성 각화국면 내부에는 직경 몇 mm까지의 소수포, 농포를 확인합니다. 스테로이드 외용 등을 해도, 이 증상은 거의 변함이 없습니다. 환자는 가려움증을 호소하기도 하며, 치료에 어려움을 겪습니다.

3 내과(內踝)에서 좌우대칭의 특징적 병변 (그림3)

좌우대칭으로 염증성 각화, 수포, 농포를 확인합니다.

4 손바닥의 병변 (그림4)

'장척농포증'이라는 병명처럼, 손바닥이나 발바닥에서 증상이 확인되므로 동시에 진찰해야 합니다. 손가락, 소지둘레, 모지둘레 등에서 몇 mm 정도의 소수포, 소농포, 약간 어두운 발적과 각화를 확인합니다. 족저부와 마찬가지로, 통상 스테로이드 외용 등으로는 좀처럼 나아지지 않는 점에서 의심스럽습니다.

5 손톱의 변화 (그림5)

조부백선과 매우 유사한 황백탁을 확인합니다. 이것은 손톱에 병변이 미친 상태입니다. 진균검사를 하여 백선균을 R/O 하는 것이 필요합니다.

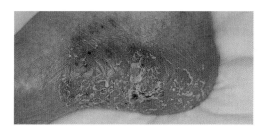

그림1 장척농포증 : 발바닥의 병변

그림2 발바닥의 확대

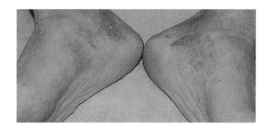

그림3 내과(內踝)에서 좌우대칭의 특징적 병변

그림4 손바닥의 병변

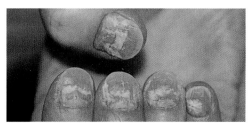

그림5 손톱의 변화

치료

처방례

스테로이드 외용
통상 ▶ 더모베이트®연고 〈몇 개월간~몇 년간의 장기사용〉
각화가 현저한 경우 ▶
활성형 비타민D3제제(옥사롤®연고)〈몇 개월간~몇 년간의 장기사용〉
균열 등을 수반하고, 동통이 있는 경우 ▶
토크담®테이프, 드레니존®테이프 등의 스테로이드테이프 〈몇 개월간~몇 년간의 장기사용〉 비타민H제제 내복(비오틴®산(散)4~5 g/일 분2)〈계속 사용〉(이 질환에서는 비타민H의 결핍이 생긴다는 데이터가 있어서, 환자에 따라서는 유효) 항생제 내복(클라리스®정 200 mg 2T/일)〈1주 정도〉(상기도염증으로 손발바닥이 악화되는 환자에게는 일시적으로 유효한 경우가 있다)

● 스테로이드 외용을 하는 경우, 최강의 더모베이트®연고, 다이아코트®연고 등을 사용합니다. very strong 정도에서는 효과가 없습니다.
● Narrow Band UVB에 의한 자외선치료도 유효합니다. 308 nm 파장으로 특화한 엑시머라이트가 좀 더 효과적입니다.
● 흡연자에게 흔히 발생하는 경향이 있으므로, 금연을 지도합니다. 치과금속으로 인한 알레르기설도 있으며, 편도선, 상기도염증이나 담낭염 등 다른 병소도 원인이 됩니다.
● 실은 이 질환은 어느 정도 자연치유를 기대할 수 있습니다. 5~6년 경과하면, '다 나았습니다'라고 환자로부터 소식을 듣기도 합니다.

환자에 대한 설명

장척농포증은 족부백선과의 합병이 많으므로 주의!

● '발의 피부는 여러 가지 질환이 중복됩니다. 우선 무좀을 치료합니다. 그 때문에 장척농포증이 일시적으로 악화되기도 합니다. 무좀이 일단락되면 치료를 재개하니까, 안심하십시오'라고 설명합니다.

One point Advice

중증례에서는 편도선 제거를 권합니다.

● 이 질환의 원인은 편도선에 있어서 백혈구의 과잉반응이 아닐까 생각됩니다. 흡연자에게 많으며, 교과서에도 그리 기재되어 있습니다. 담배의 발암성물질 등 모든 유해물질이 편도선을 자극하여 백혈구의 유주능(遊走能)을 높인 결과, 말단피부에 무균성 농포를 형성합니다. 피부뿐 아니라, 흉쇄관절 등에도 악영향을 미칩니다. 10% 정도의 환자에게 관절염이 수반되기도 합니다. 편도선을 제거하면 완치되는 환자가 많다고 합니다.

 Q 장척농포증에 족부백선이 합병되면, 항진균제와 스테로이드 외용을 혼합해도 됩니까?

A 절대로 스테로이드 외용제와 항진균제를 혼합하여 사용하지 마십시오. 스테로이드 외용제는 백선을 악화, 항진균제는 장척농포증에 무효(또는 악화)입니다. 우선 족부백선을 1~2개월간 치료하고, 다음에 스테로이드 외용에 의한 치료를 재개합니다.

 Q 전문의에게 소개하는 level은?

A 관절통이 생기고, 사지에 심상성 건선이 합병되며, 농포가 사지에 확대된 경우 등이겠지요. strongest class의 스테로이드 외용제에 반응하지 않는 경우라도 자외선치료(특히 최근 등장한 엑시머라이트)로 상당히 경감됩니다. 일반의에게는 기기구입이 무리라고 생각되므로, 전문의에게 소개합니다.

 Q 그 밖의 치료에서 다른 좋은 방법은?

A 난치성이므로 여러 가지 치료가 있으며, 한방약이 좋다는 설 등이 있습니다. 유해한 일이 생기지 않으면 해봐도 좋을 듯 싶습니다.

 Q 그만두는 편이 나은 치료는?

A 실은 프레드닌®을 내복하여 면역이 억제되면 증상이 사라집니다. 그러나 프레드닌®은 농포성 건선이라는 훨씬 질이 나쁜 질환의 원인이 되므로 중지하십시오. 최근에는 네오랄®, 생물학적 제제 등도 검토하게 되었습니다(단 보험외입니다). 장척농포증은 심상성 건선과 친척관계에 있으므로, 효과가 있을 것이라 기대하는 것 같습니다. 하지만 진료실에서는 중지하는 편이 좋습니다.

37 심상성 건선(psoriasis vulgaris)

건선에는 여러 가지 상태가 있는데, 대부분은 심상성 건선입니다.

심상성 건선은 일본인 300명에 1명이, 백인에서는 50~100명에 1명이 걸린다고 합니다. 실제는 전 세계에서 1억 명 정도라고 합니다. 그러니까 여러분의 진료소에도 몇 개월에 1번은 내원할 것입니다. 매우 특징적인 피부증상을 나타냅니다. 장기간 환자를 괴롭히므로, 일본 건선학회가 존재할 정도이며, 환자모임도 조직되어 있습니다. 건선에는 이 밖에 농포성 건선, 적상건선(滴狀乾癬) 등이 있는데, 대부분은 심상성 건선입니다. 일반의라도 이 질환에 관해서 어느 정도 이해해야 합니다.

진단　경계가 명료한 부풀어 오른 홍반, 인설, 각화 등이 특징입니다.

특징은 다음과 같습니다.

- 경계가 확실한 약간 부풀어 오른 홍반. 크고, 작은 여러 가지 패턴이 있다.
- 은백색의 인설이 부착되어 있고, 벗기면 출혈한다(아우스피츠현상).
- 피부를 비비면 건선이 출현한다(케브넬현상).
- 유소년기에는 드물고, 30대 정도에 발생하는 케이스가 많다.

1 심상성 건선의 전형적 증상 (그림1)

2 작은 염증성 각화 (그림2)

이 정도에서 내원하는 경우가 많습니다.

3 체간부에 생긴 병변 (그림3)

광범위하게 미치는 중증형입니다.

4 하퇴의 병변 (그림4)

하퇴는 난치성이 되는 경우가 많고, 가려움증도 수반합니다.

5 양 팔꿈치의 병변. 자외선요법 개시 전 (그림5)

6 **5**의 자외선요법 시행 후의 개선례 (그림6)

그림1 심상성 건선의 전형적 증상

그림2 작은 염증성 각화

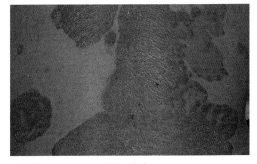

그림3 체간부에 생긴 병변

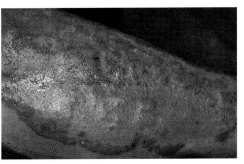

그림4 하퇴의 병변

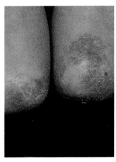

그림5 양 팔꿈치의 병변. 자외선요법 개시 전

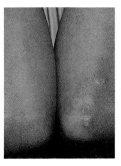

그림6 그림5의 자외선요법 시행 후에 개선

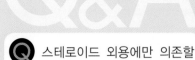

치료

처방례

★ 외용요법
평일 ▶ 비타민D3연고 단독(옥사롤®연고)
주말(금~일) ▶ 스테로이드와 비타민D3의 혼합연고 [도보베트®연고, 마듀옥스®연고(옥사롤®연고와 안테베이트®연고의 혼합)]
★ 가려움증이 있는 경우는 항히스타민제의 내복을 병용한다.
★ 비타민D3제제(스테로이드와의 혼합연고도 포함)는 고칼슘혈증의 위험이 있으므로 대략 1일 10 g까지 사용한다.

- 근년, 비타민D3연고와 스테로이드연고의 혼합제가 발매되어, 매우 편리해졌습니다. 비타민D3연고는 알칼리성으로 안정적입니다. 스테로이드연고는 산성으로 안정적입니다. 양자를 자기식으로 혼합하면 서로의 장점이 제거되어 불안정해집니다. 이것을 연구하여 안정된 상태로 혼합한 것입니다.
- 처음 악화 시에는 혼합연고로 치료하다가, 안정되면, 평일에는 비타민D3 단독으로, 주말에는 위에 기술한 혼합연고로 치료하는 등의 방법에 관한 연구가 중요합니다.
- 본래, 건선환자는 안면에는 거의 홍반, 각화가 확인되지 않습니다. 그러나 증상이 나타난 경우, 혼합연고는 very strong level의 스테로이드를 사용하고 있어서 안면에는 사용할 수 없습니다. 또 비타민D3연고는 그 자극성 때문에 실제는 어려움을 겪습니다. 따라서 보습제 정도를 외용하고, 효과가 없으면 피부과전문의에게 소개합니다.
- 자외선요법은 최근에는 파장 308 nm의 엑시머라이트, 또는 일반적인 Narrow Band UVB(311 nm±2 nm의 파장)에서의 치료가 있습니다. 주에 1회 조사하는 등의 메뉴가 있습니다.
- 최근에는 난치성 심상성 건선에는 생물학적 제제, 면역억제제가 활발히 연구되어, 실제로 사용이 개시되고 있습니다. 개업의도 사용할 수 있는 시대가 도래할지도 모르겠습니다. 하지만 먼 장래의 일이겠지요.

환자에 대한 설명

증상이 장기간 계속되지만, 증상을 완화시킬 수 있다는 점을 설명합니다.

- 환자에게 설명하기 위한 포인트는 다음의 2가지입니다.
  ① 환경, 그 밖의 여러 가지 요인에서 유전자의 스위치가 들어오고, 피부대사가 항진되어 있습니다. 피부는 통상 28일에 교체되지만, 그것이 4~5일로 단축되어 있어서, 그 곳에서 여러 가지 증상이 나타나고 있습니다.
  ② 이 증상들이 상당히 장기간 계속됩니다. 현 단계에서 근본적 치료는 없습니다. 그러나 증상을 완화시켜서 사회생활상, 부자유스럽지 않을 정도까지 개선할 수가 있습니다.

Q&A

 스테로이드 외용에만 의존할 수 없는 것은 왜입니까?

A 심상성 건선에 스테로이드 치료를 계속하면, 드물게 농포성 건선이라는 중증형으로 악화되는 수가 있습니다. 이것은 매우 심각한 질환입니다. 그 때문에 스테로이드 외용 이외의 치료를 우선합니다.

 감염증입니까? 유전성은 있습니까?

A '감염'과 '건선'은 전혀 다릅니다. 타인에게는 감염되지 않습니다. 또 어느 유전자에 스위치가 켜짐으로써 생기는 것 같지만, 자세한 내용은 아직 알 수 없습니다. 유전률은 5% 정도라고 합니다.

 '낫지 않는 것입니까?' 라고 묻는다면?

A '여러 가지 치료가 있습니다. 모두 일시적으로 증상을 완화시키는 치료입니다. 단, 나이가 들면 더불어 자연 치유되는 수가 있습니다. 그러나 대부분은 20~30년으로 경과가 길어서, 함께 한다는 각오가 필요합니다' 라고 설명합니다.

 환자모임이 있다고 들었습니다

A 좀처럼 낫지 않는 질환이므로, 환자가 네트워크를 만들어, 교류하고 있습니다. 여러 단체가 있고, 웹 사이트도 있습니다. 또 "모임일기-'건선'과'무언관(無言館)'과 '나"(窪島誠一郎저, 평범사)가 출판되어 있습니다. 이것도 심상성 건선환자의 실태를 잘 나타내고 있습니다.

One point Advice

엑시머라이트에 관하여

- 엑시머라이트는 현재, 심상성 건선 외래 치료의 비장의 카드 같은 존재입니다. 자외선이 피부질환 치료에 유용한 것은 이제는 상식입니다. 문제는 그 파장입니다. 함부로 강한 선량을 조사하는 것은 발암으로 연결됩니다. 치료효과가 가장 좋은 파장을 선택하여, 그 파장만을 병변부에만 강력하게 조사해야 합니다. 그래서 등장한 것이 308 nm의 파장을 출력하는 엑시머라이트라는 기계입니다.

38 장미색 비강진(pityriasis rosea)

체간부, 사지에 여기저기에 나타나면 장미색 비강진을 의심합니다.

지벨이라는 학자가 최초로 보고하여 이 명칭이 붙여졌습니다. 피부과 수련의가 처음으로 기억하는 질환입니다. 어쨌든 빈도가 높으므로, '체간부, 사지에 여기저기 나타나면 비강진을 의심하라'가 암호처럼 되었습니다. 원인은 헤르페스바이러스과의 바이러스(HHV6, HHV7)가 관여하는 반응, 또는 그 재활성화라는 설이 있습니다.

진단 환자는 10~40세로, 중증감이 없고, 매우 건강. 약간의 가려움증을 수반합니다.

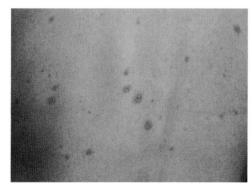

그림1　장미색 비강진 : 등의 홍반

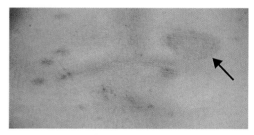

그림2　헤럴드패치

그림3　홍반의 확대

1 등의 홍반 (그림1)

체간부에 갑자기 유합되지 않는 손톱크기~엄지크기의 인설을 수반하는 홍반이 다수 출현합니다. 경도의 가려움증을 수반합니다.

2 헤럴드패치 (그림2)

자세히 관찰합니다. '헤럴드패치'(화살표)라고 불리는, 약간 대형인 중앙에 인설을 수반하는 홍반을 확인합니다. 이것은 '초발진'이라고 하며, 장미색 비강진에서의 최초의 홍반이라고 합니다.

3 홍반의 확대상 (그림3)

중앙에 환상의 인설을 수반하는, 원형 내지 타원형 홍반입니다. 이와 같은 홍반과 유사한 소견을 나타내는 질환이 그 밖에도 있지만, 특징적이라고 할 수 있습니다. 이 증상만으로 장미색 비강진이라고 예상할 수 있습니다.

4 체간부의 전체상 (그림4)

'크리스마스 트리상'이라는 표현이 대부분의 교과서에 기재되어 있습니다. 대개 이와 같은 분포입니다.

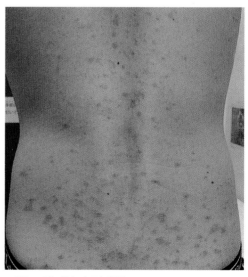

그림4　체간부의 전체상

치료 ▶

처방례

가려움증이 심한 경우 ▶
스테로이드 외용(안테베이트®크림 · 연고) 〈1~3개월간〉

● 치료의 기본은 방치입니다. 1~3개월에 자연 치유됩니다. 때로 강한 가려움증을 호소합니다. 그럴 때는 스테로이드 외용을 하지만, 약간 개선될 뿐입니다. Narrow Band UVB에 의한 자외선치료는 가려움증에도 홍반의 소퇴에도 효과적입니다.

환자에 대한 설명 ▶

환자를 안심시키는 것입니다.

● 자연 소퇴되는 질환으로, 감염성, 유전성이 없다는 점을 확실히 전달하여, 환자를 안심시킵니다.

유사증례 ▶

● 장미색 비강진의 유사증례에는 지루성 피부염 홍반이 있습니다. 전혀 구별이 되지 않는 경우도 있으므로, 경과가 중요합니다. 1~3개월에 완전히 소거되면 장미색 비강진, 그 후에도 재발을 반복하면 지루성 피부염이 됩니다. '매독'(☞p163, Q&A)이나 원인불명의 바이러스감염증의 홍반과 매우 유사합니다.

● 그림5는 지루성 피부염에 의한, 중앙에 인설을 수반하는 홍반입니다. 이와 같은 '장미색 비강진'형 홍반도 존재합니다. 실제는 임상경과로 감별합니다. 그림6은 원인불명의 바이러스감염증에 의한, 배부(背部)의 파종상으로 확대되는 좁쌀크기에서 손톱크기까지의 홍반입니다. '장미색 비강진'과의 구별은 인설의 부착 패턴 등입니다.

그림5 지루성 피부염에 의한 중앙에 인설을 수반하는 홍반

그림6 원인불명의 바이러스감염증

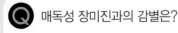
Ⓠ 매독성 장미진과의 감별은?

Ⓐ 매독 제2기에 발생하는 장미진과 감별이 어려운 경우도 있습니다. 매독인 경우, 대부분은 손바닥에서도 홍반이 확인되기도 합니다(☞p162). 체간부의 홍반은 1~2주 정도로 소실됩니다. 장미색 비강진은 1~3개월 지속되며, 통상 손바닥에는 홍반이 생기지 않습니다.

Ⓠ 임신한 경우는?

Ⓐ 임신 중에 장미색 비강진이 발생해도 문제는 생기지 않습니다. 단, 초기에는 풍진 등 다른 바이러스감염증과 매우 유사하므로, 만약을 위해 각종 바이러스 검사를 하는 편이 좋습니다.

Ⓠ 추측되는 원인바이러스는?

Ⓐ 일부 증례에서 EB바이러스, 팔보 B19바이러스, HHV6 또는 HHV7의 항체가 상승이 보고되어 있습니다. 체내의 바이러스가 재활성화되었다는 가설도 있지만, 아직 확실히 증명되지 않은 것 같습니다.

Ⓠ 직장, 학교, 보육원 등에서는 어떻게 대처해야 합니까?

Ⓐ 20~30대의 젊은이들은 왕성하게 일할 시기이므로, 학교, 직장의 문제가 생깁니다. 역학적으로 전염 등은 확인되지 않아서, 특별한 지시는 필요 없습니다. 학교, 보육원 등은 등교가 가능하며, 직장에서의 일도 문제없는 것 같습니다.

39 단독(丹毒)(erysipelas)

안면이 갑자기 종창되고 발열합니다. 방심하면 생명에 관계됩니다.

주로 A군β용혈성 연쇄상구균에 의한 감염증입니다. 이 균은 종양을 형성하지 않고, 인접하는 피부(진피)로 점차 확대되므로, 얼굴이 순식간에 종창됩니다. 따라서 검체에서 세균을 꺼내어 검사할 수가 없습니다. 임상진단으로 신속히 대응해야 합니다.

진단 대부분은 안면에 출현. 편측성 부종성 홍반으로 바로 양측으로 확대되고, 중증감이 있습니다. 때로 수포를 수반합니다.

1 좌측 안면의 종창 (그림1)

안면에 갑자기, 압통을 수반하는 홍반이 출현합니다. 경계가 명료하고, 판처럼 딱딱하며, 환자로부터 '부어 있다'는 호소를 듣게 됩니다. 발열하는 경우가 많고, 전신상태에서 판단하면 중증인 것을 바로 알 수 있습니다. 농양이 형성되지 않아서, 이 상태에서 절개해도 배농은 없습니다.

2 우측 안면의 종창 (그림2)

수포의 형성이라고 생각되는 소견도 있습니다(화살표). 이 점은 대상포진과의 감별이 필요합니다. 거의 동통을 수반하지 않는 경우도 있습니다.

3 며칠 경과한 단독 (그림3)

우측 안면의 병변입니다. 며칠간 경과하여, 홍반이 약간 소퇴되기 시작하고 있습니다. 일부에 인설, 가피를 수반하고 있습니다.

4 하퇴의 습관성 단독 (그림4)

단독은 하퇴 등, 울체성 피부염이 있는 곳에 반복하여 발생하는 수가 있습니다. 원인불명의 고열로 신우신염도, 담낭염도 아니라고 의문이 가면, 하퇴 등에 단독이 없는지를 의심합니다.

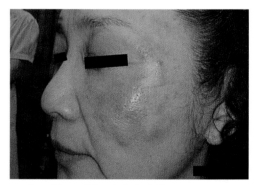

그림1 단독 : 좌측 안면의 종창

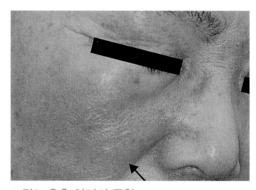

그림2 우측 안면의 종창

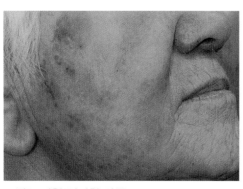

그림3 며칠 경과한 단독

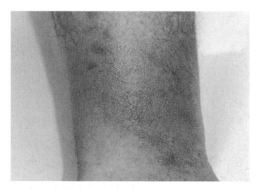

그림4 하퇴의 습관성 단독

치료

처방례

페니실린 내복(사와실린®정 250 mg 3~6T/일)〈10일간~2주 계속〉

- 페니실린의 내복이 first choice입니다. 처음에 철저하게 치료하지 않으면 완치되지 않고, 습관성이 되어 계속 제자리걸음하는 증례가 있습니다.
- 페니실린의 투여로, 다음날은 상당히 경감되었을 것입니다. 그렇지 않으면, 괴사성 근막염, 대상포진, 봉와직염, 단순헤르페스, Sweet병 등, 다른 질환을 고려합니다.
- 이 질환은 단기결전이 됩니다. 가능한 매일 재진하게 합니다.

One point Advice

단독일 가능성은 언제나 염두에 둡니다.

- 안면 이외에 하퇴 등에 생깁니다.
- 급성발생으로 발열하고, 피부가 경계가 명료하게 솟아오르면 단독일 가능성을 언제나 염두에 둡니다.

유사증례

- 단독의 유사증례에는 접촉성피부염(그림5), 대상포진(그림6)등이 있습니다. 그림5는 머리염색으로 인한 접촉성피부염입니다.

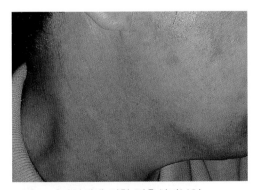

그림5 머리염색에 의한 접촉성피부염

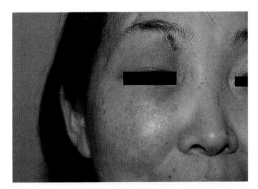

그림6 3차신경 제 I 지의 대상포진
우측 상안검에서 수포~진무름을 확인한다

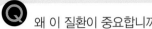
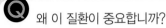
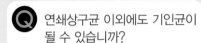
Q 왜 이 질환이 중요합니까?

A 이 질환에 걸린 고령자가 증가하고 있습니다. 용혈성 연쇄상구균이 원인이고, 후에 신장애 등의 합병도 생각해야 하며, 초진 시 진단에서 실수하면 큰일입니다. 일반적으로 고령자, 당뇨병환자 등에 많으므로, 연령구성, 질병인구를 감안하면, 앞으로 증가할 것입니다.

Q 연쇄상구균 이외에도 기인균이 될 수 있습니까?

A 될 수 있습니다. 본래, 제대로 배양하여 치료에 임해야 하지만 질환의 성질상, 검체 채취가 어렵습니다. 조직액, 조직편에서의 PCR에 의한 검출에 의지해야 합니다.

Q ASO, ASK 등은 지표가 됩니까?

A 지표는 되지만, 초기 단계에서의 임상진단이 결정적입니다. '느긋하게 결과를 기다리고 있으면 중증화'가 될 수 있습니다.

Q 가려움증도 호소하고 있으므로, 단독인지 접촉성피부염인지 자신이 없습니다. 어떻게 해야 합니까?

A '우선 해야 할 것은 감염증 치료'의 철칙에 입각하여, 단독 치료부터 개시합니다. 접촉성피부염 증상에서 전신증상의 악화는 없습니다. 항생제를 처방하고, 2~3일 후에 재진하게 합니다. 발적이 악화되어도 전신상태가 매우 양호하면 접촉성피부염이라고 판단하여, 스테로이드 외용을 개시해도 됩니다.

Q 같은 감염증이라도, 왜 봉와직염, 단독은 다른 임상상인가?

A 연쇄상구균, 포도상구균 등 원인균의 종류와 호스트측의 면역상태, 이 2가지가 복잡하게 서로 얽혀 있는 것이라고 추측되고 있습니다.

40 봉와직염(furuncle)

심한 동통을 호소합니다. 절개 여부를 결정해야 하는 긴급사태입니다.

외래에서 반드시 경험하는 감염증입니다. 진피의 하층부터 지방조직(=피하조직)에 걸친, 포도상구균 등에 의한 감염증입니다. 사진으로는 알 수 없지만, 우선 피부가 부풀어 오르고, 동통이 극심하여, 환자 자신도 '보통 일이 아닙니다!'라며 내원합니다.

진단　기인균의 종류에 따라서, 피부의 어디에서 감염이 일어나는지가 결정됩니다.

1 봉와직염 (그림1)

하퇴에 생긴 극심한 염증입니다. 중앙부부터 절개하면, 혈성 고름이 배출됩니다. 근접하는 모낭에서 고름이 흘러나오는 상태를 알 수 있습니다.

2 봉와직염 (그림2)

발목에 생긴 증례입니다. 현저한 부종입니다. 중앙의 가피가 감염부위입니다. 진피의 깊은 곳에서의 감염이므로, 절개로 대량의 배농이 있었습니다.

3 봉와직염 일부에서 림프관염이 생겨서 확대경향이 있는 증례 (그림3)

관절부위이므로 보행이 어렵습니다. 감염이 깊어지면 위험한 부위입니다. 빨리 절개, 배농해야 합니다.

4 손가락에 봉와직염이 생긴 증례 (그림4)

작은 외상을 확인합니다. 그 부위에서의 감염 같습니다. 관절에 발생한 경우는 염증이 관절 내에 도달했을 가능성도 있습니다. 정형외과로 소개합니다. 응급처치로는 18G 바늘에 의한 작은 절개로 충분합니다.

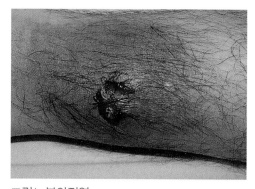

그림1 봉와직염

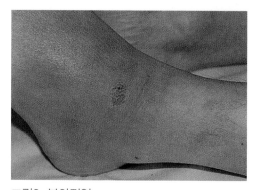

그림2 봉와직염

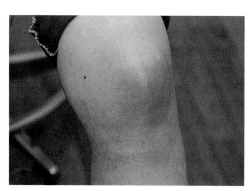

그림3 림프관염이 생겨서 확대경향이 있는 봉와직염

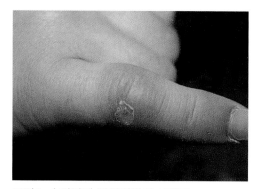

그림4 손가락에 봉와직염이 생겼다

치료

처방례

항생제 내복(케프랄®캡슐 250 mg 3T/일 분3)〈1주정도〉

● 내과의에게는 머리 아픈 절개, 배농처치가 필수입니다. 국소마취 후, 18G바늘을 사용하면 간단합니다. 포인트는 다음과 같습니다.
  ① 우선 혈관종이 아니라는 점을 확인하기 위해서 촉진합니다. 박동을 느끼면 절개는 중지합니다. 필자는 한번, '발적이 경도인 봉와직염?'이라고 오진하여, 혈관종을 찔러서 30분간 지옥 같은 경험을 했습니다.
  ② 만에 하나 구급세트는 준비해 두어야 합니다. 지혈겸자(모스키토겸자로 된다), 봉합세트(지침기, 바늘, 실, 전도)등 입니다.
  ③ 절개 후는 몸의 상태가 악화되는 것을 호소하는 환자(특히 젊은 남성)가 있으므로, 그 처치실에 30분 이상 경과를 관찰합니다.

치료 순서

① 절개한다

① 18G바늘을 사용하여 배농한다

③ 속을 생리식염수로 씻는다

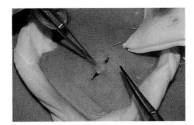

④ 지혈을 겸한 알긴산 드레싱을 채운다

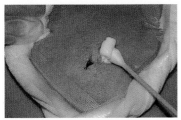

⑤ 항생제(게벤®크림 등)를 도포하고, 가제 보호로 종료

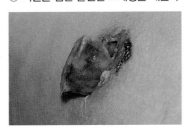

⑥ 다음날 재진 시. 알긴산은 주위 압박으로 조심스럽게 꺼낸다

환자에 대한 설명

외과처치에 자신이 없는 선생님은 신속히 피부과의나 외과의에게 소개합니다.

● 방치하면, 전신상태의 악화 때문에 패혈증이 될 가능성이 있는 점을 설명합니다. 외과처치가 필수이므로, 자신이 없는 선생님은 신속히 소개합니다.

Q&A

Q 절개하자 냄새나는 죽상 내용물이 압출되었다. 그러나 내부에 내용물이 잔존하고, 좀처럼 창부의 발적이 가라앉지 않는다.

A 피하낭종입니다. 긴급도피적으로는 절개배농하여 염증을 억제합니다. 그러나 염증이 치료된 후에는 모두 전적출해야 합니다

Q 절개 후에 흔히 가제를 채워 넣는데, 왜 알긴산을 사용합니까?

A 알긴산에는 지혈작용이 있어서, 절개 후 재출혈예방이 되며, 창상치유를 촉진시킵니다. 또 재진 시에 제거가 간단합니다. 가제는 주위조직에 유착되어, 제거시에 동통이 심하므로 거의 사용하지 않습니다.

Q 외과처치는 전혀 자신이 없습니다. 긴급 시에는 반드시 절개가 필요합니까? 내복은?

A 항생제, 제1세대 세파을 사용합니다. 어느 정도는 진행이 억제됩니다. 그리고 바로 외과처치를 할 수 있는 피부과의 내지는 외과의에게 소개합니다. 본원에서 하는 경우는 절개 후, '기분이 나쁘다'고 호소하는 환자가 많으므로, 절개 후 환자의 상태를 파악해야 합니다.

Q 대상포진, 봉와직염, 접촉성피부염과 증상이 유사한 경우는 어떻게 합니까?

A 대상포진에서는 수포가 띠모양으로 출현합니다. Tzanck테스트에서 거세포를 확인하면 확진합니다. 그러나 수포를 수반하지 않는 단계에서는 어렵습니다. 접촉성피부염에서는 통상, 동통이나 림프절종창 등을 확인할 수 없습니다. 이 3가지 질환이 혼란스러우면 매일 내원하게 하여 경과를 신중히 확인합니다. 그래도 뭔가 치료를 해야 합니다. 초진 시는 봉와직염의 치료부터 시작하고, 다음에 대상포진일 가능성, 마지막에 접촉성피부염의 순서대로 진단하면서 follow합니다.

41 매독

근년 급증하는 성감염증입니다.

성감염증은 ①클라미디아, ②임균감염증, ③성기헤르페스, ④첨형 콘딜로마의 4가지가 대표적입니다. 섹스한 부위와 증상이 합치되므로, 거의 '성병과(성감염증과)' '비뇨기과'를 갑니다. 그런데 문제는 매독입니다. 근래 급증하고 있습니다. 성교의 기회가 스마트폰의 보급 등으로 급증했기 때문이라고 하지만, 그 뿐만이 아닙니다. 의사측에서 간과하고 있을 가능성이 있습니다. 그도 그럴 것이, 이 질환은 일단 감염되어도 '무증상기'가 있고, '병의식이 없이 진행되어 뭔지 모르는 피부증상이 나타나는 질환'이라서, 환자가 병의식 없이 피부과의 문을 두드리고, 의사도 '매독'을 체크하지 못하는 경우가 많습니다.

진단　'매독을 의심하는 눈'이 포인트입니다. 매독이 아주 조금이라고 의심스럽다면 혈청진단을 합니다.

1 음부에서 하복부에 걸친 구진 (그림1)

46세 남성의 초기경결입니다.

2 체간부의 구진 (그림2)

40세 남성입니다. 매독2기진이었습니다. 벌레 물림이나 모낭의 염증과 전혀 구별이 되지 않습니다.

3 체간부의 구진 (그림3)

34세 여성. 이 증례도 매독2기진이었습니다. 언뜻 보면 잘 알 수 없는 원인불명의 응어리…로밖에 생각되지 않습니다.

주의 : 상기의 증례는 모두 초진 시에는 진단하지 못하고, 다른 의료기관에서 후에 '매독'이라고 진단한 것입니다. '돌아보면 저것은 매독증상이었다'라는 것입니다. 그 정도로 매독 소견은 '의심하지 않으면 진단할 수 없는' 것입니다.

표1 매독의 병기·증상

1기잠복기	~3주	무증상
1기	3주~3개월	초기경결, 경성하감, 서혜림프절종창
2기잠복기	3주~3개월	무증상
2기	3개월~3년	장미진, 편평콘딜로마, 탈모, 점막진, 그 밖에 혈행성으로 전신에 파종되어 구진이나 농포가 출현. 매우 다양한 증상
잠복매독	3개월~	무증상
3기매독	3년~10년	고무종, 결절
4기매독	10년~	신경, 심장, 뼈 등의 증상

매독은 'the great imitator'라고 하며, 변화무쌍하고, 매우 다양한 피부증상을 나타냅니다(표1). 피부증상을 보고 바로 '매독'을 진단하는 일

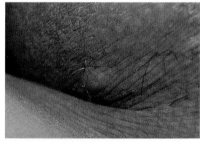

그림1　46세 남성
음부에서 하복부에 걸친 구진. 초기경결

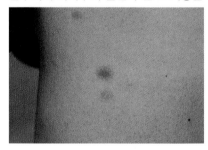

그림2　40세 남성
체간부의 결절. 매독2기진

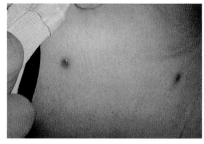

그림3　34세 여성
체간부의 결절. 매독2기진

은 없습니다. 성감염증은 '의심하는 것'이 전부입니다. 우선 '매독을 의심하는 눈'을 기릅니다.

연간 매독환자의 신규발생이 최근 급증하고 있어서, 일본 전국에서 4,000명이 넘었습니다(2016년, 국립감염증연구소의 통계). 실제는 그 배수라 생각됩니다. 그러면 common disease에 가까워집니다. 우리 병원에도 올지 모릅니다. 그럴 때는 '매독을 의심할만한 피부 증상'을 머릿속에 주입시키는 것입니다. 후에 나오는 '유사증례' 임상사진에서 '감'을 기릅니다.

진단 ▶

병리검사

● 진단은 병리에서 매독스피로헤타를 확인하거나, 매독의 혈청검사를 합니다. 일반의가 '병리검사'에서 스피로헤타를 확인하는 것은 매우 큰일입니다. 혐기성균으로 건조에 약하여, 배양할 수가 없습니다. 이것은 정말로 어렵습니다.

● '도말은 어떤가?' '파카잉크로 깨끗하게 염색한다'라는 말을 들은 적이 있습니까? 실은 외래에서는 매독트레포네마를 검출하기가 어렵습니다. 이유는 다음과 같습니다.

1. 진무름의 병변부가 없다

● 1기 단계인 '내성하감'이나 2기의 편평콘딜로마, 점막진 등, 진무름이 있는 병변부가 없으면 안됩니다. 그러나 이 증상으로 외래를 찾는 환자의 빈도가 그다지 많지 않습니다. 서혜부의 림프절종창 뿐이거나 2기의 '장미진' 등에서는 검체를 채취할 수 없습니다.

2. 먹물법

● 고전적인 방법입니다. 이것은 먹물로 염색하는 방법입니다. 트레포네마는 '비춰 보인다'는 것입니다. 필자는 경험이 없습니다. '비춰 보이는' 것을 보고 확정진단 하는 것은 매우 어려운 문제입니다.

3. 스피로헤타의 발견이 어렵다

● 스피로헤타는 직경 $0.2\mu m$, 길이 $6 \sim 20 \mu m$…즉, 매우 가늘고 작은 비실비실한 '꼬인 끈'과 같은 병원체입니다. 먼지와 구별이 가지 않아서 정말로 발견하기 어렵습니다. 책에는 파카잉크 Quink® 블루블랙으로 염색한다…는 기재가 있습니다. 단 균량이 풍부해야 하고, 채취장소가 매독의 병변과 합치해야 하며, 수기가 번잡하다는 등의 이유로 실제로는 시행되지 않습니다. 파카잉크에 의한 매독트레포네마의 현미경사진은 책1)에 게재되어 있습니다.

혈청진단

● 현실적으로 임상증상에서 매독을 아주 조금이라도 의심하면 혈청진단을 합니다. 물론 환자의 양해를 얻은 후의 이야기입니다. 모두 아시는 STS법과 TP항원법 [주로 TPHA법(최근에는 TPLA법), FTSOABS법 등] 의 2종류가 있습니다. 상세한 내용은 문헌을 참고하시기 바라며, 여기에서는 그 양성/음성 조견표를 기록합니다(표2).

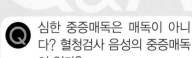

Q 심한 중증매독은 매독이 아니다? 혈청검사 음성의 중증매독이 있다?

A STS 검사에서 항체가 너무 과잉인 경우, 음성을 나타내는 현상입니다. 지대현상(地帶現象)이라고 합니다.

Q 매독검사를 환자에게 권하려고 하는데, 잘 설명할 수가 없습니다.

A 예를 들면 '환자의 피부 증상에서는 여러 가지 질환을 생각할 수가 있습니다. 그 중에서 걱정되는 것은 일종의 감염증입니다. 특히 매독 등인 경우, 환자의 증상과 유사한 상태가 되는 경우가 있습니다. 그러한 것에 감염된 기억이 있습니까?' 라고 합니다.

Q 파카잉크 블루블랙 Quink®의 구입법은?

A Amazon에서 수입품으로 구입할 수 있습니다. 5,000원 정도입니다. 가격이 인상되기 전에 구입해야 합니다. 이상하게 이 잉크만 트레포네마를 '발견'할 수 있습니다. 단지 '블랙' '블루'의 잉크에서는 발견되지 않습니다.

Q 다른 성감염증, 특히 AIDS에 관한 검사는 어떻습니까?

A 매독감염과 HIV의 중복감염이 매우 문제가 되고 있습니다. 매독이라고 확정 진단한 단계에서 일반의는 기간병원에 소개하고, 그 곳에서 HIV검사 등을 맡기는 것이 좋습니다. HIV는 현재는 항레트로바이러스요법(ART)이라는 치료법이 있어서, '불치의 병'이 아닙니다. 환자를 안심시키는 것이 현장에서는 중요합니다. 검사에서 양성으로 나와도 괜찮다고 설명하고, HIV검사는 보건소에서 무료로 할 수 있다는 점도 설명합니다. 물론, 환자에게 승낙을 얻지 않고 의사가 HIV검사를 해서는 안됩니다.

표2 매독의 양성/음성 조견표

STS법	TPHA법	판정
음성	음성	①매독감염 초기, ②초기매독치료 후, ③물론 비매독
양성	음성	①생물학적 의양성, ②매독감염 초기
음성	양성	①지대현상(Q&A참조), ②매독치유 후, ③오래된 매독
양성	양성	①매독!, ②매독치유 후(STS법에서는 서서히 저하)

생물학적 위양성 질환

- 위양성은 다음과 같이 몇 가지 있으므로, 주의하기 바랍니다.
- 감염증 : 결핵, 홍역, 바이러스성 간염, 수두, 전염성 단핵구증, 말라리아, 성홍열 등
- 자기면역질환 : 전신성 홍반성 루푸스(SLE), 특발 혈소판 감소 자색반병(ITP), 관절류마티스(RA)등
- 기타 : 임신, 악성종양, 약물중독, 왁찐접종 등

치료

- 매독은 5류감염증입니다. 전부 보고해야 하므로, 7일 이내에 보건소에 신고합니다. 치료는 물론 페니실린 내복입니다.

처방례

기본▶ 아목시실린 1,500 mg/일 분3
페니실린알레르기인 경우▶ 독시사이클린(200 mg/일 분2)
(염산미노사이클린 200 mg/일로도 가능)
페니실린알레르기인 임부▶
아세틸스필라마이신(1,200 mg/일 분4 내지는 6)
※임산부의 톡소플라스마에 사용하는 약제

- 위의 약제를 1기 : 4주, 2기 : 8주, 3기 : 12주 내복합니다. 도중에 탈락하면 매우 난처해집니다. 초진 시에 매독의 위험성을 충분히 고지하여 중간에 치료를 그만두지 않도록 하는 것이 중요합니다.
- 치료 중에 생기는 Jarisch-Herxheimer반응(모두 알고 있는, 국가고시의 족보)도 확실히 설명하고, '발열한다'고 미리 말해 둡니다. 약물 알레르기와 착각하여 중지해 버리는 경우가 많습니다.
- 성감염증학회의 가이드라인이나 후생노동성의 웹사이트에서 유익한 정보를 입수할 수 있습니다[2)3)]. 문헌[3)]은 매독에 관한 Q&A가 많이 기재되어 있습니다. 또 피부과에서의 성감염증을 알기 위해서는 "Visual Dermatology"에서 '피부과에서 보는 STI'의 특집호[4)]는 필수입니다. 반드시 구입하십시오.

칼럼

성감염증의 현장

- 성병환자의 치료는 매우 어렵습니다. 그 이유는 '1명의 환자=한 가지 성병에 감염'이 아니라, '1명의 환자=복수의 성병에 감염'되는 상황이기 때문입니다. 매독 이외에도 다음의 감염증이 합병되어 있는 경우가 있습니다.

1. 임질

- 남성은 심한 요도염 증상이 있지만, 여성은 무증상인 경우가 많아서 어렵습니다.

2. AIDS 내지는 HIV감염증

- 피부과에서는 아무 것도 아닌 단순헤르페스가 중증화되고, 지루성 피부염이 이상하게 중증감이 있는 등의 초발생상에서 발견되는 경우가 많으므로, 주의합니다.

3. A형간염

- 이 간염은 근년, 성병으로서 증가경향이 있습니다. 항문을 핥는 섹스, 그러한 감염자와의 키스 등으로 발병합니다. 잠복기간은 1개월입니다. 근치료법이 없어서 간염증상이 2, 3개월 계속되며, 대부분은 자연치유됩니다. 그러나 중증화되는 증례도 있습니다.

4. 클라미디아

- 일본에서는 성병으로 가장 환자수가 많습니다. 100만명이 감염되어 있다고 하며, 성기에 증상이 나타납니다. 한편, 근래 오럴섹스에 의한 인두염이 많아지고 있으며, 내과, 소아과에서 인두소견의 감별진단의 하나가 되고 있습니다. 남성 6%, 여성 13%가 클라미디아에 감염되어 있다는 보고도 있습니다[5)]. 여성이 감염되면 불임의 원인이 되므로 중대한 문제입니다. 무증상인 경우도 많은 것이 유행의 한 원인입니다.

5. 첨형 콘딜로마

- 피부과에서는 친숙한 질환입니다. 액체질소가 유효하다고 생각했더니, 좀처럼 낫지 않습니다. 이미퀴모드(베세르나®)의 등장으로 조금은 취급하기 쉬운 질환이 되고 있습니다.

유사증례

● 매독의 유사증례에는 장미진(사진
은 장미색 비강진, 그림4), 편평콘
딜로마(사진은 첨형 콘딜로마, 그
림5), 매독성 탈모(측두부에 많이
생긴다. 감별 곤란), 점막진, 경성
하감(사진은 옴, 그림6), 손바닥의
홍반(사진은 약간 각화경향이 있
는 병변에 보이는 한포, 그림7)등
이 있습니다. 이 증례들을 진찰하
면 만약을 위해서 '성행동'에 관한
질문을 환자에게 하기도 하며, 혈
청검사로 진행합니다.

그림4 장미색 비강진
매독의 장미진과 구별이 어렵다

그림5 귀두부의 편평구진
(편평콘딜로마)?
실제는 바이러스성 첨형 콘딜로마

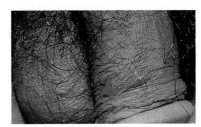
그림6 옴의 구진
매독의 경결과 구별이 어렵다

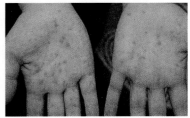
그림7 손바닥의 매독성 홍반?
실제는 한포의 반응이었다

칼럼

성감염증의 문제

● 위에 기술한 것 외에도 사면발이, 성기헤르페스, 질 트리
코모나스 등 매우 많습니다. 즉, 성병 전부를 의심하지 않
으면 근치가 되지 않습니다. 또 치료를 해도 여러 파트너
와 '끊임없이' 활동하는 증례도 상당히 많은 것이 현실입
니다. 게다가 환자는 성행동에 관해서 많은 것을 얘기하고
싶어하지 않습니다. 상업적 성행위를 생계로 하고 있는 환
자는 치료해도 바로 재감염됩니다. 치료하는 의미조차 무
색하게 느껴지는 경우도 있습니다. 진료소에는 동성끼리
의 성행위를 하는 환자도 많이 내원합니다. 남성의 경우,
특정한 파트너와의 성행위는 오히려 적고, 한 사람이 다수
의 남성과 항문을 이용한 성행위를 합니다. 직장점막이 취
약하여 바로 감염되어 버립니다. 성병이 간단히 만연되는
이유입니다.

● 근래, AIDS의 치료가 진보되어, '불치의 병'이 아닙니다.

한편, 그 치료에 드는 의료비는 막대해지고 있습니다. 일
본에서는 매년 1,000명 이상의 신규 AIDS환자가 발생하
고, 그 경향이 변하지 않고 있습니다. 이 질환은 매독과는
달리 '예, 이것으로 약제투여는 끝'이 아닙니다. 일단 발생
하면 평생 고가인 약제를 사용해야 합니다. 매년 1,000명
이상이 고액의 의료비를 부담하고 있습니다. 무방비한 성
행위가 국가의 재정을 압박하는 것입니다. 또 이렇게 되면
체면 불구하고 예방을 강조하는 수밖에 없습니다.

● 외래에서는 다수의 사람과 성행위를 하는 경우는(결코 그
것을 의사가 추천하지는 않습니다)콘돔이나 피임구를 사
용하여, 원인균의 체내침입을 방지하도록 지도하는 이외
에 방법이 없습니다.

● 성풍속으로 성병은 결코 소멸되지 않습니다. 인류가 계속
되는 한 성감염증은 계속됩니다. 매스컴, 인터넷을 사용
한 '예방활동'이 중요합니다. 일본성감염증학회에서는 "성
감염증진단 · 치료가이드라인 2016"을 공개하였습니다[6].
2017판이 완성되면 '2016'을 '2017'로 검색하십시오.

참고문헌

1) 宮地良樹, 외 편 : 피부질환진료 실천가이드-진료실에서
   바로 도움이 되는 탁상reference, 문광당, 2009, p110.
2) 성감염증학회 : 매독.
   [http://jssti.umin.jp/pdf/guideline2008/ 02-1.pdf]
3) 후생노동성 : 매독에 관한 Q&A
   [http://www.mhlw.go.jp/seisakunitsuite/bunya/
   kenkou_iryou/kenkou/kekkaku-kansenshou/
   seikansenshou/qanda2.html]
4) 渡辺大輔, 편 : Visual Dermatol. 2016 ; 15(8-9) : 778-
   946.
5) STD연구소 : 성병에 관한 고민해결사이트(환자용).
   [http://www.std-lab.jp]
6) 일본성감염증학회 : 성감염증 진단 · 치료가이드라인 2016.
   [http://jssti.umin.jp/pdf/guideline-2016.pdf]

42 다발성 모낭염(folliculitis)

체간부 등에 생기는, 조밀하게 부풀어 오른 구진입니다.

이 질환은 실은 자연 치유됩니다. 그래서 대학병원 등의 큰 시설에는 환자가 가지 않습니다. 진료소 레벨에서 거품처럼 사라져 버리는 질환입니다. 따라서 교과서에는 거의 기재되어 있지 않습니다.

진단 모낭 일치성의 약간 큰 구진으로, 자세히 보면 중앙 돌기부위에 농포가 보입니다.

1 복부 등에 다발하는 모낭염 (그림1)

중앙이 약간 부풀어 오르고, 자세히 보면 고름이 있습니다. 털구멍에서의 포도상구균 등의 감염증입니다. 통상은 몸의 상태가 좋지 않아 면역이 저하되면 상재균이 나타나는 것이 아닐까 예상합니다.

2 등에 다발하는 모낭염 (그림2)

이 경우, 심재성 여드름과의 감별이 필요합니다. 요부에까지 도달해 있습니다.

3 모낭염의 확대상 (그림3)

모낭 일치성(一致性)농포입니다. 이와 같은 작은 모낭 일치성 구진을 간과해서는 안됩니다.

4 후두부에 생긴 유두상 피부염에 가까운 상태 (그림4)

모낭염은 후두부에 다발하는 경우가 많고, 만성화되면 부풀어 올라서, 유두와 유사한 증상이 됩니다. 비후성 반흔이나 케로이드와 유사한 상태가 되면 성가십니다. 그렇게 되기 전에 확실히 치료합니다.

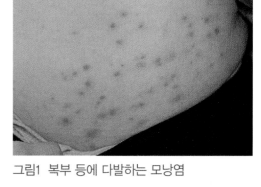

그림1 복부 등에 다발하는 모낭염

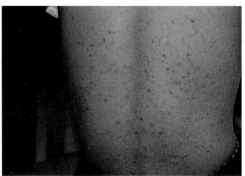

그림2 등에 다발하는 모낭염

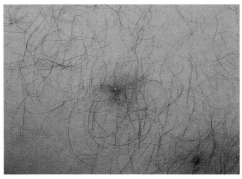

그림3 모낭염의 확대

그림4 후두부에 생긴 유두상 피부염에 가까운 상태

치료

처방례

농포가 있고 동통이 있는 경우▶
항생제 내복(케프랄®캡슐 250mg 3T/일 분3)〈1~2주〉
(소아에게는 L-케플렉스® 소아용과립 체중20kg에 4g분 2정도 1~2주)
항생제 외용(아크아팀®크림)〈1~2주〉

● 특별한 치료가 필요 없긴 하지만, 성급한 환자에게는 항생제를 처방합니다. 발적이 상당히 심하고, 동통이 있으면 봉와직염일 가능성도 고려하여 항생제 내복도 병용합니다.
● 만성화되는 경우는 세파계가 아니라 테트라사이클린계 항생제(비브라마이신®정 100 mg 1T/일 분1 등)를 장기간 내복하게 합니다.

환자에 대한 설명

대부분은 1주정도로 치유됩니다.

● 일부 구진이 농양을 형성하고, 봉와직염으로 발전되기도 합니다. 그 때는 모낭염이 심한 염증에 섞여 버리고, 일부 악화된 부위만 강조됩니다. 방치하면, 드물게 그와 같은 감염증이 될 수 있습니다.

유사증례

● 다발성 모낭염의 유사증례에는 모충피부염, 수두, 전염성 연속종, 여드름 등이 있습니다.
● 모충(毛虫)피부염(그림5)은 밀집성 변화, 분포의 불균일성, 즉 일정한 부위에 집중해 있습니다. 다발성 여드름(그림6)은 모낭염의 친척입니다. 분포가 상배부, 어깨 주위 등에 편재해 있어서, 여드름에 보다 가깝다고 판단하였습니다.
● 또 다발성 모낭염은 수두 초기와 구별이 어렵습니다. 경과를 지켜보아야 합니다. '림프절종창은 없는가?' '수포가 출현해 있는가?'가 포인트입니다.
● 전염성 연속종에서는 소퇴시에 몰루스쿰(molluscum)반응이 일어나, 모낭염과 같은 형태가 됩니다. 주위의 상황 등으로 감별합니다.
● 실재 외래에서 경험해 보면, 여드름과 모낭염은 친척 질환입니다. 엄밀하게 구별할 필요는 없습니다.

 면역부전에 의해서 발생하는 것이 아닙니까?

 이 질환은 유아의 체간부에 언뜻 보기에 수두와 같은 붉은 구진이 다발하기도 합니다. 외래에서는 매우 많고, 전염성 연속종의 몰루스쿰(molluscum)반응이나 농가진의 초기와 매우 유사하여 어렵습니다. 이 질환은 특별히 면역부전도 아닌, 매우 건강한 소아에게 갑자기 발생하여 놀랍습니다.

 한관종과의 차이는 무엇입니까?

 땀구멍의 폐색이 한관종입니다. 홍색한관종, 심재성 한관종 등이 있습니다. 털구멍의 염증이 모낭염입니다. 한관종은 개개 구진이 매우 작아서 구별이 됩니다. 포도상구균의 감염을 합병하는 한선 농양 등으로 발전하면, 모낭염과 구별이 불가능한 경우가 있습니다. 그러나 쌍방 모두 항생제 내복, 외용을 하므로 치료는 어렵지 않습니다.

 자연 치유되면 어쨌든 좋은 거 아닙니까?

 '자연 치유되면, 어쨌든 괜찮은 거' 아닌가 하겠지만, 사실은 진료소 레벨에서는 상당히 자주 내원하여, 고통을 호소하므로 그렇지도 않습니다. 환자는 주로 소아와 젊은 여성입니다. 소아는 보호자가 걱정하며 내원합니다. 젊은 여성은 '수영복을 입을 수 없다'며 내원합니다. '방치해도 낫는다'고 해서는 안됩니다. 얼마나 빨리 낫는가가 포인트입니다.

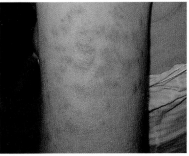

그림5 모충피부염

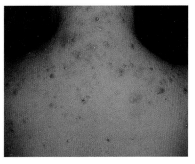

그림6 다발성 여드름

43 전염성 농가진(impetigo)

수포형성의 농가진과 가피형성의 농가진의 2타입이 있습니다.

전자는 황색포도상구균, 후자는 용혈성 연쇄상구균에 의한 것으로, 대부분이 전자입니다. 황색포도상구균이 생산하는 표피박탈요소에 의해서 표피가 과립층으로 분단되어, 수포가 형성됩니다. 마치 화상과 같은 증상이 점차 확대됩니다.

진단　매우 특징적인 진무름과 인설이 확인됩니다.

'여름에 소아에게 피부가 짓물러서 큰일'인 패턴입니다. 가피성 농가진은 드물기도 하고, 조금 어려워서 주의해야 합니다.

1 거의 전형적인 수포성 농가진 (그림1)

수포가 형성되지만, 소아가 스스로 긁어 수포를 터트려서, 진무름을 나타내고 있습니다.

2 겨드랑이 아래의 가피성 농가진 (그림2)

진무름을 나타내지 않고 가피를 형성하며, '마른 느낌'의 병변은 연쇄상구균성을 의심합니다. 페니실린계 항생제를 내복합니다.

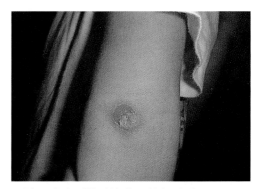

그림1　거의 전형적인 수포성 농가진

3 광범위하게 진무름을 나타내는 증례 (그림3)

이 경우는 단순포진과의 감별이 문제가 됩니다. 초기 단계에서는 감별이 어렵습니다. 항생제 내복, 외용을 해도 확대되거나 소수포가 출현하는 경우 등에는 단순포진도 생각합니다.

4 농가진의 진무름이 있고, 주위에 삼출성 홍반과 같은 증상(화살표)을 나타내는 증례 (그림4)

통상은 극심한 가려움증을 수반합니다. 전염성 농가진은 단순한 감염증이 아니라, 이와 같이 알레르기성이라고 생각되는 소견이 합병되는 경우가 많습니다.

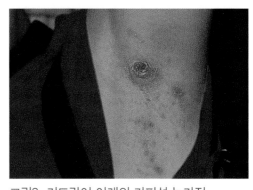

그림2　겨드랑이 아래의 가피성 농가진

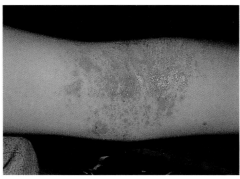

그림3　광범위한 진무름

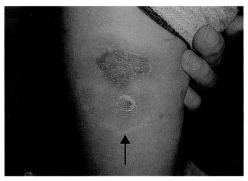

그림4　농가진의 진무름과 주위의 삼출성 홍반

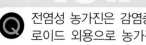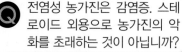

치료 ▶

처방례

가려움증이 없거나 경도인 경우▶
항생제 외용(아크아팀®크림)⟨4~5일간⟩.
가제 내지는 보티시트®(아연화연고 함유 린트포)등으로 덮습니다.
가려움증이 있어서, 긁은 경우▶
외용 : 스테로이드(아르메타®, 리도멕스®연고 등)⟨1주⟩
내복 : 항생제⟨L-케플렉스® 소아용과립 체중20 kg에 4 g/일 분2⟨1주⟩
실제는 2.5~5 g [세프알렉신으로 500~1,000 mg(역가)] 이
된다. 대개 3~4 g이면 된다.
MRSA가 의심스러울 때▶
항생제 내복(호스미신®드라이시럽 40~120 mg/kg체중/일)
연쇄상구균에서는▶
사와실린®캡슐 250 3cp/일 분3⟨10일간⟩ 소아에게는 20~40 mg/
kg/일. 사와실린®세립 10%를 사용하게 되면, 체중20 kg에 30 mg/
kg/일, 600 mg(=6 g)/일, 즉 6 g/일의 내복이 필요하다.

● 초진일에 항생제 외용만을 처방하고, 2~3일 후에 효과를 확인
합니다. 개선이 없으면 내복, 외용 등을 변경합니다. 그 때문에
통원이 필요하다는 점을 알립니다. '고작, 농가진'이라고 쉽게 보
았다가, 급속히 전신으로 확대되어 중증화됩니다. '소아의 경우
무섭다'는 점을 명심합니다.
● 이 질환은 통상 1주정도로 치유됩니다.
● 항생제 내복의 경우, MRSA의 경우를 생각하여 '비장의 카드'로
호스미신®을 남겨둡니다. 초진시는 케플렉스® 등의 제1세대 세
파계로 대처합니다.
● 2~3일 후에 내원하게 합니다. 전혀 변화가 없거나 악화되어 있
으면 호스미신®으로 변경합니다. 가피성 농가진으로 연쇄상구
균을 상정하는 경우는 페니실린계를 투여합니다. 10일~2주 정
도 내복하게 합니다.
● 실제로는 수포성, 가피성의 2가지가 혼재되어 있는 증례도 있으
므로, 2제병용 등, 감수성을 고려한 항생제를 선택합니다.
● 항생제의 사용법은 2장(☞p21)을 참고하시기 바랍니다.
● MRSA = Methicillin Resistent Staphylococcus Aureus

One point Advice

가려움증의 유무, 경도 등, 패턴에 따라서 치료방법이 다릅니다.

● 가려움증이 없으면, 아크아팀®크림의 외용만으로 상당히 개선됩니다. 그
러나 가려움증이 있는 패턴은 매우 어려움을 겪습니다. 이 경우는 항생
제만 외용해서는 낫지 않습니다. 농가진의 균이 비강 내에 상주하고 있
습니다. 여름에는 땀띠 등으로 피부를 긁는 경향이 있어서, 긁은 피부에
비강의 균이 쉽게 이전하므로 농가진이 됩니다. 가려움증을 멈추게 하기
위해서 스테로이드 외용이 필수입니다.

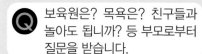

Q 전염성 농가진은 감염증. 스테로이드 외용으로 농가진의 악화를 초래하는 것이 아닙니까?

A 진찰 시 피부는 농가진과 습진반응이 혼재되어 있는 증례가 많아서, 스테로이드 외용을 하지 않으면 염증이 낫지 않습니다. 농가진의 치료는 내복에 맡깁니다. 이 방법으로 여름의 피부과외래를 자주 찾게 되는 것입니다. 항생제, 스테로이드제의 외용을 혼합 사용하는 것은 삼갑니다. 그러나 스테로이드 외용을 계속하면서 항생제 내복을 병용하는 것은 피부과 진료에서는 흔히 있는 일입니다.

Q 보육원은? 목욕은? 친구들과 놀아도 됩니까? 등 부모로부터 질문을 받습니다.

A 보육원은 병변의 범위, 정도에 따릅니다. 일반적으로 안면, 특히 코 주위에 집중되어 있을 때는 등원을 삼가게 합니다. 체간부, 사지에서 범위가 좁은 경우는 가제로 덮고 등원을 허가합니다. 목욕은 샤워정도가 좋습니다.

Q 외용한 후, 짓무른 병변은 무엇으로 피복하면 됩니까?

A 가제가 부착되어 버린 경우는 린트포로 보호합니다. 린트포는 한쪽 면이 푹신푹신하여 진무름부위를 잘 보호해 줍니다.

Q 전염성 농가진의 경과 중에 단순포진이 발생하는 경우가 있을 수 있습니까?

A 있을 수 있습니다. 아토피성 피부염이 있고, 국소를 긁어서, 긁은 흔적과 전염성 농가진이 합병되어 있을 때, 면역시스템의 미비로 단순포진이 악화되는 수가 있습니다. 이것이 카포지수두양발진증이라는 상태입니다. 발열, 전신권태감 등 극심한 전신증상을 수반합니다. 이 상태가 되면 단순포진 치료를 우선합니다.

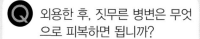

44 진균검사 방법

이것에 숙련되면, 피부진료는 상당한 범위까지 가능합니다.

일반의가 피부과를 주저하는 최대의 장애는 진균현미경검사입니다. 현미경은 피부과의의 '장사도구'입니다. 이 진균검사에 숙련되면, 피부과진료는 상당한 범위까지 할 수 있게 됩니다. 또 현미경이 있으면 진균검사 외에 Tzanck test, 개선의 유무 등도 검사할 수 있습니다.

진단 ▶ 백선균을 발견하는 경우는 대물렌즈는 10배 정도를 권장. 진균이 확인되면 백선입니다.

1 백선균, 균사 (그림1)

갈라져 나오면서 성장하는 모습(화살표). 자세히 관찰하면 균사의 격벽을 알 수 있습니다. 곰팡이가 표피각질 사이를 비집고 들어가는 모습이 보입니다.

2 백선균, 균사 (그림2, 화살표)

3 칸디다 (그림3, 화살표)

4 Tzanck 테스트(김자염색)에서의 바이러스성 거세포 (그림4)

김자염색에서 거세포(화살표)를 확인하는 것은 병변이 바이러스성인지의 판정에 유용합니다. 특정한 바이러스를 해명할 수는 없습니다. 현장에서는 전염성 농가진인지 단순포진인지 의심스러울 때에 유효한 검사법입니다.

5 말라세지아의 포자(그림5, 검은 화살표), 균사 (흰 화살표)

메틸렌블루로 염색했습니다.

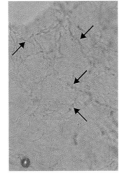 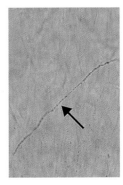 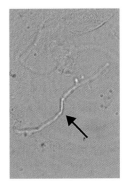

그림1 백선균, 균사　　그림2 백선균, 균사　　그림3 칸디다

6 단순한 섬유 (그림6)

7 모자이크물질 (그림7, 화살표)

인공산물(아티팩트)을 모자이크물질이라고 합니다. 자주 출현하는 인공 결정물입니다. 백선균과 유사하므로, 초심자 시절, 필자도 자주 혼동했습니다.

8 옴 (그림8)

옴의 확정 진단에는 현미경이 결정적 역할을 합니다.

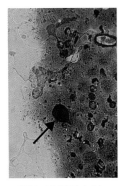 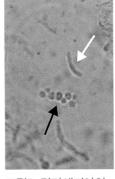 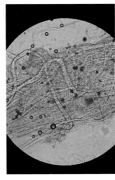 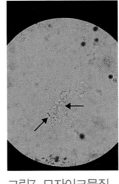 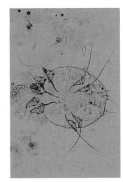

그림4 바이러스성 거세포　그림5 말라세지아의 포자와 균사　그림6 단순한 섬유　그림7 모자이크물질 (인공산물)　그림8 옴

검사순서

① 검체를 채취합니다(그림9). 가시뽑기핀셋을 애용합니다. 수포는 소가위로 수포막을 잘라냅니다.

② 시약을 준비합니다. 주무®라는 상품을 주문할 수도 있습니다. 1일 10회 이상 등, 대량으로 사용하는 경우는 본원에서도 제작이 가능합니다. 20~30% 수산화칼륨용액 6 cc＋디메틸설포키시드 4 cc, 합계 10 cc의 비율로 제작합니다.(수산화칼륨은 12~18% 입니다)(그림10)

③ 슬라이드글라스에 검체를 얹고, 커버글라스로 덮습니다. 시약을 커버글라스와 슬라이드글라스 사이에 표면장력을 이용하여 염색합니다(그림11). 라이터로 뜨겁지 않게 가볍게 쬐고 종료합니다(그림12). 1~2분 후에 현미경으로 관찰합니다.

④ 현미경(그림13)의 조리개를 조절하여 가장 보기 쉬운 위치로 맞춥니다. 일반적으로 조리개의 위치를 '낮추는' 개방조리개로, 검체 전체에 빛이 비치도록 합니다. 처음에는 인공산물을 백선균으로 오진하지만, 익숙해지면 백선균의 격벽이나 균사의 분지를 잘 알 수 있어서, 진단할 수 있습니다.

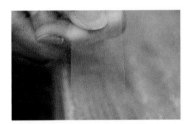

그림9 검체를 채취

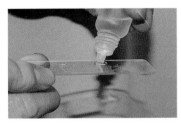

그림11 커버글라스로 덮고, 시약을 끝에서부터 스며들게 한다

그림12 라이터로 가볍게 쬔다

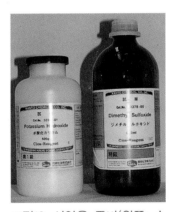

그림10 시약을 준비(왼쪽: 수산화칼륨, 오른쪽: 디메틸설포키시드)

그림13 현미경

참고문헌

1) 常深祐一郎 : 매일 보고 있는 피부진균증 제대로 진단·치료하고 있습니까? 남산당, 2010.
2) 갈델마 : 진균검사법 [http://www.hifushinkin.jp/kisokoza/indes.html]

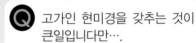

Q 백선균, 칸디다균, 전풍균(Malariotherapy furfur)의 현미경상 판별은 어떻게 트레이닝하면 능숙해집니까?

A 최근에는 인터넷으로 균사의 영상을 간단히 볼 수 있습니다. 일본피부과학회 홈페이지(http://www.dematolor.jp/)에도 일반인용 Q&A의 '백선'에서 균사의 현미경사진을 확인할 수 있습니다. 또 백선과 유사한 인공산물에도 익숙해져야 합니다.

Q 고가인 현미경을 갖추는 것이 큰일입니다만….

A 피부과의가 타과 의사와 다른 점은 '현미경을 사용할 수 있고, 그것을 이용하여 진균(무좀)을 신속히 진단할 수 있는' 점입니다. 피부과 진료를 하고 싶다면 현미경의 구입을 권장합니다. 최근에는 인터넷의 옥션에서 중고품을 살 수 있습니다. 시가의 10분의 1 정도로 구입이 가능합니다.

Q Tzanck Test란?

A 김자염색을 이용하여 바이러스성 거세포의 유무를 확인하는 테스트입니다. 검사키트가 시스멕스 국제시약주식회사에서 디프·퀵®이라는 상품명으로 판매되고 있으며, 3종의 병으로 이루어져 있습니다. 처음에 고정액, 다음 2종의 염색액에 검체를 담그면 종료입니다. 이 시약은 매우 뛰어나서, 적당히 염색해도 훌륭한 소견을 얻을 수 있습니다.

VI

진균감염증 ④ 진균검사 방법

45 두부백선(trichophytia)

두부에 생기는 백선으로, 항진균제의 내복이 필요합니다.

두부에도 백선이 생깁니다. 외래에서 접하는 백선감염증 중에서 이 질환은 항진균제의 내복이 필요합니다. 유도부 등, 격투기에 소속된 스포츠부원 사이에 크게 전염되어 유명해졌습니다.

진단 ▶ 두부의 어렴풋한 고리모양, 또는 고름이 있는 홍반입니다.

1 고교생 유도부원에게 생긴 두부백선 (그림1)

두발 내를 자세히 관찰하면 병변이 고리모양인 것을 알 수 있습니다(화살표). 바쁜 외래 중, 제대로 피부를 관찰하는 것의 중요성을 알 수 있습니다. 족부백선 등, 그 밖에 백선의 병변은 없습니다. 유도의 교류시합 중, 타 학교의 감염자와 접촉했을 때에 감염된 것으로 생각됩니다.

2 켈수스독창(禿瘡). 두부백선의 중증화증례 (그림2)

두부백선이 중증화되면, 이와 같이 탈모증상이 되어 병변부에서 배농합니다. 농즙, 인설에서는 백선균이 다수 관찰됩니다. 항진균제의 내복이 필요합니다.

3 발톱백선에서 두부백선이 생긴 증례 (그림3, 4)

그림3은 두부부터 경부에 걸친 백선입니다. 이 환자는 그림4처럼 발톱백선이 있고, 그 곳에서 두부, 경부로 확대 전파되었다고 생각됩니다. 발톱백선을 방치하면, 두부 등으로 확대되어 탈모를 수반하는 켈수스독창으로 진행되기도 합니다. 이 단계에서 확실히 치료해야 합니다.

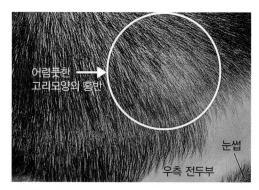

어렴풋한 고리모양의 홍반

눈썹

우측 전두부

그림1 두부백선

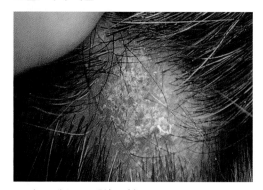

그림2 켈수스독창(禿瘡).
두부백선의 중증화증례

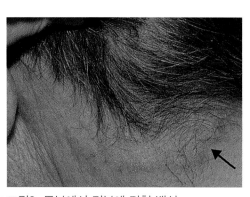

그림3 두부에서 경부에 걸친 백선

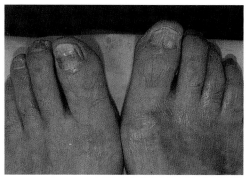

그림4 그림3 환자의 발톱백선

치료 ▶

처방례

항진균제 내복 [라미실®정 125 mg 1T/일 분1 〈2~4주정도〉 또는 이트리졸®캡슐 50 mg 1~2CP/일 분1~2] 〈2~4주정도〉

※ 쌍방 모두 간기능장애의 부작용이 많으므로, 내복 전에 혈액검사를 실시. 이트리졸®은 병용금기·주의할 약제가 많으므로, MR을 불러서 자세히 정보를 얻을 것.

● 항진균제 외용은 효과가 없습니다. 소아의 두부백선은 전문의에게 소개하십시오. 왜냐하면, 내복항진균제는 부작용이 많아서 취급하기 어려운 약제이기 때문입니다.

● 항진균제의 투여기간에 관해서는 2주만에 현저한 효과가 있다거나 12주만에 현저한 효과가 있다는 등, 여러 설이 있습니다. 균종에 따라서 다르다는 설(원인균은 Trichophyton tonsurance 나 Microsporum canis등)도 있습니다. 대개 기간시설에서의 보고입니다[1]. 장기간 투여로 치유하는 것은 당연합니다. 문제는 얼마나 단기간에 종료하는가 입니다.

● 실은 항진균제 내복은 간기능장애의 빈도가 높습니다. 게다가 중증화되기도 하여, 한 번 발병하면 감당하기 어려운 경우도 있습니다. 입원시설이 있는 큰 병원이라면 부작용이 나타나도 입원시키면 됩니다.

● 그런데 개업의로서는 그렇게까지 악화시켜서는 안됩니다. 요컨대 입원 등의 사태를 어떻게 피하는가가 문제입니다. 가능한 단기간에 종료시켜야 합니다. 그러기 위해서 여기에서는 항진균제 내복은 2~4주로 됩니다, 라고 했습니다. 그래서 경과를 보고 치료가 어렵겠다고 생각하면 전문의에게 소개하면 됩니다. 항진균제 내복은 주의합니다.

환자에 대한 설명 ▶

Follow기간은 1개월정도입니다.

● 내복을 단기간에 중단하면 좀처럼 낫지 않는다는 점을 환자에게 강조합니다. 예전에는 '기계충'이라고 불렀습니다. 두부 지루성 피부염과도 매우 유사하므로, 환자에게는 '전혀 다른 질환입니다' 라고 확인합니다.

One point Advice ⤳

'두부의 케어'의 대표적 감별질환은 백선, 머릿니입니다.

● 지루성 피부염은 두부에 스테로이드 외용을 하는 경우가 많아서, 족부백선이 합병되어 있는 환자는 발에서 머리로 감염됩니다. 유아, 초등학생에게도 백선이 발생합니다. 또 머릿니는 충란의 발견이 중요합니다.

Q&A

Q 간기능장애가 있어서 항진균제가 내복 불가능한 경우는?

A 입원시설이 있는 피부과로 소개하는 것이 좋습니다.

Q 켈수스투창이란 무엇입니까?

A 소아에게 많은 질환입니다. 두부백선이 진행되어, 더욱 심각해진 상태입니다. 농양의 형성, 농즙압출, 탈모를 수반하고, 동통이 있습니다. 발열 등의 전신 증상을 수반하기도 합니다. 이 질환은 전문의에게 소개해도 치유 후에 반흔성 탈모가 생깁니다. 두부백선이라고 진단할 수 없어서 스테로이드 외용을 계속하여, 발생하는 증례가 많습니다.

Q 털이 있는 부위의 백선이라면 남성의 수염에도 발생합니까?

A 수염에 발생하는 백선을 백선균성 모창이라고 합니다. 두부백선과 같은 발생패턴입니다. 항진균제 내복이 됩니다.

Q 두부백선에는 왜 항진균제를 내복합니까? 외용만으로 충분하지 않습니까?

A 두발, 모낭 내부에 깊이 감염되고, 털 그 자체에도 침입합니다. 그렇게 되면 외용만으로 치료가 불가능합니다. 외용만으로는 언뜻 보기에 표면에서 백선균이 소실된 듯이 보여서, 백선치료를 중지하는 수가 있습니다. 그렇게 되면 백선은 모낭 심부로 점차 진출하여, 난치성 상태가 됩니다. 따라서 두부백선은 조기부터 내복을 권합니다.

46 수부백선, 족부백선

손발의 백선은 반드시 세트로 생각합니다.

일본인의 '국민병', 무좀입니다. 수포를 형성하는 타입은 극심한 가려움증을 수반하므로, 이 명칭의 유래가 있습니다. 사상균이라는 균은 손바닥, 발바닥 피부의 케라틴(Keratin)을 매우 좋아합니다. 족부백선과 수부백선은 세트로 생각하여, 족부백선이 있는 환자는 반드시 손도 진찰합니다.

> **진단** 지간형, 소수포형 · 한포형, 각질증식형의 3타입이 있습니다.

패턴인식으로 기억할 수밖에 없습니다. 손발바닥은 각질이 똑같은 형상이므로, 진단, 치료 모두 유사합니다.

1 지간형(趾間型) (그림1)

흔히 있는 타입입니다. 발가락사이에 발생하는 타입입니다.

2 소수포형 · 한포형 (그림2)

수포를 형성하는 타입, 한포와 유사한 타입이 들어갑니다.

3 각질증식형 (그림3)

손발바닥이 딱딱해지고, 비후됩니다.

4 이한성 습진(흰 화살표)과 족부백선(검은 화살표)의 혼재 (그림4)

5 손바닥의 백선. 각화형 (그림5)과 한포형 (그림6)

6 큰 수포를 형성한 족부백선 (그림7)

7 손가락에 발생한 백선 (그림8)

수부백선입니다. 스테로이드를 외용(마이저®연고)하고 발생했습니다. 도저히 백선이라고는 생각할 수 없는 증상입니다. 진균검사로 백선균 요소를 확인했습니다.

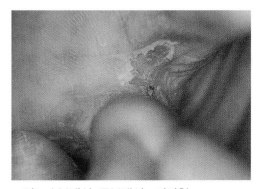

그림1 수부백선, 족부백선 : 지간형

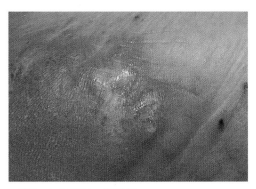

그림2 소수포형 · 한포형

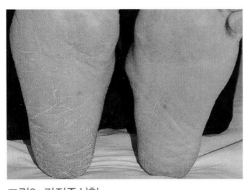

그림3 각질증식형

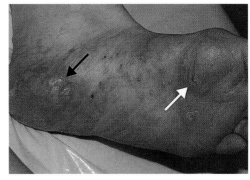

그림4 이한성 습진과 족부백선의 혼재

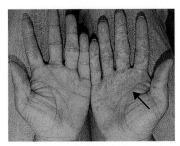

그림5 각화형 수부백선(화살표)

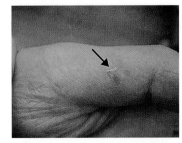

그림6 한포형 수부백선(화살표)

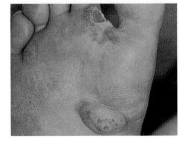

그림7 큰 수포를 형성한 족부백선

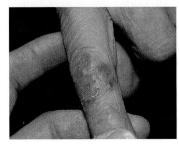

그림8 스테로이드 외용으로 발생한 백선

치료

처방례

지간형으로 짓무르지 않은 타입, 한포형▶ 항진균제 외용(루리콘®크림, 제프나이트®크림 1회/일)〈2~3개월간〉

각질증식형▶ 위에 기술한 항진균제와 요소제(아세티롤®등)를 중복하여 외용하면 효과적

외용만으로 난치 케이스▶

항진균제 내복(라미실®정 125 mg 1T/일 분1)〈2개월정도〉

지간의 짓무른형, 수포형성으로 진무름을 수반하는 형▶

항진균제 외용(아스타트®연고, 아틀란트®연고)〈2~3개월〉

● 외용제는 크림, 액체, 스프레이, 연고형 등이 발매되고 있습니다. 이 중에는 크림타입이 침투가 좋아서, first choice가 됩니다.

● 지간형, 소수포 등 짓무른 곳은 자극이 약한 연고타입을 권장합니다. 각질증식형은 각질이 두꺼워서 약제가 침투하지 못하므로, 대부분은 항진균제를 내복합니다. 내복기간은 개인차도 있지만 피부의 대사를 생각하면 2개월 정도입니다. 간기능장애의 유무를 체크하면서 처방합니다.

환자에 대한 설명

완전히 치유되어도 1개월간은 외용을 계속합니다.

● 족부백선과 이한성 습진이 합병되어 있는 경우가 많으므로, 신중하게 설명합니다. '수부백선이나 족부백선이 낫더라도 이한성 습진(땀띠)이 치유되지 않은 경우도 있습니다. 너무 신경쓰지 말고, 우선은 무좀을 치료합시다' 라고 설명합니다.

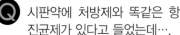

Q 시판약에 처방제와 똑같은 항진균제가 있다고 들었는데….

A 실은 항진균제가 시판되고 있습니다. '의사 진찰을 받았는데 시판약과 똑같은 것을 처방한다'면 조금 부끄럽겠지요. 시판되지 않는 항진균제는 효과도 양호하므로 권장합니다. 2016년 6월 현재, 루리콘®, 제프나이트® 등이 대표적입니다.

Q 손가락에는 '지간(指間)형' 백선이 있습니까?

A 손에서는 '지간(趾間)형'에 해당하는 '지간(指間)형'이 매우 적고, 칸디다가 증식하는 경우가 많습니다. 그러나 칸디다나 백선도 치료는 같은 항진균제 외용입니다.

Q 항진균제에 의한 접촉성피부염이 많다고 하던데….

A 접촉성피부염이 생기면 1주정도 스테로이드를 외용하고, 그 후, 다른 항진균제를 사용합니다. 그러나 구조가 유사한 약제에서는 다시 접촉성피부염이 생기므로, 그와 같은 경우는 전문의에게 소개합니다.

Q 이 균은 손발바닥의 케라틴이 먹이였는데, 여기에 진균이 머물면 아무리 시간이 지나도 낫지 않는 것이 아닙니까?

A 낫지 않는 이유는 케라틴에 있습니다. 증상이 나타나는 상태에서는, 환자가 열심히 외용합니다. 문제는 증상이 소실되었을 때입니다. 사상균은 케라틴 속에 '포자'로서 실드(방호막)를 덮고 존재하고 있습니다. 이 상태에서는 좀처럼 죽지 않습니다. 따라서 손발바닥의 케라틴이 대사되는 1개월간, 항진균제를 계속 외용해야 합니다. 1개월 정도 경과하면, 사상균이 없어져서 완치됩니다.

47 조백선(爪白癬)

백선을 방치하면 손발톱까지 백선균이 들어가서, 조백선이 됩니다.

조백선이란 백선균이 손발톱에 침입하는 것을 말합니다. 오랫동안 항진균제 내복이 first choice였습니다. 그 하나인 이트리졸®, 정작 사용하게 되면 병용금기약이 많습니다. 그럴 것이, 라미실®은 간기능장애로 소란을 피우는 등, 치료에 매우 어려움을 겪고 있습니다. 그러나 근래 외용제가 등장하여, 극적으로 치료가 변하고 있습니다.

진단　발톱이 황백탁해지고, 거기에 발톱의 비후가 추가됩니다.

발톱 끝에서 가시뽑기핀셋 등으로 너덜너덜해진 발톱의 성분을 긁어냅니다.

현미경으로 진균요소를 발견하면 확정 진단합니다. 증상은 '후경조갑(厚硬爪甲, 두껍고 딱딱한 발톱)', '심상성 건선', '장척농포증인 발톱의 변화'…등과 매우 유사합니다. 치료해도 낫지 않는 '자칭 조백선'은 대부분의 경우, 의사측에서 오진하고 있습니다.

1 발톱백선의 전형례 (그림1)

발톱의 일부가 황색으로 변색, 비후되고, 쐐기상으로 파고 들어가는 소견도 있습니다.

2 1 의 환자의 안면 (그림2)

발톱백선의 균이 안면으로 확대되고 있습니다.

3 장기간 방치하여 비후가 현저해진 발톱백선 (그림3)

이렇게 되면 항진균제를 내복해도 잘 치유되지 않습니다. 조갑하각질 증식이라는 소견입니다.

4 발톱백선 (그림4)

중앙에 백색 횡선이 있는 증상입니다. 이와 같이 새하얗고, 약간 표재성에 가까운 경우는 외용만으로도 개선되는 수가 있습니다. 그림5는 그 1개월 후입니다. 백색의 혼탁부위가 발톱이 자람에 따라서 원위(遠位)로 밀리는 것을 알 수 있습니다.

5 두껍고 딱딱한 조갑 (그림6)

이것은 발톱백선이 아닙니다. 백선과 같은 황색 또는 흰 변화가 부족하고, 전체적으로 일정한 혼탁입니다.

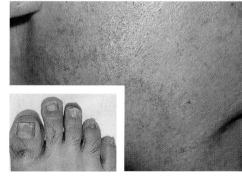

그림1 발톱백선　　그림2 그림1 환자의 안면

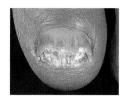 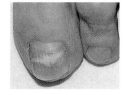

그림3 장기간 방치로　　그림4 발톱백선
　　　 비후가 현저한
　　　 발톱백선

 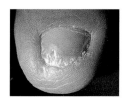

그림5 그림4의 1개월　　그림6 후경조갑(두껍
　　　 후　　　　　　　　　 고 딱딱한 발톱)

치료　　처방례

클레나핀®손톱외용액 10% 1회/일 루코나크®손톱외용액 5% 1회/일

- 손톱백선 전용 외용항진균제가 등장했습니다. 손톱백선을 치료하려면 손톱케라틴 내 깊은 곳에 약제가 도달해야 합니다. 이것은 종래의 항진균제에서는 어려웠습니다. 신형 손톱용 항진균외용제는 이 케라틴을 아랑곳 하지 않고, 손톱 깊은 곳에 있는 균을 목표로 공격합니다. 완전치유율은 내복의 항진균제에 떨어지지만, 부작용은 겨우 접촉성피부염정도입니다.

- 종래부터 존재해 있던 이트라코나졸(이트리졸®)펄스요법, 라미실®내복요법 등은 위에 기술한 외용제가 효과가 없으며, 병용금기약·주의약이 없이, 항진균 내복제의 첨부문서에 있는 '중대한 부작용(Web에서 열람가능)'이 일어날 수 있다는 점을 이해한 환자에게 한정하게 됩니다. 그렇다고는 하지만, '중대한 부작용'을 환자에게 읽게 하면, 99%가 거부합니다.

- 확실히 말하자면, 개업의레벨에서는 '항진균제 내복의 시대는 끝났다'는 것입니다. 금후는 외용으로 어떻게 치료하는지가 과제가 됩니다. 전문가의 치료지침[3]등을 읽으면 '내복이 first choice'라는 기재가 있습니다. 그러나 항진균제 내복의 부작용은 때로 매우 심각합니다. 또 필자의 경험에서는 고령자에게는 50% 이상 부작용이 발현한다고 해도 과언이 아닙니다.

- 위에 기술한 외용제, 예를 들어 루코나크®손톱외용액을 대개 1년간 계속해도 임상적으로 황백탁이 치료되지 않는 경우는 어떻게 해야 할까요?(첨부문서상은 48주)우선 진균검사를 합니다. 그 결과, 균이 양성이면, 다음의 손톱용 항진균제 크레나핀®손톱외용액을 처방하고, 다시 약 1년간 상태를 봅니다. 단, 루코나크®도 크레나핀®도 모두 고가 약제이므로, 계속 사용할 수 있는지의 여부는 불분명합니다. 그 때문에 1, 2개월 휴약기간을 둘 수도 있습니다.

- 하지만, 그래도 낫지 않는 경우는 어떡합니까? 손톱백선은 다른 부위에 백선균이 감염되는 "출격기지"입니다. 고부(股部)백선, 족부백선, 얼굴백선, 어디에도 생길 수 있습니다. 아무리 해도 외용제의 효과가 없고, 고령자 등에서는 내복이 불가능할 때는 '더 이상 악화시키지 않는다'는, 즉, "백선균 강금작전"을 감행합니다. 무리하게 항진균제를 내복할 필요는 없습니다. 환자의 생명과 바꿀지도 모르는 치료(내복치료)는 삼가야 합니다. 서두르지 않는다, 서두르지 않는다….

- 균이 음성인 경우, 장기간의 백선균감염으로 인한 손톱·조상(爪床)의 파괴·변성을 생각합니다. 이미 균이 없습니다. 외견상의 문제, 또는 균이 깊은 곳으로 격리된 상태라고 할 수 있습니다. 이럴 때는 잠시 상태를 지켜봅니다. 2, 3개월마다 재진하여, 진균검사를 하면 더욱 좋습니다.

유사증례

- 발톱백선의 유사증례에는 심상성 건선, 편평태선 등 여러 가지가 있는데, 가장 많은 것은 무엇보다도 구두로 인한 압박변형 등으로 생기는 후경조갑(두껍고 딱딱한 발톱,그림6)입니다. 이것을 발톱백선으로 오진하지 않도록 주의합니다.

 Q 혈액검사를 하면서 항진균제 내복을 해도 됩니까?

A 내복항진균제의 대표적인 부작용은 간기능장애입니다. 때로 중독이 됩니다. 라미실®은 사망례도 보고되어 있습니다. 건강한 젊은이라도 부작용 때문에 괴로울 수 있습니다. 또 이트리졸®은 병용금기·주의약이 많은 종류에 속합니다. 따라서 이 약제는 위험이 있는 환자, 특히 고령자에게는 사용해서는 안됩니다. 요컨대, 손톱백선의 치료로 목숨을 걸 필요가 없다는 것입니다. 단, 이 내복제는 두부백선, 일부 얼굴백선, 외용제가 무효인 광범위한 체부백선·내장진균증 등에서 필요합니다.

 Q 손톱외용액의 유효율이 내복제보다 떨어지므로, second choice는 역시 내복입니까?

A 참고문헌에서는 손톱백선의 완전치유율이 라미실®40~46%, 이트리졸®23%, 크레나핀®15~18%입니다[1]. 이 결과에서 단순히 비교하면 라미실®의 내복이 first choice가 됩니다. 중증 부작용이 발생했을 때에 대처할 수 있는 시설에서는 이 데이터의 순위로 치료를 생각하면 됩니다. 그러나 일반의는 안전성을 고려하여, 크레나핀®등의 외용제를 first choice로 해야 합니다.

 Q 역시 내복을 희망하는데… 그럴 때는?

A 내복을 희망하는 경우는 첨부문서의 내용에 관해서 승낙의 사인을 기입한 후에 투여합니다. 고령자의 손톱백선의 경우, 이와 같은 경우는 아마 거의 없으리라 생각됩니다.

 Q 소아의 발톱백선은?

A 경험상, 손톱백선용 외용제는 문제 없이 사용할 수 있습니다. 단, 첨부문서상, '사용경험이 없으므로' 신중히 합니다. ["진료소에서 보는 어린이의 피부질환"(일본의사신보사 간행)p116 참조]

참고문헌

1) 常深祐一郎 : 피부임상.
　　2016 ; 58(6) : 900-3.

48 기저귀 부위에 생기는 칸디다감염증

밀폐된 습윤환경에는 상재균인 칸디다가 증식합니다.

병적으로 증식한 경우, 일본에서는 '유아 기생균성 홍반'이라고 합니다. 이것은 칸디다에 의한 기회감염입니다. 소아나 성인이 기저귀를 사용하고 있는 경우에 똑같은 진단, 치료방침이 됩니다.

> **진단** 작은 홍반이 점재해 있으면 칸디다라고 판단합니다.

현미경으로 칸디다를 발견하는 것이지만, 그렇게 잘 되지는 없습니다. 그럴 때는 임상소견으로 판단합니다. 작은 홍반이 점재해 있으면 칸디다라고 판단해도 지장이 없으나, 실제는 달라붙은 홍반과 혼재해 있어서, 통상의 너무 문지른 증례와 구별이 되지 않습니다.

1 칸디다증에 의한 홍반 (그림1)

조밀하게 약간 부풀어 오른 홍반 다발입니다. 대개 이와 같은 증상이므로, 패턴인식이 중요합니다.

2 여아의 음부에 생긴 증례 (그림2, 화살표)

그다지 다발하지는 않습니다. 음부에서 주위로 산포되어 있는 상태를 알 수 있습니다.

3 너무 문지른 것과 칸디다증의 혼재 (그림3)

너무 문지른 것에 의한 기저귀피부염이 본래 존재하고, 설사로 칸디다의 증식이 생긴 증례입니다. 실제는 이와 같이 마찰로 인한 홍반(흰 화살표)과 칸디다(검은 화살표)의 홍반이 혼재해 있습니다.

4 칸디다의 가성균사 (그림4, 화살표)

진균검사는 중요합니다. 현미경검사에서 이와 같은 칸디다의 가성균사를 확인합니다.

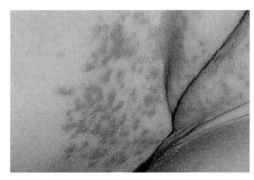

그림1 칸디다증에 의한 홍반

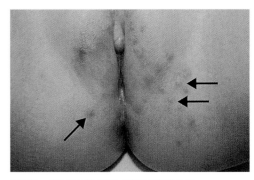

그림2 여아의 음부에 생긴 칸디다증

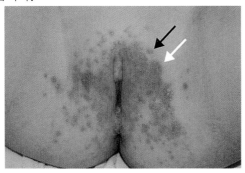

그림3 너무 문지른 것과 칸디다증의 혼재

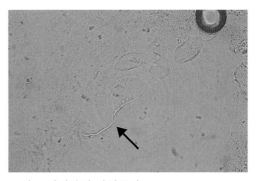

그림4 칸디다의 가성균사

치료

처방례

세정만으로 낫지 않는 경우▶

항진균제 외용(아틀란트®연고, 아스타트®연고 등), 가능한 자극이 적은 연고타입의 항진균제를 선택〈1~2주〉
※기저귀 교환시에 약제가 닦여 버리므로, 환부에는 하루에 여러 차례 사용.

● 칸디다라고 해서 안이하게 항진균제를 사용하지 않습니다. 우선은 세정입니다. 이것을 1주정도 하고, 낫지 않으면 항진균제를 사용합니다.

환자(보호자)에 대한 설명

'세정' '문지르지 않는다' '잘 건조'가 포인트입니다.

● 칸디다와 같지만, 균이 검출되지 않거나, 현미경이 없는 경우, 장소는 음부 주위이므로 보호자의 걱정이 보통이 아닙니다. 트러블시의 고통을 견디지 못할 것이라 예상되는 경우는 우선 '세정만' 합니다. 즉, 치료의 순서는 다음과 같습니다.
  ① 세정(미지근한 물로 잘 씻어줍니다).
  ② 문지르지 말고 조심스럽게 타월로 닦습니다.
  ③ 잘 건조시킵니다. 무리하게 건조시키려고 박박 문지르지 말 것.
● 수진 시는 '좋아질지 모르겠는데, 우선 약을 사용하지 말고 해봅시다'라고 설득합니다.
● ①~③을 1주정도 하고, '아무래도 낫지 않네! 이거 이상하네! 칸디다인가?' 라고 판단하면 항진균제를 사용합니다. 그 경우도 신중하게 '염증이 생기는 수가 있으므로, 아무쪼록 주의하시기 바랍니다'라고 거듭 확인합니다.
● 칸디다는 기저귀 부위에만 생기는 것이 아니라, 손가락 사이에 생기는 칸디다성 지지간 진무름증(그림5)이라는 질환도 있습니다. 물작업이 많은 성인의 손가락, 특히 4~5지 사이에 호발합니다. 주위에 인설을 수반하는 습윤된 발적입니다.

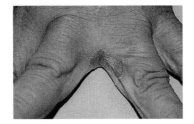

그림5 칸디다성 지지간(指趾間) 진무름증

One point Advice

우선 납득해야 하는 것은 '칸디다는 상재균'이라는 점입니다.

● 상재균이란 보통 그곳에 살고 있는 '선주민'입니다. 그러니까 거칠게 대해서는 안됩니다. 항진균제를 안이하게 음부, 둔부에 외용하면, 뜻밖의 일이 생깁니다. 실은 이 부위는 외용제의 흡수가 매우 좋은 만큼 민감한 부위입니다. 그와 같은 곳에 강력한 외용 항진균제를 사용하면, 자극성 접촉성피부염이 생기는 수가 있습니다. 10명에 2~3명은 위험하다고 생각해야 합니다.

Q 보호자가 항진균제를 포함한 여러 가지 약제를 사용하고 있어서, 재차 약제 투여에 회의적인 경우는 어떻게 합니까?

A 우선 1주는 '아무 것도 외용하지 않는 세정처치만' 합니다. 재진찰 시에는 접촉성피부염인지, 칸디다인지, 너무 문지른 것인지 어느 정도 짐작이 갑니다. 그 후 판단합니다.

Q 설사가 심하여, 진무름도 수반하고, 접촉성피부염도 칸디다도 있는 것 같습니다. 그런 경우는 어떻게 해야 합니까?

A 진무름이 너무 악화된 경우는 아연화연고 등으로 진무름면을 보호합니다. 대부분은 보호자가 너무 문지른 것이 원인이므로, 중지하도록 지도합니다. 3~4일간은 엉덩이를 보호합니다. 그 후 재진에서도 진무름이 계속되면 외용 항생제(아크아틴®연고 등)의 사용을 검토합니다. 우선 진무름과 세균감염 치료를 우선합니다. 그것이 치료된 후에 칸디다, 또는 접촉성피부염 치료(스테로이드 외용)를 개시해도 지장이 없습니다.

Q 항문이 붉어지는 경우, 간과해서는 안되는 감별진단은?

A 용혈성 연쇄상구균의 감염, 항문주위 농양, 선천적인 기형 등으로 누공이 있습니다. 고령자인 경우는 Paget병(악성종양)등입니다.

Q 고령자의 경우도 유아와 똑같은 소견입니까? 유아와 똑같이 대처하면 됩니까?

A 고령자라도 칸디다는 똑같은 소견입니다. 발톱백선이 있는 고령자가 많으므로, 둔부의 백선에도 주의합니다. 치료에 관해서도 마찬가지로 대처합니다. 유아와 달리, 종이기저귀의 사용기간이 몇 년 이상이 됩니다. 너무 문질러서 생긴 미소한 외상에서의 칸디다, 세균감염 등 각종 감염증은 항상 경계해야 합니다.

49 전풍(어루러기)(pityriasis versicolor)

전풍균(말라세지아균)에 의한 질환입니다.

상당히 기묘한 질환입니다. 젊은이의 체간부, 경부 등에 갑자기, 갈색, 백색, 또는 홍색의 반점이 출현합니다. 가려움증은 없습니다. 환자는 매우 기분이 나빠서 내원하게 됩니다.

진단 특징은 체간부, 경부 등에 나타나는 경계가 명료한 갈색, 백색, 홍색의 반점입니다.

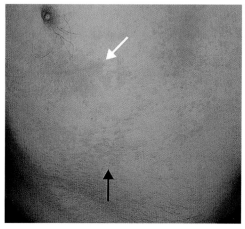

그림1 체간부에 생긴 전풍

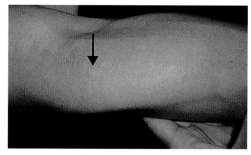

그림2 상지에 생긴 전풍

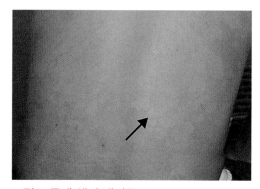

그림3 등에 생긴 백전풍

자세히 진찰하면 작은 인설이 있으며, 그곳을 긁어서 인설을 현미경으로 확인합니다. 말라세지아균이 다수 확인되면 확정진단합니다.

1 체간부에 생긴 전풍 (그림1)

젊은이의 체간부는 호발부위입니다. 복부(검은 화살표)는 갈색의 흑전풍. 흉부(흰 화살표)는 약간 붉은 색입니다.

2 상지에 생긴 전풍 (그림2)

상지에서 백색의 전풍을 확인합니다(화살표).

3 등에 생긴 백전풍(白癜風) (그림3)

백색 전풍입니다. 가려움증 등의 자각증상이 부족하여, 등에 발생하면 전혀 자각하지 못한 채 방치해 버리는 케이스도 드물지 않습니다(화살표).

4 현미경소견 (그림4)

균사를 확인합니다. 짧은 균사로, 부메랑처럼 'く'모양으로 구부러져 있습니다(화살표).

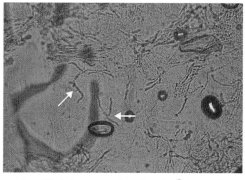

그림4 현미경으로 균사를 확인(줌®을 사용)

치료

처방례

항진균제 외용(마이코스폴®크림 1회/일)

- 말라세지아균 자체는 항진균제 외용으로 감소될 수 있습니다. 그러나 색소결핍은 쉽게 해결되지 않습니다.
- 그래서 오로지 '기다리는' 것이 중요합니다. 기다리면 색소가 나타납니다. 단, 드물게 몇 개월간이나 길어지는 증례도 있습니다. 반복되는 환자인 경우는 항진균제의 외용을 예방적으로 하는 경우도 있습니다.

환자에 대한 설명

치료는 장기전. 미용적 관점에서 고민하는 환자에게 유의합니다.

- 치료는 몇 개월 걸리므로, 끈기 있게 외용을 계속하도록 지도합니다.
- 가려움증도 불쾌감도 없이, 단지 단순히 '색이 들고' '색이 빠지는' 것뿐이므로, 미용적인 관점에서 고민하는 환자가 많다는 점에 유의해야 합니다.

One point Advice

색소침착과 색소결핍의 후유증이 있습니다.

- 전풍은 색소침착과 색소결핍의 반응이 후유증으로 남습니다. 대개 피부색인 멜라닌은 티로지나제(tyrosinase)가 없으면 만들어지지 않습니다. 말라세지아균이 생산하는 아젤라인산(1.7-헵탄디카르본산)에 의해서, 티로지나제의 활성이 억제되는 듯 합니다.

유사증례

- 전풍의 유사증례에는 염증 후 색소침착(그림5), 화폐상 습진의 흔적(그림6), 지루성 피부염(그림7)이 있습니다.

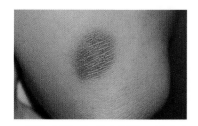

그림5 염증 후 색소침착 : 색조가 진하다

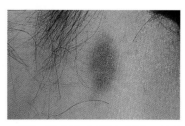

그림6 화폐상 습진의 흔적 : 경계선이 불명료

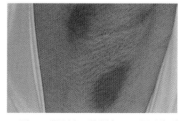

그림7 지루성 피부염 : 조금 발적이 혼재

Q 이 질환에서 심각한 문제가 있습니까? 또는 다른 내과질환과의 관련은?

A 없습니다. 내과질환과도 관련이 없습니다.

Q 노인성 색소반, 노인성 백반과의 감별은?

A 전풍은 표면에 인설을 수반하고, 문지르면 후두둑 낙설합니다. 이것은 노인성 색소반, 백반에는 없습니다. 단, 장기경과로 전풍도 색소침착(결핍)만 되어, 감별불능인 경우도 있습니다.

Q 지루성 피부염도 말라세지아가 원인인데, 양자는 동일질환입니까?

A 원인균은 동일하더라도, 숙주 즉 인간의 피부상태에서 다른 임상증상을 나타냅니다. 지루성 피부염은 말라세지아의 포자상태가 과잉이 되고, 그에 대한 인간의 반응이라고 생각합니다. 한편, 전풍은 균의 힘 그 자체에 의한 색조의 변화라고 받아들이면 됩니다.

Q 환자가 백전풍의 흰 상태를 본래대로 되돌리고 싶다고 합니다.

A 장기적인 경과로 서서히 본래대로 되돌아갑니다. 일광욕을 하면 오히려 콘트라스트(contrast)가 확실해져서, 악화되는 인상을 줍니다. 심상성 백반과 같은 자기면역질환이 아니므로, 자외선치료를 할 정도는 아닙니다. 경과관찰로 충분합니다.

50 바이러스성 유두종(사마귀)

사람 유두종 바이러스(human papillomavirus : HPV)에 의한 감염증입니다.
발바닥의 딱딱한 병변은 소아의 경우, 그 대부분이 HPV감염증, 통칭 사마귀입니다.

진단 ▶ 소아의 경우, 아이의 발 속에 티눈이 있는 경우에는 거의 확정입니다.

그와 같은 경우에 진짜 티눈인 것은 10년 동안에 몇 증례뿐이었습니다. 그것도 바이러스성 유두종인지 진짜 티눈인지 감별되지 않을 정도의 아슬아슬한 진단이었습니다.

1 발가락 끝의 전형적인 바이러스성 유두종 (그림1)
바이러스성 유두종에는 작은 점상의 흑점이 있습니다.

2 티눈 (그림2, 화살표)
티눈, 굳은살에는 그와 같은 흑점이 없습니다.

3 다발하는 바이러스성 유두종 (그림3, 4)
바이러스성 유두종은 발바닥, 발가락의 어디에나 다발합니다. 이와 같은 다발이 특징입니다. 통상 티눈, 굳은살은 다발하지 않습니다.

4 굳은살과 감별이 어려운 바이러스성 유두종 (그림5)
티눈, 굳은살은 발생부위가 구두바닥과 발바닥이 충돌하는 곳과 일치합니다. 그러나 이와 같은 바이러스성 유두종도 있으므로, 실제는 감별이 어려운 경우도 많습니다.

5 부풀어 오른 바이러스성 유두종 (그림6)
바이러스성 유두종은 부풀어 오르는 경우가 있지만, 티눈, 굳은살은 부풀어 오르는 경우가 적습니다.

6 안면에 다발하는 청년성 편평사마귀 (그림7)
이와 같은 경우는 난치성입니다.

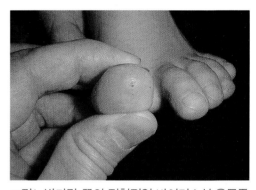

그림1 발가락 끝의 전형적인 바이러스성 유두종

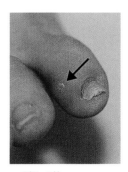

그림2 티눈

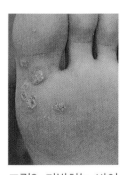

그림3 다발하는 바이러스성 유두종

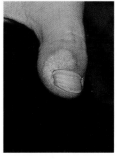

그림4 다발하는 바이러스성 유두종 : 손가락

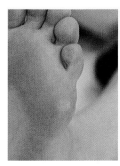

그림5 굳은살과 감별이 어려운 바이러스성 유두종

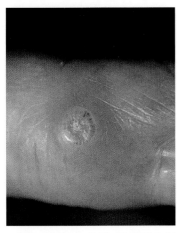

그림6 부풀어 오른 바이러스성 유두종

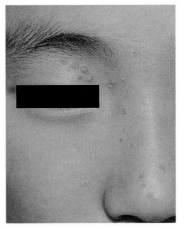

그림7 안면에 다발하는 청년성 편평사마귀

치료

처방례

액체질소요법으로 치료되지 않는 경우▶
요쿠이닌엑기스 내복(요쿠이닌엑기스정 코타로® 18T/일 분3)〈몇 개월의 장기간〉

- 치료의 기본은 액체질소요법입니다. 거대한 것은 좀처럼 치료되지 않으므로 주의해야 합니다. 아무래도 낫지 않는 것은 요쿠이닌엑기스를 내복합니다. 요쿠이닌에 면역부활작용이 있으며, 보험진료에서도 인정하고 있습니다.
- 발바닥의 바이러스성 유두종은 난치성입니다. 환자에 따라서는 수 십회 통원하기도 합니다.
- 액체질소요법을 조금 강하게 하면, 수포나 혈포가 생기는 수가 있습니다(그림8, 9). 그 경우라도 겐타신®연고 등의 처치를 확실히 하면 정상으로 상피화되어, 보기 싫은 반흔을 남기는 일이 거의 없습니다. 액체질소는 마이너스 190℃이지만, 피부에 침투할 때는 대개 온도가 상승하여, 심각한 동상은 생기지 않습니다.
- 낫지 않는 경우는 저서 "진료소에서 보는 어린이의 피부질환"(일본의사신보사 간행)p102를 참조하시기 바랍니다.

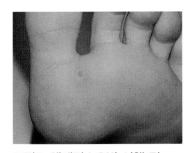

그림8 액체질소요법 시행 전

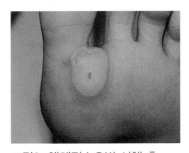

그림9 액체질소요법 시행 후

 사마귀에 스필고(膏)TMM을 첨부하는 치료의 효과는 어떻습니까?

Ⓐ 일부러 자극을 준다는 목적이라면 드물게 효과가 있어서 소퇴되기도 합니다. 단, 침연해 버려서 사마귀의 형상이 불명료해집니다. 의외로 사마귀 부위의 특정에 유용합니다. 다발해 있으면, 액체질소요법을 하는 경우, 부위의 특정이 어려운 경우가 있습니다. 이런 경우, 환자에게 스필고(膏)™M을 첨부하면 '표시'가 됩니다.

 액체질소요법으로 치료할 수 없는 증례는 어떻게 합니까?

Ⓐ 보험진료 외에서는 비타민D3제제인 옥사롤®연고가 근년 주목받고 있습니다. 사마귀에는 보험적용이 없지만, 장척각화증은 적용이 됩니다. 각화를 억제할 목적이라면 사용할 수 있습니다. 단, evidence는 확실하지 않습니다.

 사마귀와 티눈, 굳은살을 감별할 수 없습니다. 좋은 방법은?

Ⓐ 사진으로도 알 수가 없습니다. Pedi®라는 발바닥 각질을 깎는 도구를 이용하면 됩니다. 점상의 검은 반점을 확인한 경우는 사마귀입니다. 그러나 사마귀라도 그러한 소견이 부족한 경우도 있습니다. 자신이 없는 경우는 전문의에게 소개합니다.

Ⓠ 사마귀의 감별진단은 무엇을 생각하면 됩니까?

Ⓐ 발바닥에는 표피낭종이 있습니다. 이것도 똑같은 바이러스가 원인이라고 생각되는데, 상당히 치료가 어렵습니다. 안면 등에서는 케라토아칸토마(keratoacanthoma, 각질가시세포종), 에크린한공종 등의 종양인 경우도 있습니다.

51 단순포진(헤르페스)

무엇보다도 '따끔따끔한 위화감'이 독특한 전구증상입니다.

입 주위는 1형, 음부는 2형으로 분류되어 있습니다. 성병과를 표방하고 있지 않는 한, 일반 의가 경험하는 증례의 대부분이 입 주위의 단순포진입니다. 따끔따끔한 위화감이 있는 것만으로'헤르페스약을 주십시오' 라고 수진하는 환자도 있습니다.

진단 소수포가 밀집하는 독특한 소견입니다. 유사증례도 많아서, 고민스러운 질환입니다.

특징은 ①입 주위에 소수포가 밀집한다, ②따끔따끔 아프다, ③림프절종창—입니다. 환자에 따라서는 ③의 림프절종창만으로 호소하러 오는 경우도 있습니다.

1 하구순의 단순포진 (그림1)

전형례입니다. 발생 전에 근질근질하며, 곧 따끔따끔한 통증과 함께 수포가 나타납니다.

2 구순에서 하악으로 확대된 단순포진 (그림2)

수포에서 농포로 변화하고 있습니다. 재발성이라는 점도 특징입니다. 이 증례도 1년에 여러 차례 반복하는 환자였습니다.

3 체간부에 생긴 단순포진 (그림3)

주위에 발적을 수반하고, 유합경향이 있는 수포농포입니다. 가벼운 전염성 농가진처럼 보이는 단순포진. 그 초기단계에서는 농가진, 단순한 긁은 흔적처럼 보입니다. 세균성인지 바이러스성인지의 감별진단은 Tzanck Test를 합니다.

4 Tzanck Test의 거세포 (그림4)

김자염색은 외래에서 간단히 할 수 있습니다. 바이러스성 거세포는 그림과 같이 거대한 세포이므로 바로 진단할 수 있습니다 (화살표). 세균성인 농가진과의 감별에 유효하지만, 대상포진과의 감별은 불가능합니다.

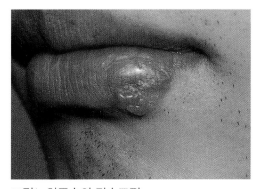

그림1 하구순의 단순포진

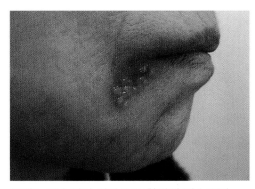

그림2 구순에서 하악으로 확대된 단순포진

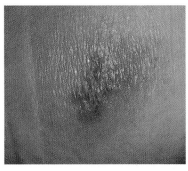

그림3 체간부에 생긴 단순포진

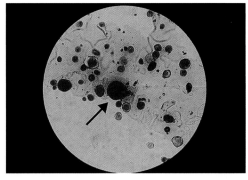

그림4 Tzanck Test의 거세포

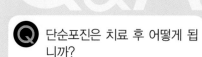

치료

처방례

항바이러스제 내복(발트렉스®정 500 mg 2T/일 분2)〈5일간〉
항바이러스제 내복(팜빌정® 250 mg 3T/일 분3)〈5일간〉
또는 항바이러스제 외복(조비락스®연고, 아라세나–A®연고 등)〈5일
간〉(외용의 효과는 이상하다)

● 치료는 항바이러스제의 내복 또는 외용입니다. 보통은 내복을
선택합니다.
● 보험진료에서는 5일간의 발트렉스® 내복이 표준입니다. 예전에
는 조비락스®를 1일 5회 내복했는데 1일 5회는 큰일이었습니다.
발트렉스®의 출현으로 1일 2회 내복이 가능해졌습니다. 외용제
는 조비락스®연고, 아라세나–A®연고 등이 있습니다. 경험상,
외용제의 효과는 플라세보와 같습니다.

환자에 대한 설명

1주정도면 치유됩니다.

● 환자에게는 'HSV(아래 참조)라는 신경에 숨어드는 바이러스에
의한 것입니다. 1형과 2형이 있습니다. 입 주위 등, 상반신에 생
기는 것은 1형입니다' '일단 신경으로 들어가면, 종종 재발합니
다. 사람의 면역력이 떨어지는 것이 원인입니다. 예를 들어, 피
곤하거나, 자외선에 너무 노출되는 경우입니다. 과잉 자외선은
면역력을 저하시킵니다. 그러면, 신경 속에서 피부, 특히 입 주
위로 나타납니다'라고 설명합니다.

Q 단순포진은 치료 후 어떻게 됩니까?

A 정상 면역환자인 경우, 반흔이 남지 않으므로 안심입니다. AIDS 등 면역부전이 있으면 궤양화될 가능성이 있습니다.

Q 카포지 수두양발진증이란?

A 아토피성 피부염이 기초에 있는 환자의 단순포진은 중증화됩니다. 카포지 수두양발진증이므로, 요주의입니다. 아토피성 피부염이 있는 환자에게 '얼굴에 수포가 생겼다'고 하면 농가진이거나 단순포진입니다. 혼동스러우면 단순포진의 치료를 개시합니다.

Q 단순포진과 대상포진의 구별은?

A Tzanck Test로는 판별할 수 없습니다. 모노크로날항체를 사용합니다. 그러나 일반적으로는 그렇게까지 하지 않습니다. 중증도는 '대상포진〉단순포진'이므로, '의심스러우면 대상포진 치료'로 하는 것이 무난합니다.

One point Advice

단순포진은 HSV(Herpes Simplex Virus)에 의한 감염증입니다.

● 이 바이러스는 대상포진바이러스와 유사합니다. 신경조직에 잠복 감염되어, 종종 피부에 출몰합니다. 대상포진과의 비교는 '단순포진이 가볍다'라는 이미지입니다(표1).
● 단순포진은 1형과 2형이 있으며, 주로 1형은 상반신, 2형은 하반신의 신경절에 숨었다가 재발합니다. 외래에서 진단하는 그 대부분은 '1형=입 주위에 생기는 수포덩어리' '2형=성기에 생기는 성병'입니다.
● 단순포진이 문제가 되는 것은 자각하지 못하는 것입니다. 그럼, 자각하지 못하면 큰일인 것은 어떤 케이스입니까? 그것은 카포지 수두양발진증(☞p93, 그림10)이라는 단순포진의 중증형입니다. 그 특징은 다음과 같습니다.

① 아토피성 피부염이 있고, 발적이 있는 피부에 생긴다.
② 안면, 상반신 등에 점상의 진무름이 일부 유합되면서 여기저기에 산포한다.
③ 작열감이 있으며, 발열하는 경우도 많다. 환자는 불쾌한 기분을 느낄 수 있다.
④ 따끔따끔한 통증때문인지, 그 부위에 관해서는 가려움증을 그다지 호소하지 않는다.

표1 단순포진과 대상포진의 비교

	단순포진	대상포진
이 환	빈 번	평생 1~2회
피부의 중증도	반흔이 거의 없다	반흔을 남기는 경우가 많다
동 통	가볍다	최악

52 대상포진

주로 고령자 질환이지만, 소아에게도 발병합니다.

대상포진은 일본인의 8~9명 중에 1명이 걸립니다. 수두바이러스의 잠복감염에 의한 것입니다. 수두에 걸린 후, 이 바이러스는 신경절에 잠복했다가 사람의 면역이 저하될 무렵, 신경을 타고 나타납니다. 면역이 저하되는 원인은 노화, 스트레스, 과로 등입니다. 주로 고령자 질환이지만, 소아에게도 발생합니다. 젊은 환자의 발생에서는 배경에 어떤 면역부전이 있는지 경계해야 합니다. 대부분의 증례에서는 우발적인 발생이지만….

진단 전형증상은 '홍훈(紅暈)' '복수로 존재하는 수포' '좌우 어느 한쪽으로 편재' '따끔따끔하다'입니다.

①홍훈을 수반하는 수포 or 구진, ②복수 존재, ③좌우 어느 한쪽으로 편재되지만 중앙에 존재하는 경우도 있다. ④'따끔따끔'하다-의 4가지로 진단합니다. 교과서에 있는 '대상수포'처럼 진행되면 간단하지만, 눈앞의 환자는 그렇게 발생하지 않습니다.

1 대상포진의 전형례 (그림1)

이와 같이 '띠모양(帶狀)'이 됩니다. 주위에 홍훈을 수반하는 수포, 혈가피가 밀집합니다.

2 약간 경도인 병변 (그림2)

이와 같이 여기저기에 출현하기도 합니다. 일부만의 관찰에서는 벌레물림, 모낭염, 접촉성피부염과 구별이 불가능하므로, 피부진찰에서는 가능한 넓은 범위를 관찰합니다.

3 초기병변에서 2~3일 후 (그림3)

서서히 수포가 밀집됩니다. 아직 혈가피는 없습니다.

4 염증 치료 중인 대상포진 (그림4)

이와 같이 되면 수습됩니다. 검은 가피가 현저해집니다. 단, 이 가피는 의외로 깊은 병변입니다. 피부궤양의 level이 되어 있는 경우가 많으므로, 1~2주 더 관찰하고, 피부궤양을 확실히 치료합니다.

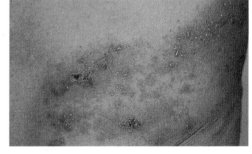

그림1 대상포진의 전형례

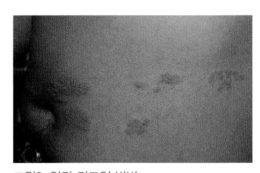

그림2 약간 경도인 병변

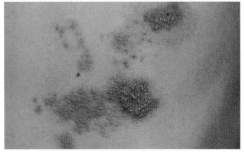

그림3 초기병변에서 2~3일 후

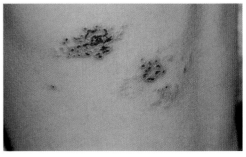

그림4 염증 치료 중인 대상포진

치료

- 항바이러스제의 투여가 주입니다. 이 질환의 문제점은 ①반흔을 남기는 것(이런 이유로 안면의 대상포진은 이런 수 저런 수로 치료합니다). ②대상포진 후 신경통(지금은 '대상포진 관련통'이라는 용어로 정리되어 있습니다)의 2가지 입니다. 또 합병 또는 특이한 형에 Ramsay Hunt증후군, 운동신경마비, 범발성 대상포진, 편마비 등이 있으며, 모두 드뭅니다.
- ①의 반흔에 관해서는 가능한 조기치료가 중요합니다. 발트렉스® 내지는 팜빌®을 내복합니다. 일단 궤양화된 것은 통상적인 피부궤양 치료와 똑같습니다. 대부분은 항생제 외용만으로 습윤요법을 지키면 상피화됩니다.
- ②는 더 큰 문제가 됩니다. '대상포진 후 신경통'이라는 표현이 오해를 초래합니다. 증례를 경험하면, 발생 초기부터 이상한 통증이 있는 환자도 있는 것을 알 수 있습니다. 언제부터가 '대상포진후' 신경통인지에 관한 정의가 없습니다. 예전에는 몇 주 후나, 2~3개월 후 등이라고 했지만, 지금은 그런 '대상포진 후' 신경통이라는 개념조차 이상하므로, 대상포진 관련통(zoster-associated pain : ZAP)이라는 명칭으로 통일되어 있습니다. ZAP는 고령자에게 현저합니다. 그러니까 대상포진은 ZAP대책이라고 해도 과언이 아닙니다. 여기에서는 편의상, 피부증상이 거의 나은 후에도 계속되는 동통은 대상포진 후 신경통이라는 용어를 사용합니다. 물론 ZAP라고 해도 됩니다.
- 고령자 이외의 대상포진 치료는 다음의 처방으로 충분합니다. 동통이 계속되었다 해도 고령자처럼 극심한 것은 아닙니다. 2~3주 만에 치료되는 증례가 압도적으로 많습니다. 요컨대 고령자 이외의 대상포진은 항바이러스제와 진통제 정도, 다음은 상처처치로 종료입니다.

처방례(고령자 이외)

발트렉스®정 500 mg 6T/일 분3 〈7일간〉, 또는 팜빌®정 250 mg 6T/일 분3 〈7일간〉

급성기 동통인 경우▶

카로날®정 300 mg 3~6T/일 분3 〈재진까지, 3~4일간〉
노이로트로핀®정4단위 4T/일 분2 〈동통이 있으면 계속〉
스타데름®연고 외용(2차감염책으로 겐타신®연고도 가능)

- 그럼, 고령자의 대상포진은 어떻게 될까요? 다른 모든 피부질환과 달리, '만성으로 계속되는 동통'을 어떻게 할까? 이것이 본제입니다. 그 때문에 그 원칙은 '통증의 중심을 갑자기 공격하여, 해결'하게 됩니다. '아프다'는 감정은 유예가 없습니다. '1주일만 참으십시오. 좋아질 것입니다'라고 해서는 안되는 것입니다. '바로 효과가 있어서, 이 지옥으로부터 면할 수 있는' 약제여야 합니다. 근래, '통증'이라는 현상에 관한 연구가 진보되어, 대상포진에 대해서도 새로운 약제가 점차 등장했습니다. 통증에는 ①침해수용성 동통(급성기 동통, 요컨대 침해된 직후의 동통), ②신경

Q 대상포진을 의심할만한 초기병변은?

A 전형례에서는 감각신경의 분포와 일치하므로, 피부과의가 아니더라도 진단은 간단합니다. 어려운 것은 대상포진의 극히 초기병변입니다. 매우 어렵습니다! 때로는 피부에 소견이 없는, 즉 '아프기만 할 뿐'이라는 환자도 있습니다. 또는 아주 작은 붉은 구진만 나타나는 경우도 있습니다. 일정한 범위에 홍훈(紅暈)만 밀집해 있거나, 그곳이 따끔따끔 아픈 증상이 있으면 의심스럽습니다.

Q 소아의 대상포진은?

A 소아의 대상포진은 동통이 거의 확인되지 않습니다. 진단을 할 수 없어도 '대상포진인 것 같습니다. 이미 치료하고 있습니다' 라는 케이스가 많아서, 적극적인 치료를 하지 않아도 자연 치유되는 증례가 많습니다. 소아가 악화되어 큰일이라는 얘기는, 드문 면역부전의 증례를 제외하고, 거의 듣지 못했습니다. 신경통도 경미합니다. 소아의 대상포진에 관해서는 젓 "진료소에서 보는 어린이의 피부질환"(일본의사신보사 간행)p94를 참조하시기 바랍니다.

Q 대상포진은 간단한 바이러스에 의한 감염증입니까?

A 여러 가지 요소가 얽힌 복잡한 염증반응입니다. 염증을 억제하는 약제를 내복하고 있는 환자, 또는 소아 등은 '과잉 염증반응을 나타내지 않는다'는 점에서 경증으로 끝난다고 추측됩니다. '주로 지각신경을 침윤하고, 반흔을 남기는 복잡한 질환'이라고 생각해야 합니다.

장애성 동통(neuropathic pain. 잠시 경과 후 생기는 신경내부의 문제)의 2가지가 있습니다. 초기의 대상포진은 ①의 침해수용성 동통입니다. 그러나 그 후 현저해지는 고령자의 통증은 틀림없이 ②의 신경장애성 동통입니다. 신경내부에서 이상한 반응이 생기는 문제이므로, 정신과적인 또는 감각신경의 뉴런에 관한 지식이 요구됩니다. 그런 것까지 해야 하나! 라고 파랗게 질리겠지만, 환자는 아파서 인내심이 한계에 도달할 정도입니다.

● ZAP의 치료법은 크게 나누어, ①카로날®, ②노이로트로핀®, ③삼환계 항울제, ④오피오이드계 약제, ⑤리리카®의 5종류가 있습니다. 이것을 적절히 사용함으로써 ZAP를 잘 컨트롤할 수 있습니다.

1. 카로날®

● 초기단계의 침해수용성 동통의 경우, 사용하는 것은 이 약제뿐입니다. 진통제라고 하면 로키소닌®이나 볼타렌®을 사용하고 싶어하는 의사가 많습니다. 그러나 고령자는 이 약제가 갖는 COX 저해작용에 의해서, 높은 비율로 신혈류량의 저하나 소화관출혈을 일으키므로 요주의입니다. 역시 COX저해작용이 없는 아세트아미노펜이 안전합니다. 근래, 카로날®정500이 발매되었습니다. 단, 신중하게 사용합니다(☞p189, Q&A).

2. 노이로트로핀®정 4단위

● 이 약제는 매우 사용하기 쉽습니다. 효능·효과에 '대상포진 후 신경통'이라고 당당하게 기재되어 있습니다. 즉 first choice입니다. 발생 초기부터 사용해도 문제가 없습니다. '와쿠시니아바이러스 접종 집토끼 염증피부추출액함유제' 라는 필자에게는 의미가 불분명한 약제입니다. 약효분류는 '하행성 동통억제계 부활형 동통치료제(비오피오이드, 비시크로옥시게나제저해)'가 있습니다. 이것 또한 필자는 잘 알지 못합니다. 그러나 실은 매우 효과적이며, 부작용도 가볍습니다.

노이로트로핀®정4단위 4T/일 분2

3. 삼환계 항울제

● 통증은 '상태를 봅시다' 로는 안됩니다. 고령자는 당장에 통증을 멈춰달라고 외래에서 애원합니다. 놀랍게도, 항울제가 통증에 상당히 효과적이라는 것을 알게 되었습니다. 특히 '삼환계'라는 항울제에는 신경장애성 동통에 대한 효과가 있습니다. 그렇게 되면, 피부과의가 갑자기, 정신과의가 되어야 합니다. '갑자기 정신과의'? 문제는 수없이 많은 삼환계 항울제 중에서 무엇을 사용할 것인가? 하는 점입니다. 실은, '가장 부작용이 적은 약제'부터 개시하고, 또 '부작용의 대처법이 easy한 약제'를 선택하는 것입니다. '의사와 배우는 마음의 사프리'라는 웹사이트에는 표1과 같은 기재가 있습니다[1].

 대상포진에서 프레드닌®은?

 급성염증의 억제효과로 증상을 가볍게 하는 작용이 있어서, 종래 피부과에서 흔히 사용해 왔습니다. 급성기에 염증을 억제하면 신경손상도 없는 것? 이라는 생각이었습니다. 그 후, 신경통에 관한 원인구명의 진보와 신약의 등장으로, 현재는 ZAP의 동통대책이 상당히 진보하였습니다. 따라서 이 약제가 반드시 필요하다고는 생각하지 않게 되었습니다.

Q '목욕은?' '일은?' '운동은?' '수영장은?' '학교·보육원은?' 라고 물으면?

A 이 질환은 순환장애도 얽혀 있습니다. 병변부를 냉각하면 통증이 악화됩니다. 입욕하여 몸을 따뜻하게 하도록 지도합니다. 반흔 치료를 위해서 진무름, 궤양에서도 적극적으로 씻도록 권장합니다. 몸을 쉬게 하는 것이 중요하므로 일은 최소한으로 하고, 가능하면 쉬는 것이 무난합니다. 매일 운동하는 것이 습관이 되어 있는 환자는 그것을 완전히 금지하는 것은 오히려 스트레스가 되는 수가 있습니다. 경미한 레벨이면 허락합니다. 단 수영은 병변부가 건조할 때까지 안됩니다. 소아의 경우, 환부를 피복하면 통원·통학이 가능합니다. 안면 등의 노출부를 제외하고, 모두 가능하다고 보호자에게 설명합니다 [저서 "진료소에서 보는 어린이의 피부질환"(일본의사신보사 간행)p94를 참조].

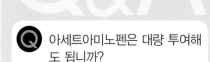

표1 삼환계 항울제의 부작용

	트립 타놀®	토프 라닐®	아나 프라닐®	아목산®	노리 트렌®
변비 · 구갈	+++	++	+++	+	++
휘청거림	+++	++	++	+	+
졸음	+++	+	+	+	+
체중증가	+++	++	++	++	++
구역질 · 설사	±	±	±	−	−
성기능장애	++	++	++	++	++
불면	−	+	+	++	+

(문헌1에서 인용)

- 여기에서 삼환계 항울제로 동통에 대한 효과가 확인되는 것은 트립타놀®과 노리트렌®의 2종이라고 합니다. 트립타놀®은 일목요연, 부작용이 강렬합니다. 정신과 이외의 의사가 사용하기에는 선뜻 내키지 않습니다. 부작용이 적은 것은 노리트렌®입니다. 이것을 추천입니다. 약가격도 5.6엔(10mg) · 10.8엔(25mg)/정(2016년 8월 현재)으로 싸서 환자의 부담도 가볍습니다. 거기에 만에 하나, 심사지불기관에서 '댁은 정신과가 아니므로, 이 약제는 감점시켜 주십시오' 라는 통지가 와도 1개월에 불과 수백엔 정도입니다(실제는 그런 감점은 없으리라 생각합니다). 사용법은 1일 1회 10 mg 정도에서 개시합니다. 4~7일마다 효과 · 부작용을 신중히 판단하고, 증량합니다. 부작용으로 변비의 빈도가 높아서, 산화마그네슘 등과 병용하는 경우가 많습니다. 요컨대 노리트렌®이라면 부작용의 대처도 easy합니다. 최대량은 50 mg/일정도로 억제합니다. 그래도 효과가 없으면 다른 약제로 변경합니다.

Q 아세트아미노펜은 대량 투여해도 됩니까?

A '1일량 3,000~4,000 mg 투여하지 않으면 동통컨트롤이 어렵다'고 한 적도 있습니다. 젊은층에서는 걱정 없을 수도 있지만, 대상포진 관련통은 고령자가 많아서, 약제의 부작용이 생기기 쉽습니다. 필자의 의원에서는 500 mg정을 1일 6정 내복하여 현재까지 간기능장애 등은 경험하지 못했습니다. 상당히 안전한 약제라는 느낌입니다. 그러나 2014년, 미국 FDA는 325 mg 이상의 내복으로 간기능장애(불가역성!)의 위험이 있다고 경고했습니다3). 드문 현상이라고는 생각하지만, 이 경고는 중요합니다. 한 번에 내복하는 약은 첫 회에 300mg정도로 억제하는 것이 무난합니다.

Q 외래에서 '주사해 달라'고 합니다. 어떡해야 합니까?

A 노이로트로핀®주사액 1.2단위는 보험적용이 되며, 눈에 띄는 부작용도 없습니다. 확실성은 보증할 수 없지만, 환자는 어느 정도 안심을 합니다. 이 약제, 정제는 '대상포진 후 신경통'의 적응이 있으며, 주사액은 '증후성 신경통'의 적응이 됩니다. 주의하십시오. 용량은 첨부문서상에서는 '통상 성인 1일 1회 노이로트로핀 단위로, 3.6단위'가 되어 있지만, 고령자인 경우는 1.2단위로 충분할 수도 있습니다. 개인차가 심합니다.

처방례(고령자)

노리트렌®정 10 mg 1T/일 자기 전
4~7일마다 효과를 판단한다. 효과가 불충분하면 1회 10 mg을 1일 2회로 증량한다. 그 후도 신중히 양을 검토한다.
최대량은 50 mg/일.

4. 오피오이드계 약제

- 오피오이드계 약제는 어떻습니까? 일본신경치료학회의 가이드라인 '표준적 신경치료 : 만성동통'2)을 꼭 참고하시기 바랍니다. 물론 통상적인 외래에서, 마약의 취급이 되는 모르핀 등은 상당히 문턱이 높습니다. 신경통에 대처하는 데에 그것까지는 구할 수 없습니다. 마약사용자면허 없이도 사용할 수 있는 약오피오이드가 됩니다. 그 약오피오이드에서는 트라말®(트라마돌염산염)의 평가가 높습니다. 모르핀 등은 의존성이 있어서 도저히 사용할 수 없고, 환자의 통증이 심한 매우 어려운 상태의 현장에 등장한 '백마 탄 기사'같은 약제입니다. 본서초판이 간행된 2011년 당시, 일본에서는 주사약(트라말®주100)밖에 사용할 수 없었습니다. 2014년 12월에 내복약(트라말®OD정 25 mg/50 mg)이 약가가 수재(收載)되어, 신경통 치료가 극적으로 바뀌었습니다. 첨부문서에는 효능 · 효과로서, '비오피오이드진통제로 치료가 어려운 다음 질환에서의 진통, 동통을 수반하는 각종 암, 만성동통'이 있습니다. 만성동통…즉 정신과의도, 동통전문의사도 아닌 '보통의사'라도 당당히 사용할 수 있는 약제입니다. 항울제에서는(보험)병명에 '우울증' 등이라고 절박한 내용을 써야 합니다. 그

러나 이 약제는 그렇지 않아도 '만성동통'에서 사용할 수 있습니다. 필자도 실제로 사용해 봤습니다. 매우 효과적입니다. 필자의 경험으로 내복한지 며칠 만에 동통이 가장 아플 때를 100점으로 하면, 적어도 70점정도는 내려갈 것 같습니다. 이 약제가 전혀 효과가 없었다…는 환자는 지금까지 거의 없어서 놀랄 정도입니다. 단, 구토 등의 부작용이 높은 빈도로 나타나므로, 투여 전에 환자에게 충분히 설명해야 합니다.

● 이 약제는 최근에는 아세트아미노펜 등의 합제(트람세트®배합정)가 발매되고 있으므로, 급성기부터 처방하면 됩니다. 고령자에게는 외래 수진 시에 극심한 동통을 호소하는 환자가 많아서, 일각을 다툽니다. 예전에는 느긋하게 카로날®만으로 어물어물 넘어갔습니다. 그러나 환자는 동통에 관해서는 severe하여, 바로 의사를 변경해 버립니다. 이 질환에 관한 지식이 거의 없는 의사를 수진하고, 로키소닌®이나 볼타렌® 등을 대량 투여하여, 소화기증상이나 안면의 부종 등이 나타나는 경우도 많습니다. 역시 진통제는 아세트아미노펜 정도가 좋다고 생각되면, 트라마돌과의 합제가 사용하기 쉽습니다.

처방례(고령자)

트람세트®배합정 1T/회
1일 2회 정도로 개시하여, 4회까지 늘린다
증량은 통증에 맞추어 임기응변으로 한다

● 한편 트라말® 단독사용에서는 섬세한 양의 조절이 가능합니다. 첨부문서에는 '통상, 성인에게는 트라마돌염산염으로 1일 100~300 mg을 4회로 분할 경구투여한다. 또 증상에 따라서 적절히 증감한다. 단 1회 100 mg, 1일 400 mg를 넘지 않도록 한다'라고 되어 있습니다. 실제로 사용해 보면, 아니나 다를까, 오심 · 구토, 변비와의 투쟁입니다. 나우제린® 등과 병용하게 됩니다. 이 부작용이 생기는 환자와 생기지 않는 환자가 딱 둘로 나누어지는, 정말 '디지털적'인 부작용입니다. 트라말®은 25 mg과 50 mg의 2가지 용량이 있습니다. 처음에는 25 mg으로, '우선 1정 복용해 봅시다'라고 설명합니다. 환자는 고령자이기도 하고, 아파서 어쩔 수 없이 매일이라도 내원하게 됩니다. 1정 1정 확인하면서 앞으로 나아가는 신중한 치료가 됩니다.

 항울제가 왜 대상포진후 신경통에 효과가 있습니까?

 항울제는 신경뉴런에 작용하여, 뇌내의 모노아민재흡수를 억제하므로, 그 결과 모노아민이 증가합니다. 돌고 돌아서 하강성 동통억제계 뉴런을 활발화시키는 것입니다. 이 정도의 지식은 완전히 아마추어인 필자에게는 정말 이해하기 어렵습니다. 그러나 실제로 사용해보면 신경통에 대한 효과가 매우 좋습니다. 정말 두 손 들었습니다!

 항울제의 처방? 환자에 대한 설명은 어떻게 합니까?

 '피부의 문제가 아니라, 뇌내, 척수내의 신경의 문제입니다. 대상포진 바이러스가 신경을 손상하여, 이것을 수복하는 데에 우연히, 울병약이 효과적이라는 것을 알게 된 것입니다. 환자가 울병이라는 것이 결코 아닙니다. 울병이 아닌 환자가 이 약을 먹고, 다른 병이 발생한 적도 없습니다. 의학에서는 이러한 일이 흔히 있습니다. 눈병을 치료하는데 속눈썹이 길어졌다거나, 고혈압약으로 대머리가 치료된 경우도 있습니다. 노벨상도 이런 우연에서 시작되었습니다. 감사한 일이 아닙니까?'라고 설명합니다.

 트람세트배합정을 늘릴 수 있습니까?

 1정 속에 다음을 함유하고 있습니다.
• 트라마돌염산염 37.5 mg
• 아세트아미노펜 325 mg
아세트아미노펜은 1,500 mg/일을 넘으면 위험하다는 기재가 있습니다. 1일내복량은 4정으로, 1,300 mg입니다. 1정이라도 늘리면 위험영역이 되므로 주의하십시오.

처방례(고령자)

어느 정도 부작용이 없다고 판단할 수 있는 경우 ▶ 트라말®OD정 25 mg 4T/회 1일 4회 체중 또는 동통의 정도에 따라서 증량하고, 1일 400 mg를 넘지 않는 범위에서 치료 계속.
나우제린®OD정 5/ 또는 10 3T 분3(식전)산화마그네슘정 330 mg 1T/일 자기 전 고령자의 신기능저하는 배려해야 하며, 과잉투여 엄금

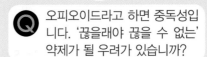

5. 리리카®

- 리리카®라는 약제가 있습니다. 이 약제는 대상포진후 신경통을 극적으로 치료할 수 있는 약으로 등장하여, 매우 잘 팔리고 있습니다. 그러나 피부과에서는 생각만큼 평판이 좋지 않습니다. 왜일까요? 애석하게도 '현기증'이라는 부작용이 높은 빈도로 나타나기 때문입니다. 극히 소량으로도 생기는 수가 있습니다. 고령자로서는 '통증'도 싫고, '현기증'도 싫습니다. QOL이 장애를 받게 됩니다. 처방하면 알 수 있습니다….

- 그다지 동통을 억제할 수 없는 환자도 많습니다. 항울제나 오피오이드계 약제와 비교하면, 상당히 임팩트가 부족합니다. '현기증만 나고 동통은 변함이 없다' '기분이 나빠지고 통증도 남는다. 어떻게 되는거야!' 라고 불평하는 경우가 많습니다. 대상포진후 신경통이란 리리카®가 듣지 않을 정도로 강렬한 통증이구나? 단, 전격통(電擊痛)이나 아로디니아(극히 경미한 자극이 극통이 되는 것)가 개선되었다는 보고가 많으므로, 통증의 성질에 따라서는 이 약제를 처방하는 것도 한번 생각해 봅니다. 현장에서는 환자의 통증이 복잡하게 뒤섞여 엉클어져 있습니다. 따라서 리리카® 단독으로는 거의 대처할 수 없는 경우가 많고, 그런 경우, 부작용이 적은 노이로트로핀®을 병용하는 경우도 많습니다. 필자도 최근에는 단독으로는 사용하지 않습니다.

- 리리카®의 첨부문서상의 기재는 '통상, 성인에게는 초기용량으로 프레가발린 1일 150 mg를 1일 2회로 나누어 경구투여하고, 그 후 1주 이상 걸려서 1일용량으로 300 mg까지 점증합니다. 또 연령, 증상에 따라서 적당히 증감하는데, 1일 최고용량은 600 mg을 넘지 말고, 모두 1일 2회로 나누어 경구투여한다'고 되어 있습니다. 현장에서는 이 양이 너무 많으므로, 25 mg/일부터 개시합니다. 그 양으로 문제가 없으면, 1일량 50 mg, 1일 2회의 내복으로 합니다. 4~7일마다 조금씩 증량합니다. 최고용량은 600 mg으로 기재되어 있지만, 실제 최고용량은 1일 150~300 mg정도입니다. 그 후, 점감해 갑니다. 신배설이므로 크레아티닌클리어런스 등을 생각해야 합니다. 특히 고령자에게는 약간 적은 듯하게 처방합니다.

- 신경장애성 동통에 대한 유효성을 정리하면 다음과 같습니다. 트라말®(트라마돌염산염)과 카로날®(아세트아미노펜)은 배합제로 사용하고 있습니다.

확실성 : 노리트렌®≒트람셋트®배합정〉노이로트로핀®〉리리카®
※ 단, 개인차가 크다.

보험진료상의 안심도 : 노이로트로핀®〉리리카®〉트람셋트®배합정〉노리트렌®
※ 노이로트로핀®만 대상포진후 신경통의 적응이 있다. 대단하다!
　리리카®는 '신경장애성 동통'의 병명이 필요. 즉 '대상포진후 신경통'만으로는 불가.
　오피오이드계 약제(트라마돌®OD정, 트람셋트®배합정)의 적응은 '만성동통'.
　삼환계 항울제(노리트렌®)은 '우울증' 등의 병명이 필수.

Q 오피오이드라고 하면 중독성입니다. '끊을래야 끊을 수 없는' 약제가 될 우려가 있습니까?

A 모르핀과 같은 중독성이 트라말®에는 생기지 않습니다. 단, '먹지 않으면, 그 격통이 엄습하는 것은 아닐까' 하는 불안감을 가진 환자가 많습니다. 고령자가 되면 쓸데없는 불안이 됩니다. 그와 같은 의미에서 몇 개월간 장기 내복하게 되면 반드시 정신과적 케어가 필요합니다. '내복하지 않으면 불안해지는 병'일까요…. 그런 의미에서도 친분 있는 정신과의사와의 교제가 중요합니다.

Q 대상포진의 병변부가 낫지 않습니다! 궤양화되었습니다 !

A 대상포진은 피부궤양을 형성하는 경우가 많습니다. 통상적인 궤양치료를 합니다. 아크아틴®연고·크림 등의 항균외용제, 유파스타코와연고나 카덱스®연고 등으로 대처합니다. 당뇨병이 합병된 경우는 잦은 내원이 필요합니다. 단독(丹毒)이나 봉와직염 등, 보다 심부의 감염증으로 악화되는 수가 있습니다.

Q 항바이러스제는 고령자에게는 위험합니까?

A 고령자의 경우, 약제에 따라서 탈수로 요세관장애가 일어날 수 있습니다. 노화에 의한 신기능저하도 고려하여, 필자의 의원에서는 통상량의 반~1/3의 투여로 치료합니다. 수분을 많이 섭취하면 특별한 문제는 없습니다. 통상량 투여로 급성신부전 때문에 의식불명이 되어, 구급외래로 이송된 사례가 많다고 하므로 주의하시기 바랍니다.

부작용이 적음 : 노이로트로핀® > 트람셋트®배합정≒노리트렌® > 리리카®가 됩니다.

※부작용도 개인차가 크므로 참고정도로 합니다.

● 자, 실제 사용패턴은 어떻게 될까요? 대상포진으로 65세 이상, 신경통의 후유증이 걱정인 케이스를 상정해 봅시다.

초진시에는 항바이러스제인 발트렉스®, 또는 팜빌®을 처방합니다. 고령자인 경우는 신기능장애의 위험이 크므로, 반량투여가 바람직합니다. 신혈류량의 저하로 신장애를 일으킵니다. 수분을 많이 섭취하게 합니다. 동통은 카로날®정300(3T/일)과 노이로트로핀®정(4T/일 분2)으로 합니다. 외용제는 겐타신®연고나 후시딘레오®연고로 합니다. 스타데름®연고 등의 비스테로이드성 항염증제(NSAIDs)에도 적응이 있는 것이 있으므로, 그것도 됩니다.

처방례(고령자)

발트렉스®정500 3T/일 분3〈7일간〉, 또는 팜빌®정 250 mg 3T/일 분3 〈7일간〉

※ 모두 통상량의 반량투여이므로 주의. 수분을 많이 섭취하게 한다. 카로날®정300 3T/일 분3 〈재진까지의 처방 3~4일정도〉 노이로트로핀®정4단위 4T/일 분2(고령자이므로 2T 분2라도 된다)계속 스타데름®연고 외용

3~4일 후 재진시, 통증이 악화되어 신경장애성 동통이 의심스러운 경우 ▶ 트람셋트®배합정 2T/일 분2에서 개시 카로날®과 트라말®의 동시처방으로도 가능 발트렉스®500, 노이로트로핀®정 4단위는 계속 부작용에 따라서 나우젤린®, 산화마그네슘 등을 추가한다.
이대로 컨트롤되면 트람셋트®와 노이로트로핀®을 계속.
※트람셋트® 또는 트라말®에 의한 구역질이 심하여, 내복을 계속할 수 없을 때는 카로날®단독으로 되돌아가서 3~4일 상태를 본다.
그 후, 동통이 심한 경우 ▶ 노리트렌® 자기 전에 10 mg/일부터 개시 4~7일마다 50 mg까지 점증 가능.
전격통(電擊痛)인 경우 ▶
리리카®캡슐25 mg 1CP/일부터 개시 4~7일마다 150~300 mg까지 점증 가능. 노이로트로핀®의 계속은 동통의 정도로 판단한다.
※ 상기는 일례. 실제 환자의 호소, 부작용의 발생상황에 따라서 제토제, 완하제 등의 추가나 패턴의 변경 등을 한다.

환자에 대한 설명

● ①'따뜻하게 하는' 것입니다. 적극적으로 입욕하게 하여, 순환을 개선하면 신경증이 완화됩니다. ②가능한 자주 외래를 수진하는 것, 2가지입니다.

Q Hutchinson의 법칙이란?

A 삼차신경 제1 지영역의 대상포진으로, 비첨부에 병변이 있으면 눈의 합병증이 생기는 빈도가 높은 것을 말합니다. 코와 눈은 제1 지영역의 비모양체신경의 지배를 받고 있기 때문입니다[4]. '비첨단의 대상포진은 눈을 공격'하므로, 안과수진이 필수입니다.

One point Advice

대상포진과 수두바이러스의 관계는?

● 본래 대상포진은 수두바이러스의 '만회'이지만, 대상포진 부위 이외에도 드문드문 수두증상이 나타나는 범발성 대상포진 상태가 되는 수가 있습니다. 그러나 상당한 면역부전이 없는 한, 대상포진이 악화되어 수두가 되어버리는 예는 없습니다.

● 이 질환은 단순한 바이러스감염이 아니라, 면역이상에 의한 바이러스의 재활성화 및 그에 수반하는 여러 가지 염증, 순환장애입니다. '바이러스의 재활성화 → 지각신경의 자극 → 침윤된 세포에서 통증유발 물질의 방출 → 교감신경의 흥분 → 말초신경의 수축 → 핍혈(乏血)→ 순환장애 → 다시 통증유발 물질의 방출'이라는 악순환입니다. 그러나 아직 불분명한 부분도 많아서, 금후의 연구가 기대됩니다.

칼럼

항히스타민제의 3분류의 암기법(선발품명으로 기억한다)

- 삼환계(알레지온®, 알레록®, 클라리틴®)
  삼한사온, 6시는 아직 어둡다 [삼한(삼환계)사온(시온(일본어발음)=알레지온®), 6시(로쿠지(일본어발음)=알레록®)는 아직 어둡다(쿠라이(일본어발음)=클라리틴®)]

- 피페리딘계(타리온®, 에바스텔®, 알레그라®)
  리오에서 리무진버스를 탔더니 하이레그아가씨뿐 [리오(타리온®)에서 리무진(피페리진)버스(에바스텔®)를 탔더니 하이레그아가씨(알레그라®)뿐]

- 피페라딘계(지르텍®, 자이잘®)
  라디오에서 재테크에 관하여 들었다 [라디오(피페라딘)]에서 자이테크(자이잘®, 지르택®)에 관하여 들었다

- 항히스타민제의 변경은 상기 분류를 고려했습니다. 예를 들어, 알레지온®이 효과가 없으면 에바스텔®로 하는 것입니다.

상황별 항히스타민제 사용법[5]

- 임신한 경우 클라리틴®이나 지르텍®으로 한다. 알레그라도 괜찮다.

- 수유 중에는 클라리틴®, 지르텍®, 알레그라®.

- 신기능장애환자에게 사용할 수 없는 것은 자이잘®, 지르텍®의 2가지.

- 간기능장환자에게는 알레그라®, 타리온®만(겨우)사용할 수 있다(간장이 당해도 기우뚱(일본어로 그랏=알레그라®)하지 않는다. 의지(타요리(일본어발음)=타리온®)가 된다.
  알레지온®, 알레록®, 에바스텔®은 금기.
  지르텍®, 자이잘®, 클라리틴®은 신중히 투여(혈중농도가 상승한다).

- 어쨌든 빨리 효과가 있도록…. 신속한 효과는 알레록®, 자이잘®, 타리온®의 3종. 다소 늦게 지르텍®.

- 어쨌든 오래 효과가 있도록…. 오랜 지속은 클라리틴®, 에바스텔®의 2종. 다소 늦게 알레그라®, 알레지온®.

- 어쨌든 졸음이 적도록….(아시듯이)알레그라®.

참고문헌

1) 의사와 배우는 마음의 사프리 : 노리트렌정(노리트립티린)의 효과와 특징. [http://mentalsupli.com/medication/medication-depression/noritren/effect/]

2) 일본신경치료학회 : 표준적 신경치료 : 만성동통. 2010. [https://www.jsnt.gr.jp/guideline/img/mansei.pdf]

3) U.S. Food and Drug Administration : FDA recommends health care professionals discontinue prescribing and dispensing prescription combination drug products with more than 325mg of acetaminophen to protect consumers. [http://www.fda.gov/Drugs/DrugSafety/ucm381644.htm]

4) Harding SP, et al : Br J Ophthalmol. 1987 ; 71(5) : 353-8.

5) 森田榮伸 : Visual Dermatol. 2015 ; 14(4) : 415-7.

53 지아노티증후군, 모래피부병양 피부염

바이러스감염이라고 추측되고 있습니다. 약간의 지식으로 대처할 수 있습니다.

외래에서 소아의 불가사의한 구진, 홍반을 접하게 됩니다. 안면과 사지에 출현하는 지아노티증후군(병), 손바닥의 현저한 발적을 나타내는 모래피부병양 피부염의 2가지입니다. 서로 다른 바이러스감염증이지만, 상세한 내용은 불분명합니다. 그러나 이 양 질환은 약간의 지식이 있으면 대처할 수 있습니다.

진단 지아노티는 좌우대칭의 구진, 적반. 모래피부병양 피부염은 손바닥, 발바닥의 홍반입니다.

지아노티증후군과 지아노티병의 구별 : 구미에서는 '증후군'으로 통일되어 있습니다. 일본에서는 HB바이러스에 의한 것을 '병', 그 밖의 것을 '증후군'이라고 부르고 있습니다. 현장에서는 '증후군'으로 통일하고, B형간염바이러스감염증의 유무를 확인하면 됩니다.

한편, 모래피부병양 피부염은 주로 유아에게 출현하는 양측 손바닥의 홍반입니다.

1 지아노티증후군의 증례 (그림1~4)

안면, 양 귀, 손, 발, 팔꿈치, 무릎 등에 구진, 홍반이 좌우대칭으로 출현합니다. 림프절종창도 확인합니다.

2 모래피부병양 피부염 (그림5, 6)

손바닥, 발바닥에 홍반이 생깁니다. 구진이라기보다 편평한 홍반만의 소견입니다. 림프절종창은 눈에 띄거나 띄지 않는 경우도 있습니다. 2주~1개월 정도 지속되는 이 질환은 사실 교과서에는 기재가 없습니다. 그러나 외래에서는 초봄 등에 많이 수진합니다. 가려운 듯한 케이스가 많지만, 특별한 자각증상이 없을 때는 보호자도 간과해 버립니다.

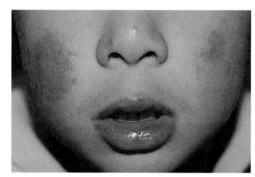

그림1 지아노티증후군 : 안면①

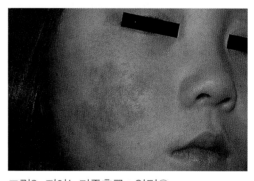

그림2 지아노티증후군 : 안면②

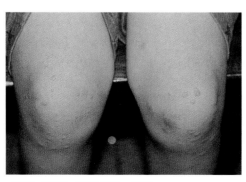

그림3 지아노티증후군 : 무릎

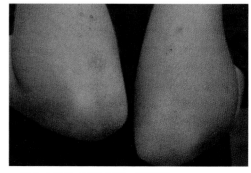

그림4 지아노티증후군 : 팔꿈치

모래장난으로 손이 까슬까슬한 소아 증상과 유사하다는 점에서, '모래피부병양 피부염'이라고 명명되어 있습니다.

그림5　모래피부병양 피부염①

그림6　모래피부병양 피부염②

치료

처방례

지아노티증후군, 모래피부병양 피부염 모두 가려움증이 있는 경우▶
2～7세 : 항히스타민제 내복(지르텍®드라이시럽 등)〈2주～2개월간〉
6개월～2세 미만 : 자이잘®시럽 내복, 항히스타미제 외용(레스타민코와®크림)

● 치료제가 없으므로 대증요법입니다. 항히스타민제 등을 사용합니다. 단, 특별히 치료하지 않아도 어느 사이엔가 소실됩니다. 확실한 통계는 없지만, 2주～2개월 정도인 셈입니다. 약제보다도 환부를 가볍게 냉각하면 가려움증의 대책이 됩니다.

환자(보호자)에 대한 설명

목욕이나 친구와의 접촉은 평소대로 합니다.

● 간염바이러스감염인 경우가 드물게 있으므로, 주의합니다. 특별 지정전염병이 아니므로, 등원·등교가 가능합니다.
● 이 질환은 크게 전염되었다는 얘기를 들은 적이 없으므로, '목욕 등 일상생활은 평소대로', '친구들과의 접촉은 자유'라고 설명합니다.

One point Advice

바이러스감염증을 의심하여, 림프절을 촉진해야 합니다.

● 지아노티증후군, 모래피부병양 피부염은 의심하지 않으면 '습진이네요'로 끝나버려서, 보호자는 낫지 않는 아이가 걱정되어 여기 저기 의원을 전전하며 돌아다닙니다. 우선, '바이러스감염증인가?'라고 의심해야 하며, '림프절을 만지는 습관'에 익숙해져야 합니다.
● 모래피부병양 피부염의 감별진단은 가와사키병입니다. '발열했다'하면 긴장합니다. 5일 이상 계속되는 발열이 있었는지의 여부 등이 중요합니다. 의심스러울 때는 소아과 전문의에게 소개합니다. 그 이외에는 용혈성 연쇄상구균 등이 있습니다. 염두에 두고 진찰합니다.

Q 지아노티증후군은 일광피부염과 유사합니까?

A 노출부, 얼굴, 귀와 손발의 말단, 팔꿈치, 무릎 주위에 소견이 있어서 혼동스럽습니다. 운동회의 계절 등에는 감별이 되지 않습니다. 바이러스감염증에 의한 일광과민이라는 개념도 있어서, 점점 복잡해집니다. 엄밀히 나누지 않아도 됩니다. "일광피부염"도 있으면, 스테로이드 외용을 합니다.

Q 이 2가지 질환은 성인에게는 발병하지 않습니까?

A 교과서적으로는 '발병하지 않는 것' 같습니다. 필자도 경험이 없습니다. 성인에게 발생하면 약간 다른 임상소견이겠지요. 서로 비슷한 소견은 "명칭이 없는 바이러스감염증"으로 성인에게도 발병하지만, 상세한 내용은 unknown입니다.

Q '모래피부병양 피부염'이라는 명칭이 명명된 것은 언제?

A 1979년에 荻野篤彦씨(오기노피부과, 교토시)에 의해서 명명되었습니다. 이와 같이 설명이 붙지 않는 피부증상은 아직 많이 있습니다.

Q 이 질환들은 바이러스학적으로는 어느 정도 해명되어 있습니까?

A 불분명합니다. 지아노티증후군에서는 EB바이러스(EBV), 사이토메갈로바이러스(CMV), 콕사키바이러스A16, 에코바이러스 등이 보고되어 있습니다. EBV나 CMV에서는 AST, ALT의 상승을 볼 수 있지만, 수치뿐인 이상으로 임상증상까지는 이르지 않는 것 같습니다. 모래피부병양 피부염은 아직 해명되지 않았습니다. 이 질환은 바이러스학적으로는 저서 "진료소에서 보는 어린이의 피부질환"(일본의사신보사 간행)p78을 참조하시기 바랍니다.

54 전신의 바이러스감염증 – 수두, 홍역, 풍진, 돌발성 발진 등

진단할 수 없는 상태에서 흔히 내원하는 것이 문제입니다.

이것은 매우 특징적인 바이러스감염증입니다. 의학생 시절부터 지식은 있으리라 생각합니다. 그럼 무엇이 문제입니까? 그것은 지역 의료기관에서는 극히 초발의 홍반 등, 아직 진단할 수 없는 상태에서 환자가 내원하기 때문입니다. 며칠 후에는 수두나 홍역 등으로 진전되어 있어서, 후에 진찰한 의사가 확정 진단하게 됩니다.

진단　최초기 병변의 특징을 파악하기가 매우 어렵습니다.

각각의 초발진은 감별이 매우 고민스럽습니다. 돌발성 발진만은 유아의 발열 후에 출현하는 홍반이므로 진단이 가능합니다. 며칠 경과한 발진과 비교하면, 어째서 초발진의 특이성이 없는지를 알 수 있습니다.

1 수두의 초발진 (그림1)

화살표와 같이 벌레에 물린 구진이 1군데뿐입니다. '이게 수두!?'라고 말하고 싶어집니다.

2 며칠 경과 후의 수두 (그림2)

1 증례의 며칠 후입니다. 수포가 순식간에 나타납니다(화살표). 이 시점에서는 이미 현저한 림프절종창을 확인합니다.

3 돌발성 발진 (그림3)

돌발성 발진의 특징은 유아의 발열 후에 나타나는 홍반입니다. 이것도 매우 알기 힘든 홍반입니다. 모친이 '발열 후, 발생했습니다.'라고 한마디 해 주지 않으면, '음식알레르기?' 등으로 끝나 버릴 것 같습니다.

4 풍진 (그림4)

옅은 홍반이 전신에 여기저기 나타납니다. 전신상태는 양호하며, 림프절종창이 현저합니다.

5 풍진에 의한 안면의 홍반 (그림5)

풍진의 초발입니다. 일광피부염, 접촉성피부염과 혼동스러우며, 안면만으로는 진단이 어려울 수도 있습니다.

6 홍역 (그림6)

'체간부에 함박눈 모양의 홍반구진' 등이라고 교과서에는 있지만, 진단이 상당히 어렵습니다. Koplik반도 선명하지 않은 경우가 있습니다.

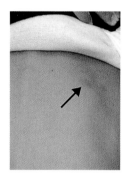
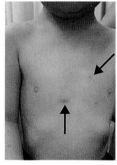

그림1 수두의 초발진　　그림2 며칠 경과 후의 수두

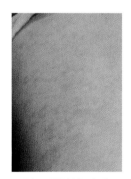

그림3 돌발성 발진　　그림4 풍진

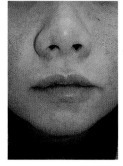

그림5 풍진에 의한 안면의 홍반　　그림6 홍역

치료

처방례

수두인 경우만(성인례) ▶ 발트렉스®정 500 mg 6T/일 분3〈1주〉
(소아례) ▶ 발트렉스®과립50% 25 mg/kg/회를 1일 3회〈5일간〉 체중
20 kg인 경우, 1회량 500 mg(과립으로 1 g), 1일량으로 1500 mg(3 g)

● 팜빌®은 수두에는 처방할 수 없습니다. 소아에게는 발트렉스®를 처방합니다.
● 홍역, 수두는 중증화되는 수가 있으므로, 미리 소개할 병원 등을 염두에 두고 진찰합니다. 풍진, 돌발성 발진은 경과관찰만으로 충분합니다.

환자에 대한 설명

어느 감염증도 완치를 기대할 수 있습니다.

● 홍역, 수두는 중증화되는 수가 있지만, 어느 질환도 대개 완치를 기대할 수 있습니다. 외래에서는 '환자(보호자)에 대한 설명'이 결정적으로 중요합니다. 병에 대한 설명을 알기 쉽고 친절하게 하는 것이 중요합니다. 각 감염증의 특징을 표1에 정리하였습니다. 자세한 내용은 저서 "진료소에서 보는 어린이의 피부질환"(일본의사신보사 간행) p69, p73, p76, p91를 참조하시기 바랍니다.

Q 벌레 물린 것과 같은 경증 수두가 있습니까?

A 예방접종을 한 환아는 상당히 경증입니다. 겨울철 이외는 벌레 물린 것과 전혀 구별이 되지 않습니다.

Q 풍진과 홍역은 어떻게 구별합니까?

A 페아혈청에 의한 항체가의 비교 내지는 특이적 글로불린을 측정하는데, 현장에서는 눈앞에 있는 환자에 대한 설명이 요구됩니다. 진찰 시의 감별은 전문의라도 어려우므로, '풍진인지 홍역인지, 현재로서는 어렵습니다. 경과를 봅시다' 라고 설명합니다.

표1 감염증의 특징

질환명	홍역	풍진	수두	돌발성 발진
호발연령	소아 30대까지 성인발병도 있음	소아 30대까지 성인발병도 있음	초등학교 입학 전까지. 그러나 20~30대의 성인 발병이 증가하고 있다.	생후 6개월~1년반
원인바이러스	홍역바이러스 (RNA바이러스)	풍진바이러스 (RNA바이러스)	수두·대상포진바이러스 (DNA바이러스)	헤르페스바이러스 HHV-6 or HHV-7 (DNA바이러스)
잠복기간	10~14일	1주	2주정도	모친으로부터의 잠복감염?
특징적 증상	전신권태감, 발열, 카타르 증상, Koplik반	연구개에 Forshheimer's spot (점상의 홍반)	발열, 수포, 두부에도 수포, 구강점막에 작은 진무름	38℃ 이상의 발열이 3~4일, 해열 후 발진
홍반의 소견	2~3 mm의 함박눈모양의 홍반으로 유합경향 있음	1~2 mm의 조밀한 홍색 구진, 유합하지 않는다	수포·가피 등 여러 가지 개진이 모자이크적으로 산포	5 mm정도의 홍반
발진의 경과	1~2주	소아는 3일에 소퇴, 성인은 1주정도	1주~10일	2~3일에 소퇴
치료제	없음	없음	발트렉스®	없음
예후, 중증화 등	중증화 있음	예후 양호, 임신부는 선천성 풍진증후군에 주의	중증화 있음	예후 양호
감별진단	약물 알레르기	약물 알레르기	벌레 물림 수포형성의 농가진, 단순포진, 모낭염	약물 알레르기, 두드러기 음식알레르기

이 일람표를 진찰책상에 놓아두면 편리합니다.

55 전염성 홍반

홍역, 수두 등과 다르며, 중증감은 없습니다.

Human Parvovirus B19 (HPV-B19)에 의한 감염증입니다. 매우 건강한 소아의 사지에 엷은 홍반이 생깁니다. 성인에게도 많으며, 환자는 놀라서 내원합니다. 홍역, 수두 등과 달리, 중증감은 없습니다. 이것이야말로, 바로 피부과적 수수께끼 질환입니다.

진단 > 교과서에 실려 있는 '망상(網狀, 그물모양)홍반'이라는 정의가 바로 적용됩니다.

1 좌우대칭 홍반 (그림1)

안면에 '손바닥으로 맞은 것'처럼, 망상홍반이 있으면 확정합니다.

2 편측 확대상 (그림2)

부풀어 오르지 않은, 협부만 엷은 망상홍반입니다. 눈의 바로 아래와 코는 intact합니다.

3 대퇴부의 망상홍반 (그림3)

이와 같이 그다지 확실하지 않은 엷은 홍반이 상완신측, 대퇴신측에 나타납니다.

4 3의 대퇴부의 확대상 (그림4)

두드러기, 다형 삼출성 홍반처럼 융기도 없고, 가려움증도 없으므로 긁은 흔적도 없습니다.

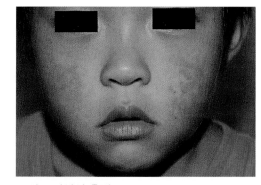

그림1 전염성 홍반

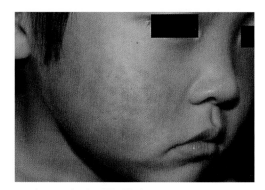

그림2 그림1의 편측 확대

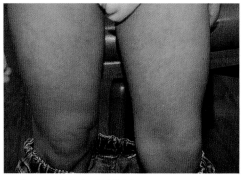

그림3 대퇴부의 망상홍반

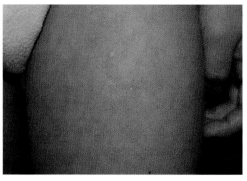

그림4 그림3의 대퇴부의 확대

치료

처방례

부종, 관절통이 현저하여, 일상생활이 어려운 성인례만▶
스테로이드 내복 (프레드닌®정 5 mg 3T/일)〈3일간〉

- 치료하지 않아도 1주 정도로 일단 치유된 듯이 보입니다. 단, 1개월정도는 재발의 가능성이 있습니다.
- 이 바이러스는 성인의 경우는 다음과 같은 질환의 원인이 되는 성가신 면도 있습니다[1].
  ① 임신 20주까지의 감염으로, 태아수종, 유산, 사산일 가능성이 약 9% 상승.
  ② 관절염이 합병된 경우, 관절류머티스가 발생할 가능성이 있다.
  ③ 용혈성 빈혈환자의 이환으로, 급성 적아구로(赤芽球癆)의 발생일 가능성이 있다.
- 또 다른 피부질환, 두드러기 등과의 관계도 추측되고 있습니다. 금후의 연구에 의해서 의외의 질환의 원인이었다고 판명될지도 모르겠습니다.

환자에 대한 설명

성인에게는 합병증이 많은 점을 주의 환기시킵니다.

- 소아는 매우 건강하고, 아무 증상도 없는 경우가 많은 반면, 성인에게는 홍반 출현 후, 관절통·사지의 부종이 높은 비율(70% 정도)로 합병됩니다. '어른의 감염은 중증화될 가능성이 있습니다' 라고 설명할 수도 있습니다.
- 여성에서 임신 가능한 환자라면, 보험진료로 특이적 글로불린 IgM을 측정합니다. 이 측정은 확인을 위해서만 하는 것이므로, 측정해도 '치료는 경과관찰만' 한다는 점을 전달해야 합니다.

One point Advice

전염성 단핵구증과의 감별이 중요합니다

- 전염성 단핵구증은 주로 EB바이러스에 의한 감염증으로, 발열, 림프절종창, 편도·인두염 등을 수반하고, 인두통 후, 4~5일에 발진이 나타납니다. 오히려 홍역, 풍진과 유사합니다. 그러나 가벼운 증상도 있을 수 있으므로 감별이 어렵습니다.

비전형례에서는 풍진과 구별할 수 없습니다.

- 혈청학적 진단은 감염 후 1주 경과 후부터 상승하는 HPV-B19, 특이적 IgM항체를 측정합니다. 측정할 때는 '임신을 의심하는 여성에 한한다' 등, 보험진료상의 제한이 있으므로 주의합니다.
- 이 질환은 그다지 전형적인 홍반은 아닙니다. 비전형례에서는 풍진과 구별이 되지 않습니다. '풍진'이라고 진단한 질환의 대부분이 이 전염성 홍반이 아닌가? 라고조차 합니다. 풍진의 페아혈청에서 확정되지 않은 증례의 대부분은 이 전염성 홍반일지도 모르겠습니다.

Q&A

 Q 일단 홍반이 소퇴되었다가 재발도 하지만, 어떤 때에 재발합니까?

A 1개월 정도는 입욕 시, 자외선 노출 시에 홍반이 현저합니다. 다음날, 큰 소동을 일으키며, '사라졌던 홍반이 다시 나타났습니다' 라며 외래를 수진합니다. 그 후, 사라진 경우도 많고, 오히려 두드러기처럼 갑작스런 발적이었다고 환자와 가족이 호소합니다.

 Q 홍반은 바이러스의 피부감염이 아닙니까?

A 바이러스감염 후에 출현하며, 이 때는 바이러스의 존재를 확인할 수 없습니다. 그렇게 되면, 이 홍반들은 감염결과 생긴 면역복합체 등의 '후유증'이라고 생각하는 설도 있습니다. 상세한 내용은 불분명합니다.

 Q 보육원, 학교는?

A 대응은 여러 가지입니다. 홍반의 출현시는 바이러스의 배출이 없다는 점에서, 등원등교가 가능합니다(1993년, 일본소아과학회의 통일견해).

 Q 전신성 홍반성 루프스(SLE)의 접형홍반과 어디가 다릅니까?

A 코 부분에 주목합니다. 전염성 홍반인 경우, 코에는 출현하지 않습니다. SLE는 통상 코에 출현합니다. 물론 전형례뿐만이 아니므로, 구별불능인 경우도 있습니다. 전염성 홍반도 발열, 관절통이 확인되므로 SLE 증상과 혼동하는 수가 있습니다. 결국은 임상경과에서 판단합니다.

※ 전염성 단핵구증에 관한 자세한 내용은 저서 "진료소에서 보는 어린이의 피부질환" (일본의사신보사 간행) p83을 참조하시기 바랍니다.

참고문헌

1) 국립감염증연구소 감염증역학센터
: 감염증이야기 전염성 홍반.
[http://idsc.nih.go.jp/idwr/kansen/k04/k04_23/k04_23.html]

56 수족구병

복수의 바이러스가 관여하여, 2번 걸리는 수도 있습니다.

아시는 바와 같이 여름철에 많고, 소아의 손, 발, 입에 수포가 생깁니다. 완성된 단계에서는 진단이 간단합니다. 6개월~5세정도의 유아에게 호발합니다. 콕사키A16, 에코6 등, 복수의 바이러스가 발생에 관여하고 있어서 2번 걸리는 수도 있습니다.

진단 특징적인 타원형 수포가 손, 발, 입, 둔부에 3군데 정도 생기면 확정합니다.

확정할 수 없을 때는 1~2일 후에 재진하면 확실해지는 수가 있습니다. 수족구의 3곳에 생기면 이야기를 듣는 것만으로 진단할 수 있습니다.

1 타원형 수포 (그림1, 화살표)

이것은 상당히 특징적입니다. 익숙해지면, 1곳 만으로도 '앗, 이것은 수족구'라고 진단할 수 있습니다.

1 둔부에 생긴 증례 (그림2, 화살표)

실은 둔부도 호발부위입니다. 둔부의 병변은 기저귀를 교환할 때 보호자가 처음 발견합니다. 그리고 '엉덩이에 이상한 것이…'라고 호소하며 내원합니다. 기저귀피부염이라고 오진하여, 다른 의원에서 손발의 수포를 지적받지만 '실은 수족구병'으로 판명되는 수가 있습니다.

1 사지에 다발하는 증례 (그림3, 화살표)

사지에도 수포, 구진이 출현하는 수가 있으므로 혼란스럽습니다. 이 질환의 병명에서는 이해하기 어려운 부위입니다.

1 손가락에 생긴 수족구병의 초기단계 (그림4, 화살표)

외래에서 어려운 것은 초기단계에서의 진단입니다. 이와 같은 작은 수포에서 보호자가 걱정하며 데리고 옵니다.

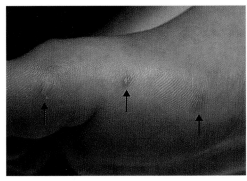

그림1 수족구병 : 타원형의 수포

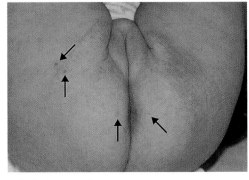

그림2 둔부에 발생

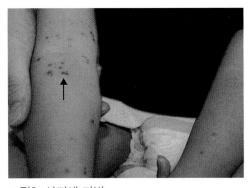

그림3 사지에 다발

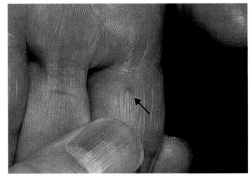

그림4 손가락에 생긴 수족구병의 초기 소견

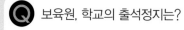
치료

- 특별한 치료제는 없습니다. 대증요법입니다.
- 발열, 식욕부진 등, 3일 정도의 전구증상이 있으며, 수진부터 4~5일 정도로 치유됩니다.
- 드물게 '뇌의 병변' '심질환'을 수반하는 중증례가 있다고 보도되어 있으므로[1] 염두에 둡니다.

유사증례

- 수족구병의 유사증례에는 전염성 농가진, 전염성 연속종, 한포, 벌레물림이 있습니다.
- 그림5는 전염성 농가진의 입주위의 수포. 그 주위에는 진무름이 있어서, 농가진이라고 진단할 수 있습니다. 그림6은 전염성 연속종 수포. 그 특징은 수정과 같은 일정한 구진입니다. 그림7은 손의 모지구부에 배열된 한포의 수포입니다. 이와 같이 일부에 밀집되어 있어서 감별할 수 있습니다. 그림8은 벌레물린 수포. 발바닥의 벌레물림으로, 약간 대형 수포입니다.

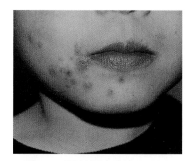

그림5　전염성 농가진

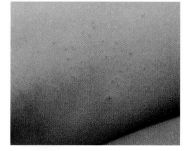

그림6　전염성 연속종

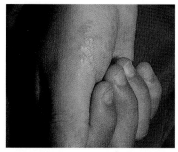

그림7　손의 모지구부에 배열된 한포

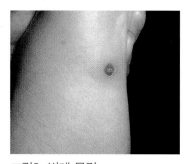

그림8　벌레 물림

One point Advice

초기단계에서 어떻게 확인하는가가 중요합니다.

- 림프절종창은 평상시에도 만져지는 소아가 많으므로, 그다지 도움이 되지 않습니다. 특히 다른 감염증과 중복되어 있는 경우 등은 뭐가 뭔지 알 수 없게 됩니다. 수족구병은 광범위하게 발생하는 수가 있습니다. 최종적으로 '타원형 수포'를 확인합니다.

※ 수족구병에 관한 자세한 내용은 저서 "진료소에서 보는 어린이의 피부질환" (일본의사신보사 간행) p86을 참조하시기 바랍니다.

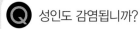

Q 보육원, 학교의 출석정지는?

A 학교보건법 시행규칙에서는 이 질환을 '다른 전염병'과 분류하고 있습니다(2009년 4월부터). 이것은 주치의의 재량으로 출석정지 등을 고려합니다. 구강 내의 병변으로 식욕부진, 그 결과 몸의 상태도 악화되므로, 3~4일은 쉬게 하는 지도가 일반적입니다. 인두에서는 수 주간, 분변에서는 1개월간, 바이러스가 배출되므로, 타인에 대한 감염은 제지할 수 없겠지요[1].

Q 성인도 감염됩니까?

A 이 질환은 몇 종류의 바이러스에 의해 일어납니다. 만일 보호자가 어린이가 가지는 바이러스와 같은 타입의 항체를 보유하고 있으면, 발생할 수도 있습니다. 잠복기간은 3~5일입니다.

Q 둔부의 기저귀피부염, 칸디다증과 수족구병의 상이점은?

A 수포를 확인하면 되지만, 초기에는 확인할 수 없는 경우도 있습니다. 기저귀피부염을 진찰하면, 순간적으로 손과 발, 입도 진찰하도록 명심합니다. 가장 확실한 진단방법은 '의심하는 마음'입니다.

Q 드문 중증이란?

A 엔테로71바이러스에 의한 수막염, 콕사키A16에서는 심근염 등의 보고가 있다고 합니다. 해외에서는 1990년대에 말레이시아에서 30명이 사망, 대만에서는 55명이 사망했다는 뉴스가 있었습니다. 금후 바이러스의 상태가 어떻게 변화하는가 불분명하지만, 보호자에게는 만일을 위해 며칠 동안 주의깊게 아이를 관찰하도록 지시합니다.

참고문헌

1) 국립감염증연구소 감염증역학센터 : 감염증이야기 수족구병.[http://www.nih.go.jp/niid/ja/kansennohanashi/441-hfmd.html]

57 바이러스감염증인지 약물 알레르기인지 판별할 수 없는 상태

설명할 수 없는 수수께끼 질환이 피부과에도 있습니다.

어느 진료과나 진단할 수 없는 불가사의한 질환은 있는 법입니다. 피부과에도 '설명할 수 없는 홍반'을 때때로 보게 됩니다. 약물 알레르기라고 생각되는데, 약제를 내복하지 않았거나 최근에 내복을 개시한 약제가 없다…. 식품에 함유된 첨가물? 미량금속? 의심은 끝없이 확대됩니다. '바이러스감염증'은 확실히 확정할 수 없지만, 여러 가지 원인이 의심스러운 상태입니다. 특별히 독립된 개념이 아니므로 교과서에도 기재가 없어서, 수련의 시절 어려웠던 부분이었습니다. 어쨌든, 아직 판명되지 않은 바이러스, 화학물질이 관여하는 수수께끼 질환이 많이 존재합니다.

> **진단** 그다지 특징 없는 홍반, 구진이 여기저기에 사지나 체간부에 생깁니다.

풍진, 홍역, 수두라는 대표적 바이러스 감염증과는 달리, 그다지 특징 없는 홍반, 구진이 여기저기 사지와 체간부에 생깁니다. 발열도 없고, 자각증상도 부족하여 어렵습니다.

1 체간부의 홍반 (그림1)

특징 없는 홍반이 산포해 있습니다.

2 하지의 홍반 (그림2)

다른 전신증상은 수반하지 않습니다. 가려움증도 없이, 단지 발적이 나타난 증상입니다.

3 상지의 홍반 (그림3)

접촉성피부염의 원인은 생각할 수 없고, 이와 같은 홍반이 사지에서 확인됩니다.

4 배부(背部)의 홍반 (그림4)

홍역, 모충피부염 등과 유사하지만, 결정적인 것은 없습니다. 가려움증도 없고, 환자는 매우 건강합니다.

그림1 체간부의 홍반

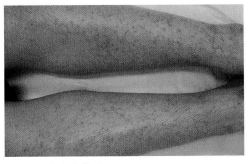

그림2 하지의 홍반

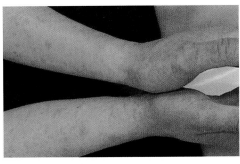

그림3 상지의 홍반

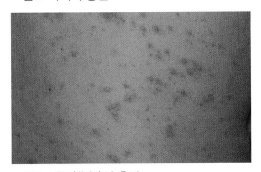

그림4 배부(背部)의 홍반

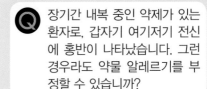

치료

처방례

가려움증이 있는 경우▶

항히스타민제 내복(알레로크®정 5 mg 2T/일 분2)〈1주〉

- 가려움증이 있으면 항히스타민제를 처방합니다. 경과 관찰하지만, 1주정도로 소퇴되는 증례가 많습니다.
- 그다지 확실하지 않은 개념이므로, 확립된 치료법도 없습니다. 기껏해야 혈액검사를 하고, 간기능이상이나 CRP를 검사하는 것이 한계입니다.

환자에 대한 설명

대부분은 1~2주 정도로 소퇴됩니다.

- 그 이상의 지속은 전문의에게 소개합니다. 원인이 불분명하므로 말을 골라서, '아무 치료를 하지 않아도 됩니다. 타인에게 전염될 염려도 없어서, 걱정하지 않아도 됩니다'라고 설명합니다.

One point Advice

이 질환은 외래에서 빈도가 높으므로, 염두에 둡니다.

- '이것은 바이러스감염증일지도 모르는 질환입니다' '아니, 약물 알레르기이지만 원인물질이 불분명한 질환입니다' 등, 수련의 시절에 흔히 지도의선생님께서 하셨던 말씀입니다. 이 범주에 속하는 홍반이나 구진은 실은 약물 알레르기와 전혀 구별되지 않는 경우가 많아서, 현장에서는 괴로울 뿐입니다. 문제를 더욱 복잡하게 하는 것은 약물 알레르기 바이러스감염증이 오버랩되어 있다는 가설이 있는 것입니다. 예를 들어 전염성 단핵구증인 경우, 페니실린계 약제투여로 약물 알레르기를 일으키는 경우가 많은 것도 그 일례입니다. 또는 보통 아무렇지도 않은 약제인데, 뭔가 바이러스감염증이 합병되어 있으면 높은 비율로 약물 알레르기가 생기는 것이 아닐까 하는 설도 있어서, 양자는 혼연일체화의 양상조차 있습니다. 교과서에서 무시되고 있는 이 질환은 외래에서 빈도가 높아서 염두에 두면 편리합니다.

진단불능인 경우의 대처는?

- 모든 질환에 관하여 진단하는 것은 불가능합니다. 하물며, 일반의에게 그것을 요구하는 것은 과잉 기대라고 해야겠지요. 진단할 수 없을 때는 '잘 모르겠습니다' 라고 정직하게 설명하고, 전문의에게 소개하는 것이 환자에게 가장 도움이 됩니다. 모르는 것은 수치가 아닙니다. 오히려, 그 상태 그대로 애매하게 얼버무리는 것이 문제입니다. 그래서 환자가 '뭐야 이 의사선생님, 진단도 못 내리고'라고 막말을 하고 간다 할지라도, 그것은 그것대로 괜찮지 않을까요? 그 환자와는 '연이 없었던 것'입니다. 반대로 '그런가, 이 선생님은 정직하시네, 아는 척하고 잘난 척하는 의사선생님에 비하면, 겸손하시고. 앞으로는 이 선생님을 단골로 해야겠다'라고 생각하는 환자도 있을 것입니다.

Q 장기간 내복 중인 약제가 있는 환자로, 갑자기 여기저기 전신에 홍반이 나타났습니다. 그런 경우라도 약물 알레르기를 부정할 수 있습니까?

A 대개 이와 같은 경우, 약물 알레르기일 가능성은 부정적입니다. 약제 내복과 바이러스감염증은 '수수께끼의 링크'가 있는 것 같은데, 아직 판명되지 않았습니다. 우연히 감염된 바이러스가 내복 중인 약제와 반응하여, 약물 알레르기와 같은 전신의 홍반을 발생시키고, 바이러스의 반응이 안정되면, 이 반응이 끝난다…. 또 체내에 잠복 감염되어 있는 바이러스가 숙주의 면역저하와 함께 약제와 반응을 일으켜서 재활성화된다면? 이라는 억측도 있어서, 바이러스감염증과 약물 알레르기의 경계가 애매해지고 있습니다. 금후의 연구에 기대하는 바입니다.

Q '식품첨가물, 음식물 속의 금속, 그 밖의 인공산물이 원인이 아닐까요?'라고 환자가 물으면?

A 이 문제는 '약제'와 '화학물질'의 경계영역이 화제가 되어 매우 복잡합니다. 예를 들어 초콜릿에는 Cr(크롬)이 함유되어 있어서 반응을 일으키는 것인가? 등등, 가능성이 무한으로 확대됩니다. 일반의가 거기까지 깊이 탐구하는 것은 무리라고 생각합니다. 특정 음식, 첨가물과 관련이 있다고 의심하는 시점에서 알레르기 전문의에게 소개합니다.

Q 매독, AIDS는 생각하지 않아도 됩니까?

A 매독2기의 피부증상은 스피로헤타(spirochete)가 전신에 산포되어 생기므로, 다양합니다. 특히 장미진은 간과되는 경우가 많은 것 같습니다. AIDS에서는 약물 알레르기가 높은 비율로 생깁니다. 면역계 등의 제어가 파괴되는 것이 원인인 것 같습니다. 양 질환 모두 '원인을 알 수 없는 증상'으로 취급되는 경우가 많아서, 머릿속에 병명을 기억해 둡니다.

58 전염성 연속종(무사마귀), 몰루스쿰(molluscum)반응

제거해야 하는지의 여부가 문제가 됩니다.

전염성 연속종은 연속종 바이러스에 의한 감염증입니다. 방치해도 언젠가 사라집니다. 드물게, 사라지지 않고 증대되어, 큰 무사마귀로 성장하는 수가 있습니다. 제거할 때에 동통이 있으므로 큰 문제가 됩니다. 제거해야 하는지? 제거해서는 안되는지? 아직까지 결론이 나지 않고 있습니다.

진단　'어색한 생생한 구진'이 특징입니다. 익숙해지면 즉시 진단할 수 있습니다.

1 다발하는 전염성 연속종 (그림1)

이와 같이 전염성 연속종은 다발합니다. 이것은 상당히 작은 타입입니다. 작은 '물방울'을 붙인 듯한 형태입니다.

2 밀집하는 전염성 연속종 (그림2)

때로 밀집하기도 합니다. 이것은 약간 큰 타입입니다. 일종의 전염성 연속종을 긁어서, 줄모양으로 피부 위로 전파되어 간 상태를 알 수 있습니다.

3 전염성 연속종의 '몰루스쿰(molluscum)반응' (그림3)

몰루스쿰반응이 숙주(사람)측의 면역반응이라는 것은 명백하지만, 매우 가렵습니다. 외래에서는 전염성 연속종이 존재하지 않고, 이 몰루스쿰반응만으로 내원하는 경우가 있습니다.

4 트라코마핀셋 (그림4)

제거할 때에 사용합니다. 끝으로 잡습니다.

그림1 다발하는 전염성 연속종

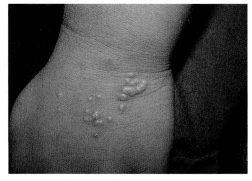
그림2 밀집하는 전염성 연속종

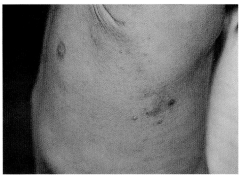
그림3 몰루스쿰(molluscum)반응

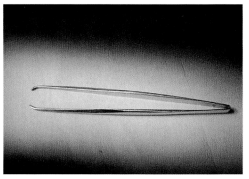
그림4 트라코마핀셋

치료

전염성 연속종은 어떻게 합니까?

- 펜레스®테이프가 보험을 청구할 수 있게 되었습니다. 첨부문서에는 '전염성 연속종 절제 시의 동통완화 통상, 소아에게는 본제 1회 2장까지를, 전염성 연속종 절제 예정부위에 약 1시간 첨부한다'고 되어 있습니다. '이 테이프를 붙이면 통증이 없어요'라고 설득할 수 있는지의 여부가 열쇠입니다. 또 첨부문서에는 쇼크, 아나필락시를 일으키는 수가 있으므로 관찰을 충분히 한다고 기재되어 있습니다. 첨부 중에는 원내에 머물도록 설명합니다.
- 제거하는 경우 : 안과용 트라코마핀셋이 사용하기 쉬워서, 가장 널리 사용되고 있습니다. 요령은 피부면과 평행방향으로 손목의 스냅을 이용하여, 순식간에 제거합니다. 잡아당기면 아프므로 주의해야 합니다.
- 제거하지 않는 경우 : 전염성 연속종은 자연 치유되는 질환이라는 점을 보호자에게 설명합니다. 무리하게 자기식으로 '치료'하지 않도록 합니다.
- 초산은(硝酸銀)을 쐬는 치료법도 있습니다. 초산은이 건강피부에 부착되면, 쓸데없는 트러블의 원인이 됩니다. 신중하게 합니다.

몰루스쿰(molluscum)반응인 경우는?

- 이것은 통상의 습진치료와 똑같습니다. 정도에 따라서 스테로이드 외용(아르메타® 등)을 합니다. 단, 과도한 스테로이드 외용은 피부의 면역을 억제하고, 신생하는 전염성 연속종을 초래하게 되므로, 2~3일의 단기간으로 합니다.

환자에 대한 설명

몰루스쿰(molluscum)반응은 타질환과 혼동되므로, 주의합니다.

- 몰루스쿰반응은 모낭염, 수두, 독나방피부염 등과 매우 혼동스러워서, 용어를 선택하여 모친에게 설명해야 합니다. '음, 아마 무사마귀 반응이라고 생각하는데, 때로 수포창, 벌레 물림, 털구멍의 감염 등도 있을 수 있습니다. 2~3일 후에 다시 한 번 진찰해 보겠습니다'라고 설명합니다.

유사증례

- 전염성 연속종, 몰루스쿰반응의 유사증례에는 광택태선(그림5), 미류(그림6)이 있습니다. 광택태선은 일정하게 밀집하는 깨끗한 집단. 미류은 황색으로, 주위와 약간 연속되는 융기가 특징입니다. 미류은 케라틴을 포함한 낭포입니다.

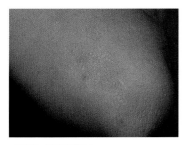

그림5 광택태선

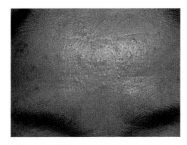

그림6 미류

 Q 수영장에 들어가도 됩니까?

 A 수영장에는 들어갈 수 있게 되었습니다.
2015년 5월, 일본임상피부과학회 · 일본소아피부과학회 · 일본피부과학회의 통일견해가 발표되었습니다.(http://www.jocd.org/pdf/20130524_01.pdf)

Q 눈 주위에 밀집하는 전염성 연속종은 어떻게 처치합니까?

A 유아에 따라서는 심하게 저항합니다. 따라서 무리하게 제거하지 말고, 일부러 자극이 있는 외용제(예를 들어 요소연고인 우레팔® 등)를 사용하여, 염증반응을 야기시켜서 자연면역으로 소퇴시키는 방법이 있습니다. 그러나 눈에 들어가면 그 나름대로 위험하므로, 초조해하지 말고 자연소퇴를 기다리는 편이 무난할지도 모르겠습니다.

 Q 어른에게 감염되기도 합니까?

 A 있습니다. 소아와 접촉이 많은 모친에게 발생하는 수가 있습니다. 이것도 제거합니다.

 Q 보육원 통원, 초등학교 등교는?

 A 특별한 법적 규제는 없습니다. 저서 "진료소에서 보는 어린이의 피부질환"(일본의사신보사 간행) p106을 참조하시기 바랍니다.

참고문헌

- 中村健一 : 소아과.
  2015 ; 56(11) : 1819–25.
- 中村健一 : 임상강좌 다큐멘트 피부과외래 제16회 변화하는 전염성 연속종의 확인법−가려워도 무사마귀? 새빨개도 무사마귀? 일경메디컬 Online. 2014.
- 中村健一 : 임상강좌 다큐멘트 피부과외래 제17회 동영상으로 보여드립니다, 환아가 울지 않는 무사마귀 치료−첫 공개! '전~혀 아프지 않은' 연속종 제거법. 일경메디컬 online. 2014.

59 옴(scabies)(개선)

옴벌레의 기생으로 생깁니다.

2016년 현재, 일본에 8~10만명의 환자가 있다고 추측되고 있습니다. 옴이란 직경 0.4 mm 정도의 옴벌레가 인간의 피부에 기생함으로써 생기는 질환입니다. 옴벌레는 말하자면 인체 표면에 기생하는 '에이리언'입니다.

진단 보통 옴의 진단은 손바닥, 손가락 등에서 옴터널을 발견하는 것입니다.

옴은 다음의 2종류입니다.
① 보통 옴(기생 성충수 10마리 정도) : 대부분이 이 보통 옴입니다.
② 각화형 옴(기생 성충수 10만마리 이상) : 막대한 수의 옴벌레가 기생합니다. 체표면은 거의 전부 옴벌레로 덮여서 만들어진 상태입니다.

이 2가지는 치료법이나 주위 간호사의 대응이 전혀 다르므로 나누어 생각합니다.

우선 손바닥을 자세히 관찰합니다. 체간부 등의 긁은 흔적은 피지결핍성 습진과 구별이 되지 않습니다. 진단은 손바닥, 손가락 사이 등에서 옴터널의 발견입니다. 더모스코피라는 진단 장치가 필수품입니다. 하지만, 이상이 있는 곳에서 인설을 채취하고, 현미경에 의한 충란의 발견이 사실상 확정 진단입니다. 알로 충분합니다. 성충을 파내는 것은 요령이 필요하고, 좀처럼 하기 힘듭니다.

각화형 옴은 이렇다 할 증상이 없으므로, 가장 간과하기 쉬운 질환입니다. '설마, 이것이 옴이라고는!'라고 후회하게 됩니다. 그러니까 '고령자의 손바닥, 발바닥에 두꺼운 인설과 각화가 있다면, 우선 옴을 의심하라'. 이것을 명심합니다.

1 손바닥에 생긴 보통 옴 (그림1)
2 체간부에 생긴 증례 (그림2)
3 양로원 입주자의 흉부 복부에 생긴 증례 (그림3)
4 노인의 대퇴부에 생긴 증례 (그림4)
5 겨드랑이 아래의 구진(2세소아) (그림5)
6 음낭의 양진(5세소아) (그림6)

증상은 야간에 악화되는 극심한 가려움증입니다. 손바닥, 경부, 음부 등입니다. 남성의 음낭은 호발부위입니다. 음낭에 구진이 나타나면, 거의 옴이라고 진단해도 틀림없습니다.

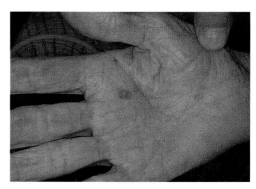

그림1 손바닥에 생긴 보통 옴

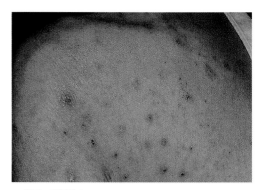

그림2 체간부

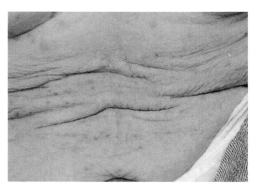

그림3 양로원 입주자의 흉부 복부

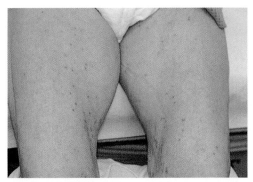

그림4 노인의 대퇴부

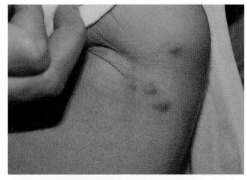

그림5 겨드랑이 아래의 구진(2세 소아)

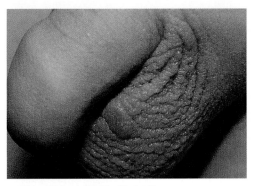

그림6 음낭의 양진(5세 소아)

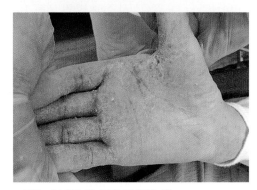

그림7 손바닥에 생긴 각화형 옴

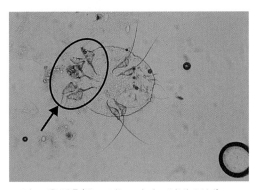

그림8 옴성충(○표시는 머리·앞발 부분)

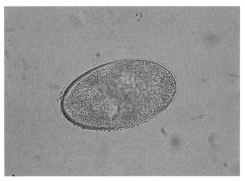

그림9 옴알①

7 손바닥에 생긴 각화형 옴 (그림7)

각화형 옴은 이와 같이 두꺼운 각질로 덮힌 중증형 옴입니다.

8 옴성충 (그림8)

화살표의 머리·앞발부분이 더모스코피에서 '검은 삼각형'으로 확인되는 부위입니다.

9 옴알① (그림9)

내부에서 옴벌레가 확인되는 알입니다.

10 옴알② (그림10)

부화한 후 세로로 2개로 갈라진 껍질입니다. 화살표가 갈라진 틈입니다.

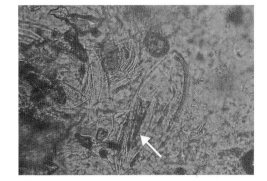

그림10 옴알②

- 옴벌레는 피부 속에 터널을 만들어, 암컷이 그 곳에서 알을 낳습니다. '옴터널'이라고 하며, 폭 0.4 mm, 길이 5 mm정도입니다. 이것을 어떻게 발견하는가가 중요합니다.
- 근래는 더모스코피에 의한 발견이 쉬우므로, 이것을 권장합니다. 칼럼 '옴터널 발견의 요령'(☞p208)을 참조하시기 바랍니다. 현미경에서의 확인은 더모스코피상에서의 '검은 삼각형'을 발견하고, 18G 바늘 등으로 파냅니다. 조금 어렵습니다.

치료 ▶

처방례

1 일반적인 경우▶
스미스린®로션 외용〈1회(30 g), 1주간격으로〉. 경부 이하(경부에서 발바닥까지)의 피부에 도포하고, 도포 후 12시간 이상 경과 후에 입욕·샤워 등으로 세정, 제거.

2 각화형 옴, 또는 외용을 사용할 수 없는 경우▶
항선충제 내복 [스트로멕톨®정 3 mg 3T(체중 36~50 kg)~4T(체중 51~65 kg)를 점심식사 전에 1회만 내복, 1주 후에 또 1회 내복]
※ 체중 15 kg 미만인 소아, 임산부, 수유 중에는 사용할 수 없다.

3 영유아, 임산부, 수유 중▶
유황연고 외용(3~10%의 연고로 원내에서 환자에게 주거나, 또는 시판하는 아스타®연고 외용)
※ 현재, 이 환자들에게는 이 약제 뿐.

- 스미스린®로션의 영유아, 임산부, 수유 중의 사용에 관해서는 검토 중입니다.
- 스테로이드 외용제는 병용하지 않습니다. 옴벌레가 계속 살게 됩니다.
- 가까운 장래, 구미에서의 주류제인 페르메트린 외용제를 사용할 수 있을지도 모르겠습니다. 그것은 이 약제, '포르마린 사용'을 위해서 일본 행정이 허가하지 않은 것입니다. 그런데 현재 포르마린을 사용하지 않는 동품이 시장에 나와 있으므로, 가까운 장래에 인가할 수도!?
- 스미스린®로션의 내성균은 현재 없는 것 같습니다. 그러나 잘못 사용하면 내성균이 나타날 가능성이 있습니다. 이미 머릿니는 스미스린® 내성이 보고되어 있어서, 개선도 주의해야 합니다. 그러기 위해서는 확실한 진단 하에, 첨부문서에 있는 대로 사용해야 합니다.
- 손톱에 옴이 들어가서, '손톱옴'이 되기도 합니다. 그 경우, 스트로멕톨® 내복도 스미스린®로션 단순도포도 무효입니다. 스미스린®로션은 주 1회 외용. 그것과는 별도로 매일, 10%살리틸산 와세린 등의 각질연화제로 손톱을 피복합니다. 스미스린®로션은 자극이 있어서 밀폐요법에는 적합하지 않으므로 주의합니다. 장기간 걸립니다.
- 머릿니에 사용되는 스미스린®-L샴푸 타입(페노트린 0.4%)은 농도가 낮아서 개선에는 무효입니다. 저농도의 약제를 계속 사용하면 일반적으로 내성충? 이 나타날 가능성이 있습니다.

환자에 대한 설명 ▶

보통 옴은 특별한 치료가 필요 없습니다.

- 각화형 옴은 극심한 감염력이 있어서, 전문의라도 직접 접촉을 주저합니다. 격리하여 엄중하게 관리해야 합니다. 재택이라면 가운테크닉, 또는 그에 준한 감염예방, 손씻기, 실내 소독 등을 철저히 합니다. 가족에 대한 감염은 필연적입니다. 가족도 동시에 치료합니다.

칼럼 ▶
옴터널 발견의 요령

- 옴의 진단에 관해서 교과서에는 '옴터널을 발견하고, 성충을 찾아냄으로써 확정진단'이라고 기재되어 있습니다. 그 요령은 다음과 같습니다.
- 손가락, 손바닥, 손목, 발바닥, 남성의 음낭에 주목한다. 다른 부분에서의 발견은 다소 어렵다.
- 더모스코피를 사용하지 않으면 발견이 어렵다. 엠안도닉 등에서 판매하고 있다. 이것은 편광렌즈로, 피부의 난반사를 억제하여, 피부 내를 투시할 수 있는 뛰어난 것.
- 더모스코피를 구입할 수 없을 때는 시판하는 루페를 이용한다. 올리브기름, 에코용 젤 등을 피부에 발라서 난반사를 억제하고 루페로 관찰한다. 피부의 난반사 때문에, 직접 루페로 보아도 피부 속은 투시할 수 없다.
- 힘줄 모양으로 '배가 호수 위를 나아갈 때 생기는 파문' 같은 곳을 찾는다. 그것이 옴터널이다(그림11).
- 그 앞에 조금 떨어진 곳에 옴벌레의 악체부(顎體部)를 '검은 삼각형'으로 확인할 수 있다(그림12).

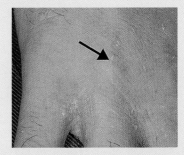

그림11 옴터널

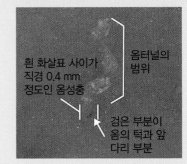

흰 화살표 사이가 직경 0.4 mm 정도인 옴성충

옴터널의 범위

검은 부분이 옴의 턱과 앞다리 부분

그림12 옴벌레의 악체부 (더모스코피)

칼럼

옴인지 양진인지 혼란스러우면, 개선을 전제로 치료합니다.

● 옴과 양진의 2가지는 매우 혼동스러운 '유사한 증례'입니다. 옴은 감염성으로 진드기의 기생에 의한 것입니다. 양진은 감염성이 아니라, 이른바 자기반응입니다. 양진의 치료는 스테로이드 외용이므로, 옴 환자에게 양진 치료를 하면 옴이 악화됩니다. 그러나 옴이 아닌 양진 환자에게 스테로이드가 아닌 가려움방지제를 처방해도, 가려움증은 변함이 없고, 악화되지도 않습니다. 따라서 옴인지 양진인지 진단을 내리지 못하고 혼동스러울 때는, 우선 옴을 전제로 치료할 것을 권합니다. 델마크린®크림 [칼럼 '델마크린®A연고·델마크린®크림을 아십니까?'(☞p279)참조] 등을 외용하고 상태를 관찰합니다. 재진해도 옴다운 소견이 없고, '괜찮다'고 느끼면 기간한정으로 스테로이드 외용을 해도 됩니다. '의심스러울 때는 감염증'이라고 이해합니다.

One point Advice

옴벌레의 생활고리, 감염경로를 이해합니다.

● 옴벌레는 피부의 각질부분에 동굴을 만듭니다. 그곳을 주거로 하여 알을 낳고, 번식합니다. 또 옴벌레는 손발이 퇴화되어 있어서, 1분간에 2.5 cm 정도밖에 이동하지 못하고, 16℃ 이하에서는 움직이지 않습니다.
● 그림13은 옴벌레의 생활고리를 도해한 것입니다.
● 옴은 고령자 시설에서 집단발생하고 있어서, 사회문제화되고 있습니다.
● 옴벌레는 기생한 후에 인체가 감작하여, 가려움증으로 나타나기까지 1개월정도 걸립니다. 이것이 잠복기입니다. 그러니까 옴은 집단생활에서 좀처럼 근치되지 않고 계속 생존하는 것입니다.

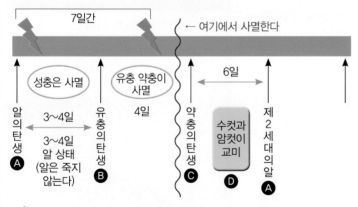

= 약제 투여. 1주간격으로 2회하면 옴벌레의 교미를 저지할 수 있다. 따라서 옴벌레가 사멸한다.

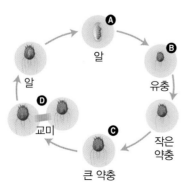

그림13 옴벌레의 생활고리

Q&A

 옴이 집단발병했습니다. 어떡해야 합니까?

 고령자시설에서는 집단발병이 있습니다. 대부분은 초기의 옴을 간과하여 시작됩니다. 개개환자의 치료도 중요하지만, 우선 직원교육이 중요합니다. 적극적으로 시설의 스텝을 교육합니다.

 γ-BHC 등 예전의 약은 사용할 수 없습니까?

사용이 금지되었습니다. 예전에는 의료자에 한해서 사용했는데, 현재는 환경파괴의 원인이 되어 사용할 수 없게 되었습니다.

 옴치료가 종료된 후, 옴터널도 없는데, 가려움증이 멈추지 않을 때는?

가려움증이 계속되고, 옴과 유사한 구진, 양진이 체간부, 사지의 여기저기에 잔존하는 현상입니다. 옴벌레의 똥, 충체의 일부 등이 잔존하고, 그것으로 인해서 알레르기반응을 일으키고 있다는 설이 있습니다. 이와 같은 경우에는 스테로이드 외용제를 사용하기도 하는데, 옴이 재발하는 수도 있습니다. 전문의에게 소개합니다.

 옴벌레는 감염시, 성충이 몇 마리정도 피부에 침입해 있는 것입니까?

옴터널의 수 등에서, 통상의 옴에서는 기껏해야 5~6마리 정도라고 합니다. 감염상태는 개인차가 있어서, 수천마리에 이르는 경우도 있습니다. 각화형 옴에서는 손톱속에까지 들어갈 정도로 크게 증식되어, 수십만에서 수백만 마리라고도 합니다.

참고문헌

• 和田康夫, 편 : 개선핸드북, 아톰스, 2016

60 머릿니(Pediculus humanus var. capitis)

머릿니가 털구멍에서 흡혈, 이것이 가려움증의 원인입니다.

'우리 아이 머리카락에 벌레가 붙어있어요'. 모친이 흥분해서 살기를 띱니다. 자세히 관찰합니다. 1 mm 정도의 머릿니충란이 머리카락에 딱 붙어 있습니다. 머릿니, 이것을 발견하면 모친은 기절직전의 패닉상태에서 내원하게 됩니다. 이것은 사람의 머리카락에 알을 낳습니다. 그리고 성충은 털구멍에 머리를 묻고 흡혈합니다. 이것이 가려움증의 원인이 됩니다.

진단 진단은 성충을 발견하는 것보다 알을 발견하는 것입니다.

암컷의 크기는 약 3~4 mm로, 육안으로 보입니다. 성충이 우글우글해서 '운동회'를 하고 있는 증례도 있지만, 드뭅니다. 대부분의 증례는 머리카락에 딱 붙어 있는 알, 장축이 1 mm인 알을 발견하는 것에 그칩니다.

1 머리카락에 붙은 성충 (그림1)

머릿니성충. 교미하고 있는 상태를 우연히 촬영했습니다.

2 머릿니의 알 (그림2)

현미경을 사용하고 있습니다. 머리카락에 단단히 붙어 있는 것을 알 수 있습니다.

3 더모스코피로 본 머릿니의 알 (그림3)

육안으로는 광택이 있는 작은 북 같은 형태입니다.

4 더모스코피로 본 머릿니의 성충 (그림4)

확대하면, 머릿니는 이와 같이 보입니다.

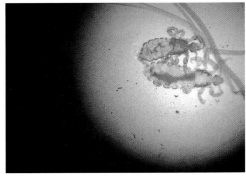

그림1 머리카락에 붙은 성충

그림2 머릿니의 알

그림3 더모스코피로 본 머릿니의 알

그림4 더모스코피로 본 머릿니의 성충

치료

처방례

스미스린®L 샴푸타입

※ 자비로 구입한다. 2016년 현재, 2,000~3,000엔(세금포함).

● 스미스린®L은 보험적용외입니다. 10일간에 4회 사용합니다. 왜 이런 외용방법일까요? 알이 부화하기까지 7일 걸리기 때문입니다. 한편 약은 알에는 무효입니다. 즉, 알에서 부화하여 나온 것을 퇴치하는 것입니다(그림5). 이렇게 10일간 하면, 벌레는 완전히 어린이로부터 제거됩니다.

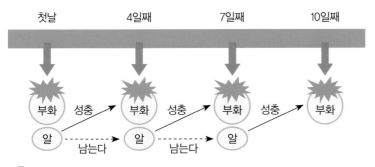

↓ = 스미스린®L로 세발한 날

그림5 스미스린®L에 의한 머릿니 구제

환자에 대한 설명

학교 교실 내에서의 감염확대에 신경을 씁니다.

● 보육원, 초등학교 등의 등원, 등교 금지는 필요 없습니다. 단, 시설의 책임자에게는 보호자를 통해서 이 질환에 걸린 것을 연락하도록 합니다.

● 같은 반, 학급의 소아에게 감염된 경우, '집단치료'를 권합니다.

One point Advice

가족전원이 일제히 '구충'합니다.

● 가족에게 감염되면, 전원이 일제히 구충합니다. 왜냐하면, 한명이라도 머릿니의 알이 남아 있으면, 그 곳에서 다시 가족전원에게 옮기기 때문입니다.

● 보육원, 초등학교에서는 야단법석입니다. 머릿니는 직접 접촉으로 이웃 아동에게 옮겨갑니다. 아무리 시간이 지나도 감염이 낫지 않습니다. 사람의 두피에서 떨어져도(습도가 높으면) 성충은 3일, 알은 7일, 계속 생존합니다. 치료해도 구제해도 그래도 계속 생존합니다…. 이것이 머릿니입니다.

Q&A

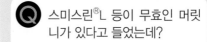

Q 스미스린®L 등이 무효인 머릿니가 있다고 들었는데?

A 내성균과 마찬가지로 머릿니에도 스미스린®L 저항성의 종류가 출현하고 있습니다. 전체의 몇 %정도입니다. 이것은 정말 어렵습니다. 미국에서는 '전기빗(Robi Comb®)'이 판매되고 있어서, 전기쇼크로 머릿니를 구제합니다. 일본에서도 솔드저팬에서 판매하고 있습니다. 관련 웹사이트(http://www.atamajirami.com)도 참고하시기 바랍니다.

Q 충란 발견의 요령은?

A 머리의 충란은 지루성 피부염의 비듬과 매우 혼동되므로 주의해야 합니다. 지루성 피부염의 비듬은 머리카락을 흔들면 간단히 떨어지지만, 머릿니의 알은 떨어지지 않습니다. 루페로 잘 보면 알을 알 수 있습니다(그림3).

Q 머릿니알과 보통 비듬의 차이는?

A 머릿니알은 라틴음악 등에서 연주하는 북과 같은 형태를 하고 있습니다(그림6). 그에 반해서 지루성 피부염의 비듬은 머리카락에 휘감긴 두루마리 같습니다(그림7).

그림6 북과 같은 형태를 하고 있는 머릿니알

그림7 지루성 피부염

61 안면에 생기는 양성질환

'이것은 괜찮습니다' 라고 설명합니다.

안면에는 여러 가지 선천성 변화, 노화적 변화가 생깁니다. 압도적으로 많은 것은 양성 변화입니다. 어느 정도 알아 두지 않으면 피부과 진료를 할 수 없습니다. '이것은 괜찮습니다' 라고 할 수 있는 질환입니다.

진단　중요한 포인트는 발병시기, 경계, 색조입니다.

1 30대의 노인성 사마귀 (그림1, 화살표)

그 중에는 20대부터 출현하는 증례도 있습니다. 단추를 피부에 붙인 듯한 융기 있는 결절 또는 구진입니다. 건강한 피부와의 경계가 매우 명료합니다. 이 '명료한 경계'가 매우 중요합니다. 이것이 주위 피부로 스며드는 듯한 경우는 악성을 의심합니다. 또 색도 중요합니다. 깨끗하게 일정한 흑색을 띠고 있는 것이 양성의 증거입니다.

2 모반(검정사마귀) (그림2, 화살표)

노인성 사마귀와 유사한 경우가 있습니다. 더모스코피를 사용하여 노인성 사마귀와 감별합니다. 발생시기가 유소년기인 경우 등은 모반입니다. 이것도 경계가 명료, 형태, 색조가 중요합니다. 모반인 경우, 대개는 둥글거나 깨끗한 타원형입니다. 이것이 비뚤어진 형태, 변연이 울퉁불퉁한 경우는 악성을 생각합니다.

3 노인성 색소반 (그림3, 화살표)

이것은 대개 중년 이후에 확실하게 생기는 기미입니다. '기미'라고 하면 우선 이것을 생각합니다. 자외선의 영향으로 생기는 것입니다. 병이 아니므로 보험진료의 대상외이며, 자비로 레이저치료 등을 합니다.

4 작란반(주근깨)과 진피멜라닌 (그림4, 화살표)

양성 색소병변입니다. 쌍방 모두 멜라닌이 기저층, 진피에 분포되어 있는 상태입니다. 단, 진피멜라닌은 약간 깊은 곳에 멜라닌이 존재하고 있습니다. 양성질환으로, 레이저 등으로 어느 정도 치료됩니다.

5 기미처럼 보이는 모반, 섬유종 (그림5, 화살표)

이것도 흔히 있는 패턴입니다. 매우 엷은 모반세포가 기저층에 늘어서 있는 검정사마귀, 또는 섬유종이 있습니다. 이러한 종

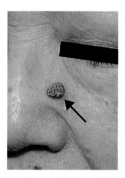 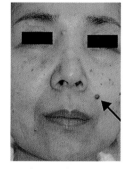

그림1 30대의 노인성　　그림2 모반
　　　사마귀　　　　　　　　(검정사마귀)

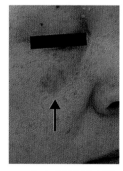 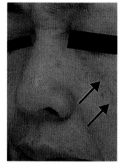

그림3 노인성 색소반　　그림4 작란반(주근깨)
　　　　　　　　　　　　　　과 진피멜라닌

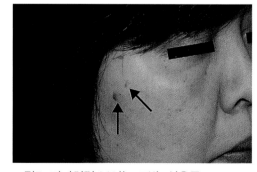

그림5 기미처럼 보이는 모반, 섬유종

양은 기미와 구별이 되지 않습니다. 이것도 정상피부의 연장선상에 있으므로, 보험진료 대상외입니다.

치료

- 모두 '방치'합니다. 물론 제거할 수 있는 약제가 없습니다.
- 보험진료의 룰을 알고 계십니까? 즉, '미용이 목적인 시술로 보험을 청구해서는 안된다'. 모반, 노인성 사마귀 등을 단순히 미용목적으로 수술해서는 안된다는 규정이 있습니다. 따라서 '보기가 안좋으니까 제거해 주십시오'라고 했을 때는 자비치료가 됩니다.
- 노인성 사마귀, 모반, 섬유종 등에는 탄산가스레이저 조사로, 노인성 색소반, 진피멜라닌 등에는 Q스위치레이저 조사로 치료가 행해집니다. 모두 자비입니다.

환자에 대한 설명

악성화의 우려가 있는 경우는 정기적인 진찰을 합니다.

- 환자에게는 '지금 단계에서는 괜찮습니다. 그러나 아무리 양성이라도 드물기는 하지만 악성화되는 경우가 있습니다. 정기적으로 진찰해야 합니다' 라고 확인합니다.
- 포인트는 ①크기, ②형태, ③색조 3가지입니다. 이것을 간과하지 말고, 또 환자에게 설명하기 위해서도 더모스코피의 스킬이 중요합니다.

One point Advice

조금이라도 의심스러우면, 전문의에게 소개합니다.

- 더모스코피에서의 진단테크닉을 획득할 수 있으면 편하지만, 바쁜 일상진료에서는 좀처럼 여유가 없습니다. 악성종양의 사진을 자세히 관찰하고, 조금이라도 의심스러우면 전문의에게 소개합니다. 소개받은 전문의가 불쾌하게 생각하는 일은 절대로 없습니다. 안심하십시오.
- 양성이라고 생각해도 경과를 보면 악성상을 나타내는 수가 있으므로, 간단히 '양성'의 재확인을 하는 것입니다. 부담없이 상담할 수 있는 전문의를 친구로 두고, 자세하게 소개하여 양성, 악성의 패턴을 인식하면 좋겠지요(그림6).

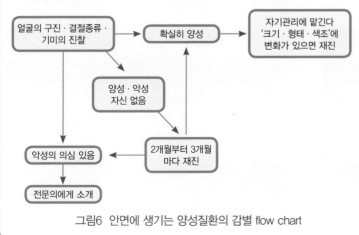

그림6 안면에 생기는 양성질환의 감별 flow chart

Q 디지털카메라 촬영에서 상태가 좋은 기종은? 어떤 것을 구입하면 좋습니까?

A 일안레프 디지털카메라＋마크로렌즈를 추천합니다. 최근에는 링스트로보를 구입하지 않아도 깨끗한 영상을 얻을 수 있게 되었습니다. 본서의 촬영은 Sony α330(현재는 α57)＋Sony 50 mm F2.8 Macro 등을 사용하였습니다.

Q 탄산가스레이저란 무엇입니까?

A 피부의 표면을 세밀하게 깎을 수 있는 레이저입니다. 메스로는 너무 세밀하여 절제가 불가능한 미세한 작은 종류를 태워서 깎아버립니다. 노인성 사마귀, 모반, 섬유종 등에 사용합니다. 가격은 160만엔 정도입니다.

Q Q스위치레이저란 무엇입니까?

A 표피 아래, 진피 상층에 있는 멜라닌을 선택적으로 소각하여 제거하는 뛰어난 것입니다. 노인성 색소반은 이것이 없으면 제거할 수 없습니다. 루비, 알렉산드라이트, YAG의 3종류가 있습니다. 가격은 500~1,000만엔 정도입니다.

Q 조금이라도 악성이 의심스러우면 수술로 적출해도 됩니까?

A 보험진료상은 그렇게 됩니다. 단, 악성흑색종이 의심스러운 경우만은 안이하게 수술하지 말고, 반드시 전문의에게 소개해야 합니다. 이 종양만은 병변부가 예상외로 확대되어 있는 경우가 있어서, 수술 자체가 위험을 수반하기 때문입니다.

62 일반의도 경험하는 피부암

전문의에게 소개하는가의 여부는 그 판단이 포인트입니다.

피부암…. 그 종류는 거의 무한합니다. 자세히 기재하면 몇 백페이지나 됩니다. 일반의로서의 관심은 하나하나 피부암의 상세한 내용을 알기보다 '어느 정도여야 전문의에게 소개하나?' 하는 문제입니다.

진단 ▶ '의심스러운 상태'를 이해합니다.

외래에서 빈도 높은, 피부과 전문의에게 소개해야 할 암이 의심스러운 상태란 어떤 상태인지가 문제가 됩니다. 그 종양이 '○○암이다'라고 진단하기보다, '의심스러운 상태란 어떤 상태인가?'를 이해하는 것이 중요합니다. 따라서 다음의 포인트에 주의합니다.

① 평면방향의 이상 : 정상피부와 경계가 선명하지 않다. 주위로 스며드는 인상.

② 수직방향의 이상 : 하상(下床)과의 경계가 확실하지 않다(심부조직과 유착되어 있다).

③ 색채의 이상 : 색조가 다양하다.

④ 정돈되어 있지 않다 : 진무름궤양 등을 수반하고, 지저분한 인상.

⑤ 형태의 이상 : 표면에 불규칙한 요철(凹凸)이 있다.

⑥ 시간적 경과 : 서서히 증대되고 있다(단, 양성에서도 똑같은 경우가 있습니다).

그림1 보엔병(복부)

그림2 노인성 각화종(안면)

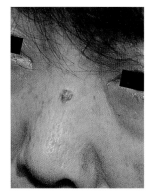
그림3 기저세포암(안면)

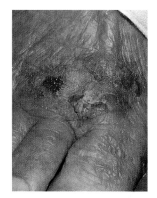
그림7 단순한 진무름?(발등)

그림8 에크린한공종인지? 암인지?

그림9 혈관확장성 육아종

그림4 기저세포암이나 악성 흑색종 의심(협부)

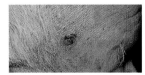
그림5 노인성 각화종인지? 노인성 사마귀인지?(전암상태)

그림6 노인성 사마귀 (두부)?

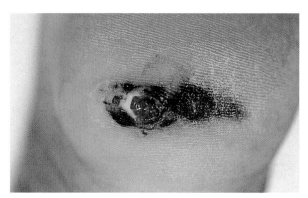
그림10 악성흑색종(발바닥)

1 60세 남성의 복부에 생긴 보엔병 (그림1)

경도의 각질비후를 수반하는, 변연이 불규칙한 홍반국면으로, '만성습진' '심상성 건선'과 유사합니다.

2 안면에 생긴 노인성 각화종 (그림2)

노인의 안면 등에 흔히 나타납니다. 색조가 일정하지 않고, 경계도 선명하지 않습니다. 상당히 익숙해지지 않으면 오진하게 됩니다. '붉은 기미'라고도 합니다.

3 안면에 생긴 기저세포암 (그림3)

검은 종양 중 가장 빈도가 높아서, 외래에서 흔히 경험합니다. 노인성 사마귀, 모반과 유사하지만, 상기의 ①~⑥에 해당하면, 우선 이 기저세포암을 생각합니다. 이 암은 절제만 하면 예후가 양호합니다. 그러니까 외래에서 발견한 경우는 가능한 빨리 적출하거나, 전문의에게 소개합니다.

4 이마에 생긴 기저세포암 또는 악성흑색종이 의심스러운 증례 (그림4)

악성흑색종은 최악의 종양입니다. 일본인은 손바닥, 발바닥에 생기는 경우가 많으므로 환자를 세밀하게 진찰합니다. 어느 정도 커지면 진단할 수 있지만, 그 때는 늦습니다. 따라서 작은 병변에서 판단해야 합니다. 그런데 이 종양의 진단은 육안으로는 한계가 있습니다. 크기만으로는 판단할 수 없지만, 일반적으로 직경 7 mm 이상인 경우는 악성흑색종일 가능성을 부정할 수 없으므로, 대학병원 등에 소개합니다.

5 노인성 각화종 또는 노인성 사마귀일 수도…(그림5)

전암상태입니다. 이와 같은 경우는 소개해야 합니다.

6 두부에 생긴 딱딱한 듯 보이는 노인성 사마귀 (그림6)

기저세포암 등의 가능성도 있습니다. 소개해야 합니다.

7 발등에 생긴 단순한 진무름처럼 보이는 증례 (그림7)

편평상피암일 가능성도 있습니다. 소개해야 합니다.

8 에쿠린한공종 유사증례 (그림8)

무색소성 악성흑색종일 가능성도 생각합니다. 소개해야 합니다.

9 혈관확장성 육아종 (그림9)

무색소성 악성흑색종일 수 있습니다. 소개해야 합니다.

10 발바닥의 악성흑색종 (그림10)

'간과하면 죽는' 질환, 악성흑색종입니다. 이것은 의사라면 누구나 알 것입니다. 손바닥, 발바닥은 악성흑색종의 호발부위입니다. 그렇다 해도 일반의에게 이와 같은 환자가 내원하는 경우는 드뭅니다. 드물지만, 내원할 수도 있습니다.

환자에 대한 설명

진단에 자신이 없다…. 소개해야 할 전문의가 멀리 있다….

● 그와 같은 경우는 병변부를 디지털카메라로 핀트를 맞추어 촬영합니다. 보험진료상의 점수로는 인정되지 않지만, 인터넷으로 영상을 전송하여, 아는 전문의에게 진단을 요청할 수가 있습니다. 이 경우, 환자의 프라이버시에 유의합니다.

● 의사가 소개해야 한다고 판단한 경우 외에, 환자 자신이 '너무 걱정이 된다'고 하는 경우도 있습니다. 이와 같은 경우도 피부과 전문의에게 소개해야 할 대상입니다.

Q 노인성 사마귀가 다발하면 내장암 징후라고 들었습니다. 그 경우, 개개 노인성 사마귀도 피부암으로 전화됩니까?

A Leser-Treat징후입니다. 체간부 등에 급속히 노인성 사마귀가 다발하는 경우는 내장악성종양의 합병을 생각해도 된다는 유명한 견해입니다. 그러나 피부에 생긴 노인성 사마귀가 암화되는 경우는 없습니다.

Q 피부암의 빈도를 높게 하는 생활습관은 무엇입니까? 예방법은?

A 유소아기부터 자외선 노출이 대표적입니다. 유아기부터 적극적으로 햇빛차단제를 사용합니다.

Q 고령자의 안면에 발생하는 암으로 대표적인 질환은?

A 기저세포상피종, 노인성 각화종(전암상태) 입니다. 이 2가지는 상당한 빈도로 일반의에게도 수진하므로 주의하십시오.

Q 더모스코피의 함정은?

A '양성'이라고 판단한 증례가 악성화된 때입니다. 그것은 대단한 공포입니다. 때문에 너무 두려운 나머지, '아무래도 전문의에게 소개'할 가능성이 있습니다. 어디까지나 임상경과를 사진 등으로 촬영하고, 육안적인 변화가 있으면 소개한다는 태도를 취해야 환자도 이해하고 전문의에게 가게 됩니다.

Q 검정사마귀를 '악성의 의심 있음'이라고 전문의에게 소개하는 결정적 요소는?

A 색조, 융기 등 여러 가지이지만, 까다롭습니다. 결국 발생시기와 크기입니다. 최근 자각한 것이나 직경 5 mm까지는 양성이라고 생각하여 경과를 관찰하고, 6 mm 이상은 '악성일 가능성 있음'이라고 판단하여, 전문의에게 소개합니다.

63 피하낭종(표피낭종), 정맥낭종

피부과 최대의 난관이 이 피하낭종 입니다.

지역의료의 현장에서는 이 질환을 반드시 겪게 됩니다. 부풀어 오른 반구상의 종류입니다. 때로 새빨갛게 부풀어 올라서, 극심한 동통을 호소합니다. 정식 명칭은 표피낭종입니다. 한편, 점액낭종은 발가락, 발바닥, 손가락에 생기는 불가사의한 낭종입니다.

진단 ▶ 피하낭종에서는 특징적인 '흑색점상 함요'를 발견합니다.
단, 손바닥, 발바닥에는 없습니다.

1 피하낭종의 전형례 (그림1)

표피낭종 중앙에 흑색 점상의 작은 함요가 확인됩니다.

2 발바닥에 생긴 피하낭종 (그림2)

외상, 바이러스성 유두종(사마귀)등에서 발생한다는 설이 있습니다.

3 발바닥에서 적출한 낭종 (그림3)

피하낭종의 정체, 이와 같은 '주머니'입니다. 이것이 피부 내에 존재하는 것입니다.

4 피하낭종의 조직소견 (그림4)

표피에 구덩이가 생기고, 주머니가 형성되는 것을 알 수 있습니다.

5 점액낭종 (그림5)

손발가락에 생깁니다. 이와 같이 반구상으로 부풀어 오릅니다.

6 염증성 피하낭종 (그림6)

염증이 추가되면, 이와 같이 발적종창이 현저해집니다.

7 소아의 석회화상피종 (그림7)

피하낭종과 감별해야 하며, 모낭의 모유기에서 발생하는 일종의 기형종입니다
(화살표).

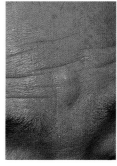

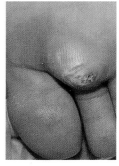

그림1 피하낭종의 전형례

그림2 발바닥에 생긴 피하낭종

그림3 발바닥에서 적출한 낭종

그림4 피하낭종의 조직소견

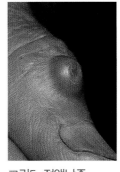

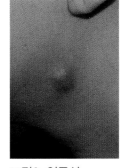

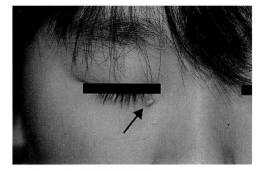

그림5 점액낭종

그림6 염증성 피하낭종

그림7 소아의 석회화상피종

치료

피하낭종(표피낭종)

- 염증성인 것은 절개가 필요합니다. 본원에서 할 것인지, 외과에 소개할 것인지를 결정합니다. 절개는 국소마취 후, 메스나 18G 바늘로 합니다. 배농과 죽상의 내용물이 압출됩니다. 절개 후는 생리식염수로 잘 세정하고, 소부산® 등을 내부에 충전합니다.

점액낭종

- 근치를 생각한다면 절제하는 수밖에 없습니다. 조금 까다로우므로, 성형외과 등에 소개해야 합니다. 환자로서는 '수술'이라고 하면 아무래도 주저하게 됩니다. 몇 개월은 경과를 관찰하고, 일상생활에서 특별한 지장을 초래하지 않는다면, 그대로 관찰을 계속하는 것도 괜찮겠지요.

피하낭종의 절제

- 여러 가지 방법이 있습니다.
  ① 전적출은 가장 간단한 방법이지만, 큰 절개가 필요합니다.
  ② 작은 절개를 추가하거나 디스포펀치로 둥글게 구멍을 뚫고, 죽상 내용물을 압출하여, 내부의 주머니를 작게 묶고 성형자 위로 잘라냅니다. 창상은 작지만, 표피의 일부가 남을 가능성이 있습니다. 미리 18G바늘을 사용하여 천자하고, 죽상 내용물의 압출이 있는지 확인합니다. 확실히 피하낭종인지, 고형종양인지에 주의합니다.

환자에 대한 설명

내과, 소아과 의원에서는 일찌감치 소개합니다.

- 발적도 없고, 정상색인 낭종은 경과 관찰합니다. 발적이 있으면 본원에서 절개할지, 외과에 소개할지를 선택합니다. 이 종양은 적출하는 이외에 방법이 없으므로, 내과, 소아과를 주로 보는 의원에서는 이 점을 환자에게 잘 설명한 후에 염증이 없는 단계에서 일찌감치 전문의에게 소개하고, 너무 깊이 들어가지 않도록 합니다.

One point Advice

악성종양과의 감별에 특히 주의합니다.

- 감별진단이 여러 가지 있으며, 대부분은 다른 피부종양입니다. 그 중에서 가장 주의해야 하는 것은 유극세포암 등의 악성종양입니다. 낭종이라고 생각하여 절제하려고 했더니, 내부가 충실성이었던 경우 등이 있습니다. 특히 직경 몇 cm나 되는 큰 것, 감염과 재발을 반복하여, 염증이 좀처럼 낫지 않는 것은 의심할 필요가 있습니다.

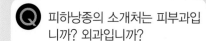

Q 피하낭종의 소개처는 피부과입니까? 외과입니까?

A 피부과 개업의가 수술을 하는지 하지 않는지는 대응이 분분합니다. 각 의원의 policy 같습니다. 전화로 '피하낭종 적출수술을 하십니까?' 라고 묻습니다. 외과에서는 당연히 하고 있습니다. 단, 피하낭종인지 다른 종양인지 혼동스러울 때는 피부과의에게 소개하는 것이 가장 좋습니다.

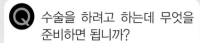

Q 수술을 하려고 하는데 무엇을 준비하면 됩니까?

A 무엇보다도 지혈을 위한 아이템을 준비해야 합니다. 일반적인 외과수술세트 외에, 필자의 의원에서는 고주파메스를 사용하고 있습니다. 절개도 편합니다. 수술은 아무래도 출혈이 수반됩니다. 무엇보다 어려운 것은 수술부위가 보이지 않게 되는 것입니다. 처음 절개단계부터 사용할 수 있으므로, 매우 중요합니다. 또 이른바 '성형가위'는 피하낭종을 터트리지 않고 통째로 적출하는 경우, 위력을 발휘합니다.

Q 바이러스성 유두종 (사마귀)의 감별포인트는?

A 점액낭종은 '아래에서 밀고 올라온 느낌의 종류'입니다. 사마귀는 '부자연스러운 듯한 종류'입니다. 그런데, 밀메시아라는 분화구와 같은 사마귀는 점액낭종과 헷갈리는 경우가 많아서 고민스럽습니다. 사마귀는 충실성의 변화, 점액낭종은 내부에 히알론산 등 점조물질이 들은 것이라고 생각하면 촉진이 효과적일 수 있습니다.

Q 점액낭종의 원인은?

A 원인은 불분명하지만, 근래 HPV60 바이러스가 검출되었습니다. 에크린한선의 유상피변성이 보고된 사실 등에서, 한선의 바이러스성 유상피성 변화라고 생각되고 있습니다.

64 쥐젖

미용적으로 문제이며, 환자는 대부분이 여성입니다.

주로 경부, 겨드랑이 아래에 다발합니다. 작은 구진, 또는 유경성의 극히 작은 종류입니다. 미용적으로 문제여서, 고통을 호소하며 내원하는 것은 대부분이 여성입니다.

 진단 특징적인 정상색의 소종류를 감별합니다.

1 경부에 생긴 유경성 증례 (그림1, 화살표)

2 편평한 타입 (그림2, 화살표)

3 갈색이 된 증례 (그림3, 화살표)

4 돌출된 섬유종 (그림4, 화살표)

섬유종이 이와 같이 돌출되어, 미용적으로 매우 곤란하다고 호소합니다.

5 상안검에 생긴 증례 (그림5, 화살표)

이 부위에 생겨서 시야가 차단되는 등의 고통이 있는 경우는 보험으로 절제가 인정됩니다.

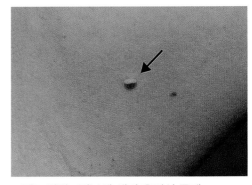
그림1 쥐젖 : 경부에 생긴 유경성 증례

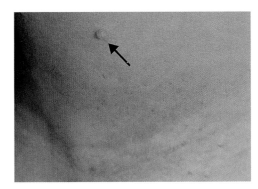
그림2 편평한 타입

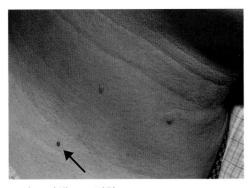
그림3 갈색으로 변화

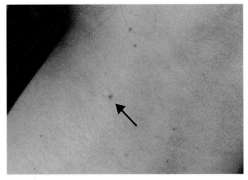
그림4 돌출된 섬유종

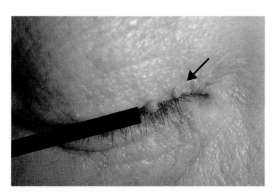

그림5 상안검에 발생

Q 보험청구로 절제는 불가능합니까?

A '미용목적으로 절제'는 인정되지 않습니다. 단, 악성종양을 부정할 수 없는 증례, 또는 상안검에 발생하여 시야가 차단되거나, 염증이 있어서 발적이 현저한 경우 등의 이유라면 보험진료로 절제의 대상이 됩니다.

치료

● 병이 아니므로 보험치료의 대상 외입니다.
● '자비로도 좋으니까 제거하고 싶다'고 하는 경우, 아마 '단순히 가위로 자른다'고 생각하는 선생님이 많으리라 생각합니다. 그러나 편평한 타입은 자를 수가 없습니다. 그래서 탄산가스레이저라는 편리한 장치가 있습니다. 이것은 피부의 표면을 미세하게 깎아낼 수 있는 뛰어난 장치입니다.

환자에 대한 설명

특별한 문제가 없는 점을 설명합니다

● '특별한 문제가 없습니다' '병이 아니라, 체질, 유전적인 소인이 있습니다'라고 설명하고, 이해시킵니다.

유사증례

● 쥐젖의 유사증례에는 (작은)노인성 사마귀, (작은)모반, (작은)피하낭종 등이 있습니다. 드물게 악성흑색종, 기저세포암의 극히 초기병변이 있습니다. 단추를 붙인 듯한 것은 쥐젖이 아니라 노인성 사마귀(그림6)입니다. 쥐젖 근방에는 노인성 사마귀도 발생해 있는 경우가 많아서, 혼동스럽기도 합니다. 이 2가지는 모두 통상의 양성질환입니다. 때때로 쌍방의 특징이 혼재해 있는 경우도 있지만, 그다지 엄밀한 분류는 필요 없습니다.

칼럼

미용피부과에 관해서

● 이것은 병으로서의 피부과 진료가 아니라, 미용상의 문제에 관한 치료를 담당하는 과를 말합니다. 미용외과와 달리, 수술은 적극적으로 하지 않습니다. 어느 쪽인가 하면 스킨케어, 피부미용외용제, 레이저치료 등이 메인입니다. 여기에서 기술하고 있는 쥐젖 등의 치료는 미용피부과의 범주에 속합니다.
● 모두 자비진료가 됩니다. 일본에서는 현재 혼합진료는 인정하고 있지 않으므로, 이 진료과를 표방하는 데는 환자의 유도, 회계, 챠트의 기재 등에 주의해야 합니다.
● 또 의학부교육, 연수병원에서의 커리큘럼에서는 이 분야에 관한 skill up이 짜여져 있지 않습니다. 의사 자신이 미용피부과로서 기술향상의 장을 어디에서 찾을 수 있을지 등, 과제가 많습니다. 문헌을 참고로 하시기 바랍니다[1)2)].

참고문헌

1) 일본미용피부과학회 :
[http://www.aesthet-derm.org/]
2) Bella Pelle.
(Medical Review사, 연4회 간행)

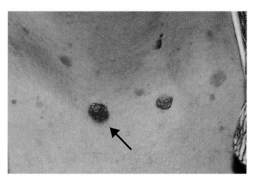

그림6 노인성 사마귀

65 여성의 고민 –기미(chloasma), 마찰로 인한 색소침착

기미과 마찰로 인한 색소침착은 혼재하는 경우가 있습니다.

기미의 '유사증례'로 마찰로 인한 색소침착이 있습니다. 기미의 원인으로 마찰, 심하게 긁는 요소도 있으므로, 증례에 따라서는 양자가 혼재하는 등, 구별이 어렵습니다.

진단 기미은 30대 이후의 여성에게 생기는, 좌우대칭의 매우 엷은 색소침착입니다.

1 기미 (그림1)

좌우대칭으로 생기는, 희미하고 거무칙칙한 빛깔입니다. 안면의 흔히 눈에 띄는 곳에 생깁니다.

2 안면, 협부에서 입주위에 걸쳐 생기는, 마찰로 인한 색소침착 (그림2)

반복되는 마찰에 의한 색소침착입니다. 화장을 지우는 클렌징 때문에 일상적으로 피부를 문질러서 생기는 것이라고 생각됩니다.

3 안면 전체의 거무칙칙함 (그림3)

안면 전체에 노인성 색소반, 그 밖의 색소침착으로 갈색의 변화가 심한 여성이 흔히 수진합니다.

4 안면 전체의 마찰로 인한 색소침착 (그림4)

이와 같은 마찰로 인한 색소침착은 압도적으로 여성에게 많고, 뺨, 이마 등에 생깁니다. 클렌징을 너무 강하게 하여 생기는 경우가 많습니다. 아토피성 피부염 환자는 항상 피부를 긁고 있어서, 색이 거무스름해집니다. 특히 흡연자는 이 경향이 심하며, 담배를 피는 여성의 피부는 전체적으로 거무칙칙한 인상입니다.

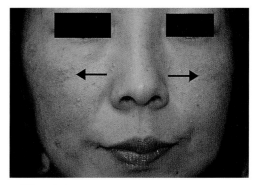

그림1 기미

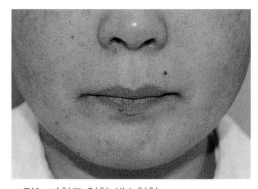

그림2 마찰로 인한 색소침착

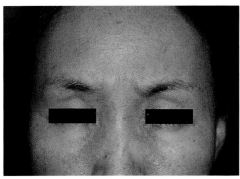

그림3 안면 전체의 거무칙칙함

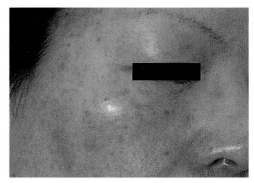

그림4 안면 전체의 마찰로 인한 색소침착 (흡연자)

치료

처방례

기미▶

트라넥삼산 내복 (트란사민® 750~1,500 mg/일)〈3~6개월간〉
※단 '기미'의 병명으로는 보험이 적용되지 않는다.

● 트라넥삼산은 트란시노®라는 시판약으로서 대대적으로 선전하고 있습니다. 여기에는 항플라스민작용이 있습니다. 플라스민은 표피 내의 멜라노사이트를 활성화시켜서 멜라닌을 생산하는 작용이 있습니다. 이 플라스민을 억제하는 트라넥삼산을 섭취함으로써, 멜라닌합성이 멈추게 되는 것입니다.

환자에 대한 설명

처방보다 마찰에 대한 지도를 우선합니다.

● 기미, 마찰로 인한 색소침착 모두, 약제 내복보다도 마찰에 대한 지도를 우선합니다. 그것만으로도 경감되는 예가 많습니다. 기미에서는 그와 같은 지도를 몇 개월 하고, 효과가 없는 증례는 트란사민®을 내복하게 합니다. 마찰로 인한 색소침착은 자비로 레이저치료를 합니다. 그 경우는 전문의에게 소개합니다.

One point Advice

원인은 자외선, 스트레스, 과도한 마찰을 생각할 수 있습니다.

● 기미은 왜 발생하는 걸까요? 원인으로는 ①자외선, ②스트레스로 인한 여성호르몬의 분비이상, ③과도한 마찰–등을 생각할 수 있습니다. 아직 불분명한 점이 많습니다.

칼럼

기미치료는 자비로 미용피부과에서

● 예전에는 피부과의 대부분은 보험진료에만 전념했습니다. 그러던 시기에, 민간업자가 여기로 눈을 돌렸습니다. '기미치료는 의사가 하지 않는다. 그렇다면 우리들이 시장에 파고 들어갈 여지가 있다'고 기미치료 분야에 뛰어들었습니다. 의학적 지식이 없는 아마추어라 당연 실패했습니다. 소비자 센터에 불만이 쇄도하고, 큰 문제가 되었습니다. 이것을 보고, 후생노동성은 '의사의 감독하가 아닌 시설에서의 의료행위 금지'라고 발표했습니다 (※).

● 이 상황을 한 번에 변화시킨 것이 레이저기기의 진보와 의사의 미용의료 참여입니다. 대부분의 성형외과의, 피부과의가 레이저기기를 취급하게 되었고, 위의 기미는 대체로 해결되는 시대가 되었습니다. 그리고 현재는 '미용피부과'라는 과목의 표방이 인정되고 있습니다.

※ 의사면허가 없는 자에 의한 탈모행위 등의 취급에 관하여(의정의발 제105호 2001년 11월 8일)

 Q 트란사민®을 내복해도 악화되는 경우가 있는데…?

 A 내복을 하는 시기가 문제입니다. 기미은 봄부터 여름, 자외선이 강해지는 시기에 악화됩니다. 따라서 '환자가 받는 치료'의 골든타임은 가을에서 겨울이 됩니다. 이와 같이 각종 요인이 중복되어 있어서, 이 약제의 내복 단독으로는 치료가 어려운 것을 알 수 있습니다.

Q 트란사민®을 보험으로 처방할 때의 주의는?

 A 보험적용이 되는 것은 어디까지나 습진, 두드러기, 편도염, 인두염, 구내염 등이 존재할 때뿐입니다. 기미만으로는 보험취급의 처방을 할 수 없습니다. 자비진료가 됩니다.

Q '마찰을 삼간다'는 지도를 잘 이해할 수 없다고 환자가 물으면….

 A 주로 세안 시와 클렌징 시의 문제입니다. 여기에서 과도마찰에 지도를 집중합니다.

Q 기미은 레이저조사로 악화된다고 들었는데….

A 노인성 색소반 등은 레이저조사로 극적으로 개선되지만, 기미은 레이저조사로 악화되는 수가 있습니다. 최근에는 '레이저토닝'이라는 특수한 방법으로 레이저를 조사할 수 있게 되었습니다. 그런데 여기에도 찬성파·반대파 등, 여러 가지 의견이 있습니다. 즉, 기미은 미용영역에서는 취급이 복잡한 기미입니다.

66 심상성 백반, 단순성 비강진(마른버짐)

신체의 일부에서 '색이 없어지는' 질환입니다.

심상성 백반이란 신체의 일부가 갑자기 하얗게 되는 질환으로, 색소생산세포(멜라노사이트)가 데미지를 입은 자기면역질환이라는 것을 알 수 있습니다. 한편, 단순성 비강진은 마른버짐이라고도 합니다. 건조피부에 수반하는 탈색소입니다.

진단 심상성 백반은 경계가 명료한 완전한 백반, 단순성 비강진은 경계가 다소 선명하지 않으며, 안면에 생깁니다

얼룩진 것이나 불완전한 것은 심상성 백반이 아닙니다. 심상성 백반은 어쨌든 완전한 색소결핍으로, 종종 주위에 약간의 색소증강이 있습니다. 다음의 ①~③ 등의 분류가 있습니다.
① 범발형 : 몸 속 어딘가에 넓은 범위로 생긴다.
② 분절형 : 몸의 좌우 한 쪽에만 생긴다.
③ 국한형 : 몸의 일부에만 생긴다.
한편, 단순성 비강진은 안면 등에 생기는, 경계가 다소 선명하지 않은 백반입니다.

1 국한형① (그림1)
사지의 일부에 나타납니다.

2 국한형② (그림2)
겨드랑이 아래에 생긴 것. 내부에 색소가 부활하고 있습니다.

3 범발형 (그림3)
손등만 촬영.

4 분절형 (그림4)
한쪽에만 생긴다.

5 단순성 비강진(마른버짐) (그림5)
심상성 백반과 달리, 경계가 선명하지 않습니다.

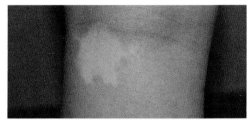
그림1 심상성 백반 : 국한형①(사지)

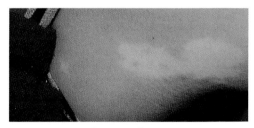
그림2 국한형②(겨드랑이)

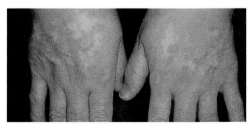
그림3 범발형

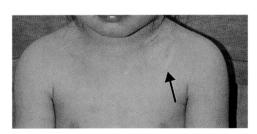
그림4 분절형

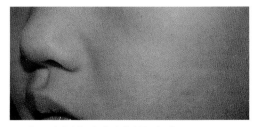
그림5 단순성 비강진 (마른버짐)

치료

- 심상성 백반의 치료방법에 관하여, 보험진료상, 처음으로 처방하는 약제는 칼프로늄염화물액(프로딘®액), 플루오시노니드제제(톱심®크림·연고)등입니다. 문제는 이 약들이 무효인 환자가 많다는 현실입니다. 그 경우, 최근에는 Narrow Band UVB에 의한 자외선요법이 주류입니다. 그 중에서도 308 nm의 파장을 가진 엑시머라이트가 특히 효과적입니다.

- 백반이 광범위하게 확대되었을 때는 검은 부분을 하이드로퀴논 등의 약제로 탈색하는 반대 치료도 있습니다. 모든 피부가 새하얘지면 '흑백'이 눈에 띄지 않습니다. 건강피부에서 피부를 이식하는 방법도 있지만 현실적이지 않습니다.

- 단순성 비강진(마른버짐)인 경우, 치료는 필요 없습니다. 초등학교 정도의 연령에서는 현저하지만, 피지분비가 활발해지는 사춘기에는 사라집니다.

환자에 대한 설명

장기전으로 몇 년간의 통원이 필요합니다.

- 몇 년간의 통원이 필요하다는 점, 갑상선질환, 악성빈혈 등 다른 자기면역질환이 합병되는 경우도 있다는 점을 설명합니다. 일반의는 주의가 필요합니다.

One point Advice

심상성 백반의 원인은?

- 심상성 백반은 고 마이클·잭슨이 걸려서 유명해진 질환입니다. '백납, 백전풍'이라고도 합니다.

- 실은 피부과의로서도 매우 어려운 질환입니다. 왜냐하면, 치료가 어려운 대표적인 질환이기 때문입니다.

- 원인으로는 다음의 ①~③등의 설이 있습니다.

  ① 멜라노사이트에 대한 자기면역설 : 심상성 백반환자에게는 갑상선질환을 비롯해서, 자기면역성 질환의 합병이 많은 점이 알려져 있습니다.

  ② 멜라노사이트의 자기붕괴설 : 멜라닌생산의 중간대사산물(도파 등)을 처리하지 못하고, 이 물질들이 멜라노사이트를 공격하게 되어, 자기붕괴됩니다.

  ③ 생화학적인 이상설 : 활성산소가 발생하고, 멜라노사이트가 변성합니다.

마른버짐의 원인은?

- 단순성 비강진은 건조피부에 가벼운 염증이 생기고, 각질이 과각화, 착각화됨으로써 각질층이 이른바 '자외선블록'의 역할을 하여, 하얘진다는 견해가 있습니다.

Q 심상성 백반에 대한 엑시머라이트를 사용한 치료란?

A 엑시머라이트는 주먹크기의 범위만, 자외선을 조사하는 기계입니다. 백반 이외의 부위를 가능한 조사하지 않도록 설계되어, '타겟형 치료기'라고도 합니다. 처음에는 200mj정도의 에너지부터 개시하여, 주 1회 정도 합니다.

Q 엑시머라이트치료에서의 발암성은?

A 아직 밝혀지지 않은 부분도 많지만, 현재 이 기계로 확실히 암을 발생시킨 증례는 없는 것 같습니다. 자외선의 발암을 고려하는 경우, 일상에서 쬐고 있는 직사일광이 더 위험성이 크다고 합니다. 직사일광에는 UV-C라는 위험한 파장이 포함되어 있지만, 엑시머라이트에는 포함되어 있지 않습니다.

Q 심상성 백반에 대한 비타민D3 제제의 유효성은?

A 자외선치료와 병용하면 효과적이라는 보고가 있습니다. 단, 비타민D3제제(옥사롤® 연고 등)는 심상성 백반의 보험적용이 없으므로 주의하십시오.

Q 심상성 백반과 마른버짐의 감별은?

A 감별이 어렵습니다. 심상성 백반은 경계가 명료하고, 백반부위가 매우 '새하얗습니다'. 그에 반해서 마른버짐은 그다지 하얗지 않고, 경계가 다소 불명료합니다. 적지만 인설도 부착되어 있습니다.

67 원형탈모증, 발모버릇, 남성형 탈모증

탈모에도 여러 가지가 있습니다.

원형탈모증은 모낭부에 대한 자기면역질환으로, 두부의 한정된 부위에 원형 탈모가 생깁니다. 발모버릇은 자신의 머리카락을 뽑아버리는 것으로, 초등·중학생에게 호발합니다. 남성형 탈모증은 디하이드로테스토스테론에 의한 두정부, 전두부에 생기는 좌우대칭의 탈모입니다. 원형탈모증과 달리 서서히 진행됩니다.

진단 ▶ 원형탈모증은 뚜렷한 원형탈모 스폿(spot)이 포인트.
발모버릇과 감별이 중요합니다.

원형탈모증

왜 이와 같은 뚜렷한 원형탈모병변이 생기는 것인가? 사실은 알지 못합니다. 방치해도 자연히 치유되는 경우가 많습니다. 흔히 텔레비전에서 발모를 비즈니스로 하고 있는 유명한 회사가 '본사의 시스템을 이용한 결과, 탈모가 치유되었다!'고 선전하고 있습니다. 과연, 환자 중에는 원형탈모증도 있었겠지요. 아무 것도 하지 않고도 원형탈모증은 치유되는 경우가 있으므로, 이 회사의 매상증가도 이와 같은 의학적 사실이 배경에 있을 수도 있습니다.

진단의 포인트는…,

① 뚜렷한 원형탈모 스폿(spot). 경계가 매우 명료합니다. 그 때문에 진단에 혼란이 생기는 일은 거의 없습니다. 탈모부위에는 중앙부에 약간 솜털이 있는 케이스도 있으므로, 완전히 머리카락이 없는 것은 아닙니다.

② 혼동스러운 것은 후에 기술하는 발모버릇입니다. 이 경우는 스스로 머리카락을 뽑아 버리기 때문에 탈모부위가 들쑥날쑥해집니다.

③ 환자는 '갑자기 발생했다'며 내원합니다. 갑자기 출현하는 환자가 많은 것도 특징입니다.

그림1 원형탈모증의 전형례

1 원형탈모증의 전형례 (그림1)

뚜렷한 경계가 명료한 탈모 스폿입니다.

2 원형탈모증, 확대상 (그림2)

전혀 발모가 없는 부분이 있는 것을 알 수 있습니다.

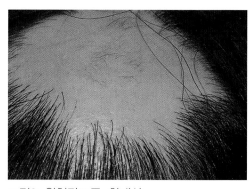

그림2 원형탈모증, 확대상

3 다발하는 케이스 (그림3)

작은 탈모병변이 다발하기도 합니다.

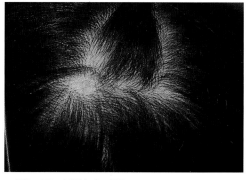

그림3 탈모병변의 다발

진단 ▶ 발모버릇은 경계가 명료하지 않은 탈모 스폿(spot)이 포인트입니다.
원형탈모증과 구별합니다.

발모버릇

발모버릇이란 스스로 자신의 머리카락을 뽑아 버리는 것입니다. 환자는 초등학생부터 중학생이 대부분입니다. 즉, 보호자와 함께 내원합니다. 진찰실에서는 대개 보호자가 일방적으로 애기합니다. '우리 애가 대머리가 되었어요 스트레스 때문인 것 같아요. 제가 너무 걱정이 돼서…'. 한편, 아이는 말이 없습니다.

진단의 포인트는 경계가 명료하지 않은 탈모 스폿. 원형탈모증과 달리, 불완전한 탈모입니다. 스스로 머리카락을 잡아당겨서 뽑으므로, 완전한 탈모병변은 되지 않습니다.

그림4 발모버릇

4 발모버릇 (그림4)

이와 같이 불완전한 탈모 스폿을 나타냅니다. 저서 "진료소에서 보는 어린이의 피부질환" p226을 참조하시기 바랍니다.

5 전두부에 생긴 증례 (그림5)

스트레스로 머리카락을 쥐어뜯습니다. 불완전한 탈모가 됩니다.

그림5 전두부에 생긴 증례

진단 ▶ 남성형 탈모증의 특징은 두정부나 전두부의 탈모입니다.

남성형 탈모증

남성의 고민입니다. 대개 30대부터 발생합니다. 그 중에는 20대부터 머리숱이 적어지는 사람도 있습니다. 그것이 이 질환입니다. 원형탈모증과 달리 서서히 진행됩니다. 이 질환으로 진단이 어려운 경우는 거의 없습니다.

진단의 포인트는 두정부나 전두부의 탈모로, 매우 특징적입니다. 모발에는 성장기, 휴지기, 퇴행기가 있는데, 이 질환은 성장기의 모발이 휴지기로 빨리 가 버리기 때문에 생깁니다.

6 남성형 탈모증 (그림6, 7)

전형례로, 불완전한 탈모부위입니다. 좌우 균등하게 생깁니다.

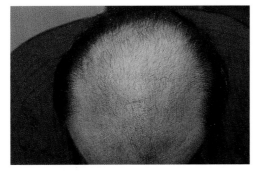

그림6 남성형 탈모증①

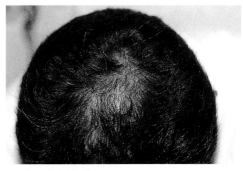

그림7 남성형 탈모증②
이와 같이 발모버릇과 혼동스러운 경우도 있다.

치료

처방례

원형탈모증, 발모버릇▶ 세파란틴®정 1 mg 2T/일 분2 〈2~6개월〉
프로딘®액 2~3회/일 두부에 외용
※프로딘®액에는 아로빅스®액이라는 제네릭의약품이 있다
남성형 탈모증▶ 자가로®캡슐 0.1 mg/0.5 mg 1CP/일 분1 〈계속 내복〉
※단, 자가로®정의 처방은 자비진료.

● 원형탈모증에는 최근 들어 Narrow Band UVB라는 자외선치료도 있지만, 이것은 전문의level의 이야기가 되어 버렸습니다. 드물지만 탈모가 다발하고, 두부, 눈썹, 그 밖의 부위의 발모가 소실되어 버리는 예도 있습니다.
● 남성형 탈모증에는 자가로®캡슐이라는 약제가 2015년 9월에 인가되었는데, 자비 진료입니다. 대개 안전한 내복약이지만, 드물게 부작용으로 간기능장애가 일어납니다. 처방할 때는 MR에 문의합니다. 부작용, 주의점 등 상세한 자료를 제공해 줍니다.

환자에 대한 설명

원형탈모증은 장기전, 발모버릇은 정신의학적인 접근을.

원형탈모증

● 장기전이 됩니다. 재발을 반복하므로, '이것으로 끝'이 거의 없습니다. 대부분의 환자는 일단은 치유됩니다. '결론부터 말씀드리자면, 이 원형탈모증, 거의 99%의 환자가 치유됩니다. 그러나 체질에 의한 경우도 있어서, 재발하기 쉽습니다. 장기적으로 보면 치료되는 질환이므로, 걱정하지 마십시오' 라고 설명합니다.

발모버릇

● 심리적, 정신의학적 접근이 필요합니다. 소아의 스트레스문제는 매우 복잡합니다. 보호자에 대한 지도가 중요합니다.

남성형 탈모증

● 환자에 따라서는 앞으로 10년 이상 내복을 계속하게 되므로, 다음의 주의점을 설명합니다.
　① 테스토스테론에서 디하이드로테스토스테론으로의 변화를 차단해 주는 약제입니다. 남성호르몬인 테스토스테론에는 영향을 미치지 않습니다. 따라서 여성화되는 경우는 없습니다.
　② 기형유발성이 있으므로 여성은 내복할 수 없습니다. 남성의 정자에 대한 영향은 없습니다.
　③ 반년간 복용하고 빠지는 머리카락의 진행이 멈추면 성공이라고 생각하고, 그 후에도 영속적으로 내복합니다.
　④ 전립선암의 검진에서는 PSA의 수치가 낮게 나오므로 주의합니다.

Q 남성형 탈모증에는 '프로페시아®'라는 약이 있었습니다.

A 프로페시아®의 유효성분은 피나스테리드(finasteride)라고 합니다. 테스토스테론에서 디하이드로테스토스테론으로의 변화에는 5α리닥타제(reductase) Ⅰ과 Ⅱ가 필요합니다. Ⅱ만을 저해하는 것은 피나스테리드이며, Ⅰ, Ⅱ 모두 저해하는 것이 자가로®의 유효성분인 두타스테리드(dutasteride)입니다. 이 약제가 남성형 탈모증에 효과가 더 좋다는 것이 밝혀져서, 앞으로는 프로페시아®가 아니라, 자가로®가 주요 치료약이 될 것입니다.

Q 원형탈모증과 심상성 백반은 치료방법이 매우 유사한데요?

A 원형탈모증은 모근, 백반은 멜라노사이트가 장애를 받습니다. 양쪽 모두 자기면역적인 원인이 추측되고 있어서, 당연히 치료도 비슷한 방법이 되는 것 같습니다. 모두 그 원인이 불분명하므로, 앞으로의 해명에 기대하는 바입니다.

Q 발모증과 원형탈모증의 감별은?

A 원형탈모증의 특징은 뚜렷한 탈모 스폿, 발모버릇은 경계가 확실하지 않은 탈모 스폿입니다. 탈모부위를 냉정하게 진찰하면 알 수 있습니다.

One point Advice

각각에 관해서 좀 더 살펴봅시다.

원형탈모증

● 발모부분은 세포증식이 왕성한 장소입니다. 이 부위에는 본래, 어느 정도, 면역관용이라는 시스템이 작용하여, 이물반응을 일으키지 않는 환경이 되어 있습니다. 그런데 체질의 변화로 이 환경이 손상되는 경우가 있습니다. 아마 과잉 면역을 억제하는 억제성 T세포의 기능저하가 아닌가 생각됩니다. 면역을 자극하기 위해서 굳이 접촉성피부염을 일으키는 국소면역요법인 SADBE(squaric acid dibutylester)요법이나 면역을 억제하는 308 nm의 자외선을 조사하는 엑시머라이트가 효과적이라는 점도 납득이 갑니다.

발모버릇

● 발모버릇의 치료는 의사가 하는 말입니다.

① 환자(환아)의 부모와의 관계가 중요합니다. '부모의 지나친 기대'나 '어린이의 의견을 듣지 않는다' 등의 문제점이 있는지 확인합니다.

② 친구관계에 관해서도 조심스럽게 문제점을 풀어야 합니다. 따돌림 등이 있는 경우가 많습니다. 진찰실에서 '따돌림을 당하고 있는지?'를 묻는 경우 등에는 말을 골라서, 가능한 신중하게 해야 합니다. 저서 "진료소에서 보는 어린이의 피부질환"p226을 참조하시기 바랍니다.

남성형 탈모증

● 남성형 탈모증으로 문제가 되는 것이 '여성의 남성형 탈모증'입니다. 여성인 경우라도 자가로®를 사용하고 싶지만, 금지입니다. 항안드로겐작용이 있는 스피로노락톤(Spironolacton)등의 약제를 사용하면 좋다는 연구가 있지만, 효과가 불분명합니다. 임신 중에 사용하면, 남성태아의 여성화가 일어날 가능성이 있습니다 [칼럼 '여성에게 생기는 두부모발의 탈모증은 어떻게 해야 합니까?'(☞p267)].

지선모반이나 그 밖의 종양으로 인한 탈모증도 있습니다.

● 지선모반(그림8), 피하낭종 등에서는 모낭가 주변으로 밀려 탈모를 일으킵니다.

● 지선모반은 출생시에는 보통 원형탈모증으로 생깁니다. 약간 황색을 띠고 있는데, 상당한 경험을 쌓지 않으면 실제로는 알 수 없습니다. 성장함에 따라서, 색조가 더욱 황색을 띠게 됩니다. 이 모반의 문제점은 마침내 융기되어, 각종 종양을 만들게 된다는 점입니다. 예전에는 기저세포암의 모지가 되어, 절제의 대상이었습니다. 그러나 최근 임상연구로 '이 종양은 대부분이 양성이므로, 잠시 방치해도 문제가 없다'고 결론지었습니다.

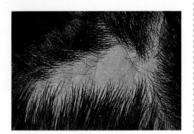

그림8 지선모반

Q&A

Q 발모버릇에 관하여 심리학적 접근으로 가장 중요한 포인트는?

A '머리카락을 뽑는' 행위의 치료는 정신의학적인 영역입니다. 각종 치료가 있지만, 일반의로서 이해해야 할 것은 이것저것 환자에게 지시하기보다, '환자·보호자의 얘기를 잘 들어주는' 것에 최선을 다하는 것입니다. 해결의 힌트는 보호자, 어린이가 처한 환경 내에 있기 때문에 의사가 끈기있게 '얘기를 들어야' 합니다. 실은 '얘기를 잘 들어주는 것'만으로도 해결되는 경우가 상당히 있습니다. 한번 시도해 보십시오.

Q 자가로®는 자비진료가 되면 부작용 발현시의 책임소재는?

A 자비이지만 후생노동성 승인약제이므로, 의사의 개인책임을 묻는 경우는 없습니다. 인정된 자비로의 치료행위입니다. 간장애 등, 부작용 발현시는 보험진료가 됩니다.

Q 자가로® 내복 전에 간기능검사가 필요합니까?

A 문진상 기왕이 있으면 권장합니다. 그러나 자가로® 내복이 목적이라면 자비로 사전검사를 합니다.

기타 ⑥⑦ 연황탈모증, 발모버릇, 남성형 탈모증

68 내성발톱(내향성 손발톱)

내향성 손발톱은 손발톱이 파고 들어간 것을 말합니다. 발조(拔爪)에 의해 후 경조갑(厚硬爪甲, 두껍고 딱딱한 발톱)에 빠지는 수가 있습니다.

내향성 손발톱은 손발톱이 피부나 살로 파고든 상태로, 격통을 수반합니다. 그래서 변연을 비스듬히 자르면 "심조(深爪)"를 되풀이하게 되어 확실히 생깁니다. 발톱이 접히듯이 자라 므로, 점점 두꺼워집니다. 발톱백선과 유사한 상태입니다. 외상이나 내성발톱의 개선목적 으로 발조(拔爪)등, 발톱에 장애가 가해지면 생깁니다.

> **진단**　발톱이 피부를 파고 들어가고 있습니다. 병적인 육아조직이 있는지의 여부?

1 내향성 발톱 (그림1)

발톱이 그 아래의 피부에 함입되어 있는 상태입니다. 주위의 연부조직이 발톱을 둘러싸듯이 됩니다.

2 내향성 발톱. 병적 육아가 생긴 증례 (그림2)

발톱이 심하게 파고들면 측연에 육아종이 생깁니다. 내향성 발 톱을 방치하면 염증이 진행되어 병적 육아를 형성합니다. 난치 성이 되어, 일반의가 치료하기 어렵습니다.

3 테이핑의 사용례 (그림3)

내향성 발톱 치료에서 흔히 하는 방법입니다. 경도의 상태이면 이것으로 치유되며, 일반의에게 권장합니다. 함입되어 있는 발 톱의 아래쪽을 기점으로 발톱이 파고드는 것을 해제하는 방향 으로 피부를 신장시킵니다.

4 손가락에 생긴 내향성 손톱 (그림4)

발뿐 아니라 손가락에도 내향성 손톱이 생깁니다. 심조(深爪) 가 원인으로, 손톱의 측연이 다발 같은 상태가 되어 연부조직 으로 파고들며, 서서히 진행됩니다.

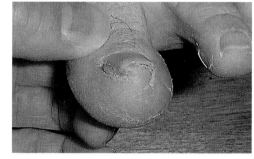
그림1　내성발톱(내향성 손발톱)

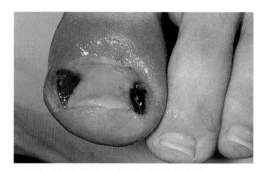
그림2　병적 육아가 생긴 내향성 발톱

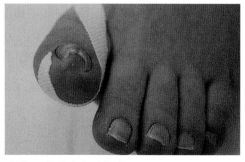
그림3　테이핑의 사용례

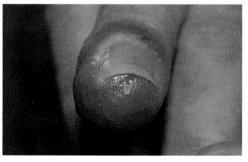
그림4　손가락에 생긴 내향성 손톱

치료

- 감염증인가?라고 오해하여 항생제를 내복·외용해도 증상에 변함이 없습니다. 약보다도 발톱이 파고드는 것을 가능한 완화시키는 테이핑이나 알맞은 신발의 선택이 중요합니다.
- 내향성 손발톱에서는 ①경증, ②중등증, ③중증-마다 치료법을 선택합니다.
  ① 경증(일반의라도 대응가능) : 아래의 발생 원인을 조심스럽게 설명하고, '목욕으로 발톱을 벌린다' '처음에는 아파도, 걸을 때는 발가락 끝에 힘을 준다' '절대로 발톱을 깊게 자르지 않는다' '발에 맞는 구두를 신는다' 등을 지도합니다. 테이핑(그림3)도 효과적입니다.
  ② 중등증(열심히 하면 일반의도 대응가능) : 상당히 파고 들어가서, 걷는 것도 어려운 상태입니다. 거터술이 있습니다. 이것은 링거튜브를 세로로 찢듯이 가위로 잘라서, 파고 들어간 발톱에 삽입하여 파고드는 것을 차단하는 방법입니다.
  ③ 중증(롤캐베츠형 내성발톱) : 발톱이 완전히 '동그란' 상태가 되어 버리거나 육아종이 형성되어서, 보기에도 매우 아픈 상태입니다.
- 내향성 발톱은 경증인 경우는 보행지도, 테이핑으로 치유합니다. 위의 중증례에 관해서는 전문의에게 소개합니다.

환자에 대한 설명

내향성 발톱의 3가지 원인

- 환자에게 이 질환이 왜 생기는지를 확실히 설명합니다. 포인트는 다음의 3가지입니다.
  ① 발톱을 너무 깊이 자르는 환자가 많습니다. 그 결과, 발톱 주위의 연부조직이 상처를 입어서, 염증이 생깁니다. '발톱을 깊이 자르는 것을 금지'하도록 합니다.
  ② 구두가 발의 형태와 맞지 않는 경우도 있습니다. 발의 입체적인 만곡이 구두에 의해서 무리하게 변형되면 생깁니다.
  ③ 발톱은 아무 것도 하지 않으면 자연 둥글어집니다. 그래서 걷는 법이 중요합니다. 발뒤꿈치부터 착지하여, 발톱 끝으로 지면을 차듯이, 발가락 끝에 힘을 주듯이 걷지 않으면, 발톱이 둥글게 되어 버립니다.

칼럼

후경조갑(厚硬爪甲, 두껍고 딱딱한 발톱)의 치료에 관해서

후경조갑은 발톱백선과 유사합니다. 오진하여 항진균제를 오래 내복해도 치유되지 않습니다. 발톱백선의 치료는 진균요소를 제대로 확인한 후에 합니다. 또 발톱백선과 후경조갑이 합병되어 있는 경우도 항진균제 내복은 무효입니다. 주의하십시오(☞p262).

참고문헌

1) 新井裕子, 외 : Derma. 2011 ; 184 : 108-19.

Q&A

 Q 파고 들어간 부분의 조모(爪母)를 파괴하고 발톱의 측연을 잘라 버리는 수술이 보험진료로 행해지고 있습니까?

A 측조곽(側爪廓)이 상실되어 버리면 발톱이 들뜨고 발가락 끝에 힘이 들어가지 않아서 보행 시에 자세가 안정되지 않아, 고생합니다. 발톱이 둥글게 된 경우는 어쩔 수 없지만, 절대 삼가야 할 수기입니다.

 Q 내향성 발톱에서 발톱 옆에 육아종처럼 붉은 덩어리가 생겼는데, 이것은 무엇입니까?

A 병적 육아입니다. 이렇게 되면 전문의에게 소개하는 편이 낫습니다. 응급처치로는 스테로이드 외용(린데론®-V 연고 등)이 어느 정도 유효합니다. 전문의에게 갈 때까지 '응급처치'로 처방합니다.

 Q 발톱백선에서 내향성 발톱이 되는 경우가 있습니까?

A 있습니다. 백선균의 감염에서는 발톱이 비후하거나 변형되는 경우가 많아서, 파고드는 경우도 있습니다. 백선 치료를 우선합니다.

Q 추천하는 발톱깎기? 발톱 자르는 방법은?

A 'SUWADA(諏訪田)의 발톱깎기'(http://www.suwada.co.jp/)가 유명합니다. 약간 고가이지만, 뛰어납니다. 또 그림5처럼 사각형으로 자르는 것이 중요합니다[1].

그림5 손발톱 자르는 법

 Q 내향성 발톱의 거터술이란?

A 웹에 상세한 방법이 공개되어 있습니다. '내향성 발톱, 거터술'에서 조사하면 됩니다. 파고든 발톱 끝에 링거튜브를 삽입합니다.

69 여드름

단순한 '모공 감염증'이 아닙니다.

피부과 진료를 하려면 여드름에 대응해야 합니다. 지하철을 타거나 거리를 걷다 보면, 반드시 여드름이 난 젊은이들을 보게 됩니다. 여드름은 단순한 '털구멍 감염증'이 아닙니다. 남성호르몬에 의한 지선의 항진, 모낭의 각화이상이라는 특수한 장르에 속합니다.

진단 경증, 중증의 패턴인식이 중요합니다.

이것만은 '진찰안(診察眼)'을 키울 필요가 있습니다. 경증~중증의 패턴인식이 중요합니다. 이 질환은 사춘기에 모낭지선계가 활발해지는 것이 원인입니다. 다음의 3가지를 정리하면, 잘 알 수 있습니다.

① 남성호르몬이 모낭에 작용한 결과, 피지분비가 항진된다.
② 모낭입구부분이 각화되어 털구멍이 막혀 버린다.
③ Propionibacterium acnes(혐기성 균)의 증식에 의한 염증 반응이 생긴다.

1 면포(面皰)주체의 여드름 (그림1)

이 정도에서 내원하는 환자가 다수입니다.

2 1 홍색구진이 출현한 증례 (그림2)

서서히 염증이 활발해집니다. 화농성 염증상태입니다.

3 농포, 결절이 출현한 증례 (그림3)

진행되면 농포, 농양, 결절이 되어, 절개가 필요해지는 수도 있습니다.

4 여드름에 의한 반흔 (그림4)

염증이 치유되어도 비후성 반흔이 되는 수가 있습니다.

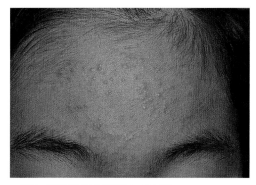

그림1 면포(面皰)주체의 여드름

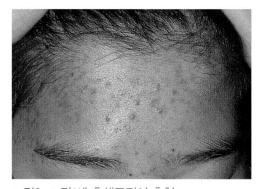

그림2 그림1에 홍색구진이 출현

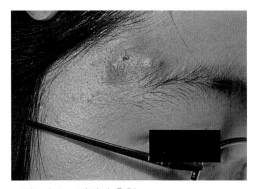

그림3 농포, 결절이 출현

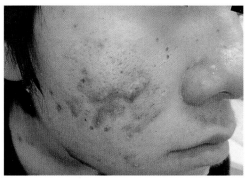

그림4 여드름에 의한 반흔

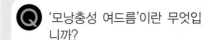

치료 ▶

- 여드름 치료는 근래 크게 변화되었습니다. 치료란 병인을 밝혀서 그것을 제거하는 것입니다. 여드름의 원인으로 흔히 그림5를 들 수 있습니다. 원인이 복잡하게 얽힌 질환입니다.

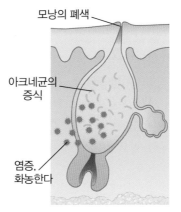

그림5 여드름의 원인

- 치료는 크게 3가지로 나누어집니다. 이 중, 일반의가 승부를 거는 것은 Ⅰ. 유지기, Ⅱ. 급성기입니다. Ⅲ. 반흔기는 프레드닌®의 국주 등, 까다로운 치료이므로 관여하지 않는 편이 무난합니다.

Ⅰ. 유지기 : 유지하는 치료(예방, 악화시키지 않는다)

Ⅱ. 급성기 : 급성 염증기에 하는 치료(홍색구진, 농포 등)

Ⅲ. 반흔기 : 낭종반흔이 되어 버린 경우의 치료

(환자는 젊은층이 많아서, 고액의 자비치료가 아니라 보험에 의한 외용·내복치료가 요구됩니다)

외용제(크게 나누어 3가지)

1. 베피오®겔

- 프리라지컬 생산의 외용제(여기에서는 생략하여 '프리라지'. '오리라지'가 아닙니다. 비항생제이므로 내성균이 발생하지 않습니다). 2가지 작용이 있습니다. 첫 번째는 베피오®겔 자체가 분해될 때에 발생하는 '프리라지'에서 균(아크네간균)을 물리적 화학적으로 파괴하는 구조. 두 번째는 마찬가지로 이 '프리라지'가 각층의 코르네오데스모좀의 단백을 변성시키는 것. 그것에 의해서 모낭의 각질세포끼리의 융합이 진행되어, 각질박리작용이 진행되는, 즉 '폐색된 털구멍이 열리는' 것입니다. 여드름 치료에 있어서, 무리하지 않게 폐색모낭를 열게 하는 것이 피부과의의 꿈이었습니다. 그것이 이 외용제로 인해서 실현된 것입니다. …그렇다고 해도, 왠지 알 것도 같고 모를 것도 같은 작용기전입니다.

- 이론보다 실천을 중시합니다. 구미의 실적에서 보면, 앞으로는 이 베피오®겔을 중심으로 여드름 치료가 행해지는 것은 틀림없습니다. 안면뿐 아니라 체간부의 여드름에도 사용할 수 있습니다. 임신 중에도, 소아에게도 비교적 안전하게 사용할 수 있습니다. 아니 이것은 편리한 외용제입니다. 우선 이것을 추천합니다.

2. 디페린®겔

- 이것도 비항생제입니다. 면역에 대해서도 영향을 미치고, 항염증작용도 있는 것 같습니다…. 레티노인산이라는 기형유발성이 있는 약제의 부류에 속합니다. 비타민A의 유도체로 각질에 작용하여 그 이상을 개선합니다. 모낭누두부의 각화이상이 문제가 되는 여드름에는 매우 매력적인 약제입니다. 이미 일본에서도 승인되어, 피부과의는 보통으로 처방하고 있습니다.

- 이 약제가 나타나기까지, 여드름의 초기단계인 '면포(面皰)'에 대한 보험으로 처방할 수 있는 외용제는 없었습니다. 당연히 여드름의 신생은 억제할 수 없습니다. 환자는 피부과의로부터 멀어져 가고, 시판하는 '여드

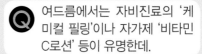

Q '모낭충성 여드름'이란 무엇입니까?

A 모낭충은 모낭의 상재충, 그것이 이상하게 증식되어 여드름의 외관을 나타내는 상태입니다. 보통 환자에게는 일어나지 않습니다. 스테로이드 외용을 하고 있는 경우, 어떤 이유(AIDS환자 등)에 의해 면역억제상태가 되어 있는 경우 등에 생깁니다. 여드름이 고름 상태가 되어 있는 곳을 짜내어 농즙을 현미경으로 관찰하면 벌레가 있습니다. 유황·캠퍼로션®이라는 고전적 외용제로 치료합니다.

Q 여드름에서는 자비진료의 '케미컬 필링'이나 자가제 '비타민C로션' 등이 유명한데.

A 치료법은 크게 2가지로 나누어집니다. ①보험에 의한 진료, ②자비에 의한 진료입니다. ②의 자비진료는 케미컬 필링, 비타민C로션 외용. 남성호르몬에 영향을 미치는 내복제 등 매우 다양합니다. 그러나 근래 베피오®겔이나 디페린®겔 등의 우수한 보험약이 계속 등장하여, 자비진료는 이미 과거의 산물이라고 해도 과언이 아닙니다. 독자에게 당당하게 보험으로 치료할 것을 권합니다.

Q 베피오®겔의 주의점은?

A 과산화벤조일(BPO)은 불안정한 물질이라고 생각합니다. 상품 '베피오®'는 탈색작용이 있습니다. 머리카락, 착색의류에 부착하면 변색됩니다. 또 항생제와의 혼합제인 '듀아크®배합겔'도 마찬가지입니다 [Q&A '듀아크®배합겔이란?'(☞p232) 참조]. '갈색머리로 염색하기 위해서 머리카락에 바르려고' 생각해서는 안됩니다.

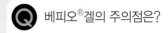

름에 효과가 있다'는 선전에 휩쓸리게 되었습니다. 여드름은 '초기소화'가 중요합니다. 이것에 실패하면, 악화일로를 밟는 환자가 많습니다. 이것을 방지할 수 있는 디페린®겔이 주목받는 것은 당연했습니다. 유감스럽게도 레티노이드의 부류에 속하므로, 아무래도 의사측의 대응이 소극적이 되어, 임산부, 수유 중인 환자, 소아 등에는 처방을 망설이는 면은 부정할 수 없습니다. 현재 적응은 '안면뿐'이며, 경부, 체간부 등의 다른 부위에는 보험규칙상 사용할 수 없습니다. 첨부문서에도 이러한 환자·부위에는 처방하지 않는다는 내용이 있습니다. 그러나 틀림없이 여드름 치료의 주력입니다.

- 단, 외용 시의 자극감은 앞에서 기술한 베피오®겔에 나오면 낫지 못하지 않습니다. 베피오®겔이 '프리라지'에 의한 자극감인데 반해서, '디페린®겔'은 그 '태어난 고향'인 레티노인산의 자극입니다. 그 약제 그 자체가 가지는 부작용인 셈입니다. 불가사의하게, 베피오®겔과 거의 같은 증상의 부작용입니다. 그 때문에 베피오®겔과 마찬가지로, 보습제를 사전에 도포하여 부작용의 경감을 도모합니다.
- 또 디페린®겔과 베피오®겔의 합제도 발매되었습니다(에피듀오®겔, 2016년12월 현재). '무엇이 어떻든 모낭누두부를 열게 하는, 연합외용제'라는 것인가? 이것에 관해서는 최신정보에 주의합니다.
- 비항생제 외용제는 유황·캠퍼로션®, 비스테로이드성 항염증제(NSAIDs)인 스타데름®크림 등도 보험으로 처방할 수 있습니다. 그러나 실제는 효과가 부족하고, 플라세보의 영역을 벗어나지 못하여, 거의 사용하지 않습니다. 아, 어떻든 상관없는 외용제입니다.

3. 항생제

- 3가지 계통이 있습니다.
  ① 다라신®T겔·로션 1일 2회 외용
  ② 아크아틴®크림·로션(연고도 있습니다. 이것은 여드름에는 사용하지 않습니다)1일 2회 외용
  ③ 제비악스®로션 1일 1회 외용
- 항생제, 라고 하면 '내성균'입니다. 구미에서는 이미 여드름에 대한 항생제의 사용이 길고, 그 결과, 사용기간이 길면 길수록 내성균이 발생합니다. 세균이 진화하고, 어떤 약제라도 극복하게 됩니다. 아크아틴®크림도 오랫동안 내성균이 나타나지 않았

Q 베피오®겔은 내성균이 없다? 왜 이제야 등장한 걸까요?

A '프리라지컬(프리라지)'? 이것이 정말 효과가 있을까…하는 의문은 당연합니다. 그러나 이 베피오®겔은 실은 예전부터 구미에서 사용되고 있었습니다. 항생제와 같은 '세포막의 합성과정에 작용하여 운운하는' 기전이 아닌 것 같습니다. 알고 보면, 균이나 정상피부겠지만 해치워버리는 셈입니다. 그 때문에 '내성균'이라는 개념이 없습니다. 매우 상태가 좋은 외용제이므로 중시되어 왔습니다. 무슨 이유에서인지 일본에서는 보험으로 이 약제를 사용할 수가 없습니다.

Q '프리라지'는 정상피부에도 위험하지 않습니까?

A 좋은 것만 있으리라 생각해서는 안 됩니다. 어쨌든 '프리라지'입니다. 모두 파괴해버리므로 정상피부에도 당연히 데미지가 생깁니다. '가려움증, 건조, 낙설, 홍반' 등등. 이 부작용을 줄이기 위해서 보습제(히루로이드®로션 등)를 먼저 외용하면 됩니다. 근래 이러한 '자극성'이 있는 외용제는 알레르기성 접촉성피부염이 생기기 쉬운 점도 확인되고 있습니다. 현재 극심한 홍반으로 재진한 환자도 흔히 있습니다. 이런 경우에는 '금기'가 됩니다. '양날의 칼'입니다.

Q 듀아크®배합겔이란?

A 과산화벤조일(베피오®)과 크린다마이신겔(다라신®T겔)의 혼합제입니다. 염증성 여드름의 first choice가 되고 있습니다.

습니다. 하지만 출현의 평판도 있어서, 앞으로의 일은 알 수 없습니다. 다라신®T는 일본에서도 내성균이 증가하여, 감염의 10~20%는 내성균이라는 데이터도 있습니다[1]. 그렇게 되면, 사용하기 쉬운 것은 신약인 제비악스®로션이겠지요? 뭐니 뭐니 해도 1일 1회인 것이 특징입니다. 젊은이들에게 인기가 있습니다. 이것은 '로션'이라는 이름으로 발매되고 있지만, 실제는 겔에 가까워서 사용하기 쉽습니다. 앞으로는 이것이 항생제 외용의 주력이 되리라 생각됩니다. 실제는 위에 기술한 베피베피오®겔은 실은 예전부터 구미에서 사용되고 있었습니다. 항생제와 같은 '세포막의 합성과정에 작용하여 운운하는' 기서가 아닌 것 같습니다. 알고 보면, 균이나 정상피부겠지만 해치워버리는 셈입니다. 그 때문에 '내성균'이라는 개념이 없습니다. 매우 상태가 좋은 외용제이므로 중시되어 왔습니다. 무슨 이유에서인지 일본에서는 보험으로 이 약제를 사용할 수가 없습니다.(구미에서 보통 사용되는 약이 일본에서는 승인되지 않는 drug lag이라니?). 오®겔이나 디페린®겔과 동

시에 사용하면 됩니다. 그렇게 하면 여드름의 치료기간이 단축되고, 내성균이 잘 나타나지 않는다는 데이터가 있습니다[1]. 한꺼번에 여드름을 치료하는 것이 내성균의 발생을 억제하기 때문일까요.

내복약

● 내복약에는 크게 나누어 항생제, 항염증작용 그 밖의 작용기전을 노린 내복약, 한방약의 3가지가 있습니다. 이 중에서 실제로 일반의의 외래에서 필수인 내복약은 항생제입니다. 그 이외의 복잡한 내복약은 전문의 레벨의 난치증례에서 사용하게 됩니다.

1. 항생제

● 염증이 심한 시기의 여드름은 항생제 내복이 매우 효과적입니다. 미노마이신®, 루리드®, 거기에 최근에는 파롬®이나 의외로 크라비트®에도 여드름의 적응이 있습니다. 물 쓰듯이 항생제내복을 촉구하는 상황입니다.

● 여드름에는 종래, 항생제, 특히 테트라사이클린계인 미노마이신®이 흔히 사용되어 왔습니다. '어려운 여드름에 미노마이신®'뿐, 피부과의는 이 항생제의 처방을 대량으로 계속해 왔던 것입니다. 실은 이 미노마이신®, ICU 등에서 원내감염이 문제가 되는 약제내성균의 치료로서 매우 중요한 '결정적 수단'이 되고 있습니다. 사느냐 죽느냐의 상황하에서 이 약제는 작은 희망이 되고 있는 것입니다. 음, 이러한 귀중한 항생제를 보통 외래에서 마구 사용해도 되는 걸까요? 그것에 추가해서 부작용도 매우 많은 약제입니다. 현기증, 간질성 폐렴(중독!), 자기면역질환의 발생 등도 가끔 눈에 띄어, 조금 문제가 많은 항생제입니다[2].

2. "심상성 여드름 치료가이드라인 2016"

● 일본피부과학외의 "심상성 여드름 치료가이드라인 2016"에 있어서, 항생제 내복은 다음과 같습니다.
  • A(즉 은행의 AAA) : 독시사이클린
  • A*(이것은 마찬가지로 AA인가) : 미노사이클린
  • B : 록시스로마이신과 파로페넴

그 밖의 항생제는 C1 이하가 되고 있습니다. C1에는 레보플록사신, 클라리스로마이신, 시프로플록사신 등이 대기하고 있습니다. 이 중에서 무엇을 선택할 것인가? 그 포인트는 ①사용하면 할수록 내성균이 증가하는 서글픈 법칙을 어떻게 회피하는가? ②다른 감염증영역에서 중요한 항생제는 가능한 사용하지 않는다, 즉 '결정적 수단을 헛되게 하지 마라, 폐가 되는 사용법은 하지 말라'는 것입니다.

● 그 관점에서 선택한다면, C1의 레보플록사신, 클라리스로마이신, 시프로플록사신은 아시듯이, 피부과 이외의 의사가 중요시하는 유명한 것입니다. 거기에 이 C1은 '아, 사용해도 될지 몰라'라는 정도이므로, 외래에서는 A, B의 레벨이 좋습니다. 즉 위의 A, A*, B가 '승부를 거는 항생제'인 셈입니다. '결정적 수단은 처음부터 사용하지 않는다'는 원칙에서 생각하면 A, A*의 항생제는 가능한 남겨둡니다. 따라서 B의 록시스로마이신이나 파로페넴이 first choice가 됩니다. 필자는 록시스로마이신을 애용하고 있습니다. 이 약제는 내과영역 등에서 그다지 처방되지 않는 것이 그 이유입니다. 즉 현재 '타과에 폐가 되지 않는 매우 좋은 항생제'입니다. 이것을 1~2주 사용하다가, 전혀 효과가 없다고 느껴지면 파로페넴 내지는 독시사이클린으로 바꾸는 작전을 취하고 있습니다. 그 약제 전부 효과가 없는 경우, A*의 미노사이클린으로 바꿉니다. 하지만 강력히 이 약제는 '최후의 최후의 선택'으로 남겨둡니다.

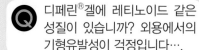

Q 디페린®겔에 레티노이드 같은 성질이 있습니까? 외용에서의 기형유발성이 걱정입니다….

A 레티노이드에는 3가지 세대가 있습니다. 제1세대는 트레티노인. 이것은 안면의 기미이나 색소반의 개선제로 미용영역에서는 유명한 약제입니다. 극심한 자극성이 있어서, 도저히 일반의가 가볍게 사용할 수 있는 것이 아닙니다. 제2세대는 에트레티나트. 이것은 티가손®이라는 약제로 유명합니다. 정자에도 영향을 미치는 극심한 기형유발성이 있습니다. 만일 여드름환자가 이 티가손®을 내복하면, 극적으로 개선될지도 모릅니다…. 사춘기환자에게 기형유발성이 있는 약제를 처방할 용기는 아마 없겠지만… 이 제1세대, 제2세대의 난점을 극복한 제3세대의 약제, 그것이 디페린®겔입니다.

Q 디페린®겔은 붉은 여드름, 즉 염증성 부위에는 효과가 없습니까?

A 놀랍게도 이 약제는 면포(面皰)형성의 억제뿐 아니라, 호중구가 일으키는 여러 가지 염증반응을 억제하는 작용이 있는 점, 게다가 '자연면역'이라는 성가신 방어시스템의 폭주를 막는 작용이 있는 점 등이 밝혀지고 있습니다. 그러고 보니, 디페린®겔을 확실히 외용하면 붉은 여드름도 점차 좋아집니다. 사용하기 시작했을 때는 '털구멍이 열려서 아크네간균이 밖으로 나가서 염증이 빠진건가?' 라고 생각했습니다. 실은 그것이 아니라, 아크네간균이 계기가 되어 일으키게 된 생체의 면역시스템의 '폭주'를 방어하는 작용이 있는 것 같습니다. 이른바 toll-like receptor2(TLR2)의 발현을 억제하는 작용이 있다는 것입니다.

- 그 다음, 투여기간이 매우 중요합니다. 수개월간 내복하고 있다면 내성균의 소용돌이가 휘몰아칩니다. 길어야 최대한 3개월로 합니다. 필자는 1개월~1개월반으로 합니다.

항생제 이외의 내복약

- 항생제 이외에는 한방약, 하이치올® 등이 있습니다. 한방약은 많은 종류가 있으며, '내복해 보지 않으면 알 수 없는' 약제입니다. 폼을 잡고 아무리 노력해도 한방의 전문의에게는 이길 수가 없습니다. Amazon에서 적당히 고서를 구입해도 안됩니다. 그러니까 '본인이 한방에 관해서 전공이 아니면, 처음부터 포기하는' 전법을 추천합니다. 이것이 안되면 저것으로 하자, 라고 여러 가지 모색하면서 적합한 한방제를 선택하게 됩니다. 환자와의 신뢰관계가 중요합니다. 한방약은 츠무라, 쿠라시에 등의 메이커로부터 정보를 얻을 수 있으므로, 처방하기 전에 담당자로부터 얘기를 잘 듣도록 합니다. '메이커의 편견'이 있는 정보를 각오하지만, 의외로 참고가 됩니다. 단, 메이커와의 유착에는 주의해야 합니다. 메이커설명회에서의 호화로운 접대는 피하는 등, 한방약의 영업사원과는 거리를 두고 교제합니다.

- 하이치올®은 여드름에 적응이 있는, 왠지 알 수 없는 내복약입니다. 항염증작용이 있는 것 같습니다…. OTC에서도 취급하고 있습니다. 부작용이 거의 없는 것이 장점입니다. 메이커도 선전도 방문도 하지 않는 '내던져진 내복약'입니다. '여드름환자, 항생제가 끝나면 하이치올®(의식인가?)이라고 마음속으로 생각하면서 처방합니다. 본원에서는 플라세보효과로 애용하고 있습니다.

실제 사용례

- 하지만, 어느 교재에도 기재되어 있지 않은 '맹점'은 '사용하는' 우선순위입니다. '효과가 있는' 순위가 가이드라인입니다. 그런데 실제로 '사용하는' 순위와는 일치하지 않습니다.
  - Ⅰ. 경도 여드름 : 유지기의 치료
  - Ⅱa. 경도의 염증성 여드름 : 유지기+항생제 외용
  - Ⅱb. 중등도 이상의 염증성 여드름 : 유지기+항생제 내복·항생제 외용(즉 총력전)
  - Ⅲ. 항생제가 종료된 후에도 염증이 심한 경우

Ⅰ. 경도 여드름(유지기)

- 베피오®겔, 또는 디페린®겔을 사용합니다. 각각 보습제(히루도이드®로션 등)를 잊지 않도록 합니다. 하지만, 베피오®겔과 디페린®겔, 어느 쪽을 사용합니까? 디페린®겔은 안면만의 적응입니다. 게다가 '임신 중, 수유 중'은 안됩니다. 첨부문서에 따르면 12세 미만의 소아에게는 '사용경험이 없으므로' 상당히 장애가 높습니다. 따라서 안면뿐인 경우에서 '복잡한' 조건이 없는 환자뿐입니다.
- 그에 반해서 베피오®겔은 임산부, 수유 중, 12세 미만, 또는 여드름이 체간부에 있는 경우도 사용할 수 있습니다. 실제는 체간부에도 생기는 환자가 많아서, 베피오®겔이 우선, 디페린®겔은 그 다음이 됩니다.
- 아토피성 피부염인 환자, 중독도 섞여 있는 환자, 정신적으로 불안정한 환자는 양쪽 약제에 서 접촉성피부염 내지는 가려움증을 호소하는 경우가 많습니다. 소범위(새끼손가락 크기)의 사용을 권장하고, 2주 정도에 환부 전체에 외용하는 '단계적인' '느긋한' 외용지도를 합니다.

 항생제 외용의 '잘못된' 사용법은?

 내성균을 만들지 않기 위해서는 ① 단기간에 투여를 끝내도록 한다, ②확실히 환부에 계속 외용하도록 환자를 지도하는 것입니다. 장기간이란 구체적으로 1~2개월이 넘는 기간입니다. 또 외용하다가 하지 않다가를 계속하는 사용법은 아크네간균에 '틈'을 주는 것입니다. 아크네간균과의 '전쟁'이라고 생각하면 손자병법이 도움이 됩니다. 손자 왈, ①적은 군사로 대군과 싸운다(즉, 여기에서는 외용제를 사용했다 안했다 하는 것), ②상황판별을 잘못하여, 전쟁(즉, 여기에서는 아크네간균과의 전투)을 장기화한다, 이 2가지는 더없는 어리석음이라고 했습니다. 필자의 의원에서는 확실히 매일 외용하도록 지도하고, 치료기간의 단축을 위해서 베피오®겔과 항생제의 합제(듀아크®배합겔)를 사용하거나, 디페린®겔과 항생제 외용을 병용하고 있습니다. 그리고 항균외용제는 아무리 길어도 대개 1개월반에 종료하고 있습니다. 효과가 없으면 신속히 다른 외용제로 교체해야 합니다.

독시사이클린과 미노사이클린 중 어느 것을 사용합니까?

그럼 어떻게 해야 될까요? 일본피부과학회 왈, '독시사이클린을 사용합니다' 라는 결론입니다. 실제, "심상성 여드름 치료가이드라인 2016"3)에서는 항생제 내복의 우선순위가 독시사이클린(추천도 : A)이 되어 있습니다. 미노사이클린은 부작용이 많아서 2번째입니다 (A*). 은행 등급에서는 독시사이클린이 AAA이고, 미노사이클린이 AA…라는 방식입니다. 피부과에서는 최우수가 A이고 다음이 A*….

IIa. 경도의 염증성 여드름(유지기＋항생제 외용)

● 듀아크®배합겔 [Q&A '듀아크®배합겔이란?'(☞p232)참조] 과 보습제(히루도이드®로션 등). 보습제를 외용 후 듀아크®배합겔을 붉은 여드름 주위에 도포합니다. 듀아크®배합겔은 베피오®겔도 함유하고 있어서, 따로 베피오®겔을 처방할 필요는 없습니다. 주의점은 보존방법입니다. 듀아크®배합겔이 '냉장고(8℃ 이하)', 베피오®겔이 25℃ 이하(여름만 냉장고인가?)에서 미묘하게 달라집니다. 자극증상에 관한 주의는 ①과 똑같습니다. 이것을 1~2개월 계속합니다.

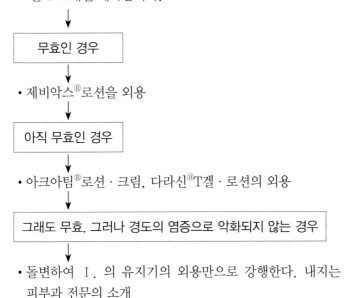

무효인 경우

• 제비악스®로션을 외용

아직 무효인 경우

• 아크아틴®로션 · 크림, 다라신®T겔 · 로션의 외용

그래도 무효. 그러나 경도의 염증으로 악화되지 않는 경우

• 돌변하여 Ⅰ. 의 유지기의 외용만으로 강행한다. 내지는 피부과 전문의 소개

IIb. 중등도 이상의 염증성 여드름

● 유지기＋항생제 내복 · 외용 : Ⅰ.과 Ⅱa.를 처방하는 것이 전제. 항생제 내복이 추가됩니다.

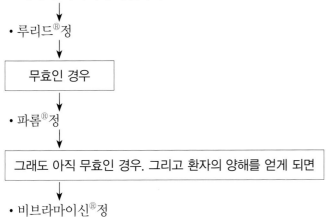

• 루리드®정

무효인 경우

• 파롬®정

그래도 아직 무효인 경우. 그리고 환자의 양해를 얻게 되면

• 비브라마이신®정

● 단, 실제는 항생제의 종류를 바꾸면서 계속 내복하게 하는 의료는, 의사도 환자도 저항감이 있습니다. '자신도 하고 싶지 않은 치료는 환자에게도 하지 마라'. 따라서 실제는 도중에 '하이치올®정80 2T/일 〈분2 2주~1개월간〉 등으로 '휴식기간'을 만들면 됩니다.

무효인 경우

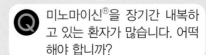

Q 미노마이신®을 장기간 내복하고 있는 환자가 많습니다. 어떡해야 합니까?

A 이 미노마이신®. 그 작용기서로서 '아크네간균에 대한 항균작용이 아니라, 리파제활성억제작용, 즉 백혈구 유주억제 등의 항염증효과'를 목적으로 하고 있다고 이론화되어 있습니다. 지금도 예전의 교육만 받은 피부과의는 이 말을 고수하면서, 미노마이신®을 계속 처방하고 있습니다. 약제내성 등을 고려하지 않고 수개월, 그 중에는 수년 동안 처방을 계속하는 경우도 많습니다. 설사 그와 같은 효과를 기대하고 처방한다 해도, 내성균이라는 문제로부터 벗어날 수는 없습니다. '항균작용을 목적으로 사용하지 않아서, 우리들은 내성균의 문제와는 상관없다'고 모른 체할 수가 없습니다. 장기간 내복한 경우는 어떻게 해야 할까요? 환자에게 내성균의 문제를 솔직히 설명해야 합니다. '환자가 앞으로, 호흡기의 매우 어려운 감염증에 걸린 경우, 보통 환자에 비해 치료가 힘든 상황이 발생할 수도 있습니다. 실제, 구미에서는 그와 같은 데이터가 나와 있습니다[4]. 이제 항생제의 장기내복은 중지하고, 다른 치료로 교체하겠습니다'라고 설득합니다. 그리고 앞으로는 한방약이나 하이치올® 등의 '다른 내복약'을 처방합니다.

Q 항생제 내복의 포인트는?

A 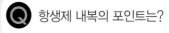 여드름의 항생제 내복은 '내성균을 회피한다' '결정적 수단을 남겨둔다' 라는 관점에서, first choice는 루리드®, 다음에 파롬®, 그 다음에 비브라마이신®, 그리고 마지막 결정적 수단은 미노마이신®이 됩니다. 연속내복은 3개월정도까지, 가능하면 1~2개월로 종료합니다. '항생제 의존증'적인 환자에게는 내성균의 문제를 솔직하게 제기합니다.

- 미노마이신®정이어야 합니다. 부작용은 반드시 설명합니다. '간질성 폐렴으로 죽을 수도 있습니다'. 이런 설명을 하면, 대개의 환자가 이 약제를 희망하지 않습니다.

> '미노마이신®은 복용하지 않겠습니다'라고 한다면

- 앞에서 기술한 치료가이드라인에서 C1의 레보플록사신, 클라리스로마이신, 시프로플록사신 등을 단기간(1~2주)투여합니다. 단, 내성균이 생겨서는 안되므로, 처방하는 단계에서 단기간이라는 점을 환자에게 설명합니다.

Ⅲ. 항생제가 종료된 후에도 염증이 심한 경우

- 항생제 내복이 2~3개월이 되어, 이제 종료하려고 하는데, 아직 염증이 있습니다. 그와 같은 때는 한방약(청상방풍탕(淸上防風湯), 형개연익탕(荊芥連翹湯), 십미패독탕(十味敗毒湯)등), 또는 하이치올®로 변경합니다. 그래도 환자와의 신뢰관계가 모든 치료의 전제라는 점을 잊지않도록 합니다.

처방례

[중·고교생 이상]

안면만 발병한 남성으로 면포(面皰)가 주, 또는 안면만 발병한 여성으로 임신의 가능성 없고, 면포가 주▶

① 디페린®겔을 사용

② 베피오®겔을 사용

③ 에피듀오®겔(①②의 혼합)을 사용

안면만 발병한 여성으로 임신의 가능성 있음▶

- 경도(면포가 주) : 베피오®겔
- 염증이 심한 경우

① 듀아크®배합겔뿐

② 베피오®겔(광범위)＋제비악스®로션(발적부위만. 제비악스®로션 대신에 다라신®T겔/로션, 아크아팀®크림/로션으로도 가능)

체간부, 안면에 다발해 있는 경우(남성 및 임신가능성이 없는 여성)▶

- 경도 : 듀아크®배합겔뿐
- 염증이 심한 경우

① 듀아크®배합겔＋항생제 내복을 병용(루리드® 또는 비브라마이신®)

② '베피오®겔(광범위)＋제비악스®로션(발적부위만)'＋항생제 내복을 병용(루리드® 또는 비브라마이신®. 제비악스®로션 대신에 다라신®T겔/로션, 아크아팀®크림/로션으로도 가능)

Q&A

항생제가 무효인 경우가 있습니다. 왜입니까?

실은 근래, 새로운 것이 발견되었습니다. Propionibacterium acnes에는 3가지 타입이 있으며, 여드름을 악화시키는 것은 이 중에 type1이라는 사실을 알게 된 것입니다[5]. 아크네간균을 일괄적으로 다루던 시대에는 '이상하네, 같은 아크네간균을 가지고 있는 환자에게 악화되는 경우와 아무렇지도 않은 경우가 있다'고, 많은 의사가 의문을 품고 있었습니다. 항생제를 사용해도, 이 type1을 공격하지 않으면 개선되지 않았습니다. 요컨대 목표균에는 무효인 '항생제의 헛공격'현상이었다고 생각됩니다. 앞으로는 이 type1 아크네간균을 어떻게 진압하는가가 치료의 주안점이 되므로, type1 전용약제의 개발이 기대됩니다. 하지만, 그것은 훨씬 훗날의 일. 지금은 어쨌든 아크네간균(type은 제쳐놓고)을 감소시켜서, 염증을 억제하는 것이 중요하므로, 이 화제는 앞으로의 신정보에 기대합니다.

보습이 먼저입니까? 약이 먼저입니까?

베피오®겔, 디페린®겔, 듀아크®배합겔 등의 외용제는 모두 자극감이 있습니다. 그 때문에 보습제의 병용을 권하는 경우가 많습니다. 여기에서 조금 연구가 필요합니다. 앞에서 보습제를 외용하면 부작용이 감약되지만, 아무래도 약제의 효과가 떨어집니다. 나중에 보습제를 외용하면 약제의 효과는 좋지만, 자극감이 강하게 나타납니다. 그 때문에 처음에는 '보습제 → 약제', 익숙해지면 서서히 '약제 → 보습제'가 좋을 수 있습니다. 실제로는 환자와 상담합니다.

체간부, 안면에 다발하고, 임신의 가능성이 있는 여성▶
듀아크®배합겔뿐

[초등학생 · 중학생 이하]
- 소아 12세 이상
  ① 디페린®겔(안면만)
  ② 베피오®겔(안면, 체간부)
  ③ 에피듀오®겔(아마 안면뿐. 신약이므로 앞으로 보험적용이 어떻게 될지는 미지수)

- 소아 12세 미만
  베피오®겔 외용뿐(해외에서는 12세 미만이라도 보통으로 사용할 수 있는 것 같다…).

[약제의 교체에 관하여]
- 항생제를 2~3개월 내복하고, 다른 내복으로 교체하려는 경우의 약제(남성, 및 임신가능성이 없는 경우)
  ① 한방약(청상방풍탕(淸上防風湯), 형개연익탕(荊芥連翹湯), 십미패독탕(十味敗毒湯)의 3종이 무난. 그 밖에도 무수히 있다)을 장기계속.
  ② 하이치올®정 80 2T/일 분2)을 장기계속.
- 항균외용제(다라신®겔, 제비악스®로션, 아크아팀®로션)를 2~3개월 사용하고, 종료할 때 유용한 대체외용제.
  ① 디페린®겔 or 베피오®겔 or 에피듀오® 단독으로 교체한다.
  ② ①에서 자극성이 생겨서 사용할 수 없는 경우 : 다음의 무난한 항염증제로 교체한다.
  델마크린®크림 : 거의 안전하게 사용할 수 있다('습진피부염'의 병명이 필요). 칼럼 '델마크린®A연고 · 델마크린®크림을 아십니까?'(☞p279)참조.
  스타데름®크림('여드름'에 적응이 있다). 단 접촉성피부염을 경계한다.
- ※ 항생제의 내복은 위의 기술에 추가하여, 파롬®정(150mg 내지는 200 mg) 3T/일 분3도 사용하는 수가 있습니다.

Q BPO함유약제(베피오®겔, 듀아크®배합겔, 에피듀오®켈)를 처방할 때의 주의점은?

A BPO는 프리라지컬을 발생시키는, 즉 항산화작용이 있으므로, 이와 같은 작용이 있는 기초화장품류(비타민C, 비타민E, 폴리페놀류 등)의 병용은 삼갑니다. 또 탈색작용이 있어서 의류 · 모발에 주의합니다.

Q 디페린®겔을 처방할 때의 주의점은?

A 디페린®겔은 아다팔렌이라는 레티노이드계 약제로, 동물실험에서 대량투여한 경우에 기형유발성이 확인되었습니다. 현재, 임신 중 · 수유 중인 경우나 12세 미만의 소아에게는 사용할 수 없습니다.

칼럼 초콜릿을 먹으면, 여드름이 악화된다?

- 필자의 외래에서는 초콜릿을 먹으면 여드름이 나타나고, 제한하면 치료되는 환자를 1명도 경험하지 못했습니다. 다른 음식물도 마찬가지입니다. 적어도 환자로부터의 정보에서는 초콜릿(또는 다른 음식물)은 관계가 없는 것 같습니다. 문헌적으로는 찬부양론이 있습니다. 현재 '특정한 음식물이 여드름의 악화와 관계가 있다'는 자료는 없다는 의견, 즉 '어느 음식물로 여드름이 악화되는 경우는 없다'는 견해가 우세입니다.

환자에 대한 설명

장기전을 각오하고, 의사의 생활지도를 지키며 잘 자는 것입니다.

- 다음의 3가지를 설명합니다.
  ① 장기전 : 정기적인 통원이 필요합니다. 수개월~수년의 각오가 필요합니다.
  ② 생활지도 : '여드름을 만지지 말 것' '세안을 하는 것'입니다. 피부가 더러우면 여드름은 낫지 않습니다.
  ③ 충분한 수면시간 : 수면부족과 여드름의 악화는 상관이 있습니다.
- 메이커에서 환자설명용의 알기 쉬운 팸플릿을 배포하고 있습니다. 베피오®겔, 디페린®겔, 듀아크®배합겔 등의 담당사원에게 의뢰하면 무료로 받을 수 있습니다.

참고문헌

1) 林 伸和 : 피부임상, 2016 ; 58(6) : 848-55
2) 岩田健太郎, 외 : 테트라사이클린 기적적인 바리에이션! 항생제의 견해, 사용법 Ver.3. 중외의학사, 2012, p349-54.
3) 일본피부과학회 :
심상성 여드름 치료가이드라인 2016. [https://www.dermatol.or.jp/uploads/uploads/files/guideline/acne%20guideline.pdf]
4) Margolis DJ, et al:Arch Dermatol. 2005 ; 141(9) : 1132-6.
5) 出來尾 格 : P. acnes의 신지견. WHAT'S NEW in 피부과학 2016-2017. 宮地良樹, 외편. Medical Review사, 2016, p98-9.

70 중독, 스테로이드중독

중독과 스테로이드중독, 증상으로는 구별되지 않습니다.

중독은 대부분 중년 이후의 발생입니다. 남녀비는 없지만, 내원하는 대부분이 여성입니다. 특히 아무 원인 없이 안면이 붉어지고, 조금 부어 있는 상태가 수개월~수년 계속됩니다. 일시적으로 경감되거나, 재발됩니다. 여드름과 같은 흰 구진(면포)은 없습니다. 원인불명입니다. 스테로이드 중독은 중독 증상이 안면의 스테로이드 외용으로 생기는 경우입니다. 화장품에 의한 만성 접촉성피부염, 여드름, 중독에 대한 스테로이드 외용으로 발생하는 케이스가 많습니다.

진단 환자가 내원 전에 하는 스테로이드 외용의 유무가 포인트입니다.

'스테로이드 외용(−)의 발적 = 중독' '스테로이드 외용(+)= 스테로이드 중독'이라고 이해합니다.

1 중독① (그림1)

뺨의 혈관확장으로, 가려움증을 수반합니다. 이와 같은 증상이 아무 계기도 없이 출현하고, 장기간 지속됩니다.

2 중독② (그림2)

뺨에서 입 주위에 걸친 혈관확장입니다. 좌우대칭인 경우가 많습니다.

3 중독③ (그림3)

비첨부 주위의 혈관확장을 확인합니다.

4 스테로이드중독① (그림4)

남성의 증례입니다. 얼굴이 근질근질하여, very strong level의 약제를 수개월 사용하고 있었습니다.

5 스테로이드중독② (그림5)

very strong level의 약제를 1년간 사용하고 발생한 증례입니다. 현저한 가피, 혈관확장, 습윤성 변화 등도 수반하며, 가려움증, 따끔따끔합니다.

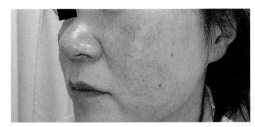

그림1 중독(뺨의 혈관확장)

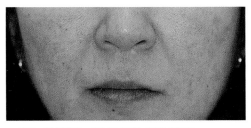

그림2 중독(뺨~입 주위의 혈관확장)

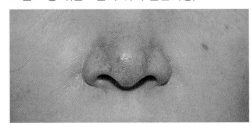

그림3 중독(비첨부 주위의 혈관확장)

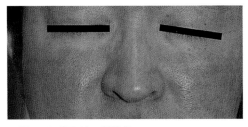

그림4 스테로이드중독①

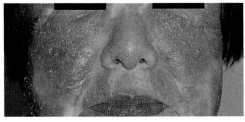

그림5 스테로이드중독②
(very strong을 1년간 사용)

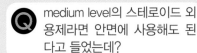

치료

처방례

비브라마이신®정 100 mg 1T/일 분1 〈2개월정도〉
로젝스®겔(보험적용외)
가려움증이 극심한 경우▶항히스타민제 내복
알레록®정 5 mg 2T/일 분2 〈2~3개월간〉(신속한 효과가 있다)
알레록®을 내복할 수 없을 때▶
항히스타민제는 상황에 따라서 적절한 사용을 검토한다 [칼럼 '상황별 항히스타민제 사용법'(☞p193)참조].
※ 가려움증이 심하면, 프로토픽®연고 등을 추가.
※ 프로토픽®연고를 처방할 때는 아토피성 피부염의 적응이라는 것을 설명해야 한다.

● 스테로이드 중독은 리바운드가 있습니다. 가려움증, 발적 등의 악화입니다. 너무 극심한 경우는 medium level의 스테로이드(킨다베이트®연고 등)를 외용하기도 합니다. 대부분의 경우는 보습제의 외용 정도로도 모두 본래대로 되돌아갑니다.
● 스테로이드 외용이 아닌 중독의 경우, 획기적 외용제가 인가되었습니다. 단, 중독에 대한 적응이 아니라, 암성 악취대책으로서 보험적용이 된 메트로니다졸겔(로젝스®겔)이라는 외용제입니다. 구미에서는 이미 사용하고 있어서, 중독에 효과가 있다는 것을 알고 있습니다. 아직 일본에서는 중독에 대해서는 보험적용이 없어서, 자비로 하고 있습니다. 그러나 이 약제는 외용하면 가려움증을 억제하고, 발적을 감소시키는 효과가 있습니다. 자비로 50 g, 약가베이스에서 5,000엔 정도, 실제 판매가격은 7,000엔 정도입니다. 이 약제는 2017년 2월 현재, 후생노동성에서 '중독'으로서의 인가는 없습니다. 의사의 개인책임하에 처방하게 됩니다.
● 중독, 스테로이드 중독 모두, 테트라사이클린계 항생제가 유효한 것 같습니다. 하지만 가능한 사용하고 싶지는 않습니다.

환자에 대한 설명

장기전이 되는 것을 미리 설명합니다.

● 스테로이드 중독인 경우는 스테로이드 외용을 했던 것과 같은 기간이 걸리고, 중독인 경우는 더욱 길어진다는 것을 설명합니다.

One point Advice

색소레이저치료가 보험적용이 되고 있습니다.

● 혈관확장에 대해서 색소레이저치료라는 방법이 있습니다. 이것은 580~590 nm 부근의 파장이 주로 혈관에 작용하여, 열변성시키는 것입니다. 보험적용이므로, 이 레이저가 있는 전문의에게 소개하면 됩니다.

 Q medium level의 스테로이드 외용제라면 안면에 사용해도 된다고 들었는데?

A 안면은 혈관이 풍부하고 약제흡수율이 높은 부위입니다. 그 때문에 스테로이드 외용에 반응성으로 모세혈관 확장이 지속된다고 합니다. 환자마다 개인차는 있지만, medium level의 스테로이드라도 장기간(대개 2주 이상이라고 생각하십시오) 사용하면 중독이 발생하는 케이스가 있습니다. 주의하십시오.

Q 중독의 원인은?

A 최근에는 자연면역시스템의 오작동이 아닐까? 하는 견해가 주류입니다. 안면피부에는 상재균이 밀집되어 있어서, 피부의 면역관용으로 평화로운 상태를 유지하고 있습니다. 그것이 무너지면 세균에 대한 부적합한 반응이 생긴다는 생각입니다. 확실히 스테로이드 외용으로 일시적으로는 좋아집니다. 그러나 그것을 계속하면 '스테로이드 중독' 상태가 되는 실태가 이러한 원인을 암시합니다. 그러나 아직까지 불분명한 점이 많은 것도 사실입니다.

 Q 스테로이드 중독이 나은 것처럼 보이더니, 또 붉어지는 증례가 있는데?

A 본래 중독이 있고, 거기에 스테로이드를 장기간 외용하여 스테로이드 중독을 일으키는 증례도 많으므로 주의해야 합니다. 스테로이드 중독이 일단 나은 후에도 치료를 계속 해야 합니다.

 Q 붉은 얼굴, 중독, 지루성 피부염의 차이는?

A 붉은 얼굴이란, 중독, 지루성 피부염 등을 포괄한 일반적인 표현방법이라고 생각됩니다. 중독은 중고령의 안면에 나타나는 모세혈관 확장, 지루 등이 주체의 변화입니다. 지루성 피부염도 지루부위에 생긴 홍반, 인설이므로, 양자가 중복되어 있는 경우가 많습니다. 엄밀한 구별은 전문의도 하지 않습니다.

제 5 장

피부진찰 Tips집
진단편/치료편

피부과를 처음 하려고 결심할 때에, 초보자가 빠지기 쉬운 것은 '유사증례'에서의 오진입니다. 똑같아 보여도 종양이기도 하고, 감염증이기도 합니다. 전혀 다른 질환이 똑같아 보입니다. 피부과 진료에서는 그 자리에서 인설 등을 채취하여, 검사, 또는 절제할 수 있다는 merit가 있습니다. 교과서에 '인설을 수반하는, 약간 융기된 경계가 명료한 홍반이다' 등으로 기재되어 있어도, 그 상태가 백선균에 의한 것인지, 세포침윤인지, 부종인지, 단순히 지선이 활발한 것 뿐인지, 종양인지 등, 검사하여 잘 생각한 후 진단해야 합니다. 이 장에서는 흔히 있는 '유사증례'에 관하여 비교, 설명하고 있습니다.

물론 현장에서는 '치료'가 주역입니다. 진단할 수 있어도 치료할 수 없으면 곤란합니다. 현장에서는 뭐라 말할 수 없는 환자들의 호소가 있습니다. 그 결과, '이상하네, 텍스트대로 처방했는데, 왜 이렇게 효과가 없는 걸까?'

'임신…또! 하지만 처방할 수 있는 약도 없고…'

'여드름 외용제는 많이 나와 있지만 비교적 트러블이 많다고 하고…'

등등, 제일선에서 진료하는 의사로서 매일의 외래는 어려운 문제의 연속입니다. 이 의문들에 다소나마 도움이 될 수 있는 Q & A를 준비했습니다. 진단편과 치료편, 실제 외래에서 활용하시기 바랍니다.

진단편 01 수부습진과 유사한 병변은? – 손의 홍반, 구진의 유사증례

피부과에서는 흔히 손의 병변을 진찰합니다.

손에 생긴 병변은 수부습진뿐이 아닙니다. 미세한 융기가 있는 것에서는 수부습진의 한패인 한포, 이한성 습진, 수부백선, 습진처럼 보이는 바이러스성 유두종(사마귀)등이 있습니다. 계절의 변화 등에는 모래피부병과 유사한 바이러스감염증도 겪게 됩니다.

이 증례들을 감별할 수 있습니까?

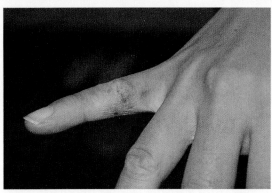

① 성인의 거친 손?

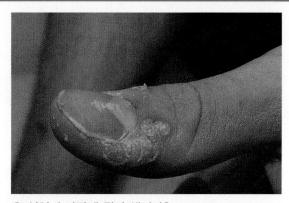

② 성인 손가락에 뭔가 생겼다?

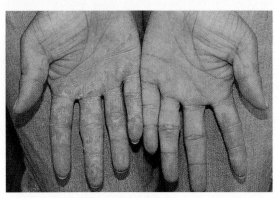

③ 성인 손의 한쪽에 뭔가 생겼다?

④ 손바닥의 붉은 점?

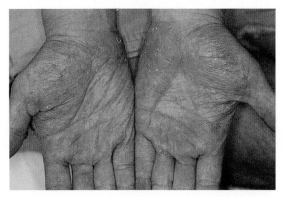

⑤ '좀처럼 낫지 않습니다'라며 병원을 전전한 환자

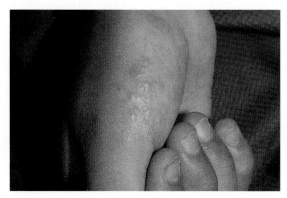

⑥ 손에 수포 같은 것이 생겼다?

① 수부습진

표피의 변화를 수반하면 이와 같이 인설이 부착됩니다. 가려움증을 수반하므로 마구 긁은 가피 등도 확인됩니다. 이것이 수부습진입니다.

② 사마귀(바이러스성 유두종)

이와 같은 외관을 '사마귀'라고 하고, 바이러스성 유두종을 나타냅니다. 진단에는 숙련이 필요합니다.

③ 수부백선

'수부습진이 편측성'이라고 생각하면 수부백선을 생각합니다. 임상적으로는 통상적인 수부습진과 구별이 되지 않습니다. 족부백선의 유무를 체크합니다.

④ 한포

손바닥에 미세한 홍반이 산포해 있는 경우는 한포 내지는 이한성 습진이 대표적인 질환입니다. 소아에게는 수족구병의 초기(수포를 잘 확인할 수 없는 경우가 있다)에 주의합니다. 바이러스성 질환일 가능성이 있는 경우는 '어린이의 손이 거칠어졌습니다' 등으로 가볍게 진단해서는 안됩니다.

⑤ 장척농포증(掌蹠膿疱症)

성인의 수부습진이 아무리 치료해도 좋아지지 않는 경우가 있습니다. 이것이 장척농포증입니다. 물론 수부백선, 옴 등을 제외해야 합니다.

⑥ 한포

모지구부에 생긴 미세한 수포입니다. 대개 이와 같이 일부에 밀집됩니다.

02 갑자기 수포가 생겼어요!
– 수포의 유사증례

헤르페스가 대표적입니다. 그러나 유사한 질환이 많다는 사실!

단순포진, 대상포진이 유명합니다. 이것은 '따끔따끔하다' '매우 아프다' 등의 자각증상을 고려하여 진단합니다. 단, 소아인 경우는 동통이 없는 경우가 많으므로 주의합니다. 갑자기 수포가 생기면, 고령자는 수포성 유천포창, 소아는 전염성 농가진을 고려합니다. '안면에 생긴 수포와 유사한 상태는 단순포진인가?' 등도 문제가 됩니다.

이 증례들을 감별할 수 있습니까?

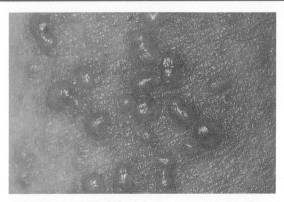

① 작은 수포가 밀집해 있다

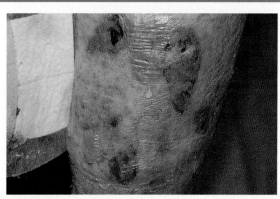

② 고령자의 무릎 주위에 생긴 수포

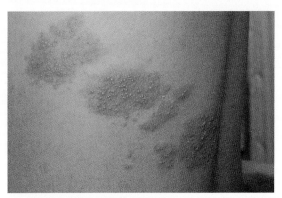

③ 발적과 수포가 밀집해 있다

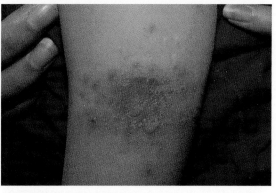

④ 진무름과 수포가 혼재해 있다

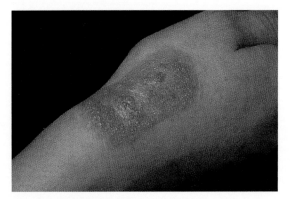

⑤ 심한 가려움증이 있다

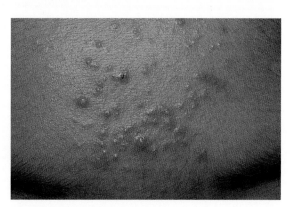

⑥ 젊은이의 미간에 생긴 구진

① 단순포진

소형 수포가 밀집해 있으면 단순포진을 생각합니다. 외래에서는 입술·입 주위에 호발합니다.

② 수포성 유천포창

고령자에게 생긴 삼출성 홍반에서 갑자기 수포가 형성되는 수가 있습니다. 약물 알레르기, 접촉성피부염 등과 혼동되므로 어렵습니다. 수포성 유천포창은 혈액검사에서 항 BP180항체를 확인합니다.

③ 대상포진

이것은 홍훈(紅暈)을 수반하는 수포가 밀집합니다. 여러 곳에서 눈에 띄면 확정합니다. 단발인 경우는 단순포진과의 감별이 문제가 됩니다.

④ 전염성 농가진

소아에게 많고, 진무름이 혼재하는 수포입니다. 익숙해지면 바로 진단할 수 있습니다. 성인에게도 종종 발생하므로 '원인불명의 수포성 질환'과 착각하지 않도록 합니다.

⑤ 접촉성피부염

중앙의 수포 주위에는 경계가 명료한 홍반이 있습니다. 이것이 있으면 진단은 간단합니다. 그러나 이와 같은 홍반을 확인할 수 없는 경우도 많으므로 어려울 수 있습니다.

⑥ 여드름

수포처럼 보이는 수가 있습니다. 이것은 주위의 면포(面皰)를 확인하여 감별할 수 있습니다. 수포를 형성하는 접촉성피부염도 혼재하는 수가 있으므로 어렵습니다.

03 이것은 정말 아토피?
– 아토피성 피부염의 유사증례

'습진 = 아토피성 피부염'이 아닙니다.

아토피성 피부염은 '좌우대칭' '2개월 이상 경과' '아토피소인이 있다' 등의 진단기준이 있습니다. 특징은 피부를 만져보면 알 수 있는, 독특한 건조피부입니다. 특별질환으로는 피지결핍성 습진 때문에 생기는 경우가 많은 화폐상 습진, 스테로이드 외용으로 발생하는 백선, 소아에게 의외로 많은 전염성 연속종이 사라질 때에 생기는 몰루스쿰(molluscum)반응, 가려움증이 경도로 겨드랑이 아래 등에 생기는 지루성 피부염 등에 주의합니다.

이 증례들을 감별할 수 있습니까?

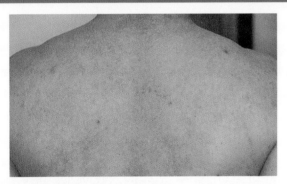

① 체간부의 현저한 건조피부

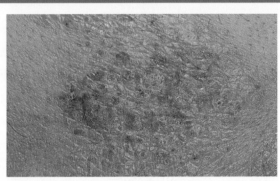

② 체간부의 극심한 긁은 흔적

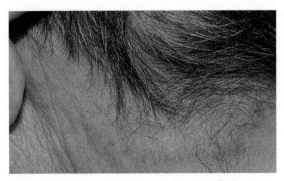

③ 이개(耳介)부터 목에 생긴 고리모양의 홍반

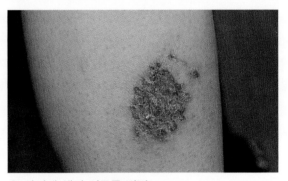

④ 하퇴에 생긴 짓무른 병변

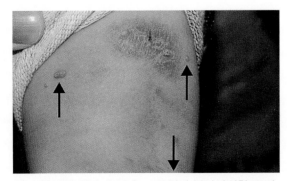

⑤ 소아에게 생긴 습진과 그 주위의 불가사의한 구진

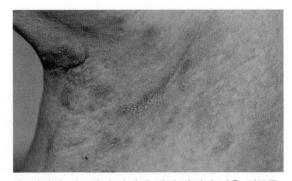

⑥ 성인의 겨드랑이 아래에 생긴 발적과 작은 진무름

①, ② 아토피성 피부염

현저한 드라이스킨이 확인되는 한편, 반복해서 긁은 습윤성 병변 등이 특징입니다.

③ 체부백선＋두부백선

아토피성 피부염에서도 스테로이드를 외용하면 백선의 발생으로 이행되는 수가 있습니다. 특히 족부백선이 있는 경우에는 요주의입니다. 외래에서는 '발'을 확인합니다. 이 증례도 족부백선이 있고, 다른 부위로의 스테로이드 외용으로 사상균이 '옮겨간' 례입니다.

④ 화폐상 습진

500엔동전 정도의 크기인 습윤병변입니다. 주위에는 경도의 건조피부가 있을 뿐입니다. 이와 같은 경우는 아토피성 피부염이라고는 할 수 없고, 단순히 '건조피부에 생긴 화폐상 습진'입니다.

⑤ 전염성 연속종

소아의 전염성 연속종은 소퇴 시에 염증을 일으킵니다. 몰루스쿰(molluscum)반응입니다. '습진입니다' 라고 '적당히 처리'하는 증례 중에는 실은 이 몰루스쿰반응이 매우 많으므로 주의합니다.

⑥ 지루성 피부염

가려움증이 경도로 겨드랑이 아래 등에 국한되는 경우는 지루성 피부염을 생각합니다. 심한 가려움증으로 전신의 곳곳에서 눈에 띄고, 치료도 어려우면 '아토피성 피부염'이 됩니다.

칼럼

아토피성 피부염은 치료되지 않습니까? 라고 물었을 때의 즉답술

● '의학의 진보로 피부를 강하게 하는 약이 등장할 것입니다. 피부를 지키는 필라그린(filaggrin)이라는 물질을 정상으로 되돌리는 약입니다. 그 날은 반드시 옵니다. 그때까지 피부의 외용을 확실히 합시다'. 환자에게는 희망을 갖게 하는 것이 무엇보다도 중요합니다. 그러니까 '치료가 안됩니다' 라는 말은 금지어로, 절대로 해서는 안됩니다. 정말 '치료되는' 날이 올수도 있으니까.

진단편 04 갈색! 검다!
– 종양의 유사증례

악성을 부정할 수 없는 질환을 선별하는 것이 포인트입니다.

노인성 사마귀, 노인성 색소반 등, '노인'이라는 말이 붙는 것은 건강세포의 증식이므로, 방치해도 상관없습니다. 그런데, 외래에서 종종 겪게 되는 설명이 불가능한 증상은 곤란합니다. 악성흑색종, 기저세포암 등의 악성 질환을 어떻게 감별할지? 피부과 초심자에게는 '암인지 아닌지?'가 아니라, '암일 가능성을 부정할 수 없는' 질환을 선별하는 능력이 필요합니다.

이 증례들을 감별할 수 있습니까?

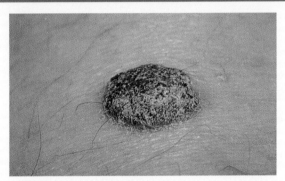

① 체간부에 생긴 검은 융기

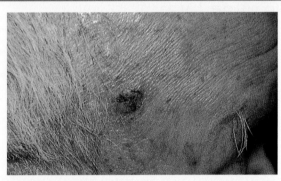

② 고령자의 안면에 생긴 검붉은 인설이 부착된 기미

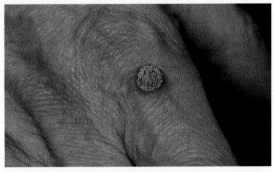

③ 성인의 손가락에 부자연스러운 융기

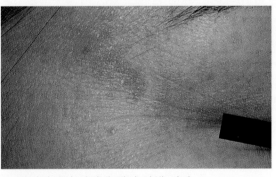

④ 중년여성의 안면에 생긴 갈색 기미

⑤ 고령자의 안면에 생긴 뿔?

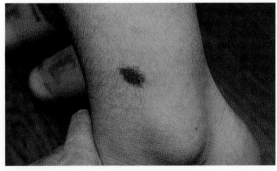

⑥ 젊은이의 하퇴에 생긴 점? 암?

① 노인성 사마귀

'단추를 붙인 듯한 외관'이라는 표현이 유명합니다. 노인성 사마귀는 대개 이와 같이 선명한 흑갈색 결절 내지는 종류입니다. 큰 것은 몇 cm나 되는 경우도 있습니다. '노인성'이라는 이름대로 고령자에게는 거의 모두 확인됩니다.

② 일광각화증(노인성 각화종)

안면에 생긴 전암상태로서 유명한 일광각화증은 '노인성 각화종' 등으로 매우 무난한 명칭으로 불리고 있습니다. 암을 생각케 하는 병명이 아닌 것은 경과가 길어서 '이 질환=죽음'으로 바로 결부되지 않기 때문입니다. 붉은 기가 있는 색소반으로 변연이 확실하지 않고, 표면의 변화가 깨끗하지 않은 점 등이 진단의 근거입니다. 더모스코피에서는 '딸기상 패턴' 등이 유명합니다.

③ 바이러스성 사마귀

이것은 이와 같은 갈색 외관으로 등장하는 수가 있습니다. 노인성 사마귀와의 감별이 문제가 됩니다. 주위에 똑같은 위성병변이 있는지? 표면의 변화가 마치 혹모양으로 무수한 돌기가 있는지? 등으로 '직관적인' 진단이 됩니다. 노인성 사마귀는 표면이 마치 단추처럼 매끈한 경우가 많습니다. 바이러스성은 표피의 증식이 활발하여 울퉁불퉁한 인상을 줍니다. 그러나 실제로는 감별에 고민하는 이런 증례도 많으므로 고민스러운 바입니다.

④ 노인성 색소반

융기가 없는 편평한 갈색반입니다. 고령자의 안면에 호발합니다. 변연이 벌레먹은 것 같은 형태이면 노인성 색소반입니다. 악성흑자와 분별이 되지 않는 예도 많으므로 더모스코피는 필수 아이템입니다.

⑤ 피각(皮角)

'뿔'입니다. 일광각화증은 이와 같이 뿔과 같은 형태를 취하는 수가 있습니다.

⑥ 모반

모반과 악성흑색종의 감별은 '영원한 과제'라고 할 정도로, 혼동스러운 증례가 항상 우글거리고 있습니다. 대략 말하자면, '형태가 둥글지 않은 부정형' '색조가 일정하지 않다' '크기(=6~7 cm 이상 있다)' 등의 경우는 경솔하게 '암이 아니다'라고는 할 수 없다, 라고 생각합니다.

05 백반이 나타났다!
– 흰색 질환의 유사증례

멜라닌색소가 감소, 소실되는 질환입니다.

자기면역질환으로서 심상성 백반이 유명하지만, 그 이외에도 단순성 비강진(마른버짐), 염증후 탈색소반 등도 있습니다. 나이가 들면서도 백반이 생깁니다. 외래에서는 환자자신이 '저 "백납(백전풍)" 아닙니까?'라고 의심하여 수진합니다. 심상성 백반은 뚜렷한 백반으로 주위에 작은 색소증강을 나타내는 경우가 많은 점 등이 특징입니다. 이 감별은 수많은 백반을 관찰함으로써 가능해집니다.

이 증례들을 감별할 수 있습니까?

① 새하얘진 성인의 체간부

② 성인의 상지. 체액질소요법 후에 이와 같이 되었다

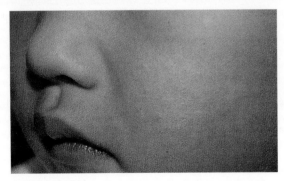

③ 소아의 안면

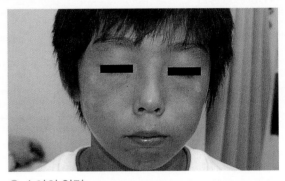

④ 소아의 안면

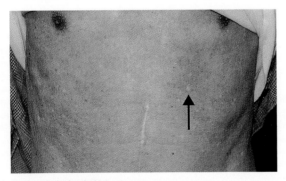

⑤ 고령자의 체간부

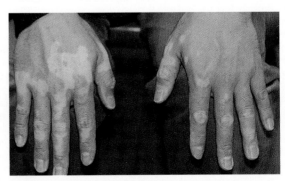

⑥ 성인의 양손에 발생했다

①, ⑥ 심상성 백반

'하얘진 상태'의 질환은 많이 있습니다. 거의 완벽한 흰색, 경계가 명료하고 변연에 작은 색소증강을 수반하는 것은 심상성 백반이라는 멜라노사이트(melanocyte)에 대한 자기면역질환입니다.

② 염증 후의 탈색소반

염증이 생긴 후에도 백반은 생깁니다. 피부과에는 사마귀치료로 행해지는 액체질소요법이라는 처치가 있습니다. 그 시술로 사마귀가 사라진 후, 이와 같이 백반이 잔존하는 수가 있습니다. 서서히 주위의 피부색과 같아지므로, 당황하지 마십시오. 그 외에 수두에 걸린 소아에게도 치료 후에 이와 같은 백반을 확인할 수가 있습니다.

③, ④ 단순성 비강진

이 2증례는 이른바 '마른버짐, 건선(乾癬)'입니다. 통상은 유아ㆍ초등학생 무렵에 많고, 중학생정도가 되면 더 이상 눈에 띄지 않게 됩니다. '각질이 자외선차단의 천연필터가 되어, 햇볕에 타지 않기 때문'이라고 추측됩니다.

⑤ 노인성 백반

고령자에게는 이와 같은 백반이 흔히 눈에 띕니다. 사진 정도의 작은 백반입니다. 이 크기 이상이 되는 경우는 거의 없습니다. 작은 것이 몸의 여기저기에 나타나지만, 자각증상이 부족하기 때문에, 이와 같은 소견만으로 의원을 수진하는 경우는 없는 것 같습니다.

칼럼

제 피부병은 알레르기입니까? 라고 물으면

● 이거 곤란하지요. 대개 피부질환뿐 아니라, 병은 면역과 관련되는 경우가 많아서, 무엇을 가지고 알레르기의 정의를 내릴 것인가로 의사측은 일을 복잡하게 만들어버렸습니다. 하지만 안심하십시오. 환자는 '알레르기=음식알레르기'라고 생각하는 경우가 많아서, '식사를 제한하게 됩니까?' 라는 불안스러운 질문을 많이 하는 것 같습니다. 그러면 '아, 음식말이지요. 걱정할 필요 없습니다' 라고 즉시 답하면 됩니다. 물론, 정말 음식알레르기인 경우는 제외입니다.

06 부풀어 올랐다! 가렵다!
– 부풀어 오르는 질환의 유사증례

융기의 요인을 생각합니다.

그 피부의 융기는 무엇에 의한 것인가를 생각합니다. 세포인가, 수분인가, 이물인가, 그 조합인가? 가렵고 부풀어 오르는 대표적인 질환은 두드러기입니다. 접촉성피부염에서도 피부는 융기됩니다. 융기 위에 독특한 은백색인설이 있으면 심상성 건선입니다. 좌우 대칭으로 손, 팔꿈치, 무릎 등에 나타나면 다형 삼출성 홍반, 편측이면 대상포진의 극히 초기를 생각합니다. 족부백선이 있는 환자는 체부백선도 염두에 둡니다.

이 증례들을 감별할 수 있습니까?

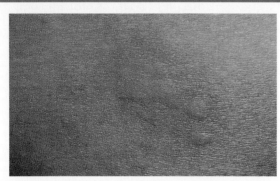

① 성인의 체간부에 생긴 심한 가려움증을 수반하는 병변

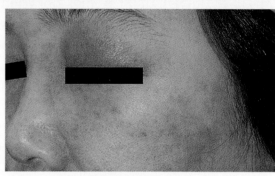

② 성인의 안면. 동통 있음

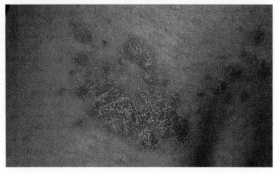

③ 성인의 사지에 생긴 병변. 가벼운 가려움증 있음

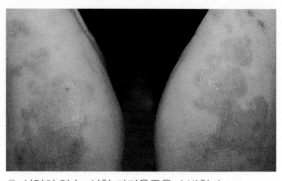

④ 성인의 양손. 심한 가려움증을 수반한다

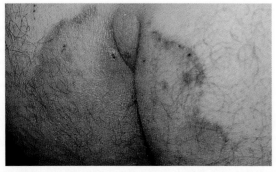

⑤ 성인의 둔부. 심한 가려움증을 수반한다

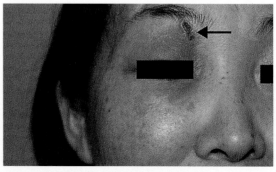

⑥ 성인의 오른쪽 안면. 동통이 심하다

① 두드러기

이것이 팽진입니다. 피부과 이외의 의사라도 구급외래를 담당하면, 반드시 이와 같은 환자가 내원합니다. 야간에 구급으로 내원한 경우 등은 노이로트로핀®(3.6단위)의 피하주사(근주로도 가능)가 효과적입니다.

② 단독(丹毒)

이것은 경계가 비교적 명료한 홍반으로 동통이 있으며, 발열을 수반하는 등 전신증상으로도 진단할 수 있습니다. 그런데 현실적으로는 사진처럼 잘 알 수 없는 증례도 있습니다. 특히 초기에는 매우 가벼운 증상으로 내원합니다. 방치하면 어느 새 확대되어, 전신증상이 악화되므로 주의합니다.

③ 국한성 신경피부염

반복되는 가려움증은 국한성 신경피부염 등이라고 하며, 심상선 건선과 유사한 소견입니다. 스테로이드 외용에서 흔히 반응하고, 재발성이 적으며, 다른 부위에 증상이 보이지 않으면 만성습진, 내지는 국한성 신경피부염이라고 진단합니다.

④ 다형 삼출성 홍반

양손에 나타난 부풀어 오르는 홍반입니다. 이와 같은 소견을 '삼출성'이라고 합니다. 확실한 접촉원이 확인되지 않고, 다른 사지에도 똑같은 소견이 있는 경우는 다형 삼출성 홍반입니다.

⑤ 체부백선

피부과의라면 누구나 순간 진단할 수 있는 체부백선이 이 소견입니다. 주위가 다소 부정형으로, '중심치유경향이 있는' 낙설성 홍반입니다.

⑥ 대상포진

종창이 현저한 경우, 대상포진의 초기도 반드시 고려해 두어야 합니다. 이것으로 진무름(화살표)이 확인되지 않으면, '단독'이라고 진단할 수도 있습니다.

진단편 07 바이러스성 유두종(사마귀)과 유사하지만···. – 사마귀의 유사증례

티눈? 사마귀? 무사마귀? 종양? 실로 어렵습니다.

손, 발은 바이러스성 유두종(혹, 사마귀)의 호발부위입니다. 발은 티눈, 굳은살이라는 구두와 발의 부적합에 의한 질환도 보입니다. 사마귀처럼 보이지만, 전혀 다른 질환도 있습니다. 결절성 황색종이라는 종양은 사마귀와 매우 유사합니다. 소아에게는 전염성 연속종도 도처에 출현하여, 혼란스럽습니다.

이 증례들을 감별할 수 있습니까?

① 소아의 손가락

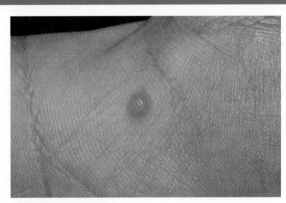

② 성인의 손바닥

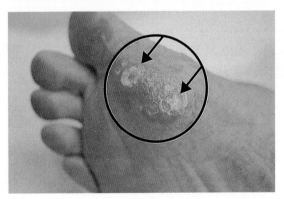

③ 성인의 발바닥

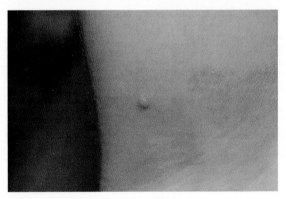

④ 소아의 손목

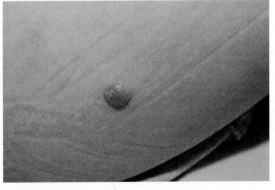

⑤ 소아의 대퇴부

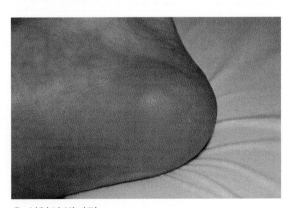

⑥ 성인의 발바닥

정답과 해설

① 바이러스성 사마귀

전형적인 바이러스성 사마귀입니다. 방치하면 이렇게 다양한 외관이 됩니다.

② 바이러스성 사마귀

초기증상입니다. 전염성 연속종과의 감별이 고민스러운 부분입니다.

③ 티눈 및 굳은살

언뜻 보기에 바이러스성 사마귀를 연상시킵니다. 티눈은 동통을 수반합니다. 생긴 기간이나 확대경향이 없고, 바이러스성 사마귀의 특징적인 점상출혈이 없는 점 등으로 티눈·굳은살이라고 진단하고, Pedi®라는 피부를 깎는 기구로 치료했습니다.

④ 전염성 연속종

'물기가 많은 구진'입니다. 이것은 익숙해질 수밖에 없습니다. 어느 환자나 크고 작기는 하나, 거의 똑같은 임상상입니다.

⑤ 결절성 황색종

다소 누르스름한 결절입니다. 이와 같이 경계가 명료한 것은 양성이라고 생각해도 상관없습니다.

⑥ 외상성 낭포

발바닥에 흔히 생기는 낭포입니다. 만지지 않으면 알 수 없습니다. 경미한 외상으로 표피가 진피 내로 들어간 현상입니다. 사람유두종바이러스가 관여하는 듯합니다.

칼럼

모기에게 물려서 열이 나고, 발진이 나고… 급성 바이러스성 발진의 웹정보는?

● 이제부터 점점 화제에 오를 수도 있는 '모기가 매개하는 바이러스감염증'…, 이 감염증에 관해서는 국립감염증연구소의 홈페이지[1]가 현재 가장 리얼타임으로 정보를 얻을 수 있는 사이트입니다. 뎅기열, 치쿤구니아열, 지카바이러스열…. 정말 어렵습니다. 필자도 포함하여, 어떤 소견으로 내원할 것인지 '경험이 없기'때문입니다. 조금이라도 의심스러우면 기간병원에 연락하고, 환자를 보냅니다. 신속히 손을 쓰는 이외에 방법이 없습니다. '조기치료'가 중요합니다.

참고문헌

1) 국립감염증연구소 : 감염증토픽. [http://www.nih.go.jp/niid/ja/]

진단편 08 발에 소수포, 인설(scale) 피부각질이….
– 무좀의 유사증례①

족부백선 타입으로 인설, 수포가 눈에 띄는데….

발의 수포, 인설은 바로 족부백선을 생각하게 합니다. 그러나 외래에서는 오히려, 환자가 자기판단으로 시판약을 외용하여 접촉성피부염이 생긴 증례가 많습니다. 족부백선과 매우 유사한 이한성 습진, 한포 등의 질환도 많으며, 발은 '항상 복수질환이 동거하는 부위' 라고 생각하는 편이 좋습니다. 바이러스성 질환인 수족구병 등도 발생합니다.

이 증례들을 감별할 수 있습니까?

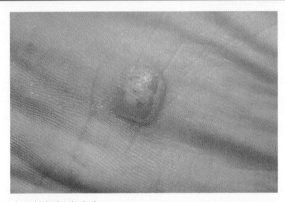

① 성인의 발바닥

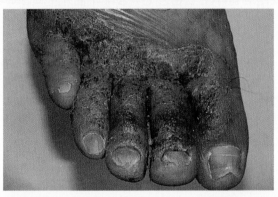

② 시판약을 사용하고 있는 것 같다. 가려움증이 극심하다

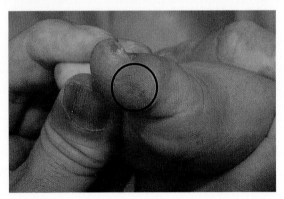

③ 소아의 발가락에 생긴 소수포

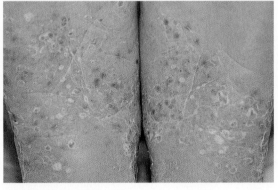

④ 성인의 발바닥

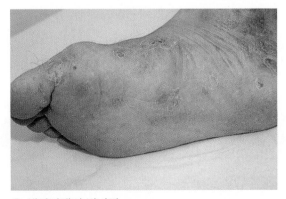

⑤ 샐러리맨의 발바닥

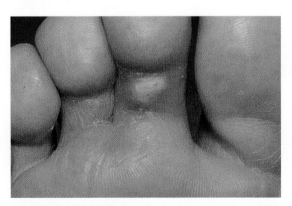

⑥ 발가락 사이에 생긴 수포

① 소수포형 족부백선

발바닥에 생긴 고립성 긴만성 수포입니다. 수포의 천개(天蓋)를 가위로 자르고 현미경으로 관찰하면 백선균이 북적거리고 있습니다.

② 접촉성피부염

이것을 족부백선이라고 진단하는 의사는 거의 없으리라 생각합니다. 확실한 접촉성피부염입니다.

③ 수족구병

소아의 발가락에 타원형의 수포를 보면 수족구병을 의심합니다.

④ 장척농포증(掌蹠膿疱症)

족부백선과 가장 혼동스러운 질환입니다. 현미경이 없으면 거의 확정 진단할 수 없습니다.

⑤ 이한성 습진

발바닥에 불규칙한 수포, 인설이 있는 경우는 가능한 수포의 천개(天蓋)에서 검체를 채취합니다. 백선균의 양성률이 높기 때문입니다.

⑥ 족부백선

이것도 매우 혼동스러워서 어렵습니다. 현미경검사로 백선균이 증명되었습니다. 그러나 그 뿐 아니라, 발적도 수반하고 있습니다. 어떤 외용제로 자극성 접촉성피부염이 생긴 것인지도 모르겠습니다.

칼럼

'발톱이 두꺼워서 깎기가 힘들다. 깎아주십시오' 라고 한다면

● 고령자의 발톱이 딱딱하고 두꺼워지는 후경조갑(厚硬爪甲)은 흔히 경험합니다. 부적절한 신발의 착용, 또는 과거 발톱 등으로 조상(爪上)이 손상된 결과라고 생각됩니다. 이것은 바위처럼 딱딱해서, 이른바 '니퍼형 손톱깎기'(SUWADA(諏訪田)손톱깎기'로도 무리입니다)로 깎으려고 하면 환자에게 극심한 고통을 주어, 뜻밖에 상처가 되어 버립니다. 외래에서 바로 대처하려고 하지 말고, 사포 등으로, 간호도우미·가족이 조금씩 깎도록 지도합니다. 보험진료에서는 '발톱깎기'에 해당하는 점수가 없습니다(2017년 2월 현재). 발톱깎기는 본래 일상적인 손질이며 '의료행위'가 아닙니다. 무리해서는 안됩니다. 필자의 의원에서는 '본 의원은 발톱은 깎지 않습니다' 라고 게시하고 있습니다.

족부백선에는 각질증식형이라는 타입도 있습니다.

이 타입과 유사한 질환이 매우 많아서 혼란스럽습니다. 수포·농포가 혼재하는 장척농포증(掌蹠膿疱症), 외견상은 전혀 구별이 불가능한 이한성 습진이나 한포, 겨울의 건조로 현저해지는 균열성 피부염, '건강'샌들의 사용에 의한 각화증 등입니다. 만성으로 시판약 등을 외용한 결과, 피부가 딱딱하게 굳어지는 환자도 눈에 띕니다.

이 증례들을 감별할 수 있습니까?

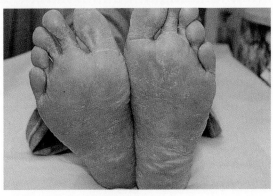

① 양 발바닥의 현저한 각화

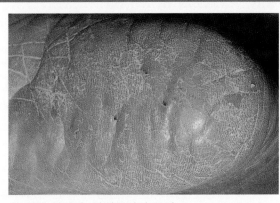

② 성인 발바닥. 발뒤꿈치의 균열

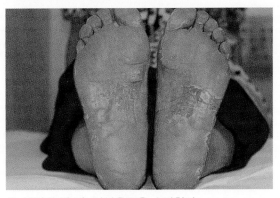

③ 성인의 양 발. 가려움증을 수반한다

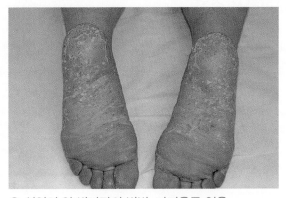

④ 성인의 양 발바닥의 병변. 가려움증 없음

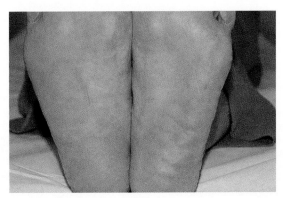

⑤ 발바닥의 극심한 가려움증

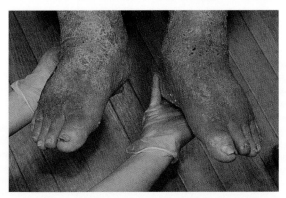

⑥ 자기판단으로 장기간 시판약을 외용하고 있던 증례

정답과 해설

① 각질증식형 족부백선

딱딱하고 두꺼운 각질로, 백선균 양성입니다.

② 발바닥의 균열성 피부염

건조가 원인으로 발바닥·발뒤꿈치의 각질에 균열이 생깁니다.

③ 족부백선 + 한포

발바닥이 딱딱해져 있는 상태로, 백선균도 증명되었습니다. 항진균제 외용으로도 소수포가 잔존하게 됩니다. 그것은 한포입니다.

④ 장척농포증(掌蹠膿疱症)

이것은 족부백선과 구별하기가 어렵습니다. 백선균을 여러 부위에서 검사해도 증명되지 않고, 스테로이드 외용에 어느 정도 반응하는 경우는 장척농포증을 의심합니다.

⑤ 건강샌들에 의한 각화증

가려움증을 수반하고, 마치 각질증식형 족부백선 같은 느낌이 듭니다. 그러나 돌기가 있는 샌들로 피부를 자극하면, 이와 같은 임상상이 됩니다.

⑥ 만성 접촉성피부염

발은 환자가 자기판단으로 시판약을 외용하는 경우가 많습니다. 자—알 얘기를 들어봅니다. 항진균제는 보통 약국에서 구입할 수 있습니다.

칼럼

결핵이 되지 않는, 상처가 빨리 낫는 슈퍼맨(우먼)?

● 세계적으로 건선'환자'는 1억명 이상 있다고 합니다. '환자'라고 기술하지만, '체질'로 생각하면, 어떻게 이렇게 많은 사람이 있는지 알 수 있습니다. 인류는 말하자면 '감염증과의 전쟁'으로 자손을 늘려 왔습니다. 그 중에서도 '결핵'은 많은 사람을 죽음으로 몰아넣을 무서운 감염증이었습니다. 건선체질인 사람은 종양괴사인자(TNF)-α, IL-17 등의 면역계시스템이 과잉 반응하는 것으로 알려져 있습니다. 결핵균이 체내에 들어오려고 하면, 즉시 각종 사이토카인이 균을 '요격'하여, 인체를 방어하고 있습니다. 결핵 이외의 감염증에도 매우 완고하여 상처를 입어도 치료가 빨라서, 오랜 인류의 역사에서 건선체질이야말로, 살아남을 수가 있었던 것입니다. 그 방위시스템이 과잉 반응하면 '환자'가 되는 것입니다. 좋은 면도 있기 때문에 1억명 이상의 사람들이 살아남은 셈입니다. 현재 '환자모임'이 조직되어 있어서, 전국에서 활동하고 있습니다. 건선인 것에 열등감을 느끼지 않고, 모두 서로 격려하면서 살아가려는 단체입니다. 도쿄 건선회(회장 : 青木孝一씨)[1]는 NPO법인격을 가지고 정력적으로 활동하고 있습니다.

참고문헌

1) 공인NPO법인 도쿄건선회 P-PAT : [https://www.p-pat.org/]

진단편 10 발가락 사이가 하얗게 불었어요….
– 무좀의 유사증례③

지간형(趾間型)타입의 족부백선입니다.

발가락 사이는 항상 고습도입니다. 백선균의 감염뿐 아니라, 세균도 증식합니다. 또 칸디다라는 상재균도 증식하여, '고습도를 좋아하는 원인균에 의한 감염증'이 발생하기 쉬운 부위입니다. 시판약에 의한 접촉성피부염도 다른 부위보다 호발합니다. 감염증 치료를 해도 낫지 않는 경우는 복수질환이 동거하고 있다고 생각합니다. 어떤 상태라도 현미경검사에 의한 백선균의 유무 확인이 필수입니다.

이 증례들을 감별할 수 있습니까?

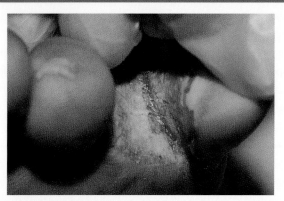

①성인의 발가락 사이. 가려움증을 수반한다

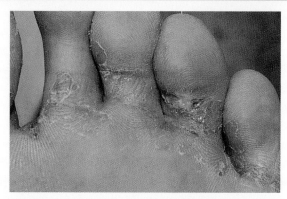

②성인의 발가락 사이. 가벼운 가려움증이 있다

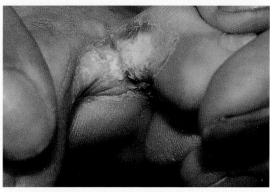

③성인의 발가락 사이. 자각증상은 없다

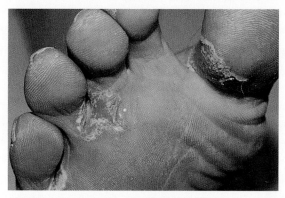

④성인의 발가락 사이. 가려움증이 심하다

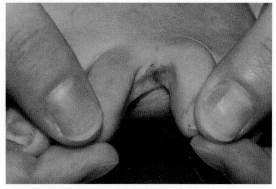

⑤소아의 발가락 사이. 가려움증이 심하다

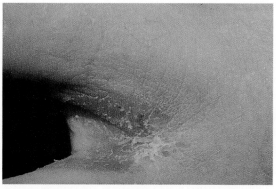

⑥성인의 발가락. 시판약을 사용하고 있었다

① 지간형 족부백선

발가락 사이의 병변입니다. 중앙의 발적부에서는 백선균이 증명되지 않습니다. 오히려 변연의 인설에서 검체를 채취합니다.

② 족부백선＋이한성 습진

백선균이 증명되어도 항진균제만으로는 치유되지 않는 증례입니다.

③ 발가락 사이의 세균감염＋족부백선

발가락 사이의 침연으로 백선균이 증명되는 것은 오히려 소수파입니다. 대부분은 침연이 1차적이며, 거기에 세균감염이 생깁니다. 당뇨병환자는 방치하면 림프관염이 생겨서 입원하게 되는 경우가 있습니다.

④ 지간형 족부백선

순수한 지간형 족부백선입니다. 이것은 항진균제로 치유합니다.

⑤ 발가락 사이의 균열＋2차감염

발적과 작은 진무름이 있는 경우입니다. 이것을 족부백선이라고 오해하여 항진균제를 외용하면 악화되므로 주의합니다.

⑥ 시판약(항진균제)에 의한 자극성 접촉성피부염

발가락 사이의 발적, 인설 부위에 관해서 백선균은 음성입니다. 이와 같은 경우는 우선 스테로이드 외용부터 시작합니다. 백선균의 재검사는 그 후에 합니다.

칼럼

> 피부감염증에 '제3세대 세파계 내복약'은 사용하지 않습니다.

- 세프존®, 프로목스®, 메이액트®. 흔히 듣는 '제3세대 세파계'입니다. '세대가 진행되어 여러 가지 균에 효과적일 것이라는' 생각이나 바이오아베라비리티[1]를 생각하면, 내복해도 대부분 대변으로 배설되어 버립니다[2]. 체내에 흡수되는 양은 세프존®에서 25%, 메이액트®는 14%입니다. 내복해도 대개 대변이 됩니다. 효과를 논하기 이전에 조직에 도달하지 않으니까, '예선 탈락'인 항생제입니다. 수막염에 사용하는 경우는 링거이므로, 이 '제3세대'는 사용할 방법이 없습니다.

- 피부연부조직에 대한 조직이행성을 고려하면, 제1세대 세파제인 케프랄®, L-케플렉스®, 또는 용련균도 타겟으로 생각하여 페니실린을 추천합니다.

참고문헌

1) 岩田健太郎, 宮入 烈 : 세파로스폴린. 항생제의 견해, 사용법Ver.3. 중외의학사, p207-18.
2) 忽那賢志 : '대개 대변이 된다' 항생제에 주의! 일경 메디컬Online. 2015.
[http://medical.nikkeibp.co.jp/leaf/mem/pub/anursing/kutsuna/201512/545029.html]

11 손발톱이 혼탁해요….
– 무좀의 유사증례④

손발톱의 무좀? 실은 여러 가지 있습니다.

발톱백선은 발톱이 황백탁합니다. 진행되면 발톱 아래의 각질이 증식되어, 발톱이 비후하게 됩니다. 한편, 백선균뿐 아니라 녹농균 등의 혼합감염도 생겨서, 흑녹색으로 변색되는 경우가 있습니다. 백선균이 검출되지 않는 경우는 후경조갑(厚硬爪甲, 두껍고 딱딱한 발톱)을 생각할 수 있습니다. 발톱 옆에 세균감염이 생기면 조위조염(爪圍爪炎)이 되어, 언뜻 보기에, 발톱백선과 유사합니다. 손톱을 깨무는 버릇이 있는 소아는 손톱에 상처가 생겨서, 똑같은 증상이 나타납니다.

이 증례들을 감별할 수 있습니까?

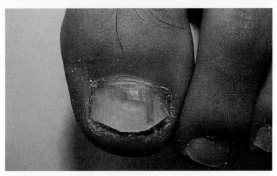

① 발톱이 누런색이 되었다

② 발톱이 비후되었다

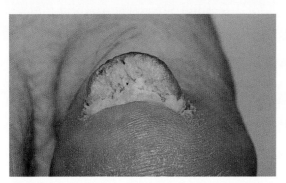

③ 발가락이 처음에는 누런색뿐이었다. 그 후 비후되었다

④ 소아의 손톱

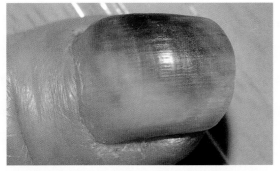

⑤ 성인의 발가락. 처음에는 누런색뿐이었는데…

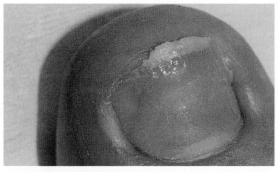

⑥ 발톱 주위. 동통 있음

정답과 해설

① 발톱백선

발톱의 백선은 현미경검사가 필수입니다. '전형례'라도 백선균이 증명되지 않으면 '전형례와 유사한 발톱의 단순한 비후 또는 발톱박리증'입니다.

② 후경조갑(厚硬爪甲, 두껍고 딱딱한 발톱)

고령자에게는 백선균이 증명되지 않는 경우가 많으며, 이 경우는 예전에 발조(拔爪)를 한 결과, 조상(爪床)이 장애를 받아서, 발톱이 겹쳐지듯이 자란 것입니다.

③ 각질이 증식한 발톱백선

발톱백선 양성례에서는 이와 같이 각질이 증식하는 경우가 있습니다.

④ 손톱의 외상(깨무는 버릇)

손톱을 깨무는 버릇으로 손톱백선과 유사한 소견을 나타냅니다.

⑤ 녹농균과 백선균에 의한 혼합감염

손톱백선에 녹농균 등의 상재균이 침입하면 이렇게 됩니다. 우선 백선 치료를 확실히 합니다.

⑥ 조위조염(爪圍爪炎)

손톱 주위의 농양이 손톱 아래에 침입하는 수가 있습니다. 동통이 현저하므로 손톱백선으로 오진하는 일은 없겠지요.

칼럼

'조니 워커의 빨간 라벨의 신사처럼 걷기'를 추천

- 발가락의 내성발톱(내향성 발톱)는 '심조(深爪)'에서 생기는 경우가 많은 것은 알고 있습니다. 그러나 '발톱이 왜 파고 드는가?'하는 근본적 의문은 남습니다. 본래 발톱은 보행하는 발을 위해서 탄탄하게 발가락을 잡고 있는 것을 이해합니다. 인류는 오랫동안 '걷는 생활습관'과 함께 해왔습니다. 자연스럽게 걷는 법을 몸에 익히고 있었던 것입니다. 그러나 차사회의 도래로, 전차·버스 등 교통수단이 발달하여, '걷지 않아도 되는' 생활로 변화되었습니다. 본래 본능적으로 걷는 생물이 걷지 않게 된 것입니다. 이것은 큰 사건입니다. 걷지 않게 된 인간의 발톱이 일방적으로 발톱을 파고 들려고 합니다. 그러니까 반드시, 걸읍시다!

- 걷는 법을 잊었다? 그런 환자에게는 어떻게 걷는 법이 이

상적인지를 보여주어야 합니다. 술집에서 눈에 띄는 이른 바 '조니 워커의 빨간 라벨'에는 씩씩한 신사가 멋있게 걷는 모습이 그려져 있습니다. 그렇습니다. 이 이미지입니다. 옛날 사람들은 등을 펴고, 앞으로 내민 발은 뒤꿈치를 단단히 지면에 붙이고, 뒷발은 발가락이 확실히 지면을 누르고 있습니다. 진찰실에서 어려운 이론을 설명하기보다 '조니 워커의 빨간 라벨'에 그려진 신사를 보여주는 편이 한방에 이해될 것입니다.

12 이것은 옴? 양진? 고민스럽습니다.
– 개선의 유사증례

옴과 양진은 거의 똑같은 증상입니다.

옴에서는 손가락 사이, 손바닥, 손목에서 높은 비율로 옴터널이 발견됩니다. 터널 끝에 있는 '검은 삼각형'이 옴의 두부, 앞발에 해당합니다. 그렇지만 실제는 발견되지 않는 경우도 많아서, '옴터널은 발견되지 않지만, 옴에 매우 가까운' 상태인 환자를 앞에 두고 고민하게 됩니다. 한편 양진은 '가려운 구진'을 말하며, 옴과 분별되지 않습니다. 또 다발성 모낭염도 옴과 매우 유사합니다.

이 증례들을 감별할 수 있습니까?

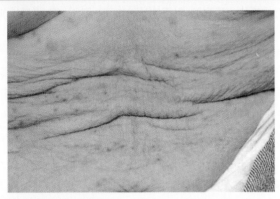

① 고령자의 체간부

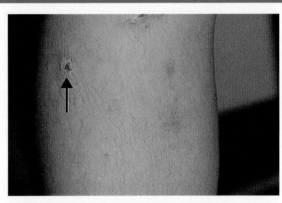

② 성인의 하지. 심한 가려움증을 수반한다

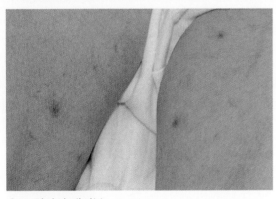

③ 고령자의 대퇴부

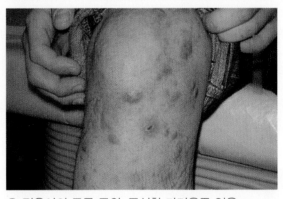

④ 젊은이의 무릎 주위. 극심한 가려움증 있음

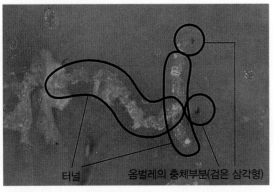

⑤ 고령자의 손의 인설을 더모스코피로 관찰

터널　　옴벌레의 충체부분(검은 삼각형)

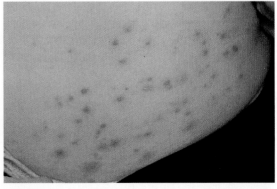

⑥ 젊은이의 체간부에 구진이 다발. 가벼운 동통 있음

정답과 해설

①③⑤ 옴

고령자의 양진은 항상 옴을 생각합니다. 이것을 진찰하려면 손이 거칠어져 있는지를 검사합니다. 옴벌레에 의한 옴터널(사진⑤)이 있는지? 손은 옴터널을 간단히 발견하기 쉬운 부위입니다. 이 점에서 더모스코피는 진단 상의 필수아이템입니다. 이것을 사용하여 옴터널을 확인합니다. 옴벌레의 두부 주위의 '검은 삼각형'이나 진드기의 통과길인 '터널'을 발견하는 것입니다. 바리에이션(variation)은 없고, 거의 모든 증례에서 이와 같은 소견입니다.

② 벌레 물림

이것은 일반적으로는 주위에 발적종창을 수반합니다. 단, 시간이 경과하면 옴과 구별이 되지 않습니다.

④ 양진

혼동스러운 것이 이 양진입니다. 이것은 아토피성 피부염환자에게 발생한 단단한 양진결절입니다. 옴에서도 이와 같은 결절을 형성하는 수가 있어서 어렵습니다. 쌍방 모두 극심한 가려움증을 수반합니다.

⑥ 모낭염

체간부에 발생한 다발성 모낭염입니다. 가려움증은 수반하지 않는 경우가 많고, 일정한 범위에 한정됩니다. 때로 광범위하게 나타나기도 합니다. 1개 1개 옴터널이 없는지 검사하지 않으면 큰일입니다.

진단편 13 가려움증이 있는 붉은 얼굴은?
– 붉은 얼굴의 유사증례

혈관확장, 또는 염증이 있는 상태입니다.

피부과 외래에서 안면의 발적을 호소하는 것은 압도적으로 여성에게 많고, 또 그 대부분은 '심하게 긁어서' 일어나는 것입니다. 아토피성 피부염이 기초에 있는 경우도 많으므로, 다른 부위도 상세히 관찰합니다. 그 밖에 화장품의 접촉성피부염이나 스테로이드 외용의 부작용에 의한 스테로이드 중독, 스테로이드 외용을 하지 않는데 붉어지는 중독, 지루성 피부염 등이 있습니다. 소아에게는 지아노티증후군도 고려합니다.

이 증례들을 감별할 수 있습니까?

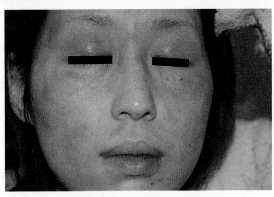

① 성인여성. 가려움증이 심하다

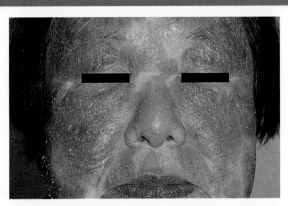

② 중년여성. 몇 년간 스테로이드 외용을 하고 있었다

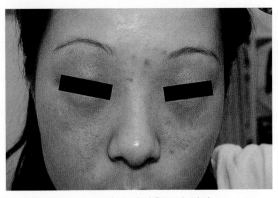

③ 젊은 여성. 눈 주위에 가려움증이 있다

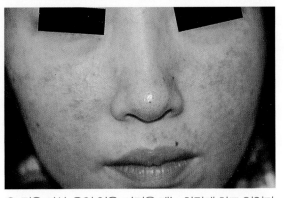

④ 젊은 여성. 유인 없음. 가려울 때는 차갑게 하고 있었다

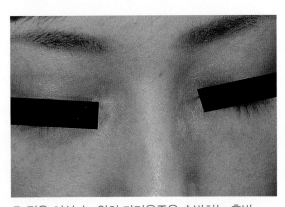

⑤ 젊은 여성. 눈 위의 가려움증을 수반하는 홍반

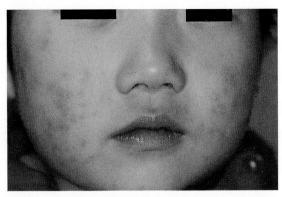

⑥ 소아. 가벼운 가려움증 있음

정답과 해설

① 아토피성 피부염 환자에게 생긴 심한 긁음

안검 주위에 홍반이 현저합니다. 자세히 보면 상안검의 발적이 심한 것이 특징입니다. 이곳은 환자의 손이 잘 닿아서, 즉 '긁기 쉬운' 부위입니다.

② 스테로이드 중독

섬뜩한 임상입니다. 스테로이드 외용 사용력을 자세히 확인합니다.

③ 클렌징에 의한 심한 문지름

가려움증은 아토피성 피부염과 비교하여 경도입니다. 다른 부위에 긁은 흔적이 없고 여기에 국한되어 있으면 이 질환을 생각합니다.

④ 중독

뺨에서 옅은 구진을 확인합니다. 여드름과 달리, 면포가 없고, 가려움증이 있습니다. 경과가 길어서, 이전의 의사선생님으로부터 스테로이드 외용을 처방받은 경우도 많으므로 주의합니다.

⑤ 접촉성피부염

아이메이크업에 의한 알레르기성 접촉성피부염입니다. 화장품의 지식이 없으면 진단할 수 없습니다. 눈썹을 올리는 뷰러에 의한 금속알레르기도 있습니다.

⑥ 지아노티증후군

소아의 발적에서는 바이러스감염도 생각합니다. 사지에 홍반·구진은 없는지? 전신을 진찰합니다.

칼럼

여성에게 생기는 두부모발의 탈모증은 어떡해야 합니까?

● 근래 증가하고 있는 여성 탈모환자가 '발모비즈니스'의 손쉬운 먹잇감이 되지 않게 하기 위해서 다소 지식이 필요합니다. 우선, 갑상선기능이상 등, 탈모를 일으키는 내분비계 질환을 제외합니다. 교원병에서는 전신성 홍반성 루푸스(SLE)에서 전두부 탈모, 감염증에서는 매독 등도 측두부의 탈모를 일으킵니다. 우선 '제외해야 할 질환'을 철저히 조사합니다. 그와 같은 질환을 부정한 경우, 가장 효과가 있는 약제는 '미녹시딜외용액'(대정제약 리업프리젠느®)입니다. 약국에서 OTC판매되고 있으므로 환자에게 구입하도록 지도합니다. 화장품메이커의 '발모제'도 시도해 볼 가치는 있습니다. 자생당의 '나비존DR약용 스칼프에센스®' 등은 평판이 좋은 것 같습니다.

진단편 14 배꼽처럼 부풀어 올랐습니다.
– 피하낭종의 유사증례

'부풀어 오른 종류'라고 하면 피하낭종입니다.

피하낭종은 높은 빈도로 눈에 띕니다. 중앙에 배꼽과 같은 검은 약간 함입된 낭종의 함입개시 포인트를 확인합니다. 그 배꼽이 눈에 띄면, 거의 진단할 수 있습니다. 피부를 잡으면 하상(下床)과의 가동성이 좋은, 매우 단단한 구상종류의 존재를 알 수 있습니다. 염증이 생겨서 발적이 현저해지면 동통이 심해집니다. 귀 주위에는 부이(副耳)도 생기므로 주의합니다.

이 증례들을 감별할 수 있습니까?

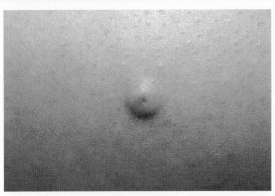

① 체간부의 융기. 지각증상 없음

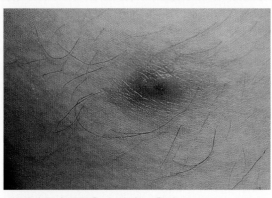

② 체간부의 동통을 수반하는 융기

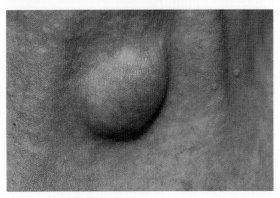

③ 경부의 종류. 자각증상 없음

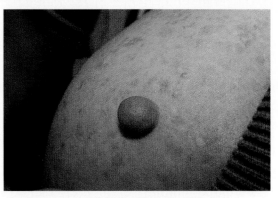

④ 성인의 체간부에 생긴 종류. 자각증상 없음

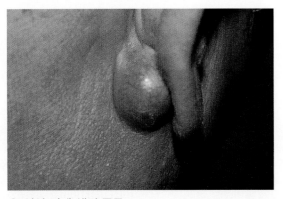

⑤ 성인 귀에 생긴 종류

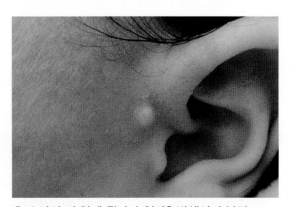

⑥ 소아의 귀 앞에 뭔가가 있다? 발생시기 불명

정답과 해설

①②③⑤ 피하낭종

①은 전형례, 중앙에 흑색점상의 변화를 확인합니다. 이것은 모낭입니다. 그곳에서 발생한 낭종이라는 것을 시사하는 소견입니다. 상당히 단단한 응어리이므로, 익숙해지면 바로 진단할 수 있습니다.
②는 염증성의 변화를 수반한 것입니다.
③는 겨드랑이 아래 등 부드러운 부위에 발생한 것으로 융기가 현저해집니다.
⑤이개 주위는 호발부위입니다.

④ 섬유종

피하낭종은 진피부터 피하조직에 걸쳐서 증대되므로, 이와 같이 경계가 확실한 융기성 외관이 되지 않습니다. 이것은 섬유종이었습니다.

⑥ 부이(副耳)

소아기에 보호자와 내원하는 경우가 많은 선천성 변화입니다. 하상(下床)이 확실하지 않습니다. 가동성도 거의 없으므로, 피하낭종이라고 생각하지 않는 것이 중요합니다.

칼럼

피하낭종은 '감염되니까 아프다'입니까?

- 피하낭종의 치료에서 흔히 '항생제 내복 중에 상태를 봅시다'라는 설명이 행해집니다. 필자도 종종 사용하고 있습니다.
- 미국피부과학회 회원용 '피부과진료에 있어서 불필요하다고 생각되는 10가지 제언'의 하나에 '염증성 피하낭종에 루틴으로 항생제를 투여하는 것'이 있습니다. 세상에, 어떻게 된 걸까요? 피하낭종은 '감염'되는 것 같지 않은데요. 피하낭종 내부의 각질이 저류됨에 따라서 진피 내로 '누출', 이물반응을 일으키는 것이 발적종창의 원인이라는 것을 알게 되었습니다. 다음의 영문을 잘 읽어보십시오.

  'Epidermoid(or epidermal inclusion) cysts, ofter erroneously labeled sebaceous cysts, ordinarily contain skin flora in a cheesy keratinous material. When inflammation and purulence occur, they are a reaction to rupture of the cyst wall and extrusion of its contents into the dermis, rather than an actual infectious process. Incision, evacuation of pus and debris, and probing of the cavity to break up loculations provides effective treatment of cutaneous abscesses and inflamed epidermoid cysts.'[1](e22에서)

- 따라서 염증성 피하낭종은 망설이지 말고 '절개' 또는 '적출'을 합니다. 물론 실제로 감염을 일으켜서, '봉와직염'이 되는 경우도 있습니다. 그러나 그것은 항생제 내복만으로 대처할 수 있는 것이 아니라는 것을 경험상 아시리라 생각합니다.

참고문헌

1) Stevens DL, et al :Clin Infect Dis. 2014;59:e10–e52.

전신에 광범위한 홍반, 구진이!
– 홍반, 구진의 유사증례

전신의 여기저기에, 또는 광범위하게 나타나면 무엇을 생각합니까?

실은 장미색 비강진을 흔히 접하게 됩니다. 체간부에 '크리스마스 트리상'과 같은 중앙에 고리모양의 인설을 수반하는 홍반이 확대됩니다. 바이러스감염증도 물론 생각합니다. 두드러기와 유사한 것에서는 표고버섯피부염이 유명합니다. 생표고의 섭취로 인한 두드러기반응입니다. 약물 알레르기도 있습니다. 장마철로 접어들면, 모충에 의한 독나방피부염도 많아집니다.

이 증례들을 감별할 수 있습니까?

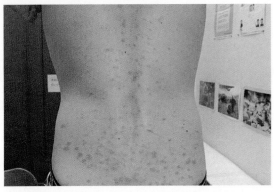
① 젊은이의 체간부에 여기저기 홍반이 생겼다

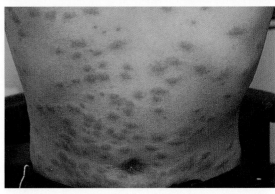
② 체간부에 현저한 가려움증을 수반하는 구진이 다발

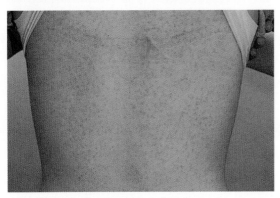
③ 성인여성의 체간부에 생긴 옅은 홍반. 다소의 권태감을 수반한다

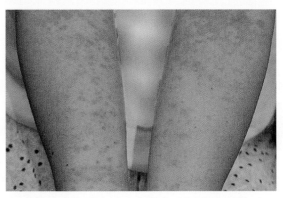
④ 젊은이에게 생긴 상지의 홍반. 자각증상 없음

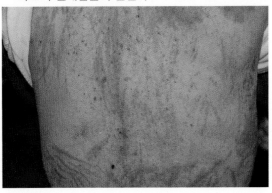
⑤ 생표고버섯을 먹었다고 한다

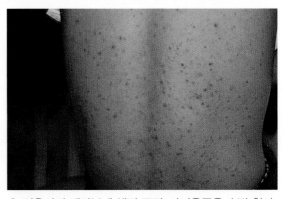
⑥ 젊은이의 체간부에 생긴 구진. 가려움증을 수반 한다

① 장미색 비강진

젊은이에게 많고, 가려움증을 수반하는 경우가 많으며, 일반적으로 안면·손발의 말단에는 나타나지 않는 등의 특징이 있습니다. 매독의 장미진과 감별해야 합니다.

② 나방피부염

극심한 가려움증이 특징입니다. 간토(関東)에서는 6월이나 9월의 비갠 후에 환자가 몰려옵니다.

③ 풍진

거의 볼 수 없게 되었습니다. 극히 옅은 점상의 홍반이 고루 산포해 있습니다. 중증감은 거의 없는 것이 특징입니다.

④ 약물 알레르기? 바이러스감염? 진단이 불가능한 증례

풍진과 유사한 홍반·구진의 산포입니다. 임상소견에 의한 진단이라기보다 홍역, 수두, 풍진은 아니구나, 등의 제외진단이 됩니다. 이것도 자각증상이 없는 경우가 많아서 어렵습니다. 만일을 위해서, 매독도 의심해 봅니다.

⑤ 표고버섯피부염

긁은 곳과 일치하여 팽진이 생기는 특징적인 임상입니다. 생표고버섯을 섭취하고 생긴 것 같습니다.

⑥ 말라세지아(Malassezia)모낭염

비교적 충실한 여드름 같은 구진이 체간부에 나타납니다. 가려움증을 수반하는 경우도 많으므로, 접촉성피부염도 조금은 염두에 둡니다.

16 기저귀피부염일까? – 새빨간 엉덩이의 유사증례

둔부의 홍반, 진무름, 구진은 어떻게 진단합니까?

'기저귀피부염이라고 하면, 설사를 하고 그 자극으로 발적이 생기는 것'이라고 간단히 생각하면, 좀처럼 치료가 진행되지 않습니다. 오히려, 심한 마찰로 인한 자극성 접촉성피부염, 칸디다에 의한 구진, 이 2가지가 압도적으로 많습니다. 항문 주위에 발적이 생기면, 드물기는 하지만, 용혈성 연쇄상구균도 생각합니다. 스테로이드 외용에 의한 백선이 생기는 수도 있습니다. 기저귀를 사용하고 있는 고령자도 마찬가지입니다.

이 증례들을 감별할 수 있습니까?

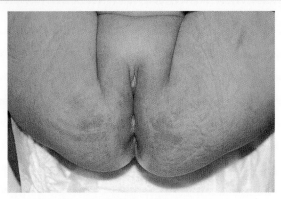

①소아의 음부. 가려움증은 불명

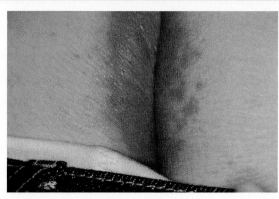

②젊은이의 둔부. 가려움증 있음

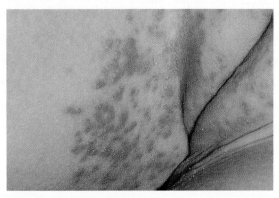

③소아의 음부. 가려운 것 같다

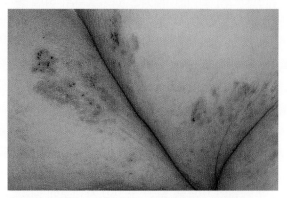

④성인의 둔부. 스테로이드 외용을 하고 있었다

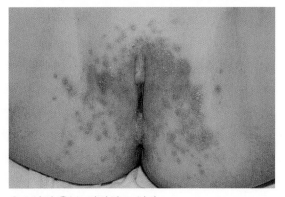

⑤소아의 음부. 아파하고 있다

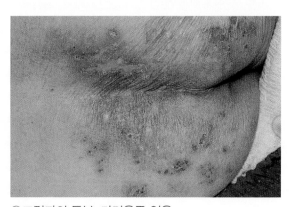

⑥고령자의 둔부. 가려움증 있음

정답과 해설

① (흔히 있는)기저귀피부염

시판약도 아무 것도 사용하고 있지 않으면, 단순한 마찰을 생각합니다. 이 정도의 발적이 많은 것 같습니다.

② 접촉성피부염

발적이 심한 경우에는 알레르기성 변화를 생각합니다. '시판약을 사용했더니 악화되었다'는 호소가 있었습니다.

③ 칸디다증

점상으로 산포하는 홍반 · 구진이 특징적입니다. 현미경검사에서 칸디다 양성입니다.

④ 체부백선

스테로이드 사용에 의한 백선의 합병입니다. 고리모양의 홍반으로 변연에 인설을 수반합니다. 불규칙한 형태는 백선을 고려합니다. 족부백선의 유무에 주의합니다.

⑤ 칸디다증＋심한 긁음

칸디다의 특징이 있으면서, 음부 근방의 비교적 경계가 명료한 홍반은 마찰도 고려합니다.

⑥ 고령자에게 생긴 과잉마찰로 인한 염증

고령자는 간호인에 의한 과잉마찰이 의외로 많아서 주의해야 합니다. 족부백선이 있는 고령자는 체부백선의 합병도 항상 생각합니다.

치료편

17 스테로이드 외용제로도 가려움증이 가시지 않는 피지결핍성 습진. 어떻게 해야 합니까?

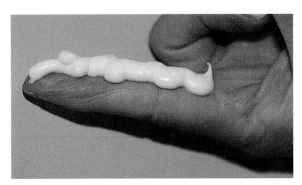

그림1 3FTU
히루도이드®소프트연고 3FTU 짜낸 모습. 악화시는 이 양을 손바닥 2장분에 바른다

스테로이드 외용제를 확실히 사용해도 가려움증이 심하여 '어떻게 좀 해 주세요'라는 환자가 내원했습니다. 백선균 검사는 음성, 옴벌레의 충란도 음성, 헤르페스의 발생이 아니고, 전염성 농가진의 발생도 아니고…이도 저도 아닙니다. 스테로이드에 의한 알레르기성 접촉성피부염일지도 몰라서, 외용제의 종류를 변경해 봤지만, 역시 마찬가지…인 경우, 어떻게 합니까?

우선 해야 할 것은 무엇입니까?

정신적인 문제니까 끈기있게 치료하면 낫는다…고 격려합니까? 아니아니 아닙니다. 역시 수수께끼 질환일 수도 있으니까, 혈액검사, 에코검사, CT검사 등을 계획한다? 보험병명은 어떻게 합니까? 도가 지나치면 '지불기금, 보험자의 감사의 원인'이 됩니다.

실은 대부분의 경우, 의사는 환자에게 외용방법을 실천적으로 설명하지 않습니다. 피부과에서는 튜브에서 연고를 짜내어, '어른의 검지 끝에서 제1관절까지의 양이 약 0.5 g이 된다'는 식으로 대략 그 기준을 설명하고 있습니다(1FTU : 1 Finger Tip Unit). 이것을 양 손바닥의 범위에 외용하는 것이 기준이 되고 있습니다[1]. 여기에는 함정이 있습니다. 문제는 그 양입니다. 매끈매끈한 보통 피부에서는 1FTU가 손바닥 2장분입니다. 그러나 피부염 환자의 피부는 거칠어져 있습니다. 즉 울퉁불퉁합니다. 미세하게 보면 표면적이 커진 것입니다. 보통 손바닥 2장분으로는 너무 적습니다. 스테로이드 또는 보습제를 외용해도 가려움증이 가라앉지 않는 원인은 '외용량이 너무 적기'때문입니다. 필자의 의원에서는 초진 시에 실제

로 환자에게 '1FTU의 3배량 정도 바르십시오' 라고 설명합니다(그림1). 이 방법으로는 전신의 반정도의 범위에 병변이 있는 아토피성 피부염환자에게는 1회 도포로 20~30 g정도 사용하게 됩니다. 보습제와 스테로이드 외용제를 중복도포, 즉 겹쳐바르는 경우에는 보습제 20 g, 스테로이드 외용제 10 g정도가 기준입니다. 물론 병변의 체표면적에 따라서 사용량이 바뀝니다. 체중 50~60 kg인 성인의 경우, 1주간분은 보습제 150 g(1개월에 600 g), 스테로이드 외용제 70~100 g(1개월에 300~400 g)이 필요하게 됩니다. 물론 임상경과에 따라서 개선이 전망되므로, 스테로이드 외용량은 감소될 것입니다. 그러나 보습제는 대량 사용을 계속하는 편이 좋습니다(그림2).

정리

피지결핍성 습진(아토피성 피부염 등도 마찬가지)환자에게 외용해도 가려움증이 낫지 않는다고 하면, 다른 감염증을 제외한 다음에, '보습제, 스테로이드제는 밤에 목욕 후, 1일 1회 흠뻑 대량으로 바르십시오.(라고 말하며 실제로 환자에게 바른다)바른 후, 하의를 입으면 조금 미끈미끈한 정도가 적당합니다. 처음에는 기분이 나쁘겠지만, 가려움증이 멈추면 편해집니다' 라고 설명합니다.

그림2 보습제를 듬뿍 바른 모습
보습제(히루도이드®소프트연고)를 충분히 바른다. 사진은 손바닥 크기의 범위에 바른 모습(고령자의 등). 이것이 1.5~2FTU에 해당한다.

참고문헌

1) 마루호주식회사 : 보습제 바르는 법.
[https://www.maruho.co.jp/hoshitsu/index.html]

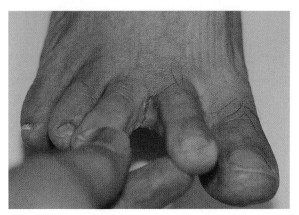

그림1 60세 남성. 침연된 발가락 사이의 병변

이런 증례는 어떻게 합니까?(그림1) 백선균이 증명되면 연고타입의 항진균제(루리콘®연고, 아스타트®연고)등을 사용합니다. 문제는 백선균이 증명되지 않은 경우입니다. '곤란하네. 백선균이 있으면 감염증…이니까, 한번에 공격할 수 있는데. 그게 아니라니, 어떻게 되는거지?' 고민스럽습니다. 환자의 발을 잘 살펴봅니다. 발가락이 딱 밀착되어 있어서 발가락 사이의 간격이 전혀 없는 환자가 대부분입니다. 이런 경우는 '외용제로 어떻게 해 보자'는 공격법은 포기합니다. 발가락 사이에 가제를 삽입하여 간격을 벌리는 등의 테크닉에 숙련되는 것이 중요합니다(그림2).

단 백선균은 존재하지 않지만, 다른 감염증은 괜찮은 것인지…? 걱정되는 부분입니다. 피부가 진물러 흰색인 경우는 칸디다나 표피포도상구균 등 상재균이 번식해 있습니다. 그런데 이 균들은 병원성이 없습니다.

처방 없이는 납득할 것 같지 않은 환자(특히 고령자)에게는 자극이 적은 항균외용제를 1주 등의 기간을 한정하여 처방합니다. 필자는 아크아팀®크림을 흔히 사용합니다. 장기사용은 내성균의 발생원인이 되므로 주의하십시오. 내성균이 걱정되는 경우는 설파디아진은(게벤®크림)을 추천합니다. 또 산화아연 1% 마크로골외용제는 이럴 때에 편리한 '건조제'입니다. 이것은 산화아연을 마크로골이라는 기제로 희석하여 사용합니다. 조제약국에 의뢰하면 만들어 줍니다. 혼합연고·혼합크림의 적은 예외사용입니다. 발가락 사이에 1일 1회 샤워 후에 바릅니다. 자극이 적어서 비교적 안전하게 사용할 수 있습니다.

정리

발가락 사이의 침연으로 백선균이 증명되지 않는 경우는 오로지 건조시킬 것. 외용제는 '보좌역'.

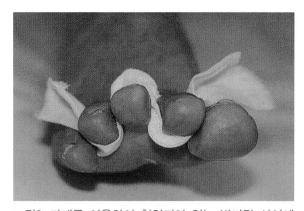

그림2 가제를 이용하여 침연되어 있는 발가락 사이에 간격을 만들었다

19 두드러기에 항히스타민제가 효과가 없습니다. 어떻게 해야 합니까?

치료편

두드러기…어느 진료과에서나 경험합니다. 부풀어 오른 특징적인 팽진은 의사면허를 갓 받은 수련의 가 처음에 경험하는 피부질환 중의 하나입니다. 치료는 항히스타민제의 내복입니다. 그런데 통상량, 즉 첨부문서의 표준량을 처방해도, 전혀 효과가 없는 증례가 많은 것도 사실입니다. 그런 경우 어떻게 할 것인가?

우선, 내복량을 배로 늘립니다. 첨부문서상에 '증상에 따라서 알맞게 증감한다'는 기재가 있으면, 누구라도 할 수 있습니다.(주 : 신약·데자렉스®에는 이 기재가 없으므로, 배량 투여는 불가능). 단 4배량은 의료비청구서 심사에서 삭제됩니다. 이 경우, 전액의료기관의 부담이 되므로 원장·사무장으로부터 벼락이 떨어집니다.

9할의 환자는 이 '항히스타민제의 배량 투여'로 효과가 있습니다. 나머지 1할이 어렵습니다. 외래에서는 노이로트로핀®의 근주, 피하주입니다. 1.2~3.6단위 정도로 하면 됩니다. 그래도 효과가 없는 환자는 전문의에게 소개합니다.

전문의에게 가지 않는 환자는 어떻게 할까요? 실은 항히스타민제는 내복을 계속하여 히스타민수용체인 inverse agonist라는 효과가 나타나는 것을 알고 있습니다. 이것은 이 약제에 의해서 히스타민이 H1수용체에 결합하는 것을 저해할 뿐 아니라, 히스타민이 더 나오지 않게 하는 역작동제의 작용을 하여, 두드러기 반응의 큰 원인을 차단해 주는 작용을 하는 것입니다. 즉 히스타민이 혈액 속으로 나오지 않도록 유도해 주는 것입니다. 이것을 이용합니다. 즉 바로 효과가 나타나지 않아도 계속 내복하면 두드러기 자체가 일어나지 않는 체질이 된다는 점을 환자에게 설명합니다. 참을성 있게 계속 내복합니다.

정리

통상적인 양으로 반응하지 않는 두드러기환자에게는 배량 투여한다. 단, 데자렉스®는 그렇게 할 수 없으므로 주의. 그래도 효과가 없는 경우는 노이트로핀®을 주사한다. 그래도 안되면 inverse agonist를 알기 쉽게 설명하고, 끈기있게 계속 내복한다.

참고문헌

- 谷崎英昭 : 특발성 두드러기 치료−증량의 기법. 그것이 알고 싶다 달인이 전수하는 일상피부진료의 비법과 기법. 宮地良樹, 편. 2016, p112-7
- 田中曉生 : 두드러기 관해 후 언제까지 항히스타민제를 내복해야 하는지. 그것이 알고 싶다 달인이 전수하는 일상피부진료의 비법과 기법. 宮地良樹, 편. 2016, p118-22.

칼럼

땀은 흘리는 편이 좋습니까? 흘리지 않는 편이 좋습니까?

● 땀에는 장점과 단점이 있습니다.

- 장점 : 물론 체온조절기구가 있습니다. 또 땀에 포함되는 항균펩티드나 IgA도 중요합니다. 추가하여 그 자체가 보습인자입니다. 이것은 피부표면을 지켜 줍니다.

- 단점 : 한선내강에서 분비된 땀은 중탄산나트륨(알칼리성)이 함유되어 있습니다. 불감증설인 경우, 그것은 재흡수됩니다. 그런데 발한이 다량이 되면 재흡수가 되지 않고, 그대로 피부의 표면으로 나와 버립니다. 당연히 표피가 알칼리성이 되어 버립니다. 이것은 표피를 손상하여, 이감염성으로 연결됩니다. 특히 아토피성 피부염환자에게는 극심한 가려움증으로 이어집니다. 피부는 산성으로 유지되는 편이 상태가 좋습니다. 이상에서 고려하여, 땀은 '적당히 흘리고, 바로 씻어'냅니다. 격렬한 스포츠 후에도 신속히 샤워하여, 깨끗이 합니다. 그 후 줄줄 흐르는 땀이 피부를 보호해 줍니다. 환자에게도 이와 같이 지도하면 됩니다.

여드름에서,
① 환자가 임신 중이거나 수유 중
② 환자가 초등학생
③ '선생님의 처방제로 새빨개졌다'고 하는 경우, 난처합니다. 어떻게 합니까?

① 임신 중·수유 중, ② 초등학생의 경우는 과산화벤조일(BPO : 베피오®겔)을 사용합니다. 이 약제는 도포 후, 안식향산으로 변화하여 마뇨산으로 요중으로 배출됩니다. 동물실험에서 기형유발성이 없는 것이 장점입니다. 구미에서는 소아에게도 당당히 사용하고 있습니다. 한편, 여드름치료로서는 아다팔렌(디페린®겔)이 있습니다. 이것은 아무래도 기형유발성 공포가 있으므로 소극적이 됩니다. 실제는 대량으로 섭취하지 않으면 문제가 없습니다. 그러나 요즘의 '의사 비난'을 생각하면, 무엇이든지 '의사가 나쁘다'는 것으로 연결되므로, 아다팔렌은 '예선탈락'입니다. BPO는 안면 이외에도 사용할 수 있으며, 임신 중·수유 중에도 아무 문제없이 사용할 수 있습니다.

③의 처방제에서의 트러블은 매우 어렵습니다. 여드름의 유지기에 사용되는 외용제는 BPO와 아다팔렌의 2가지입니다. 그런데 이 2가지 약제는 모두 자극이 강하여 난처합니다. 처방한 환자의 대개 반수 이상에서 자극감이 생깁니다. 이 자극감은 1개월 정도 관찰하면 자연히 가라앉는다고 책에 기재되어 있습니다. 그렇지만 발적·종창이 현저한 증례(그림1)를 경험한 적이 있습니다. 이와 같은 증례가 과연 일시 자극성인지, 알레르기성인지, 판단을 망설이는 경우가 적지 않습니다. 보습제를 사전에 외용해도 심한 염증이 생기는 경우는 알레르기성을 고려하여, 외용 중지도 어쩔 수 없습니다. BPO와 아다팔렌의 혼합제 에피듀오®는 자극감이 배로 일어나므로, first choice는 될 수 없습니다. 이것을 사용하는 것은 BPO가 무효, 아다팔렌도 무효, 또 이 2가지 약제에 심한 염증증상을 수반하지 않을 때뿐입니다.

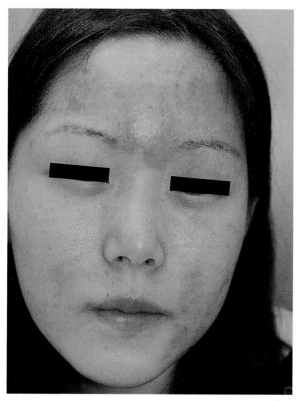

그림1 성인여성. 이마의 경계가 명료한 홍반. 듀아크®배합겔에 의한 알레르기성 접촉성피부염. BPO가 원인이었다.

> **정리**
> 여드름의 유지외용제는 BPO가 사용하기 쉽다. 임신 중·수유 중·초등학생인 경우에도 사용할 수 있다. 그 다음은 아다팔렌. 쌍방 모두 자극감이 가차없이 환자를 공격하므로 사전의 보습제는 필수이다. 그래도 증상이 심한 경우에는 깨끗이 단념한다.

21 One point Q & A

Q1 주위가 붙는 화상궤양, 피부궤양의 경우, 습윤요법을 어떻게 해야 합니까?

A 화상궤양, 피부궤양의 치료에 대한 습윤요법은 이제 유명합니다. 그러나 이런 경우(그림1)어떻게 하면 될까요? 궤양 주위의 피부가 하얗게 침연되어 붙는 상태입니다. 과도하게 습윤되면 이와 같이 되어 버립니다. 이것은 사실 처참합니다…. 너무 습윤되었습니다. 피부의 상피화는 주위 피부가 건전하지 않으면 어렵습니다. 붙은 것은 표피가 손상을 입은 상태입니다. 이 현상들은 국소를 어느 정도 건조시키면 개선됩니다. 이럴 때는 가제를 사용합니다. 가제는 이용가치가 있습니다(그림2).
지나친 건조와 습윤은 안됩니다. 피부궤양의 치료는 사실 매우 섬세합니다.

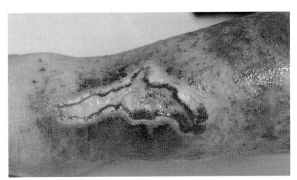

그림1 62세 남성. 외상으로 인한 피부궤양. 하이드로 콜로이드 드레싱으로 침연되어 버린 증례

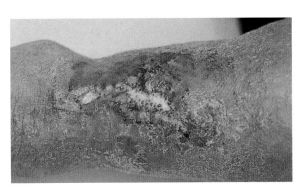

그림2 가제 사용으로 침연이 개선

Q2 약의 정보는 어디에서 얻으면 됩니까?

A 인터넷에서 PMDA(독립행정법인 의약품의료기기종합기구)라고 입력합니다. 팬더 같은 이름이지요. PAMDA라고 잘못 입력하지 않도록 합니다. 모든 약제에 관하여 최신 첨부문서를 무료로 열람할 수 있습니다.

Q3 '임신 중입니다' '수유 중입니다'. 항히스타민제는 어떻게 합니까?

A 수유 중은 펙소페나딘(알레그라®), 임신 중은 세티리진(질텍®)이나 로라타딘(클라리틴®)을 사용합니다 [칼럼 '상황별 항히스타민제 사용법'(☞ p193) 참조]

Q4 액체질소로 치료되지 않는 사마귀, 또는 액체질소를 거부하는 소아의 사마귀는 어떻게 합니까?

A 요쿠이닌 내복(병명은 '사마귀'), 비타민D3 연고(병명은 '장척농포증' '어린선' 등)외용, 스필고TMM(병명은 사마귀, 또는 굳은살)첩부 등을 합니다. 손가락에 다발하여 어쩔 수 없을 때는 전문의에게 소개합니다. 티가손®이라는 내복약이 현저한 효과가 있습니다. 그러나 일반의는 처방해서는 안됩니다.

Q5 안면의 지루성 피부염에서 케토코나졸(니조랄®)외용이 무효일 때, 치료는 어떻게 합니까? 망설여질 때의 대처법은?

A 발적에는 스테로이드를 가능한 사용하지 않도록 합니다. 가려움증이 있으면 타크로리무스연고(프로토픽®연고)['아토피성 피부염'의 병명이 필수] 를 외용합니다. 단 휴약기간을 만들 것. 발적만 소거할 때는 전문의에게 소개합니다. 테트라사이클린계 항생제의 내복은 효과는 있지만, 장래 내성균 또는 부작용이 걱정되므로…. 모세혈관확장이 현저하면 색소레이저를 보험으로 사용할 수 있습니다.

Q6 발톱백선의 고령자로 내복이 불가능하다, 외용으로도 그다지 개선되지 않는다. 어떻게 해야 합니까?

A 우선 진단이 정말 정확한지 확인합니다. 진균검사를 하지 않았을 때는 환자에게 사과하고 다시 한 번 검사를 합니다. 그 결과, 음성이면 '발톱무좀은 아니었습니다', 양성이면 '발톱무좀을 이 항진균제로 치료합시다'라고 설명합니다. 발톱전용 항진균외용제가 효과가 없지만, 고령자이므로 내복을 원치 않을 때는, 외용하면 진균의 감염이 확대되지 않으므로 확실히 유용한 약제라고 설득하고, 외용을 계속합니다. 2종류의 외용제(크레나핀®, 루코낙®)를 교대로 사용하고, 의료비청구서에는 그때마다 '발톱백선'이라고 새로 기재하는 등의 궁리를 합니다. 확실히 외용을 계속하면, 1년 이상 경과한 후에 낫기 시작하는 증례도 있으므로 포기하지 마십시오!

Q7 발톱백선의 비후와 후경조갑(厚硬爪甲, 두껍고 딱딱한 발톱)의 차이점은?

A 후경조갑은 발톱 전체가 일정하게 회백색~누런색입니다. 이에 반해서, 발톱백선은 발톱의 일부가 비교적 명료하게 황백탁해 있습니다.

Q8 중독 치료에 특효제는 없습니까?

A 메트로니다졸(로젝스®젤)이 현저한 효과가 있습니다. 이것은 암성 피부궤양의 악취에만 보험이 적용되며, 현재 중독에 대해서는 자비입니다. Informed consent에서 자비로 약제를 판매하는 수밖에 없습니다. 원외처방에는 처방전을 냅니다. 조제약국과 협의합니다(50g에 7,000엔정도?)

Q9 ①옴일지도 모르지만, 확정진단할 수 없는 환자, ②소아, 임산부, 임신가능성이 있는 여성의 옴은 어떻게 합니까?

A ①옴일지도 모르지만, 옴터널이 없고 충란도 발견되지 않는다, 하지만 가려움증이 있는 경우, 외용은 어떻게 해야 합니까? 스테로이드는 사용해서는 안됩니다. 끈기있게 재진하게 하고, 더모스코피로 손바닥, 손가락 사이에 옴터널이 있는지 체크합니다. 그때까지는 오이락스®크림, 델마크린®A연고(델마크린®크림), 레스타민코와크림 등으로 대처합니다.
②스미스린®로션을 사용하고 싶다…. 그러나 임산부, 임신가능성이 있는 여성의 경우는 첨부문서상 '그레이 존'이므로, 전문의에게 위임하게 됩니다. 일반의가 판단하지 않는 편이 낫습니다. 필자의 경험으로는 매일 욕조에 들어가 담그면 나을 것 같습니다. 고전적인 '물공격'으로도 효과가 있습니다.

칼럼

델마크린®A연고 · 델마크린®크림을 아십니까?

● 피부과를 내원하면 효과는 차치하고, 다음과 같은 외용제가 있으면 좋겠구나 생각할 때가 있습니다.
  ① 스테로이드 외용은 좀 사용하고 싶지 않다
  ② 어쨌든 부작용이 적었으면 좋겠다
  ③ 가려움증이 있어서 어느 정도 염증을 억제하고 싶다
옴일지도 모르지만 가려움증을 호소하고 있습니다. 스테로이드는 사용하고 싶지 않아요. 안면에 가벼운 염증이 있어서, 스테로이드는 싫어요, 프로토픽®연고를 사용할 정도는 아니고, 잠시 상태를 지켜보고자 할…때 등입니다. 델마크린®크림, 델마크린®A연고라는 외용제가 있습니다. 글리틸리틴산이라는 한방약의 '감초'성분을 함유하고 있습니다. 비스테로이드성 항염증제(NSAIDs)로 분류되어 있지만, 중증 부작용이 없어서, 장기사용이 아니라 '상태를 좀 지켜보고자' 하는 경우에 알맞은 약제입니다. 물론 접촉성피부염은 몇 %의 확률로 생기므로, 환자에게는 설명해 둡니다.

외래에서 환자에게 보이기 위한 서적

피부병아틀라스 제5판 西山茂夫 저 문광당
조금 오래되었지만 진찰실에서 환자에게 보이기에는 최적입니다.

새로운 피부병진료아틀라스 清水 宏저 중산서점
깨끗한 임상사진이 가득 실려 있습니다. 진찰실에 상비하면 편리합니다.

기본을 확실히 마스터하고 싶다

새로운 피부과학 제2판 清水 宏저 중산서점
이제 곧 제3판? 피부질환의 개념용어는 이 1권으로 마스터합니다. 임상사진도 풍부하여 편리합니다.

피부과학 제10판 大塚藤男 저 금방당
막대한 정보량을 1권에 완성한 역작입니다.

피부과연수노트 佐藤伸一, 藤本 学편 진단과 치료사
수련의에게는 필수서적입니다.

피부질환진료 실천가이드─진료실에서 매우 유용한 탁상 reference 제2판
宮地良樹, 古川福實편 문광당
'현장'에서 유용한, 매우 실천적인 피부과진료책입니다.

〈종합진료Books〉피부과의가 직접 전하는 피부의 트러블해결법 中村健一저 의학서원
제가 집필한 책입니다. 외래에서의 설명법에 중점을 두고 있습니다.

진료소에서 보는 어린이의 피부질환 中村健一저 일본의사신보사
이 책의 자매판입니다. 꼭 세트로 구비하십시오.

중급자~상급자용 서적

그것이 알고 싶다 달인이 전수하는 일상피부진료의 비법과 기법 宮地良樹 편 전일본병원출판회
宮地선생님이 편집하셔서 안심하고 구입할 수 있습니다. 각 분야의 top level에 의한 '가장 자신있는 기법'이 가득 실린 책입니다. 진료에 막히면 이 책입니다.

장인에게 배우는 피부과 외용요법─옛것을 살려서, 최신 증상에 이용한다
上出良一 편 전일본병원출판회
외용제의 혼합에 의한 문제점 등을 비롯하여, 지금까지의 상식을 뒤집는 듯한 충격적인 내용은 의사를 경탄 케했습니다.

멜라노마 · 모반의 진단아틀라스─임상 · 더모스코피 · 병리조직 斎田俊明 저 문광당
피부과 세계에서는 모르는 의사가 없는 '세계적인 사이트'가 멜라노마 · 모반에 관하여 모든 것을 얘기하는 궁극의 '바이블'입니다.

속 환자로부터 쏟아지는 피부질환100가지 질문─달인은 어떻게 대답하고, 어떻게 대응하는가
宮地良樹 저 Medical Review사
매우 잘 쓰여져 있습니다. 피부과는 어느 정도 하면 벽에 부딪히게 되므로, 또 하나의 높은 산을 넘기 위한 지도서입니다.

최신피부과학대계(전19권+특별권+연간판) 玉置邦彦 총편집 중산서점
전권 구입하는데 100만엔 이상입니다. 여기에 기재되지 않은 피부질환이 거의 없다고 할 정도입니다. '피부과 백과사전'입니다.

테마별

Dr. 夏秋의 임상도감 벌레와 피부염 夏秋 優 저 학연플러스
벌레의 피부염에서는 이 선생님을 당할 의사가 없습니다.

이것이 요령. 환자에게 전하는 피부외용제의 사용법 개정2판 段野貴一郎 저 금방당
외용제에 관해 정리된 양서입니다.

개선대책 Perfect Guide 南光弘子 편 학연메디컬수윤사
개선의 오해, 착각, 지나친 소동, 이것을 훌륭하게 밝히고 있습니다.

더모스코피 · 핸드북 大原國章, 田中 勝저 학연메디컬수윤사
더모스코피의 마스터라면 이 1권.

임부 · 수유부를 위한 복용지도 Q & A 北川道弘, 村島溫子 편 의약저널사
임산부, 수유 중인 모친의 약제 사용에 관하여 알기 쉽게 해설하고 있습니다.

손톱—기초부터 임상까지 제2판 東 禹彦 저 금원출판
손톱의 기초, 손톱질환에 관해서 모두 기재되어 있습니다.

외음부 피부질환 아틀라스 西山茂夫 저 일본의학출판
음부에 관한 서적은 이 책으로 충분합니다. 선명한 임상사진입니다.

구강점막질환 아틀라스 西山茂夫 저 문광당
구강점막에는 어느 질환이나 유사소견이 많으므로 감별이 어렵습니다. 이 책은 사진이 선명하여, 상세한 차이점을 알기 쉽습니다.

알기 쉬운 창상치료의 기본 宮地良樹 저 남산당

정기간행물

전자판

다음은 지판도 있습니다. 압도적으로 전자판이 편리합니다.

임상피부과 의학서원
MedicalFinder이라는 앱에서 열람합니다.

피부병진료 협화기획
M2plus에서 log in 합니다.

주간일본의사신보 일본의사신보사
대망의 전자판이 완성되었습니다. 전자판은 의학정보의 생명선인 최신정보를 바로 열람할 수 있습니다. 검색기능이 충실하기 때문입니다. 1페이지부터 읽을 필요는 없고, '최신백과사전'으로 사용할 수 있습니다.

지판

월간Visual Dermatology 학연메디컬수윤사
가장 많이 팔리고 있는 피부과 월간지입니다. 매호 테마가 정해져 있어서 back number(잡지의 지난 호(號))도 인기가 있습니다. 빨리 전자판을 갖고 싶습니다.

피부과의 임상 금원출판
피부과잡지의 스탠다드입니다.

Monthly Book Derma 전일본병원출판회
월간Visual Dermatology와 마찬가지로, 매호 테마가 정해져 있습니다.

WHAT'S NEW in 피부과학(연간) Medical View사
최신정보의 정리에 편리합니다.

Web site

일본피부과학회 피부과가이드라인(각종) http://www.dermatol.or.jp/
검색에서 '○○(질환명 아토피성 피부염 등)가이드라인'이라고 입력하면 무료로 열람할 수 있습니다.

일본피부과학회 피부과Q&A http://www.dermatol.or.jp/qa
환자용입니다. 일본피부과학회의 홈페이지에 기재가 있습니다. 환자에게 읽게 하는 것도 중요하며, 장척농포증, 심상성 건선 등 설명에 시간이 걸리는 경우에 편리합니다. 누구라도 열람할 수 있습니다.

일본욕창학회 http://www.jspu.org/
입회하면 욕창에 관한 최신정보를 얻을 수 있습니다.

독립행정법인 의약품의료기기 종합기구(PMDA) https://www.pmda.go.jp/
첨부문서는 물론, 약제에 관한 모든 정보가 모여 있습니다. 약제에 관한 효능·효과, 용법·용량 등을 참조할 수 있습니다.

국립감염증연구소 감염증역학센터 감염증 이야기 http://idsc.nih.go.jp/idwr/kansen
거의 모든 감염증에 관해서 최신정보를 얻을 수 있습니다.

카시오계산기주식회사 더모스코피학습용 서비스 'CeMDS' https://cmds.casio.jp/DMDS/
Web상에서 다모스포피를 배울 수 있습니다. 도쿄여자의과대학교수·田中勝선생님, 사토피부과원장·佐藤俊次선생님이 지원해주신 덕택입니다. 기업으로는 카시오 사이트입니다. 한번 하면 '빠지게' 됩니다.

STD연구소 성병에 관한 고민해결사이트 https://www.std-lab.jp/
일반용 사이트이지만, 의사에게도 유용합니다. 환자에게 이 사이트를 가르쳐 주어 자각하게 합니다.

갈델마주식회사 진균검사.jp http://www.hifushinkin.jp/kisokoza/index.html
가나자와(金澤)의과대학 피부과학교수·望月 隆선생님 감수입니다. 피부진균증 검사의 노하우를 알 수 있습니다.

마루호주식회사 개선 https://www.scabies.jp/scabies/index.html

시오노기(塩野義)제약주식회사 병의 지식 여드름
http://www.shionogi.co.jp/wellness/diseases/acne.html
여드름에 관한 해설사이트입니다. 도쿄여자의과대학교수·川島 眞선생님의 감수입니다. 환자가 보기에 매우 적당한 내용입니다.

글락소스미스클라인주식회사 발모Web https://hatsumo-web.jp/index.html
AGA(남성형 탈모증)치료제인 자가로®에 관한 사이트입니다. 환자들이 흔히 읽고 내원합니다. 의사도 내용을 파악해 두십시오.

아스텔라스제약주식회사 과연 병의 가이드 아토피성 피부염
https://www.astellas.com/jp/health/healthcare/ad/index.html
환자가 읽는 대표적인 사이트입니다. 도쿄 지케이카이(慈惠会)의과대학 피부과학 강좌교수·中川秀己선생님의 감수입니다.

DESIGN-R® 욕창경과평가용

진료기록부번호 (　　　　　)
환자성명 (　　　　　)

				월 일	/	/	/	/	/	/

Depth 깊이 창내의 가장 깊은 부분에서 평가하고, 개선에 수반하는 창자(創底)가 얕아진 경우, 이것과 상응하는 깊이로 평가한다

d	0	피부손상·발적 없음	D	3	피하조직까지 손상
	1	지속되는 발적		4	피하조직을 넘는 손상
	2	진피까지 손상		5	관절강, 체강에 이르는 손상
				U	깊이판정이 불가능한 경우

Exudate 삼출액

e	0	없음	E	6	다량: 1일 2회 이상 드레싱을 교환한다
	1	소량: 매일 드레싱을 교환하지 않아도 된다			
	3	중등량: 1일 1회 드레싱 교환			

Size 크기 피부손상범위를 측정: [긴지름(cm) × 긴지름과 직교하는 최대지름(cm)]*3

s	0	피부손상 없음	S	15	100 이상
	3	4 미만			
	6	4 이상 16 미만			
	8	16 이상 36 미만			
	9	36 이상 64 미만			
	12	64 이상 100 미만			

Inflammation/Infection 염증/감염

i	0	국소의 염증징후 없음	I	3	국소의 확실한 감염징후 있음(염증징후, 고름, 악취 등)
	1	국소의 염증징후 있음(창주위의 발적, 종창, 열감, 동통)		9	전신적 영향 있음(발열 등)

Granulation 육아조직

g	0	치유 또는 창상이 얕아서 육아형성이 평가가 불가능하다	G	4	양성육아가 창면의 10% 이상 50% 미만을 차지한다
	1	양성육아가 창면의 90% 이상을 차지한다		5	양성육아가 창면의 10% 미만을 차지한다
	3	양성육아가 창면의 50% 이상 90% 미만을 차지한다		6	양성육아가 전혀 형성되지 않았다

Necrotic tissue 괴사조직 혼재되어 있는 경우는 전체적으로 많은 병태로 평가한다

n	0	괴사조직 없음	N	3	부드러운 괴사조직 있음
				6	딱딱하고 마른 두꺼운 밀착된 괴사조직 있음

Pocket 포켓 매회 같은 체위로, 포켓 전둘레(궤양면도 포함) [긴지름(cm) × 짧은지름*1(cm)]에서 궤양의 크기를 뺄 것

p	0	포켓 없음	P	6	4 미만
				9	4 이상 16 미만
				12	16 이상 36 미만
				24	36 이상

| 합계*2 | | | | | | |

부위 [천골부, 좌골부, 대전자부, 종골부, 기타 ( )]

*1: "짧은지름"은 "긴지름과 직교하는 최대지름"이다
*2: 깊이(Depth : d.D) 의 득점은 합계에 더하지 않는다
*3: 지속되는 발적인 경우도 피부손상에 준하여 평가한다

©일본욕창학회/2013
©일본욕창학회(자세한 내용은 웹사이트에서 [http://www.jspu.org/jpn/member/pdf/design-r.pdf])

필자가 추천하는 참고도서 & Web site

283

색　인